Les Fascismes

par

Pierre Milza

NOTRE SIÈCLE

Collection dirigée
par
Jean-Baptiste DUROSELLE
Membre de l'Institut
Professeur émérite à la Sorbonne (Paris I)

Les Fascismes

par

Pierre Milza

Imprimerie nationale – Paris 1985

© Imprimerie nationale — Paris 1985

ISBN 2-11-080831-4 (brochés) — ISBN 2-11-080832-2 (reliés)

Avant-propos

Ce livre n'est pas une réédition de l'ouvrage que j'ai publié en 1973 en collaboration avec Marianne Benteli (*Le fascisme au XXᵉ siècle,* Paris, Richelieu/Bordas), enrichi de quelques ajouts et débarrassé de ses « bavures » stylistiques. Il se veut à la fois réécriture partielle de la version originelle et réexamen du problème à la lumière de l'immense production éditoriale et des événements de la dernière décennie.

Disons-le d'entrée de jeu : si j'ai abandonné en cours de route quelques idées de pure confection théorique – ces « concepts réifiés » justement critiqués par Jean-Baptiste Duroselle dans *Tout Empire périra* (Paris, Publications de la Sorbonne, 1981) – et pas mal d'expressions inspirées de l'univers intellectuel post-soixante-huitard, je ne renie aucune des conclusions formulées en 1973. A commencer par la plus importante à mes yeux, à savoir que si les quarante dernières années ont vu se perpétuer ou se relayer des organisations regroupant tantôt des rescapés de la débâcle de l'Axe et des nostalgiques de l'Ordre nouveau, tantôt de jeunes disciples d'un catéchisme hitlérien repeint ou non aux couleurs du modernisme, elles n'ont donné naissance à aucun régime spécifiquement *fasciste*.

Ni les dictateurs populistes d'Amérique latine et du Moyen-Orient, ni les militaires réactionnaires qui leur disputent ici et là les leviers de commande de l'État policier, ni les « socialistes scientifiques » en battle-dress qui président aux destinées de divers pays africains, ni enfin les promoteurs du totalitarisme régressif qui a triomphé en Iran en 1979 et s'offre aujourd'hui en modèle aux masses musulmanes ne peuvent être considérés comme des leaders fascistes au sens que ce mot a revêtu dans l'Europe de l'entre-deux-guerres. De cela nous essaierons de nous expliquer dans les pages qui suivent.

De plus, il semble bien que les chances de réussite du néo-fascisme dans le monde industrialisé soient plus minces encore à l'heure présente qu'elles ne l'étaient il y a dix ou quinze ans, à l'apogée d'une ère de croissance et de prospérité sans précédent dans l'histoire du capitalisme. En raisonnant sur l'exemple des années 30, on aurait pu penser à cette date qu'une nouvelle crise-catastrophe venant frapper de plein fouet les économies avancées aurait entraîné les mêmes effets déstabilisateurs, provoquant une vague de fond de même nature et donnant leur chance aux partisans d'une solution nationaliste radicale et totalitaire. Or il n'en a rien été. Au moment où étaient rédigées les dernières pages de ce livre, les résultats des élections européennes de juin 1984 disaient clairement à quel point, après dix années de crise, le fascisme était devenu une force marginale sur le terrain même où il avait pris naissance et connu, il y a un demi-siècle, ses plus éclatants succès. Que reste-t-il à ce jour du MSI d'Almirante et du NPD d'Adolf von Thadden, en plein essor au début de la décennie 1970 ? De quel poids pèsent dans la vie politique de l'Europe du Sud les nostalgiques du franquisme, du salazarisme et de la dictature des colonels grecs ? Quelle signification, autre que commémorative d'un passé mort, revêt une manifestation comme le rassemblement annuel des néo-nazis à Dixmude, en cette terre flamande autrefois porteuse d'un fascisme de masse ? Seule la France paraît faire exception avec les 11 % de suffrages du Front national, mais dans un contexte qui doit plus à la situation politique du moment qu'aux effets prolongés de la crise et au profit d'une formation qui relève davantage de la tradition ligueuse et du poujado-pétainisme que du fascisme pur et dur des origines.

Probablement faut-il en conclure que si le fascisme s'est nourri des difficultés économiques et sociales du premier après-guerre et de la grande dépression des années 30, il a surtout tiré profit de données qui appartiennent aujourd'hui au passé : la déstructuration de sociétés traditionnelles tout juste entrées dans l'ère industrielle, l'incapacité des élites à intégrer les masses ainsi rendues disponibles, l'absence dans certains pays de traditions démocratiques et surtout les effets traumatisants du premier conflit mondial et de la révolution bolchevique. La crise actuelle ne conjugue pas ses conséquences douloureuses – moins fortement ressenties il est vrai dans des pays qui ont accru leurs richesses et leurs moyens d'intervention – avec des difficultés de cette nature. Après quatre décennies de paix, le monde industrialisé, et en premier lieu l'Europe, bénéficient au contraire d'une adhésion quasi unanime au modèle démocratique et d'un rejet aussi large des totalitarismes de droite et de gauche. Cela ne signifie pas que, sous des formes diverses, il soit définitivement à l'abri de l'un et de l'autre, encore moins que les dictatures qui ont fleuri sous d'autres cieux soient moins répressives et inhumaines que celle qui a donné son nom à l'objet de cette étude. Ce serait faire preuve de beaucoup de cécité. Contentons-nous d'appeler les choses par leur nom, le respect de la personne humaine et la démocratie n'ayant rien à gagner aux amalgames et à la confusion verbale. Ce livre n'a pas d'autre ambition.

I

Aux origines du fascisme : crises et mutations des sociétés européennes à l'âge de l'impérialisme

Si les fascismes constituent à bien des égards une réponse aux problèmes posés par la guerre et par les retombées de la révolution d'Octobre, ils plongent en même temps leurs racines dans une histoire moins immédiate qui est celle des sociétés européennes, confrontées aux bouleversements de la seconde révolution industrielle.

Un coup d'accélérateur

de l'Histoire

C'est au cours des deux dernières décennies du XIXᵉ siècle que s'opère en Europe une transformation radicale des structures de l'économie capitaliste. Celle-ci se caractérise par d'importants changements technologiques, par l'utilisation de nouvelles sources d'énergie (l'électricité et le pétrole), par l'essor de jeunes secteurs industriels (machines-outils, industrie chimique) et par l'avènement d'une production de masse qui implique la concentration géographique et sociale des entreprises. On passe ainsi du capitalisme atomistique et concurrentiel qui avait caractérisé l'époque libérale à une phase au cours de laquelle se réalise la fusion entre le capital industriel et le capital bancaire. Ce stade du capitalisme, qualifié un peu hâtivement par Lénine de « monopolistique » et de « suprême », fondement à ses yeux de l'impérialisme des États modernes, ne s'applique pas à tous les pays européens. Il est certain – W. W. Rostow insiste sur ce point – que pendant la période qui voit se développer l'action et l'idéologie impérialistes coexistent, d'une aire économique à l'autre, voire à l'intérieur d'un même pays, divers stades de développement. Il faut admettre toutefois que la tendance est plutôt au resserrement des écarts. Le processus de « décollage » de pays tels que l'Allemagne, l'Italie, dans une certaine mesure la Russie, a été plus rapide que celui de l'Angleterre et de la France. Surtout, il s'est plus vite traduit par la mise en place de grandes unités de production. Dans certains secteurs et dans certaines régions, on est passé pratiquement sans transition du stade de la petite entreprise précapitaliste à celui des grosses sociétés contrôlant une partie importante du marché. Il y a donc bien, en dépit de certaines distorsions et d'éléments résiduels relevant de stades antérieurs de la croissance, une unité qui, dans le domaine économique, caractérise globalement l'ère impérialiste.

Quelles sont les conséquences de cette seconde vague de l'industrialisation ? En premier lieu, la formation des ententes industrielles et financières – favorisée par la dépression des années 1873-1895 – renforce les oligarchies dirigeantes et diminue le rôle du secteur concurrentiel. La concentration des fortunes, la constitution de puissants empires économiques qui renforcent, à la faveur des grands accidents conjoncturels du siècle, leurs positions hégémoniques ont pour corollaire l'effacement de la petite et de la moyenne entreprise, incapables de rivaliser avec ces géants. Il en résulte, pour ceux, de plus en plus nombreux, qui sont employés dans les énormes unités de production dépendant de ce secteur, une déshumanisation complète des rapports entre l'homme et son travail et entre les hommes eux-mêmes à l'intérieur de l'entreprise. Les critères d'efficacité et de rentabilité remplacent ceux de conscience professionnelle et de goût du travail bien fait.

L'exode rural, s'il n'est pas un phénomène nouveau, se trouve accentué par la seconde révolution industrielle et doublé, dans certains pays comme l'Italie et la Russie, d'un puissant courant d'émigration. Plongé dans l'univers tourmenté des grandes cités industrielles, jeté sur les routes aventureuses de l'exil, l'homme européen – principalement le rural – subit un déracinement profond, une rupture avec le milieu d'origine et avec le passé qui affectent fortement ses idées et son comportement.

Un autre caractère de l'âge impérialiste, bien souligné par Wolfgang J. Mommsen (*Das Zeitalter des Imperialismus*), réside, en dépit de la contre-offensive protectionniste, dans le développement d'un système économique multilatéral – mondialisé - infiniment plus sensible aux crises et d'une complexité telle que toute prévision rationnelle devient impossible. Il en résulte, en pleine période de prospérité, une tension, un sentiment d'insécurité, un constat d'impuissance devant les forces irrationnelles qui semblent dominer l'univers.

Parmi les bouleversements produits dans la conscience des hommes de la fin du XIXe siècle par l'avènement de l'ère impérialiste, il faut encore souligner le rôle nouveau dévolu à l'État. A la conception libérale d'un État « neutre », simple « veilleur de nuit » dont la fonction se limite à maintenir l'ordre et la paix civile, se substitue dans certains milieux économiques l'idée d'un État partenaire privilégié, avec lequel on cherche à conclure des affaires et dont on attend un appui effectif dans les entreprises difficiles de la colonisation et de la conquête des marchés extérieurs. En échange de quoi l'on peut accepter de servir les fins politiques de l'État impérialiste lorsque celui-ci invoque la défense des intérêts privés pour justifier son action. Il s'opère ainsi une interpénétration croissante du monde des affaires et de l'appareil étatique. L'exemple d'un Chamberlain et d'un lord Cromer en Angleterre, d'un Rouvier en France, d'un Prinetti en Italie, est à cet égard significatif.

Cet État modérément interventionniste, les milieux économiques le veulent de plus en plus efficace. Ce qui, pour certains d'entre eux – en Italie par exemple, où nombre d'industriels soutiennent le jeune mouvement nationaliste – peut se traduire par la remise en question des principes et des pratiques de la démocratie libérale. A la limite, on songe déjà dans certains pays à faire de l'État l'instrument du passage accéléré au stade du capitalisme moderne : un objectif que tentera de satisfaire le *fascisme-régime*.

Le deuxième âge industriel s'accompagne d'une accélération des progrès scientifiques et techniques. D'une part, l'homme élargit sa vision du monde. Il va plus loin, et aussi il voit plus loin, dans l'infiniment grand comme dans l'infiniment petit. Cela peut se traduire – comme en témoigne le succès d'un Jules Verne – par une espérance prométhéenne de conquête des espaces inconnus, mais aussi par un plus grand désarroi de l'homme devant un univers dont les limites lui échappent. En même temps de nouveaux moyens de communication tendent à rétrécir les distances et à accélérer le rythme de la vie. Le chemin de fer et le navire à vapeur se généralisent. L'avion, l'automobile et le téléphone font leur apparition. Cumulant leurs effets déstabilisateurs, ces révolutions ponctuelles modifient la perception traditionnelle du temps et font naître dans certains milieux une religion de la vitesse qui trouvera son expression dans le préfascisme futuriste. D'autre part, l'accroissement des forces de production – et de destruction – renforce la volonté de puissance des peuples, en même temps que la gravité des menaces qui pèsent sur eux. Le sentiment d'insécurité grandit, même si l'on en recherche l'oubli dans la frénésie de plaisir de la « Belle Époque ».

L'ampleur et la rapidité des transformations économiques et technologiques qui caractérisent le dernier tiers du siècle ne manquent pas d'ébranler le corps social et de poser aux classes dirigeantes de nouveaux problèmes. Le plus préoccupant est sans doute celui de l'intégration politique des masses, particulièrement de celles qui, récemment détachées des campagnes, ont rompu sans transition avec les cadres de la société traditionnelle. En même temps s'opèrent la montée de nouvelles catégories sociales et la poussée de nouvelles élites qui tendent à contester l'hégémonie des oligarchies en place. Problèmes partiellement résolus dans les démocraties parlementaires de l'Europe de l'Ouest où, à la fin du XIXᵉ siècle, l'alliance de la bourgeoisie et des « nouvelles couches » est un fait à peu près acquis. Il reste très aigu au contraire dans des pays plus récemment industrialisés et dépourvus de traditions libérales comme l'Allemagne et l'Italie.

De leur côté les classes moyennes se trouvent prises entre deux tendances contradictoires. Une partie d'entre elles profite de la modernisation économique et du poids croissant de l'appareil d'État. Ce sont les épargnants, les cadres de l'industrie et du commerce, les fonctionnaires, dans une certaine mesure les membres des professions libérales et ceux d'une aristocratie ouvrière née de la division et de la sophistication du travail. Ceux-là s'intègrent sans difficultés à la nouvelle société. Ce n'est pas le cas des catégories menacées par la concentration capitaliste : artisans, hommes des vieux métiers, petits commerçants, petits propriétaires, intellectuels déclassés, menacés d'expropriation et de prolétarisation. On trouve chez ces vaincus de la révolution industrielle, comme chez les récents émigrés des campagnes, une attitude de refus, de contestation violente, de désespoir, qui cherchera son expression politique dans l'anarchisme, dans le putschisme blanquiste et plus tard dans le premier fascisme.

C'est à la charnière du XIXᵉ et du XXᵉ siècle que l'on prend conscience en Europe – et de façon brutale – de l'accélération de l'Histoire. En moins d'une génération les individus, les marchandises, l'argent et les idées ont multiplié leur vitesse de circulation dans des proportions jamais atteintes. De la « chauve-souris » de Clément Ader qui s'élève à quelques mètres du sol sur une distance de 300 mètres à la traversée de la Manche par Blériot, il ne s'écoule que douze ans ! Et ce n'est là qu'un exemple. Le paysage urbain se modifie également à un rythme plus rapide que jamais. Dans de grandes métropoles comme Londres et Paris, où pendant les deux premiers tiers du XIXᵉ siècle les hommes s'étaient concentrés, entassés dans le même espace urbain, on voit dans les deux dernières décennies la population refluer hors des limites de la ville et occuper de vastes zones jusqu'alors réservées à la culture, où l'industrie et la cité ouvrière ne tardent pas à effacer les traces du monde rural. De surcroît, les bouleversements de l'âge industriel ne se limitent pas aux « villes tentaculaires ». Campagnes et vallées montagnardes voient surgir en quelques années les stigmates du machinisme, tandis que les plages et les villages les plus paisibles subissent les premières vagues du tourisme de masse.

Rien d'étonnant dans ces conditions si l'homme européen au temps de la « Belle Époque » s'aperçoit tout à coup que le monde a changé et si cette mutation le laisse désemparé. Certes, ce changement de rythme et le désarroi dont il est porteur ne sont pas ressentis par tous.

Mais, à côté de ceux que leur activité, leur misère ou leurs luttes absorbent trop pour qu'ils prennent conscience de l'intensité du changement, il y a une minorité d'intellectuels, d'artistes, d'écrivains, de philosophes qui en perçoivent les effets déstabilisateurs et dont l'œuvre va refléter la crise morale d'une élite, celle surtout d'une génération dont l'adolescence coïncide avec ce coup d'accélérateur de l'Histoire.

La revanche

de l'irrationnel

Cette crise intellectuelle et morale est d'autant plus grave qu'elle s'accompagne d'une remise en cause de la façon dont le monde apparaît aux savants, voire de la science elle-même. Jusqu'en 1880-1890, l'édifice déterministe sur lequel reposaient toutes les connaissances scientifiques demeurait à peu près inattaqué. Dans les quinze années qui suivent, il subit une série d'assauts qui en ébranlent fortement les fondations. Les travaux de Max Planck, d'Einstein, de Louis de Broglie, de Lorentz, etc., bouleversent les conceptions traditionnelles concernant le temps, l'espace et la matière et marquent pour l'homme occidental la fin du monde stable et rassurant de Descartes et de Newton.

En même temps, on assiste à une contestation du rationalisme et du scientisme sur lesquels avaient reposé les conceptions philosophiques de l'élite intellectuelle depuis le XVIIIᵉ siècle. La foi dans la science, bienfaitrice de l'humanité et base du progrès de toute société, résiste mal en effet à des théories qui nient l'absolu, la stabilité et la continuité des choses. Romain Rolland parlera du « tremblement de terre des années 1900 et des éruptions de pensée qui bouleversèrent et incendièrent l'esprit du siècle commençant ». Et un demi-siècle après le credo positiviste de Renan, le mathématicien Henri Poincaré admet que « la science sera toujours imparfaite », qu'elle n'est qu'« une classification, une façon de rapprocher les faits que les apparences séparent ». Le culte scientiste se trouve donc ébranlé, ce qui n'aboutit pas nécessairement à nier la science, à en proclamer la faillite. Simplement, on cherche moins à tirer d'elle des vérités absolues qu'à s'en servir comme d'un outil de progrès en mettant l'accent, comme le font les pragmatistes, sur l'utilité concrète du savoir.

Ce qui surtout est remis en cause, c'est le déterminisme scientifique et ceci au profit de l'affectivité et du culte de l'action. Les coups les plus rudes portés au rationalisme et à l'intellectualisme viendront de Bergson et de Nietzsche. Le premier publie en 1889 son *Essai sur les données immédiates de la conscience* – sa thèse de doctorat – qui va révolutionner la psychologie et la philosophie de la connaissance, en donnant un nouveau contenu à la notion d'intuition. En 1907, il aborde dans *L'Évolution créatrice* le problème de la vie, et s'il adopte l'hypothèse transformiste c'est pour rejeter avec vigueur les conceptions mécanistes. En plaçant à l'origine de la vie un « élan vital » issu d'une conscience qui s'efforce de surmonter les résistances de la matière pour en faire un instrument de liberté, Bergson nie le caractère inéluctable des lois de l'évolution. Autrement dit, en même temps qu'il admet l'existence d'une puissance créatrice qui dépasse l'homme – ce qui est une manière de réhabiliter l'instinct – il reconnaît à l'espèce humaine et aux individus qui la composent une possibilité de libre choix qui leur permet d'échapper aux lois absolues du déterminisme. Ces thèses qui heurteront à la fois les héritiers du criticisme kantien et les positivistes débouchaient chez Bergson sur une conception humaniste. Mal assimilées, les notions d'élan vital, d'évolution créatrice et d'intuition – conçue comme une force profonde s'opposant à l'intelligence rationnelle – vont apporter toutefois, avant et après la guerre, un outillage conceptuel aux théoriciens du nationalisme, de l'impérialisme et des doctrines préfascistes.

La pensée de Nietzsche est bien davantage encore une réaction contre l'intellectualisme et une réhabilitation du moi profond. Partant du *vouloir-vivre* de Schopenhauer, mais opposant au renoncement préconisé par son maître l'affirmation glorificatrice de la volonté, l'auteur de *Zarathoustra* entreprend une lutte acharnée contre la pensée rationnelle qu'il tient pour un appauvrissement et veut faire de la philosophie – une philosophie qui n'est plus conscience impersonnelle ou science mais émanation du *moi* – un outil de destruction dirigé contre les pseudo-valeurs, les « pharisaïsmes », sur lesquels reposent à la fois l'humanisme chrétien et les institutions sécurisantes de l'âge positiviste : le droit, la sainteté, la justice, la charité ou la démocratie. Opposant à la « morale du troupeau » celle du Surhomme, non plus esclave résigné mais créateur capable de transformer son destin en une « destinée », le philosophe solitaire est appelé à devenir le maître à penser de tous ceux qui trouveront dans sa vision dionysiaque une justification de leur révolte. L'anarchisme individualiste puise dans la pensée nietzschéenne ses racines spirituelles. Mais, peut-être parce que beaucoup d'itinéraires aboutissant au fascisme sont passés par la révolte libertaire ou par l'anarcho-syndicalisme – Mussolini en est un exemple parmi beaucoup d'autres – et aussi par une interprétation abusive des notions de Surhumanité et de volonté de puissance, les apprentis dictateurs y ont également puisé. L'exaltation du corps vigoureux et sain (« Il y a plus de sagesse dans ton corps que dans ta plus orgueilleuse raison »), « la fidélité à la terre », le culte de la vie dangereuse (« L'homme est une corde tendue entre la Bête et le

1. *Friedrich Nietzsche (1844-1900). Originaire d'une famille de pasteurs luthériens, élève-officier réformé après une chute de cheval puis professeur de grec à Bâle, l'auteur de* Zarathoustra *sombrera à la fin de sa vie dans la folie.*

Surhumain. Dangereuse est la traversée, dangereux chaque pas en avant »), l'héroïsme qui dépasse infiniment l'individualité éphémère et s'affirme dans la destruction ou dans le sacrifice de soi : tels sont les thèmes dont s'inspireront nombre de théoriciens du nationalisme et du fascisme. Et avec eux l'idée d'un monde à changer et à marquer pour des siècles : « Que votre suprême félicité, dit Zarathoustra, soit d'imprimer la marque de votre main sur les siècles à venir, comme sur une cire molle. Il faut graver votre volonté sur des millénaires comme sur un métal plus résistant que l'airain. »

Paradoxalement la psychanalyse, qui à bien des égards se situe aux antipodes du fascisme – est-il besoin de rappeler que Freud meurt en exil en 1938 après que ses livres eurent été brûlés par les nazis et que ses sœurs périront quelques années plus tard dans un camp d'extermination hitlérien ? – procède de ce vaste courant irrationaliste qui envahit la pensée européenne dans la première décennie du XXe siècle et dont se nourrissent les idéologies préfascistes. Bien qu'il demeure fondamentalement positiviste et croit en un progrès de l'humanité fondé sur la culture et sur la répression raisonnable de l'agressivité, Freud va montrer que l'homme n'est pas seulement conscience et raison, mais qu'il est avant cela et plus que cela inconscient, pulsions instinctives, terrain d'affrontement entre instinct de vie et aspiration au néant, notions nietzschéennes auxquelles il donne en quelque sorte un contenu expérimental.

Cependant, plus que chez Freud, dont l'itinéraire débouche en fin de compte sur un humanisme dépouillé de son hypocrisie, les adversaires non marxistes de l'idéologie libérale-démocratique trouveront des arguments dans l'œuvre d'un autre psychanalyste viennois, Alfred Adler. Pour ce disciple de Nietzsche, tendances et impulsions sont des manifestations d'une poussée vitale qui permet à l'homme de triompher des obstacles de la nature et de la concurrence des autres espèces. La vie, estime-t-il, est un mouvement qui tend à l'autoconservation de tel ou tel groupe, de tel ou tel individu, et qui implique une lutte permanente pour une adaptation victorieuse au monde environnant. A ce point la pensée adlérienne rejoint d'une part la notion chère à Nietzsche de volonté de puissance et d'autre part les idées darwiniennes de sélection naturelle et de lutte pour la vie, dont l'influence sur les idéologies nationalistes et impérialistes est alors considérable.

Ces tendances anti-intellectualistes se traduisent, sur le plan des mœurs et de la vie quotidienne, par un renouveau de la culture populaire, du folklore, des traditions régionalistes (le nationalisme du jeune Maurras passe par le contact avec les félibres provençaux) et aussi du sport. L'engouement pour les activités physiques traduit en effet des besoins identiques à ceux que manifestent au même moment les philosophies irrationalistes : volonté de se dépasser soi-même et de

vaincre ses propres limites, exaltation du moi ou au contraire aspiration à se fondre dans le groupe, culte de la vie et fascination du
danger, goût du geste gratuit, de l'effort désintéressé, etc. Jusqu'à la
guerre le sport, qui est né dans la haute société britannique, demeure
toutefois une activité aristocratique, comme en témoigne l'esprit de
l'amateurisme olympique. Les masses ne sont gagnées que lentement,
sauf peut-être par la gymnastique, pratiquée dans tous les pays au sein
de sociétés nombreuses et qui sont autant de terrains de prédilection
pour la propagation du sentiment national.

2. Sport et nationalisme font déjà bon ménage dans l'Europe du premier « avant-guerre ». Match de rugby vers 1910.

Le scoutisme se rattache au même courant. Il se développe lui aussi
d'abord en Grande-Bretagne, sous l'impulsion de Baden Powell, un
général qui a eu l'idée, lors de la guerre contre les Boers, d'utiliser de
jeunes garçons comme éclaireurs de l'armée britannique. Le mouvement qu'il crée dans les premières années du XXe siècle et qui doit
également beaucoup à Kipling (*Le Livre de la Jungle, Kim*) connaît à
la veille de la guerre un grand succès dans la jeunesse dont il cherche
à développer le goût de l'action, l'esprit d'équipe, la passion de la
nature et de l'effort physique, tout en lui communiquant une certaine
mystique nationale.

Le renaissance religieuse est une autre manifestation des progrès de
l'irrationalisme dans le monde de la fin du XIXe siècle. Sans doute
s'accompagne-t-elle chez certains catholiques du désir d'adapter la
doctrine aux données de la science moderne. Des hommes comme le
philosophe Édouard Le Roy et l'abbé Loisy en France, le jésuite
George Tyrell en Grande-Bretagne, le père Buonaiuti et le romancier
Fogazzaro en Italie entreprennent, dans le domaine de la philosophie
religieuse, de l'exégèse biblique, de l'histoire du dogme, des recherches
qui, fortement imprégnées d'esprit positiviste, appliquent aux Écritures
des lois de la critique historique et finissent par interpréter les dogmes,

non plus comme des vérités absolues et immuables, mais comme d'utiles symboles. Ce courant « moderniste », s'il traduit une contamination de la pensée religieuse par l'idéologie dominante, est toutefois le fait d'individus isolés ou de groupes restreints. Il en est de même des idées démocrates-chrétiennes qui constituent l'expression politique du modernisme, cette « synthèse de toutes les hérésies » (Pie X). En fait, dès la fin du règne de Léon XIII, s'amorce une réaction qui s'affirme avec le pontificat de Pie X. Tandis que le pontife condamne solennellement en 1907 les erreurs des modernistes et les exclut du sacerdoce et de l'enseignement dans les séminaires, se développe dans l'Église un courant intégriste qui se réclame de l'intégrité de la foi et proclame son horreur de toute nouveauté.

Ce renouveau de la foi et des valeurs traditionnelles, s'opposant au culte de la raison et de la science, s'accompagne d'une poussée de mysticisme qui affecte toutes les Églises et se manifeste aussi bien au niveau des masses (le succès croissant du pèlerinage de Lourdes en est un exemple parmi beaucoup d'autres) que parmi les élites. Déçus par le positivisme, de nombreux intellectuels se tournent vers la religion. Parmi les conversions les plus célèbres il faut citer celles du Suédois Strindberg, de l'Italien Fogazzaro, des Français Coppée et Huysmans, Brunetière et Claudel, celle surtout de Charles Péguy, passé du socialisme au catholicisme et au nationalisme. Chez Péguy, comme chez beaucoup d'hommes de sa génération, la foi religieuse et le culte de la Patrie se mêlent étroitement, mais des deux composantes du mysticisme qui dominent sa pensée et son action, c'est déjà la seconde qui l'emporte. Phénomène de transfert, du plan religieux au plan de la nation, que l'on retrouvera dans les idéologies préfascistes et qui, s'ajoutant au culte du chef charismatique, prépare les voies d'une religion nouvelle.

L'art et la littérature portent évidemment les traces de cette crise de la conscience européenne. L'accélération de l'Histoire et la dépression morale et intellectuelle qui l'accompagnent font éclater les cadres traditionnels de la représentation esthétique du monde. Les écrivains et les artistes, comme les philosophes, ne sont pas seulement les témoins de la faillite d'un système de valeurs. Ils sont les artisans d'une recherche qui vise à adapter leurs moyens d'expression aux réalités mouvantes de la vie et à trouver une réponse aux problèmes que pose à l'homme européen l'écroulement de l'univers sécurisant du rationalisme.

En peinture, il ne s'agit plus de « reproduire ce qui est visible mais de rendre visible » (P. Klee), c'est-à-dire de dégager la vérité intérieure des objets, comme le psychanalyste cherche à dégager la vérité intérieure de l'individu. Les Fauves sont les premiers, après Cézanne, à voir le monde objectivement, ou si l'on préfère à faire passer la

« vérité avant l'exactitude » (Matisse). Le cubisme va plus loin. A l'heure où la physique nouvelle enseigne que la matière, l'espace et l'énergie sont discontinus, il vise à découper le réel en éléments simples, rompant ainsi avec toutes les traditions de l'art. A la limite, on passe avec l'art abstrait de l'immédiat avant-guerre (*L'Aficionado* de Picasso date de 1912) à une fuite pure et simple devant le réel, devant un univers qui désoriente et qui inquiète. « Plus horrible devient le monde, écrira Paul Klee en 1915, plus abstrait devient l'art. »

La musique marque une rupture identique avec les anciennes harmonies. Avec Wagner, qui meurt en 1883 mais dont l'influence est considérable à la fin du XIXe et au début du XXe siècle, elle se veut à la fois art intégral (musique, poésie et décor) et réponse au désenchantement de l'homme, à une vision pessimiste du monde que l'auteur de la *Tétralogie* a héritée de Schopenhauer. Cette réponse, Wagner la recherche, comme Nietzsche qui fut un moment son disciple et son ami, dans le chant obscur de l'instinct et de la passion, dans le goût violent de la douleur, du sang et de la mort et dans le retour volontaire au néant. En mêlant ainsi l'exaltation des forces instinctives et le culte du passé allemand (légendes germaniques et aussi vision idéalisée de l'Allemagne médiévale), Wagner traduit en langage musical les aspirations d'une génération qui cherche à la fois à justifier ses ambitions et à se dépasser elle-même à travers le mythe grandiose de la Nation et de la Race. Son influence sur les pangermanistes, et après la guerre sur le national-socialisme, sera immense. Mais indépendamment même de sa dimension « germanique », la musique wagnérienne trouve jusqu'à nos jours des admirateurs fanatiques parmi les pratiquants des cultes nationalistes d'inspiration fascisante. Le fait que dans un passé très récent les meetings de certains mouvements néo-fascistes européens aient été baignés d'accents wagnériens témoigne moins de la nostalgie pure et simple des parades de Nuremberg que de la permanence du phénomène et de l'attachement tenace à une façon d'exprimer, non pas anarchiquement, mais dans le cadre d'une tradition « romantique » résolument tournée vers le passé, l'explosion des pulsions instinctives et irrationnelles.

Plus que toute autre forme d'expression, la littérature porte témoignage du bouleversement des esprits et de la volonté de renouvellement qui accompagne la mutation socio-économique de la fin du XIXe siècle. Il ne saurait être question d'en relever toutes les manifestations. Rappelons toutefois qu'au cours de la décennie qui précède la guerre, particulièrement en France, en Italie et en Allemagne, c'est-à-dire dans les pays où vont éclore les mouvements « préfascistes », la plupart des genres littéraires – roman, théâtre, poésie, etc., – subissent fortement l'influence de la vague nationaliste. Il existe

3. Parsifal
de Richard Wagner.
Gravure extraite du
Teatro illustrato,
septembre 1882.

4. Les masses italiennes,
en particulier la
paysannerie qui a fourni
le gros des effectifs
de l'infanterie, ont payé
un très lourd tribut à la
guerre de 1915-1918.
Carte postale éditée à
l'occasion de la bataille
de Caporetto (1917).

d'autre part, à côté de la littérature à contenu explicitement politique, toute une floraison d'œuvres qui, rejetant les valeurs de la société établie, cherchent une réponse aux problèmes angoissants que posent à l'homme européen l'accélération de son rythme de vie et la remise en cause de ses convictions les plus solides. Réaction individualiste chez les uns, comme le Gide des *Nourritures terrestres* et des *Caves du Vatican* pour qui le refus du monde bourgeois s'accompagne d'une passion nietzschéenne pour la vie instinctive et d'un culte de la liberté qui va jusqu'à la glorification de l'acte gratuit. Avec à la limite une volonté de fuite dans l'irrationnel, dans l'absurde, dans le grotesque, que le *Père Ubu* de Jarry exprime dès 1896 et qui annonce déjà le délire Dada. Mais aussi, chez beaucoup d'autres, recherche d'un refuge soit dans les valeurs traditionnelles et dans les communautés anciennes (l'armée pour Ernest Psichari, « la terre et les morts » pour Barrès, la race et l'élite pour l'Allemand Stefan George), soit dans une religiosité mystique (Péguy, Claudel), soit encore dans une poésie exaltant l'aspiration collective, le remous des foules, l'oubli de soi et l'unanimité des cœurs, avec les tentatives, très différentes dans leur esprit mais qui dénotent toutefois un fond commun, de l'expressionnisme allemand et de l'*unanimisme* des écrivains français constituant le groupe de l'Abbaye de Créteil.

C'est dans ce contexte, fait à la fois de désarroi devant un monde qui change, et qui change vite, de révolte contre les modes de vivre et de penser imposés par les élites bourgeoises, d'aspiration à une stabilité retrouvée – que ce soit dans le retour à un passé plus ou moins idéalisé ou dans un avenir qui reste à faire –, de désir enfin de justifier la volonté de puissance de l'Européen conquérant, que se développent au début du XXe siècle les mouvements et les idéologies préfascistes. Et il va se constituer ainsi un outillage idéologique dans lequel la génération de la guerre n'aura qu'à puiser pour tenter de résoudre les problèmes posés par le conflit et par la poussée révolutionnaire qui accompagne celui-ci.

L'impact
de la guerre

Les bouleversements apportés par le premier conflit mondial et par la crise qui suit immédiatement celui-ci vont brusquement accuser les tendances qui viennent d'être évoquées. A travers les atrocités et les horreurs des combats, l'homme européen voit se briser l'image rassurante et idéalisée qu'il s'était faite de l'être humain et de son histoire.

Il s'aperçoit que la foi dans la domination rationnelle du monde et dans la vertu civilisatrice de la science n'est qu'une illusion, face à la montée de forces brutales, obscures et d'autant plus redoutables qu'elles se nourrissent des innovations techniques les plus sophistiquées pour replonger l'humanité dans la barbarie des temps primitifs. Il en résulte une nouvelle poussée de contestation des valeurs héritées de l'esprit des Lumières, et la réhabilitation de la violence et de l'instinct, déjà présente dans la pensée de Nietzsche ou de Sorel comme dans le délire futuriste, mais dont la guerre a fait une règle.

En même temps s'opère un bouleversement profond du corps social. Au brassage des tranchées, à la solidarité des combattants qui tend à faire de ceux qui reviennent une « classe à part », s'oppose le monde de l'arrière, plus égoïste et inégalitaire que jamais. Le conflit a en effet accentué les déséquilibres anciens et établi de nouveaux clivages. Il a renforcé les oligarchies industrielles et financières. Il a fait la fortune des spéculateurs et des intermédiaires, « nouveaux riches » qui affichent aussitôt un luxe agressif. En revanche, il a pesé lourdement sur les masses urbaines et rurales : les premières parce que les salaires ont mal suivi la hausse vertigineuse des prix, les secondes parce qu'appelées à fournir le gros des effectifs de l'infanterie.

Les classes moyennes enfin ont de loin acquitté le prix le plus élevé. L'inflation a ruiné les petits épargnants et les détenteurs de revenus fixes, tandis que les artisans, les petits propriétaires, les entrepreneurs modestes doivent affronter dans les pires conditions la concurrence des grandes entreprises. Jusqu'en 1914 le déclin économique de la petite bourgeoisie n'avait touché que certains secteurs et avait peu affecté le prestige de cette catégorie sociale. Avec la guerre, les difficultés ont fait tache d'huile et le déclassement est devenu manifeste. Ce déclassement, le petit-bourgeois le ressent comme une injustice d'autant plus insupportable qu'il n'a pas payé seulement de son argent et de son rang social, mais aussi de son sang. Les classes moyennes ont en effet fourni les contingents les plus nombreux d'officiers subalternes et de sous-officiers et ce sont elles qui ont été le plus brutalement décimées par les combats. Aussi éprouvent-elles fréquemment un ressentiment très vif à l'égard des classes dominantes et de l'État libéral qui n'ont su ni éviter le conflit, ni empêcher leur ruine. Le fascisme se nourrira de ce mécontentement, de cette réaction de petits bourgeois devenus des anciens combattants. Volonté de changement, nostalgie de la fraternité égalitaire des tranchées, ressentiment contre les « politicards », les capitalistes profiteurs de la guerre, parfois aussi contre les travailleurs « embusqués » de la grande industrie, tels sont les mobiles qui conduiront une partie d'entre eux à rejoindre deux des leurs : Benito Mussolini et Adolf Hitler.

La contestation du capitalisme par la petite bourgeoisie coïncide d'autre part avec la grande vague révolutionnaire qui prolonge dans toute l'Europe la victoire du bolchevisme en Russie. Pourtant, en dépit de leur hostilité envers les oligarchies régnantes, les représentants des classes moyennes ne se rallient pas à la lutte que mènent les organisations ouvrières. Au contraire, dans la majorité des cas, ils la combattent. S'ils aspirent en effet à devenir cette « élite de remplacement » dont parle Pareto, ce n'est pas pour détruire un système fondé sur la propriété et sur la libre entreprise. Comme le souligne Jules Monnerot (*Sociologie de la Révolution*), « la formation des bourgeois ne les a pas préparés à estimer que le désordre puisse être un remède à leur ruine ». Ayant subi la forte imprégnation de l'idéologie dominante, ils ne peuvent que refuser un modèle de société qui tend à les ramener au niveau de la masse. S'associer aux marxistes serait avouer ouvertement leur déclassement, leur prolétarisation, et cela ils ne le veulent à aucun prix. Certes, ils appellent de leurs vœux un changement radical et contestent aux oligarchies en place la direction de l'État libéral menacé. Mais en même temps ils conservent pour la plupart une mentalité réactionnaire et se réfèrent à un projet social résolument tourné vers le passé.

La vague révolutionnaire qui a pris naissance dans la Russie des soviets et qui déferle sur l'Europe entre 1918 et 1923 alimente ainsi le fascisme et transforme un mouvement de contestation anticapitaliste en force contre-révolutionnaire. Trop fortement imprégnées de l'idéologie dominante pour adhérer au marxisme égalisateur et internationaliste, les classes moyennes n'ont le choix qu'entre l'alliance avec les élites dirigeantes et la fuite en avant, l'évasion dans des mouvements politico-romantiques, à la fois anticapitalistes et antimarxistes, qui seront à leur tour récupérés par l'establishment.

Dans les pays anciennement industrialisés, comme la France et l'Angleterre, où les traditions démocratiques sont fortement enracinées et où depuis longtemps la petite bourgeoisie a été politiquement intégrée, le compromis s'établit sans difficulté (cf. les élections de 1919 en France). Au contraire, lorsque les conditions d'intégration sont médiocres – c'est le cas de l'Allemagne et de l'Italie – là où la guerre a plongé les classes moyennes dans une situation catastrophique et où la poussée communiste a été très forte, ce type d'alliance ne rallie qu'une partie du monde petit-bourgeois. Et encore demeure-t-elle extrêmement précaire. Son élément unificateur réside non dans une tradition démocratique commune, mais seulement dans la peur du bolchevisme.

D'autres – et leur nombre n'est pas négligeable – choisissent dès la fin de la guerre le refus, l'évasion, la violence. Parmi eux se recrutent les « corps francs » et les multiples sociétés secrètes qui combattent en Allemagne la subversion spertakiste, ainsi que les *squadre* mussoliniennes. Petits bourgeois déclassés, marginaux, jeunes officiers incapables de se réadapter à la vie civile trouvent dans ces organisations une structure d'accueil qui répond à leurs préoccupations immédiates : la fuite dans l'aventure et dans le nihilisme, la survivance de la fraternité virile des tranchées, l'exaltation nationaliste, et aussi la solution de leurs problèmes matériels car les corps francs et les escouades fascistes sont de bonne heure pris en charge par ceux qui ont un intérêt majeur à briser la vague révolutionnaire, les agrariens et les industriels.

Il se constitue donc, en face d'une « situation de détresse » née de la guerre et de la contagion révolutionnaire, une alliance de fait entre les élites traditionnelles et ceux-là même qui, puisant dans l'outillage idéologique façonné par la réaction antipositiviste de la fin du XIXe siècle, contestent l'État libéral bourgeois et l'hégémonie des grands intérêts privés. C'est ce mariage de raison entre des intérêts parfaitement contradictoires qui va donner sa chance au fascisme dans l'Europe de l'entre-deux-guerres.

II

Les nationalismes préfascistes

Si la guerre et la révolution russe ont joué un rôle fondamental dans la genèse du fascisme, transformant en un puissant mouvement de masse un courant marginal de la pensée petite-bourgeoise, il est clair que, dès la fin du XIXe siècle et les toutes premières années du XXe, se trouvent rassemblés dans les écrits de divers doctrinaires européens et cultivés par des organisations groupusculaires extrémistes à peu près tous les ingrédients qui formeront, quinze ou vingt ans plus tard, la synthèse fasciste.

Le préfascisme
italien

L'Italie est avec la France le pays où s'est opérée le plus tôt et de la façon la plus complète cette fusion des contraires que constitue la synthèse du nationalisme et de la tendance sorélienne du syndicalisme révolutionnaire. Car ce sont bien là les deux sources majeures du fascisme. Deux mouvements qui se développent à peu près en même temps et qui, avec des conclusions apparemment opposées, procèdent l'un et l'autre du vaste courant de remise en question de l'idéologie et de la société bourgeoises.

Commençons par le nationalisme. Il naît et se développe en Italie au moment où s'opère le décollage industriel de ce pays et où une partie de la classe dirigeante, rompant avec la tradition du libéralisme cavourien, cherche à donner une justification idéologique à des entreprises telles que la guerre d'Éthiopie (1895-1896) ou la conquête de la Tripolitaine (1911-1912). A cet égard, le nationalisme italien se rattache directement aux courants impérialistes qui submergent alors l'Europe et le monde et traduit comme ses homologues la volonté conquérante d'un capitalisme en pleine mutation.

Mais il est aussi autre chose. Comme en France il représente une réaction de défense, de repli, d'agressivité refoulée, non pas, de ce côté des Alpes, dirigée contre un vainqueur apparemment intouchable, mais produite par les frustrations que détermine, chez de nombreux Italiens, le fait que leur pays soit considéré par ses partenaires européens comme une puissance de second ordre. D'autre part, pour les intellectuels qui vont développer dans leurs écrits les thèmes nationalistes et pour les catégories sociales que menace la modification des structures économiques du jeune royaume, il est aussi une façon de réagir contre ces transformations récentes. La volonté de se rattacher aux traditions nationales les plus lointaines, d'affirmer la pérennité du génie latin traduit chez beaucoup la nostalgie d'un ordre stable au moment où s'accélère le cours de l'Histoire. Il y a là une attitude de défense de la part de groupes sociaux qui se sentent marginalisés par l'évolution en cours.

Pour les vaincus de la seconde révolution industrielle, cette mutation s'identifie avec le règne de la démocratie bourgeoise et de son idéologie. C'est pourquoi – et c'est là l'un des paradoxes majeurs du nationalisme, comme plus tard du fascisme – les thèmes réactionnaires et antipositivistes se mêlent aux thèses futuristes d'une bourgeoisie qui entend bien, de son côté, hâter l'avènement d'un capitalisme moderne, lequel semble appeler un mode d'organisation du corps social mieux adapté aux impératifs nouveaux de l'économie que ne l'est le libéralisme. On peut admettre que, dès cette période, il s'opère ainsi entre la fraction impérialiste de la classe dirigeante italienne et divers groupes sociaux appartenant à la petite bourgeoisie une alliance objective qui trouve son expression politico-culturelle dans les développements ambigus et souvent contradictoires de la pensée nationaliste.

A l'origine du nationalisme italien il y a toutefois, comme en France, toute une tradition d'inspiration démocratique et jacobine qui s'est exprimée ici dans le *Risorgimento* et dont les figures de proue sont Mazzini et Garibaldi. Mais, de la même façon qu'en France, le mouvement passe à droite au cours de la dernière décennie du siècle. Ceci au moment où il se trouve exacerbé par les échecs africains et par le peu de cas que font de l'Italie ses partenaires européens. A cet égard, le nationalisme est aussi une réaction de la jeunesse bourgeoise contre la génération satisfaite qui a laissé retomber l'enthousiasme des artisans de l'Unité. Contre la mièvrerie de la Belle Époque. Contre le caractère superficiel et étriqué de *L'Italietta* giolittienne, où triomphent la littérature décadente et la musique facile de Puccini. Une Italie de carte postale. Un objet de consommation culturelle dont le visiteur étranger admire la beauté naturelle et l'héritage artistique, mais dont il méprise souvent la réalité présente.

Si le poète Carducci s'insurge contre ce « mépris ricanant des autres nations » et proclame sa souffrance de voir que son pays n'est qu'« un valet qui demande son pourboire à ceux qui se lèvent rassasiés du fameux banquet des nations », c'est Alfredo Oriani qui a le premier posé les bases d'une doctrine nationaliste fondée sur des principes qui rompent avec l'ordre bourgeois traditionnel. Doctrinaire de l'impérialisme latin, Oriani assigne comme but à l'Italie de porter la civilisation romaine aux terres africaines, puis à toute la planète. Et pour réaliser cet objectif grandiose, ce romancier raté, peintre médiocre de la petite bourgeoisie provinciale, rêve d'une « démocratie aristocratique » gouvernée, ou plutôt conduite, par des individus supérieurs : « La démocratie, écrit-il en 1906 dans *La Revolta ideale,* principe et fin de la souveraineté individuelle, doit abattre les rois dans toutes les nations pour en créer un dans toutes les consciences. »

Ces vues messianiques mais parfois délirantes, Enrico Corradini devait leur donner un contenu plus cohérent et les ériger en un corps de doctrine qui allait constituer jusqu'à la guerre la base idéologique du nationalisme italien. En 1903, il fonde à Florence, avec un petit groupe de jeunes écrivains, la revue *Il Regno,* destinée à lutter à la fois contre la « lâcheté bourgeoise » et contre « l'ignoble socialisme ». Avec lui, ce sont les idées darwiniennes de lutte pour la vie et de sélection naturelle qui pénètrent la pensée nationaliste. Partant de l'observation qu'il a pu faire en Amérique du Sud et en Tunisie de l'exploitation et de la dénationalisation des émigrés italiens, il lance l'idée d'une lutte sans merci que se livreraient partout dans le monde nations satisfaites ou ploutocratiques et nations prolétaires, idée qui sera reprise après la guerre par le fascisme. L'Italie, estime Corradini, appartient à cette seconde catégorie. Or sa vitalité démographique – encore un thème dont Mussolini fera continûment son miel – devrait lui permettre de se faire une place au soleil, pour peu qu'au lieu de perdre une partie de ses forces vives en laissant émigrer des millions de ses fils vers des pays où ils ne tardent pas à se dépouiller de leur italianité, elle utilise cette énergie potentielle pour mettre en œuvre une politique consciente de conquête et de colonisation.

Sans doute faudra-t-il pour cela avoir recours à la guerre. L'auteur de *L'Ombra della vita* l'admet et se fait même l'apôtre de la guerre purificatrice, véritable affirmation de la puissance et de la vie. « Supprimez la lutte, écrit-il, et vous supprimez la vie. L'homme, ou se tient debout pour lutter, ou gît à l'état de cadavre et se remplit de vers. » Ou encore : « La guerre est une nécessité pour les nations qui sont ou tendent à devenir impérialistes, quand elles ne tendent pas vers la mort... C'est pourquoi l'inviolabilité de la vie humaine et le pacifisme sont à reléguer parmi les vieilles idoles, dans le patrimoine idéaliste et sentimental des hommes du passé » (*Il nazionalismo italiano,* 1914). Ces thèmes, qui s'opposent brutalement à la tradition humaniste de la bourgeoisie libérale, seront repris presque mot pour mot par le Duce dans *La Dottrina del Fascismo.*

Corradini, dont l'influence certes est considérable, n'est pas seul à exercer son magistère intellectuel sur la jeune génération nationaliste. Dès 1903-1904, un petit groupe d'écrivains florentins s'est séparé de l'équipe du *Regno* et rassemblé autour de la revue *Il Leonardo,* puis de *La Voce.* Ses chefs de file sont Giovanni Papini et Guiseppe Prezzolini. Jugeant trop matérialiste la pensée corradinienne, ils exaltent la primauté des forces spirituelles et la mission civilisatrice de l'Italie. De la même façon qu'Oriani, ils estiment que seule une élite pourra mener à bien cette tâche, mais une élite qui, émanation de la bourgeoisie italienne, doit plus à la tradition chrétienne et au génie national qu'à Nietzsche. Ce qui ne les empêche pas de proclamer hautement leur mépris du positivisme et de la démocratie, ce « confus mélange de bons sentiments, d'idées vides, de formules débilitantes et d'aspirations bestiales » (Papini).

Gabriele D'Annunzio se trouve au carrefour des divers courants du nationalisme italien. Un peu comme Barrès, il incarne en même temps toute l'évolution d'une génération qui, en moins de quinze ans, est passée de l'esthétisme décadent à des formes d'exaltation du moi plus viriles et moins contemplatives. Différence toutefois avec la petite cohorte des intellectuels florentins, son adhésion aux certitudes nationalistes représente moins une conversion idéologique qu'elle ne traduit un choix volontariste destiné à affirmer une personnalité hors de pair. Grand admirateur de Nietzsche, dont il déforme d'ailleurs passablement le message, héros mondain doté d'une bonne dose d'exhibitionnisme, D'Annunzio voit avant tout dans l'aventure nationaliste, comme plus tard dans la guerre et dans l'entreprise humaine, la possibilité de vivre un grand destin. Son attitude reste à la fois romantique et aristocratique, tournée vers un passé qui, comme chez Oriani, est en même temps celui de la Rome éternelle et de l'Italie médiévale.

Ce n'est point le cas du futurisme qui affiche au contraire sa volonté de rompre avec le passé, méprise les gloires mortes – « Vénitiens! Vénitiens! Pourquoi vouloir être encore et toujours les fidèles esclaves du passé, les vils gardiens du plus grand bordel de l'Histoire...? » (*Discours futuriste aux Vénitiens,* avril 1910) – et appelle de ses vœux l'avènement d'un nouvel ordre intellectuel. Tel est le programme que fixe à la nouvelle école le poète Marinetti, dans le « Manifeste » qu'il publie en 1909 dans le quotidien français *Le Figaro.* Dans ce texte aux résonances nihilistes, Marinetti fait l'apologie de la guerre, « seule hygiène du monde », célèbre l'amour du danger, du geste agressif, de la vitesse, de la patrie régénérée, tout en proclamant sa haine pour la culture traditionnelle, pour le féminisme et pour une Italie « de professeurs, d'archéologues, de cicérones et d'antiquaires ». Il y a là une floraison de thèmes qui réapparaîtront quelques années plus tard dans le premier fascisme et dont certains sont proches de ceux que

1. *Page de titre d'un manifeste futuriste publié par Marinetti en 1915 (le premier a paru, rédigé en français, dans* Le Figaro *dès 1909).*

F. T. MARINETTI
FUTURISTA

GUERR
sola igiene
del mondo

EDIZIONI FUTURISTE
DI "POESIA„
MILANO - Corso Venezia, 61
1915

2. *La conquête de la Tripolitaine (1912). Carte postale éditée au profit des familles des soldats tués en Afrique.*

3. *Auteur à succès et dandy romantique, Gabriele d'Annunzio a été élu député en 1897 et figure, depuis cette date, parmi les chefs de file du nationalisme italien. Cette affiche a été réalisée pour la création de sa tragédie La Fille de Jorio.*

développent alors les anarchistes (Marinetti glorifie d'ailleurs le « geste destructeur des libertaires »). Avec le futurisme, on se trouve déjà au confluent de la pensée nationaliste et d'idées d'inspiration anarchisante, ce qui, nous le verrons, sera bientôt l'un des caractères du fascisme naissant.

A la veille de la guerre, le mouvement nationaliste commence à jouer un rôle infiniment plus grand que ne le laissent supposer l'exiguïté de sa base militante et la minceur de sa représentation parlementaire. Si nombre de ses adhérents se recrutent parmi les intellectuels et dans la fraction de la bourgeoisie que ne favorise pas l'évolution économique récente, il est soutenu par certains milieux économiques et en particulier par ceux de l'industrie lourde. Certes, il faut accueillir avec beaucoup de prudence les thèses, très discutées en Italie, de l'Américain Richard A. Webster (*Italy's Industrial Imperialism, 1908-1915. A Study in Pre-Fascism*, 1974) faisant de l'impérialisme industriel italien le moteur principal de la politique étrangère du royaume. Étudiant les origines de la guerre de Libye, Sergio Romano a beau jeu de démontrer que, dans ce cas précis et contrairement à ce qu'affirme l'historiographie marxisante, « l'initiative fut politique, non pas économique, et que les intérêts industriels et financiers se mirent en marche tardivement, sauf quelques exceptions, après les multiples sollicitations du gouvernement » (*Histoire de l'Italie du Risorgimento à nos jours*, Paris, 1977, p. 140). Il n'en est pas moins significatif de noter qu'à la tête de l'organe nationaliste *L'Idea nazionale*, qui commence à paraître en 1911, se trouve à la veille de la guerre un homme de la grande industrie, Pio Perrone, l'un des dirigeants de la firme Ansaldo de Gênes, productrice de matériel ferroviaire et d'armements. C'est entre autres de ce milieu, qui gravite autour de Corradini et de son association nationaliste, fondée en 1910, que partira la campagne interventionniste de 1914-1915.

L'autre courant dont le fascisme assumera partiellement l'héritage est celui du syndicalisme révolutionnaire, lequel se développe à peu près en même temps, c'est-à-dire au cours de la décennie qui précède immédiatement la guerre. La coïncidence n'a rien de surprenant. Anarchisme et nationalisme traduisent en effet, au moment où s'opère le décollage industriel de l'Italie, un même refus du capitalisme et, pour certains, des transformations entraînées par l'évolution économique récente. Les deux mouvements recrutent d'ailleurs une partie de leurs troupes parmi les laissés pour compte de la révolution industrielle, qu'il s'agisse de la toute petite propriété rurale, des travailleurs de la terre – employés sur les grands domaines des agrariens ou récemment émigrés vers les villes –, de membres de l'ancienne classe moyenne en voie de prolétarisation ou des hommes des vieux métiers. Fortement imprégnés d'idéologie précapitaliste, ces groupes sociaux se montrent en général rebelles aux idées qui se développent avec la révolution industrielle : marxisme et démocratie libérale. Leur réaction est plus viscérale, plus spontanée. Elle cherche moins à détruire le capitalisme en le dépassant – et en admettant comme les marxistes qu'il est une étape indispensable de l'évolution des sociétés contemporaines – qu'à le refuser en bloc, dans une attitude qui, à bien des égards, est tournée vers le passé.

Anarchisme et syndicalisme révolutionnaire restent liés à la phase qui précède le processus d'industrialisation. D'où leur opposition au capitalisme libéral et à la démocratie parlementaire, qui en est dans une large mesure l'expression politique, ainsi qu'à l'idéologie positiviste qui en constitue le substrat philosophique. De là également leur incompréhension à l'égard du marxisme et de la social-démocratie qui procèdent en fin de compte du même courant. En Italie où le giolittisme qui domine jusqu'à la guerre la vie politique du pays est précisément un compromis tacite entre le prolétariat industriel encadré par les socialistes réformistes et la bourgeoisie capitaliste, la réaction est particulièrement vive. Elle prend, dans les dix années qui précèdent la guerre, la forme d'une offensive dirigée à la fois contre la démocratie bourgeoise et contre l'aile modérée du mouvement ouvrier, en même temps qu'elle s'inscrit dans un processus de révision du marxisme infiniment plus radical que celui qui s'est opéré en Allemagne autour de Bernstein.

Sous l'impulsion d'un jeune professeur et publiciste napolitain, Antonio Labriola, se développe dans les toutes premières années du XXᵉ siècle un courant syndicaliste révolutionnaire qui, refusant en 1906 les décisions du congrès de Milan – créateur de la puissante mais timide Confederazione generale del lavoro –, va donner naissance quelques années plus tard à une organisation de tendance anarcho-syndicaliste : l'Unione sindacale italiana. Or ce mouvement subit très fortement l'influence des idées soréliennes. Celles-ci ont été introduites en Italie dans les toutes premières années du siècle par Labriola et Croce, ainsi que par des journalistes comme Paolo Orano ou comme le jeune Mussolini. Elles y ont trouvé tout de suite un terrain de prédilection, particulièrement en Émilie et en Romagne, où l'anarcho-syndicalisme comptait déjà de nombreux partisans. C'est par leur intermédiaire que se sont opérés, avant la guerre de Libye, les premiers contacts entre nationalisme et syndicalisme révolutionnaire. Par exemple, dans la revue florentine *La Lupa*, que fonde en octobre 1910 Paolo Orano et à laquelle collaborent Labriola et Corradini (Sorel était théoriquement associé à la rédaction mais il n'écrira jamais aucun article pour cette revue dont le premier numéro proclamait en éditorial : « *La Lupa* est un hebdomadaire dirigé par ceux qui se trouvent à égale distance de tous les points de l'hémicycle politique »).

*. Antonio Labriola 1843-1904). Ce professeur ·t publiciste napolitain · joué un rôle onsidérable dans la ·iffusion en Italie du ·yndicalisme évolutionnaire.

Dans une lettre adressée à Mario Viana, directeur du journal nationaliste *Il Tricolore,* Corradini écrivait en avril 1909 : « J'approuve très
fortement le développement pratique que vous voulez donner au
nationalisme italien, demeuré jusqu'à présent une pure doctrine. Je
vous en prie, ne perdez pas des yeux les syndicalistes. Leur point de
départ est d'une certaine façon le nôtre. C'est la première doctrine
sincère et forte surgie de l'ennemi ».

A quoi Viana répondait : « Nationalisme et syndicalisme sont deux
mouvements sociaux de finalité nettement antagoniste mais qui ont de
grandes et fondamentales analogies. L'un et l'autre sont des mouvements de conquête et de domination, et sont en ce sens impérialistes :
le nationalisme comme le syndicalisme exaltent la morale héroïque, la
vertu du sublime, le mythe généreux respectivement de la guerre
victorieuse et de la grève générale, dans leur intégrité. L'un et l'autre
sont des mouvements de solidarité, mais antidémocratiques, antipaci-
fistes, antihumanitaires, ennemis de la fausse science et du positivisme. » Et il ajoutait : « ... Le même Sorel voit un remède au putride
accommodement de la bourgeoisie et d'un socialisme de mendiants,
celui des étudiants ratés et des avocats sans avenir, dans une grande
guerre qui retremperait les énergies. »

Issues d'un même refus, celui de la société bourgeoise positiviste et
humaniste, les thèses soréliennes et les idées nationalistes ne manquent
pas en effet de points communs : la haine du capitalisme, le goût de
l'action et de la violence héroïque, l'exaltation de la morale des
producteurs, le mépris pour le socialisme académique et timoré pro-
fessé par les réformistes, etc. Dans ces conditions, il n'est pas étonnant
que l'on ait cherché, dans les milieux nationalistes, à récupérer par le
biais du sorélisme la fraction du prolétariat et de la petite bourgeoisie
en voie de prolétarisation sur laquelle l'attraction du marxisme –
principalement dans sa version réformiste – demeurait faible. Ne
suffisait-il pas pour cela de convaincre les masses que leur intérêt
pouvait tout aussi bien être la conquête de vastes terres de colonisation qu'une hypothétique révolution sociale ? La campagne de Tripolitaine devait permettre ce transfert, le messianisme impérial d'Oriani se
trouvant substitué au catastrophisme révolutionnaire de Sorel (lequel,
notons-le au passage, approuvera en privé l'initiative du gouvernement
Giolitti). En fait, dès 1911, la plupart des « soréliens », avec Labriola,
Orano, Lanzillo et A. O. Olivetti, rejoignent Corradini et ses disciples.
Par ce canal, l'idéologie nationaliste pénètre largement le courant
syndicaliste révolutionnaire. Nombreux sont encore ceux qui, avec
Enrico Leone – fondateur de la revue *Divenire sociale* – et Alceste De
Ambris, pensent au lendemain de la guerre de Libye, contre laquelle
beaucoup de socialistes révolutionnaires ont fait campagne, à com-
mencer par Mussolini, que l'aventure coloniale n'a été qu'une « entre-

prise de brigandage ». Il reste que c'est à cette occasion qu'apparaît en Italie un nationalisme d'extrême gauche, qui va constituer en 1914 l'une des composantes majeures de l'interventionnisme et dont les chefs – Corridoni, Cesare Rossi, Michele Bianchi, Edmondo Rossoni, les frères De Ambris – créeront au début du premier conflit mondial une nouvelle organisation syndicaliste révolutionnaire : l'Unione italiana del lavoro. On retrouvera au lendemain de la guerre nombre de ses militants et de ses cadres dans les rangs des premières organisations fascistes.

Le modèle allemand : de la réaction romantique au « national-socialisme »

En Italie, le nationalisme et le syndicalisme révolutionnaire qui forment les deux composantes du premier fascisme ne commencent à fusionner qu'à la veille du premier conflit mondial. On rencontre au contraire dans les pays germaniques des mouvements qui, dès la fin du XIXᵉ siècle, présentent déjà les caractères essentiels de ce qui va devenir le « national-socialisme ».

En Allemagne, la façon dont s'est opérée l'unité du pays et la rapidité du processus d'industrialisation ont donné au mouvement nationaliste des caractères bien particuliers. Sans doute est-il comme en France et en Italie issu de la classe dirigeante – une classe dirigeante composite, au sein de laquelle l'aristocratie terrienne et militaire conserve une position hégémonique –, mais il n'est pas lié comme dans ces deux pays à l'essor du libéralisme. Ceci parce que, sauf pour une mince frange de la bourgeoisie rhénane, la genèse du nationalisme allemand ne s'est pas faite par contamination des idées jacobines, mais davantage par réaction contre celles-ci. Au cosmopolitisme, au rationalisme, aux idées de progrès et de droit naturel qui caractérisent la pensée des philosophes français et les aspirations des hommes de 1789, les Allemands ont opposé des conceptions tournées vers un passé médiéval idéalisé où se mêlent la nostalgie du Saint Empire romain germanique, la vision mystique et universaliste de la foi chrétienne et l'image – plus ou moins reconstruite – d'une société fondée sur des rapports harmonieux entre des groupes sociaux parfaitement hiérarchisés.

Ce courant réactionnaire et romantique, qu'illustrent des écrivains comme Friedrich Schlegel, Novalis, Görres et surtout Adam Müller, a forgé un concept national très différent de celui qui est issu de la Révolution française et qui repose sur l'idée d'un contrat librement consenti. Pour les romantiques allemands, la nation n'est pas une *idée*, c'est-à-dire un produit de la raison, mais une réalité vivante qui plonge ses racines dans le passé le plus lointain de la communauté germanique. Ainsi s'est constituée la notion d'esprit populaire, de *Volkgeist,* qui est au cœur du nationalisme allemand et que nourrissent le folklore, les mythes légendaires, le souvenir sacralisé d'un âge d'or qui est celui du Reich médiéval, etc. Il y a là, dans un pays où l'aristocratie ne s'est ralliée que tardivement à l'idée unitaire et où le processus d'industrialisation – largement contrôlé par l'Etat – a été trop rapide pour entamer la domination des *Junkers,* la persistance à l'ère du capitalisme monopolistique de modes de penser hérités du monde féodal. Dans divers essais parus au début des années 30, Ernst Bloch a admirablement décrit cette situation, disant de l'Allemagne qu'elle était le « pays classique de la non-contemporanéité ».

Ceci explique que les penseurs et les écrivains nationalistes n'aient pas attendu la fin du XIXe siècle pour remettre en question les idées illuministes et positivistes qui triomphent en Europe occidentale jusqu'à cette date et par conséquent la faible opposition au courant irrationaliste qui accompagne l'essor de l'impérialisme. Tout se passe comme si, après l'échec des révolutions de 1848, la bourgeoisie allemande acceptait de renoncer à ses ambitions politiques pour se consacrer au développement de sa puissance économique. Fût-ce au prix de l'écrasement des tendances libérales. Cela ne pouvait que favoriser la fusion entre l'ancienne et la nouvelle classe dirigeante, ainsi que leur commune adhésion à une idéologie qui à la fois demeurait imprégnée d'esprit féodal et permettait de justifier la volonté de puissance du capitalisme allemand.

Le pangermanisme est né de cette ambiguïté. D'une part, de la nostalgie du passé, du millénarisme à rebours qui caractérise l'héritage romantique. D'autre part, de l'appétit conquérant d'une élite sociale que le rapide essor industriel du Reich a placée, presque sans transition, devant des problèmes qui sont ceux du capitalisme dans sa phase de concentration : le besoin de matières premières, la nécessité de trouver des débouchés industriels et des aires d'investissement financier, etc.

La différence fondamentale avec l'Italie, c'est qu'en Allemagne les thèses impérialistes, fondées sur la volonté de puissance, sur le principe darwinien de lutte pour la vie, sur le refus de l'humanisme et du positivisme bourgeois, trouvent dans la tradition romantique une structure d'accueil qui va leur assurer une large audience. L'idée d'une supériorité de la culture allemande, émanation spontanée de la race, du *Volk,* sur la civilisation occidentale, qui est construction raisonnée – donc artificielle – et amalgame de strates culturelles empruntées à d'autres civilisations, n'a cessé de gagner du terrain depuis les *Discours à la Nation allemande* de Fichte (1807-1808). De ce postulat, on

est passé sans complexe à l'idée d'une supériorité de la race allemande, la plus apte, estiment les pangermanistes, à exercer sa domination et à triompher des autres peuples dans l'impitoyable lutte pour la
vie que se livrent les diverses ethnies.

Ces thèses, exposées parfois avec la plus grande naïveté, sont celles
que défend la Ligue pangermaniste (Alldeutscher Verband), fondée en
1891 et où se retrouvent des représentants de toutes les fractions de la
classe dirigeante allemande : chefs militaires, industriels, hommes d'affaires, grands propriétaires fonciers, universitaires, intellectuels,
hommes politiques. Elles inspirent également – sous une forme moins
élémentaire – les travaux d'historiens comme Ranke, de géographes et
de géopoliticiens comme Ratzel, de sociologues comme Max Weber, et
surtout elles se cherchent une justification pseudo-scientifique à travers
les écrits de trois théoriciens du racisme germanique, dont aucun
d'ailleurs n'est d'origine allemande. Le Français Gobineau, dont l'*Essai sur l'inégalité des races humaines* est traduit en allemand en 1898.
Un autre Français, Vacher de Lapouge, qui proclame la supériorité de
la race aryenne dans un monde où règne la violence mais dans lequel
le sentimentalisme chrétien et les idéaux démocratiques assurent la
protection des faibles et des oisifs, empêchant une sélection naturelle
des meilleurs éléments. Enfin l'Anglais Houston Stewart Chamberlain
qui épousera la fille de Richard Wagner et deviendra citoyen allemand. Dans ses *Fondements du XIXe siècle*, publiés en 1899 et dont le
succès est immense dans les milieux bourgeois, il énonce que le fait
majeur de la seconde moitié du siècle est le réveil des peuples germaniques. Ceux-ci, estime-t-il, sont appelés à imposer leur domination
aux peuples inférieurs, pour peu que l'Allemagne parvienne à conserver sa cohésion nationale, en écartant la double menace que font peser
sur elle le capitalisme financier – cosmopolite et anonyme – et le
socialisme, création du judaïsme international.

Ainsi se constitue, bien avant la première guerre mondiale, un corps
de doctrine qui, renouant avec les thèmes traditionnels du romantisme
politique et déformant jusqu'à la caricature les données de la biologie,
aboutit à une véritable religion raciste, à la fois exaltation de la force,
de l'instinct, de la violence sélective et de la supériorité des aryens.

Parmi les éléments perçus comme étrangers au génie allemand et
constituant pour celui-ci une menace, figure au premier rang le parti-
cularisme juif. Problème capital pour l'évolution du nationalisme allemand. C'est en effet par le biais de l'antisémitisme que celui-ci se
teinte d'anticapitalisme et justifie son opposition au socialisme internationaliste. Il y avait certes depuis longtemps en Allemagne un courant
antisémite dont les motivations profondes pouvaient être liées à des
phénomènes socio-économiques mais qui s'exprimait essentiellement
en termes religieux et ne suscitait pas les mêmes réactions de violence

raciale parmi les masses qu'en Russie et en Pologne. Avec les lois d'émancipation de 1869 qui favorisent l'ascension des israélites dans la vie économique et culturelle de l'Allemagne, et avec la crise de 1873, l'antisémitisme élargit fortement son audience et surtout prend ouvertement un caractère économique et politique. Le ton est donné par Wilhelm Marr, fondateur de la Ligue des antisémites et auteur d'une brochure, *Victoire de la Juiverie sur le Germanisme, vue d'un point de vue non confessionnel,* dont le succès sera considérable : douze éditions en six ans, la première datant précisément de 1873. Marr y dénonce la responsabilité du « capital juif international » dans le déclenchement de la crise et se prononce en faveur d'un séparatisme total. Après lui, la démagogie antisémite va tourner autour de trois thèmes qui seront intégralement repris par le nazisme :

– Premier article de foi, les juifs sont les premiers à tirer profit du capitalisme. Du moins dans sa forme financière que l'on commence à opposer au capitalisme industriel, produit du travail des hommes et non de l'appât spéculatif du gain de quelques-uns. Inspirés par certains milieux industriels, les articles qui paraissent en 1874 dans la *Gartenlaube* et s'adressent à une clientèle petite-bourgeoise proclament que les difficultés d'adaptation rencontrées par les classes moyennes résultent essentiellement de la spéculation juive. Moyen commode de détourner contre la minorité israélite les tendances anticapitalistes des catégories sociales menacées de prolétarisation et bel exemple de thème préfasciste s'appliquant à la petite bourgeoisie, mais en fait préfabriqué par des représentants de la classe dirigeante;

– Second argument, appelé aux mêmes développements ultérieurs, les juifs propagent le marxisme international et font le lit de la révolution. Ils sont donc nuisibles à la communauté nationale;

– Enfin, troisième point, il y a une conjuration mondiale des juifs, destinée à établir leur domination sur la planète par la corruption des mœurs et des dirigeants de l'Europe chrétienne. On reconnaît là la thématique délirante des fameux *Protocoles des Sages de Sion,* fabriqués par la police secrète du tsar, répandus en Russie à partir de 1900 et bientôt traduits dans toutes les langues européennes.

On le voit, l'antisémitisme qui paraît lié, dans sa phase initiale, à certaines couches de la bourgeoisie d'affaires en proie – du moins est-ce ainsi qu'elle perçoit les choses – à la concurrence juive fait rapidement figure en Allemagne de dénominateur commun entre les tendances anticapitalistes et antimarxistes d'une classe moyenne que menacent à la fois la concentration capitaliste et l'émergence de la classe ouvrière.

On saisit dès maintenant les différences qui existent entre les préfascismes italien et allemand. En Italie, le phénomène se situe au point de convergence du nationalisme et du syndicalisme révolutionnaire. Il est originellement lié à la petite bourgeoisie, voire à certains éléments du prolétariat appartenant pour la plupart au secteur précapitaliste. En Allemagne, il est davantage une émanation de la classe dirigeante qui, par son intermédiaire et en développant une phraséologie anticapitaliste et socialisante, cherche à récupérer ses adversaires potentiels – classes moyennes et prolétariat – auxquels est offert en même temps un grand dessein impérialiste, une contre-utopie destinée à détourner vers l'extérieur les espoirs et les revendications des masses.

Il reste qu'à partir d'un certain moment le mouvement jouit d'une autonomie suffisante pour servir de support aux frustrations de la petite bourgeoisie, menacée par les grandes mutations socio-économiques de la dernière décennie du siècle. Ce qui se traduit par une rupture aisément repérable dans l'évolution des organisations nationalistes et antisémites. Dans un premier temps, c'est-à-dire pendant les années 80, l'antisémitisme allemand reste fondamentalement conservateur, à l'image du mouvement socialiste chrétien du pasteur Stöcker. Rien de très révolutionnaire en effet dans le programme de cette organisation bien-pensante, visant à détourner les ouvriers de l'internationalisme marxiste en dénonçant le grand capital juif et en prônant un corporatisme vague. L'écho est faible parmi les travailleurs, peu soucieux alors de faire la différence entre le capitalisme juif et le capitalisme national. En revanche, il jouit d'une certaine audience dans les milieux de la bourgeoisie moyenne.

C'est dans le courant de la décennie 1890 que le mouvement tend à se radicaliser. On voit alors se détacher du parti de Stöcker une aile plus dynamique, bientôt regroupée autour de Friedrich Naumann et de la revue *Die Hilfe*. Fondateur de l'Union nationale-sociale, Naumann reste à bien des égards un libéral. C'est lui cependant qui, au tout début du siècle, formulera pour la première fois l'idée d'un national-socialisme auquel revient la mission de rallier par des réformes la classe ouvrière, puis de fondre celle-ci avec la bourgeoisie dans une grande communauté nationale capable de donner à l'Allemagne la place qu'elle mérite. Thèse qui trouve très vite des échos dans la social-démocratie allemande, principalement dans son aile réformiste. En 1893 est fondée la Ligue des agrariens (*Bund der Landwirte*), résolument antisémite et antimarxiste, première ébauche d'un vaste mouvement de masse se situant à droite et visant à promouvoir l'alliance des conservateurs, des classes moyennes urbaines et de la paysannerie. Son essor est contemporain de celui de la Ligue allemande des employés du commerce (*Deutscher Handlunggsgehil fenverband*), qui rassemble des éléments importants de la classe moyenne, et surtout des progrès enregistrés depuis les toutes premières années du siècle par la puissante Ligue pangermaniste. En 1914, le président de cette dernière organisation, Henri Class, publie un livre intitulé *Si j'étais l'Empereur,* dans lequel il prêche l'exclusion immédiate des juifs de la vie publique allemande.

A la veille du premier conflit mondial se trouvent donc réunis en Allemagne tous les ingrédients dont Hitler va par la suite tirer la substance de sa doctrine. Mais les mouvements qui se réclament du pangermanisme ou du national-socialisme ont une base sociale réduite à la classe dirigeante et aux représentants de la petite bourgeoisie. Il leur manque encore l'appui d'éléments ouvriers qui contribueront par la suite au succès du nazisme. Ces éléments existent en revanche dans l'empire des Habsbourg où se développe, dans les premières années du XXᵉ siècle, le mouvement qui peut être considéré comme l'ancêtre direct du parti nazi.

En Autriche, où la vague antisémite s'est également déclenchée en 1873 – au lendemain du krach de la Bourse de Vienne – on retrouve les deux grandes tendances constitutives du préfascisme allemand. D'une part, un courant pangermaniste qu'illustre Georg Ritterer von Schönerer, un démocrate radical partisan de profondes réformes sociales mais dont le socialisme est subordonné à un ardent nationalisme. Von Schönerer – qui enthousiasmera le jeune Hitler – prône l'Anschluss, la lutte contre les étrangers, en particulier contre les Slaves, ainsi qu'un antisémitisme virulent. Il se déclare en même temps farouchement hostile au capitalisme, tout comme le principal représentant du second courant, Karl Lueger, un homme politique d'extraction petite-bourgeoise qu'admire également le futur maître du IIIᵉ Reich et qui sera un très populaire bourgmestre de Vienne. Partant d'un programme catholique-social somme toute assez classique, Lueger aboutit à l'idée d'une nécessaire restructuration de la société conformément à un modèle organique qui demeure celui de l'âge d'or médiéval. En seront bannis les aspects négatifs du capitalisme, à commencer par le prêt à intérêt que Lueger considère comme le « domaine des juifs », et les juifs eux-mêmes, qu'il voudrait écarter de toutes les fonctions officielles.

L'élément nouveau – et spécifique du préfascisme allemand – fait son apparition au début du siècle dans les provinces frontalières et en voie d'industrialisation rapide de l'empire des Habsbourg : en Bohême et en Moravie. Ici, le problème majeur est à cette date celui de la coexistence entre les ouvriers anciennement employés dans l'industrie – ce sont pour la plupart des germanophones – et les travailleurs non qualifiés d'origine rurale, généralement recrutés parmi la population slave et auxquels il est fait grief d'être des briseurs de grèves, responsables de la diminution des salaires. Cette opposition de caractère xénophobe et racial explique que beaucoup de membres de l'ancienne aristocratie ouvrière se détournent de la social-démocratie et des syndicats internationalistes, à qui ils reprochent de ne pas tenir compte de leurs intérêts d'ouvriers qualifiés, aux prises avec le *Lumpenproletariat,* et de leur spécificité – entendons de leur supériorité – nationale. Un certain nombre d'entre eux vont se montrer réceptifs aux thèmes développés par Lueger et par son parti social-chrétien et rejoindre la clientèle d'artisans, de petits commerçants et de petits patrons que rassemble, sur des slogans nationaux-sociaux et antisémites, ce « Boulanger autrichien ».

D'autres – ce sont eux qui nous intéressent ici – vont constituer de petits groupes qui ne tardent pas à se transformer en partis politiques organisés sur une base strictement nationaliste. En 1898, naît un squelettique parti tchèque national-socialiste et, en 1904, le Parti allemand des travailleurs (*Deutsche Arbeiter Partei*). Ce dernier, fondé à Tratenau en Bohême et qui trouve un large appui auprès des associations de travailleurs de Linz (où réside Hitler à cette date), est bien un parti ouvrier en ce sens qu'il recrute une fraction importante de sa clientèle parmi les travailleurs des usines textiles, des mines et des chemins de fer. Mais l'on trouve également dans ses rangs nombre de petits bourgeois déclassés. Les uns et les autres se réclament d'un socialisme national, égalitaire et anticapitaliste, mais leur principale revendication porte sur la lutte contre les éléments « non allemands » : slaves et sémites. Autrement dit, le mouvement se définit davantage par opposition à d'autres ethnies, à d'autres races, que par rapport à la division en classes de la société. C'est ce trait qui marque la spécificité du national-socialisme naissant et sa principale différence avec le préfascisme italien.

Dirigé à ses débuts par un état-major ouvrier – dont le principal représentant est Franz Stein, fondateur en 1893 de l'Association nationale allemande des travailleurs et organisateur en 1899 d'un congrès national des ouvriers qui avait élaboré un programme en 25 points parmi lesquels figurait la nationalisation des grands trusts, des mines et des chemins de fer – le DAP vivote jusqu'en 1909. A cette date, il est pris en main par le Dr Walter Riehl, un fonctionnaire ex-militant de la social-démocratie, qui entreprend d'en faire un mouvement de masse regroupant toutes les classes de la société. En 1913, le parti précise ses intentions dans le *Programme d'Iglau,* texte très vague dans lequel les dirigeants proclament leur opposition au marxisme internationaliste, leur antisémitisme (moins marqué toutefois que celui des mouvements bourgeois), leur hostilité au capitalisme, au cléricalisme et au slavisme. Il est également question de nationalisations et de mesures à prendre contre les fortunes acquises sans travail, mais sans que ces revendications formulées de façon très imprécise dépassent le niveau de la phraséologie démagogique.

Après la guerre, le démembrement de l'Empire austro-hongrois provoquera l'éclatement du DAP. On en retrouve les principaux éléments à Vienne où il se transforme en 1918 en *Deutsche National-sozialistische Arbeiter Partei,* parti de rassemblement de toutes les classes de la société, le mot « ouvrier » ne servant plus à désigner une catégorie sociale particulière mais constituant un titre d'honneur pour tous ceux qui travaillent. D'autres militants de l'ex-DAP ont quitté la Bohême, désormais intégrée au nouvel État tchécoslovaque, pour Munich où va se constituer au lendemain de la guerre le parti ouvrier allemand de Drexler, auquel Adolf Hitler donne son adhésion en 1919. Dans les deux pays, on se trouve en face d'une organisation qui se défend d'être réactionnaire, en ce sens qu'elle se donne pour tâche de rénover l'État allemand – unifié par l'Anschluss – afin que tous les ouvriers nationaux puissent y mener une existence digne de leur appartenance à la race allemande supérieure. Thèmes nationalistes et revendications raciales et sociales se rejoignent ici pour former la base idéologique du national-socialisme. Il appartiendra à Hitler de savoir exploiter la situation dramatique de l'après-guerre pour faire de ce groupuscule sociologiquement et idéologiquement composite un grand parti de masse.

Le cas de la France :
une droite révolutionnaire ?

Il existe donc avant le premier conflit mondial, dans les deux pays où il triomphera plus tard, des courants de pensée et des mouvements politiques qui présentent déjà certains des traits majeurs du fascisme : alliance de fait entre la fraction impérialiste de la classe dirigeante et des catégories sociales menacées par les transformations économiques récentes, refus du rationalisme et de l'humanisme bourgeois, recherche d'une idéologie de synthèse, capable d'intégrer aux postulats du nationalisme ceux du syndicalisme révolutionnaire ou du révisionnisme marxiste dans sa forme la plus radicale, etc. En est-il de même en France ?

La question est importante car elle en annonce une autre, qui est celle de l'existence ou non d'un fascisme français. Jusqu'à une date relativement récente, suivant avec quelques variantes l'analyse serrée de René Rémond (*La Droite en France*, Paris, Aubier), la plupart des historiens de l'Hexagone donnaient à cette seconde question une réponse négative. On admettait qu'il avait existé, pendant la période de l'entre-deux-guerres, des mouvements se disant et se voulant fascistes, proches parents de leurs homologues italien et allemand, mais il s'agissait d'articles d'importation, marginaux dans la vie politique française et étrangers à la tradition nationale. Cette interprétation, des historiens américains, comme J. Roth et R. J. Soucy, ou allemands, comme Ernst Nolte, ont commencé à la contester avec vigueur il y a une quinzaine d'années. Pour eux il y a bien eu, au cours des deux décennies qui précèdent la guerre de 1914-1918, un préfascisme français qui se manifeste aussi bien dans la pensée maurrassienne que dans le nationalisme barrésien. Plus récemment, les travaux de l'historien israélien Zeev Sternhell – en particulier son ouvrage sur les origines françaises du fascisme (*La Droite révolutionnaire*, 1885-1914, Paris, Seuil, 1978) – ont complètement renouvelé la question. Non seulement par la lecture qu'il fait des écrits de Barrès et des théoriciens de l'Action française, mais aussi et surtout par l'intérêt qu'il porte à des individus, à des œuvres et à des organisations que l'historiographie traditionnelle avait eu tendance à maintenir dans l'oubli. Certes, les leçons que tire Sternhell de son remarquable travail de recherche et d'analyse sont parfois discutables, et elles sont en France vigoureusement discutées. Probablement a-t-il tort de séparer trop radicalement l'histoire des idées de son contexte social et de conférer un poids excessif à des écrits et à des groupes ultra-minoritaires dans la France de l'avant et de l'après-guerre. Davantage encore d'en tirer la conclusion que la France a été la véritable patrie du fascisme et que, si imitation il y a eu, c'est ailleurs – et notamment en Italie – qu'il faut la rechercher. Il reste que son œuvre a contraint les historiens de notre pays à réviser leur jugement et à admettre que toutes les racines du fascisme ne sont pas étrangères. Ceci, on le reconnaît volontiers aujourd'hui en France (cf. ce que dit de ce problème René Rémond dans la nouvelle mouture de son livre : *Les Droites en France*, Paris, 1982). Sans pour autant tomber dans l'excès inverse – à la manière d'un Bernard-Henri Lévy dans *L'Idéologie française* – et faire du pays de l'affaire Dreyfus et de la Révolution nationale la terre de prédilection du fascisme raciste.

Avant de cerner cette question de plus près, il faut rappeler quelles ont été les grandes étapes de l'évolution du nationalisme français. Jusqu'à la défaite de 1871, l'idée nationale fait partie, on le sait, de l'héritage de la Révolution de 1789 et se nourrit des souvenirs glorieux de la Grande Nation. Entendons par là que le sentiment patriotique des Français allie à un jacobinisme volontiers cocardier un messianisme humanitaire (R. Girardet, *Le Nationalisme français, 1871-1914*, Paris, Colin, 1966) qui ne cesse de gagner du terrain après 1840 pour triompher au milieu du siècle avec Henri Martin, Quinet et surtout Michelet. Pour ces historiens, qui sont bien les fils spirituels de la patrie des Lumières, il y a un destin quasi providentiel de la France qui est d'être le vaisseau pilote de l'humanité et de porter la liberté aux peuples opprimés. L'idée de nation se trouve ainsi liée à d'autres idées qui appartiennent également à l'héritage révolutionnaire : la liberté, la fraternité humaine, le progrès, la démocratie. Elle trouve tout naturellement sa place dans l'idéologie libérale-démocratique qui est à cette époque celle d'une grande partie de la classe dirigeante. Elle est donc, si l'on veut, une idée de gauche, et ce phénomène se trouve accentué par les événements de 1870-1871. En effet, dans le désastre provoqué par le régime impérial, ce sont les républicains qui ont sauvé l'honneur. Face aux hommes qui ont fait la paix de Francfort, ils apparaîtront à beaucoup comme seuls capables de conduire la France à la revanche.

Pendant cette première période, le nationalisme français se tourne donc résolument vers la république. L'idée même de nation, fondée sur le droit des peuples à disposer d'eux-mêmes, telle que la formulent les historiens français en s'opposant aux conceptions passéistes des nationalistes allemands, appartient à l'héritage idéologique de la Révolution. Quant aux grandes figures du nationalisme, elles appartiennent à cette date au parti républicain. A commencer par la plus illustre, celle de Déroulède, admirateur fervent de Gambetta et fondateur en 1882 de la Ligue des patriotes, de stricte obédience républicaine.

Pourtant, la défaite de 1871, l'invasion puis l'amputation du territoire ont donné une tonalité nouvelle au nationalisme français. Elles ont provoqué chez d'anciens champions du pacifisme humanitaire un douloureux examen de conscience et déjà une remise en question du concept national traditionnel. Au nationalisme utopiste et extraverti, qui était celui de la génération de 1848, se substitue un nationalisme de vaincus, au contraire tourné vers l'intérieur et qui aboutit à un amour exclusif et jaloux pour la patrie humiliée. La générosité, le rêve fraternitaire, l'humanitarisme s'en trouvent écartés au profit de conceptions plus irrationnelles et en même temps plus réalistes. C'est la « crise allemande de la pensée française », admirablement étudiée par Claude Digeon dans sa thèse. Dès ce moment, le nationalisme français s'écarte des traditions positivistes et humanistes qui le liaient depuis ses origines à l'idéologie de gauche.

Cette mutation s'inscrit, nous l'avons vu, dans le grand ébranlement européen de la fin du XIXe siècle. Mais elle se trouve en même temps accélérée par les crises qui ponctuent l'histoire de la IIIe République. Dès 1885 se développe en effet, avec les premières manifestations du boulangisme, une nouvelle forme de nationalisme qui trouvera son épanouissement dans l'affaire Dreyfus. A cette date, la république parlementaire a déçu nombre de ceux qui plaçaient en elle leurs espoirs de revanche. Ils lui reprochent de se détourner des grands impératifs nationaux et surtout d'être incapables de donner à la France les moyens de s'opposer à l'hégémonie allemande. Ceci, au moment où se font ressentir les effets d'une dépression économique qui affecte particulièrement le monde ouvrier et la petite bourgeoisie

urbaine, facilement enclins l'un et l'autre à imputer aux grands bourgeois détenteurs du pouvoir les responsabilités de leurs difficultés
croissantes. Rien d'étonnant dans ces conditions si le mouvement naît
à gauche, parmi les radicaux avancés qui se rassemblent autour de
l'ancien communard Henri Rochefort, éditorialiste corrosif de *L'In-
transigeant,* et d'hommes politiques comme Naquet, Henri Michelin,
Turigny, Le Hérissé, Gabriel Terrail et C.-A. Laisant, ce dernier auteur
d'un livre publié en 1887, *L'Anarchie bourgeoise,* dans lequel il dénonce la captation du pouvoir « au profit d'une caste » et la « faillite
de la République ».

Très vite cependant, la résistance des républicains va rejeter le
boulangisme vers la droite, dans le camp des adversaires traditionnels
du régime, auxquels il donne l'occasion d'abattre la république hon-
nie. Entre les partisans d'une république plébiscitaire – régénérée aux
sources du jacobinisme – et ceux d'une restauration monarchique, il
faut bien que s'établisse une plate-forme idéologique commune : ce
sera l'antiparlementarisme et aussi le culte partagé de l'armée, refuge
de l'idée nationale pour les uns, instrument de la prise du pouvoir
pour les autres. Ainsi rejeté à droite, le nationalisme français ne peut
éviter dès lors de subir fortement l'imprégnation des idées conservatrices, même si le boulangisme bénéficie pendant quelque temps de
l'alliance tactique des blanquistes et d'une partie de l'extrême gauche
socialiste, pour lesquels le général Revanche représente la seule force
capable de déclencher un processus révolutionnaire. Peu à peu, il tend
ainsi à s'établir une fusion entre les idéaux nationaux et les principes
politiques du traditionalisme, prologue à la résurgence des grands
thèmes de la philosophie contre-révolutionnaire. En même temps ce
« nationalisme des nationalistes » (R. Girardet) se développe par réaction aux thèses de l'internationalisme pacifiste, lequel commence à
trouver un écho dans l'opinion de gauche, nationalisme et internationalisme se définissant l'un par rapport à l'autre.

Cette évolution, amorcée avec le boulangisme, trouve dix ans plus
tard son point d'aboutissement dans l'affaire Dreyfus. C'est alors que
le nationalisme français adopte le style passionné et véhément qu'il
conservera par la suite et se fixe définitivement à l'extrême droite de
l'éventail politique. Au sentiment national à vif qu'exacerbent les
démêlés de la France avec ses voisins (politique conquérante de
Guillaume II, menace de guerre avec l'Angleterre lors de l'incident de
Fachoda), viennent en effet s'ajouter et se mêler à la charnière du XIXe
et du XXe siècle d'autres réactions : celle du catholicisme menacé par
la vague anticléricale, celle aussi des conservateurs qu'inquiètent les
progrès du socialisme et du syndicalisme.

En se rattachant ainsi à la pensée traditionaliste, le nationalisme
français trouve – en termes quantitatifs – une audience plus grande

dans l'ancienne France que dans celle qui est née de la révolution industrielle. Contrairement à ce qui se passe à la même époque en Italie et en Allemagne, le monde des affaires et les milieux industriels sont assez peu touchés par le phénomène. Il en est de même, en général, dans le prolétariat ouvrier, bien qu'il existe – nous y reviendrons – un nationalisme prolétarien présent dans le blanquisme, dans l'antisémitisme de gauche et dans divers groupuscules préfascistes dont il convient de ne pas exagérer l'importance. En revanche, le mouvement affecte profondément des catégories sociales que menacent le développement du capitalisme moderne et la destructuration de la société ancienne : patriciat rural, notables des petites villes, artisanat traditionnel, petit commerce, etc. Autant de gens qui, dans une société en mutation rapide, regardent avec nostalgie un monde qui disparaît et dans lequel ils conservaient encore quelque prestige. Ce sont, mêlés à d'autres déchirements, les sentiments qu'éprouvent les « déracinés » décrits par Barrès dans son *Roman de l'énergie nationale*. Nous trouverons la même réaction dans la génération du fascisme avec toutefois, plus largement répandue qu'au début du siècle, la volonté de détruire l'ordre existant, non de revenir purement et simplement au passé.

La façon dont a évolué le nationalisme français au cours des deux ou trois décennies qui précèdent la guerre nous explique que celui-ci soit plus souvent proche du traditionalisme que du préfascisme, tel qu'il se développe au même moment en Italie et en Allemagne. Ceci est vrai surtout de l'Action française qui, née de l'affaire Dreyfus en 1899, devient en quelques années, grâce à l'action de Maurras et au dynamisme de ses membres, l'un des pôles d'attraction de la vie politique française. Certes, commme beaucoup d'intellectuels de sa génération, Maurras subit les effets de la crise qui affecte depuis les années 1880 la conscience européenne. Son mépris de la démocratie, de l'humanitarisme, du pacifisme, le culte de la vie s'exprimant dans la réaction contre les forces de désagrégation du corps social, une certaine exaltation de la violence, un aristocratisme plus ou moins teinté d'influences nietzschéennes, tout cela le rattache au courant antipositiviste et antilibéral qui caractérise la fin du XIXe siècle et sert de support idéologique à l'impérialisme triomphant. Cela ne suffit pas à faire du fondateur de l'AF un précurseur du fascisme. D'abord parce que la façon dont s'élabore sa doctrine est aux antipodes du romantisme et de l'irrationalisme fascistes. A partir du moment où, voulant restituer à la France sa grandeur, il cherche le moyen de mettre fin à sa décadence et à sa médiocrité, tout est chez lui construction intellectuelle cohérente. Ce n'est pas par intuition ni par adhésion mystique qu'il se rallie à la monarchie, mais par une déduction qui se veut absolument rationnelle.

D'autre part, l'Action française tourne résolument le dos à certains choix fondamentaux du fascisme. Elle regarde vers le passé. Elle place son idéal dans une forme de société qui n'est pas très éloignée de celle du Moyen Age occidental et qui est de toute façon une société préindustrielle, là où le fascisme – dans sa forme achevée comme dans ses prémisses futuristes – sera volonté d'adaptation accélérée au monde industriel. Le souci d'intégrer politiquement les masses et de fonder une démocratie plébiscitaire, qui caractériseront largement les totalitarismes italien et allemand, est également étranger à la pensée maurrassienne. Cela ne signifie pas qu'il n'y a chez les dirigeants de l'AF aucune préoccupation sociale, bien au contraire. Mais la pensée sociale du néomonarchisme d'Action française reste très éloignée des divers courants du socialisme et se rattache très directement au conservatisme radical. Celui d'un René de La Tour du Pin, dont l'idéal est le retour à la structure sociale corporative du Moyen Age et l'association du capital (sauf s'il s'agit du capital usurier, c'est-à-dire juif) et du travail. Celui d'autre part d'Édouard Drumont, auteur avec *La France juive*, publiée en 1886 et bible de l'antisémitisme plébéien, d'un réquisitoire virulent contre la civilisation moderne, le capitalisme juif et la bourgeoisie en général, dont les conclusions diffèrent en fin de compte assez peu des conceptions organicistes du précédent, comme de celles que développent à peu près au même moment en pays germanique un Stöcker ou un Karl Lueger.

5. *Page de couverture de*
La Libre parole, *la feuille antisémite d'Édouard Drumont (14 novembre 1896). La légende* — « Judas défendu par ses frères » — *fait référence à l'affaire Dreyfus.*

Sans doute, l'influence de Sorel et de Proudhon va-t-elle également s'exercer sur les doctrinaires de l'AF. Mais, de même que chez les nationalistes italiens, il s'agit d'une influence sélective. Ce sont en général les éléments les plus réactionnaires de la démarche sorélienne et de la pensée de Proudhon qui sont repris par l'école maurrassienne, et si les tendances syndicalistes révolutionnaires sont effectivement présentes au sein de l'Action française, il est clair qu'elles ne concernent qu'une mince légion de militants. Nombre d'entre eux s'écarteront d'ailleurs par la suite du mouvement, comme Georges Valois, fondateur au milieu des années 20 du premier parti fasciste français. Maurras lui-même se montre très réservé à l'égard de l'ouverture à gauche que représente l'adhésion d'une partie de ses ouailles aux thèses du conservatisme radical. S'il patronne effectivement le cercle Proudhon, les références dans son œuvre au théoricien français de l'anarchisme sont rares et prudentes.

La doctrine maurrassienne s'oppose encore aux conceptions qui vont devenir celles du fascisme par sa vision antijacobine d'un État décentralisé et non bureaucratique, par sa volonté de reconstituer entre le pouvoir et les individus des corps intermédiaires que le fascisme cherchera au contraire à assimiler ou à détruire, enfin par ses conceptions élitistes et aristocratiques (Maurras a horreur de la barbarie égalitaire). Il est donc bien une doctrine du conservatisme, voire, comme le dit René Rémond, une « synthèse des traditions ». Ceci n'empêche pas l'Action française d'avoir nourri en son sein des esprits qui chercheront à rattacher le nationalisme intégral du maître aux courants plébiscitaires et socialisants qui prolifèrent alors. C'est par leur intermédiaire que l'AF jouera un rôle de relais entre le nationalisme de la fin du XIXe siècle et le fascisme français des années 30.

Maurice Barrès qui, à la différence de Maurras, ne renie pas l'héritage de la Révolution, mais au contraire le revendique et cherche à l'intégrer au patrimoine idéologique national, paraît à bien des égards plus proche des théoriciens italiens et allemands du préfascisme. On ne peut toutefois ni ignorer les fidélités jacobines de l'écrivain lorrain, ni négliger le fait que le barrésisme se rattache davantage au nationalisme défensif ou au nationalisme revanchiste des républicains qu'aux fantasmes conquérants des doctrinaires de l'impérialisme. D'autre part, Barrès demeure avant tout un conservateur, un homme attaché à l'ancienne France, à ses traditions, à ses institutions fondamentales (au-delà de la question du régime politique), à une conception rigoureusement statique de la société et au fait que, pour lui, la bourgeoisie doit naturellement jouer un rôle d'entraînement et de direction du corps social. Autant de principes qui caractérisent pour l'essentiel la pensée conservatrice et n'annoncent en rien le radicalisme fasciste, contestataire de l'ordre établi.

A y regarder de plus près, on découvre cependant dans la pensée barrésienne des thèmes qui, rompant avec le classique traditionalisme, introduisent des éléments que nous retrouverons dans le fascisme. En premier lieu, et cela est la conséquence même de l'acceptation de l'héritage révolutionnaire et démocratique, un véritable culte des masses, qui apparaît par exemple dans *L'Appel au soldat*, au chapitre où l'écrivain décrit l'énorme foule qui accompagne à la gare de Lyon le général Boulanger et pour laquelle il éprouve d'« obscurs sentiments hérités de nos ancêtres » : admiration pour l'« immense vague » et pour la « puissance animale » qu'elle recèle, volonté d'adhésion viscérale à un tout qui écrase le « frêle héros » et dans lequel celui-ci tend à se fondre, etc. A côté de cette mystique des foules, on trouve l'idée, qui sera reprise par les fascistes, qu'en dépit de leur vitalité animale les masses ont besoin, pour affirmer leur puissance, d'un héros, d'un chef susceptible d'incarner la commune volonté, l'« homme national » ou l'« homme drapeau », tel que Barrès l'évoque dans *L'Appel au soldat* et dans *Scènes et doctrines du nationalisme.*

Un troisième élément réside dans le caractère romantique et vitaliste du nationalisme barrésien. Au dogmatisme de Maurras, Barrès oppose en effet sa passion pour l'héroïsme, pour l'énergie, pour la vie sous toutes ses formes, pour une nation qui n'est pas à ses yeux une froide construction de l'esprit, mais « la France de chair et d'os », conceptions qui doivent davantage à Nietzsche qu'au classicisme français et aux théoriciens de la contre-révolution. Quant au thème de « la terre et les morts » qui est au centre de son œuvre, il n'est pas non plus sans correspondances avec le romantisme nationaliste d'outre-Rhin et avec le mot d'ordre qui sera, au temps de l'Allemagne hitlérienne, lancé par Walter Darré : « le sang et la terre » (*Blut und Boden*). De là découlent le racisme et l'antisémitisme de Barrès, et avec eux l'idée que les vertus et l'énergie vitale de la race résident moins dans les classes dirigeantes, principalement urbaines, que dans le peuple rural.

Le véritable préfascisme français doit cependant être recherché ailleurs, dans cette fraction de l'opinion que Zeev Sternhell a baptisée « droite révolutionnaire » et qui constitue pour lui la matrice principale du fascisme européen. Fondé sur une documentation de tout premier ordre et scientifiquement irréprochable, l'ouvrage de Sternhell (*La Droite révolutionnaire, 1885-1914, op. cit.*) a eu le mérite de cerner avec une rigueur minutieuse les divers mouvements et familles idéologiques qui, mordant sur la clientèle ordinaire de la gauche et de l'extrême gauche mais fortement ancrés à droite, occupent continûment, de la crise boulangiste à l'offensive anticartelliste des années 20, une surface non négligeable dans le paysage politique français.

Trois courants peuvent être isolés dans le fourmillement d'idées et d'organisations (souvent éphémères) qui caractérisent l'époque, tantôt suivant solitairement leur pente, tantôt mêlant leurs eaux ou joignant celles-ci au fleuve traditionaliste. Le premier, le mieux connu, est celui des ligues qui se sont développées entre 1885 et le début du XXe siècle, d'abord dans la mouvance du boulangisme, puis dans l'espace tenu par les forces antidreyfusardes. René Rémond en a cerné les contours et montré la signification dans son livre devenu un classique de l'histoire politique française et récemment réécrit (*Les Droites en France, op. cit.*) sans modification majeure sur ce point. Les ligues, à l'exception de l'AF qui s'insère d'entrée de jeu dans le camp traditionaliste, constituent comme le boulangisme qui favorise leur premier essor un avatar du bonapartisme. Comme lui, elles rassemblent sur un programme plébiscitaire et musclé des éléments conservateurs et une clientèle populaire volontiers anticléricale et contestataire de l'ordre établi. Sur ce point, il n'y a pas de divergence entre les thèses de Sternhell et celles de Rémond, encore que le premier ne fasse guère référence au problème du bonapartisme. Le débat porte sur l'emploi de l'adjectif « révolutionnaire » appliqué aux mouvements qui gravitent autour du boulangisme et de l'antidreyfusisme. Il est capital. Il se posera dans les mêmes termes à propos du fascisme qui lui aussi se veut révolutionnaire et est considéré comme tel par divers courants de l'historiographie. L'auteur des *Droites en France* a raison, je crois, de contester le bien-fondé de l'appellation et de lui préférer – comme je l'ai fait moi-même dans la première version de ce livre – l'épithète « contestataire ».

« N'est pas révolutionnaire qui se proclame tel, écrit-il : il ne suffit point de critiquer l'ordre établi ou le régime politique pour avoir droit à se qualifier de révolutionnaire. C'est pourquoi nous marquons une préférence pour appeler cette droite contestataire plutôt que révolutionnaire. Contestataire, elle l'est incontestablement : elle est bien en révolte contre l'ordre existant; en révolte également contre les appareils de la droite classique dont la prudence ou la pusillanimité l'exaspère... » (*op.. cit.*, p. 205). Mais la contestation n'est pas la révolution.

De surcroît – il en sera de même du fascisme – la contestation ligueuse ne représente qu'une fraction du mouvement et de son environnement politique. Sans doute la plus véhémente. Peut-être celle qui, dans un premier temps, rassemble les militants les plus nombreux, en tout cas les plus actifs et les plus motivés, avant d'être récupérée ou marginalisée par l'aile conservatrice. Certainement pas la masse des sympathisants, moins encore celle des électeurs qui portent leurs voix sur les organisations nationalistes radicales. Citons encore René Rémond :

« ... La préoccupation de la défense sociale, conçue en termes purement conservateurs, a tôt fait de prendre le pas sur le souci de justice et d'équité sociales et rejette à l'extérieur les aventuriers qui rêvent de subversion ou de changement profond : François Coppée l'emporte sur Jules Guérin et les académiciens pèsent plus lourd que les bouchers de la Villette...

« ... Le mélange de contestation et de conservation ne se fait pas à parts égales; la formule serait plutôt : beaucoup de conservation pour un peu de contestation. Il ne s'est jamais écoulé un long délai avant que la conservation ne confisque et n'occulte la contestation » (*op. cit.*, p. 204-205).

Contestation donc plutôt que révolution, et contestation assez vite minoritaire. Mais aussi clientèle « populaire » plutôt que spécifiquement prolétarienne. Certes, les ouvriers ne sont pas absents des ligues nationalistes et point n'est besoin, comme l'ont fait trop souvent les marxistes, de faire intervenir le *Lumpenproletariat* dévoyé pour expliquer l'adhésion d'une partie d'entre eux à la droite plébiscitaire. Simplement l'élément ouvrier y tient une place réduite, et pas seulement à l'AF ou à la très mondaine Ligue de la Patrie française. Travaillant sur un échantillon de 381 militants de la Ligue des patriotes, identifiés à partir des archives du ministère de l'Intérieur et de la préfecture de police, Zeev Sternhell relève parmi eux 119 artisans et petits commerçants, 90 employés, 73 représentants des professions libérales, 54 propriétaires, entrepreneurs et négociants, pour seulement 13 ouvriers. Mouvement essentiellement parisien, la Ligue des patriotes – de loin l'organisation la plus importante et la plus « populaire » avec la Ligue antisémitique de Guérin – est bien un rassemblement de membres des classes moyennes.

En fait, il faut noter deux choses. D'abord que les individus fichés par les services de police sont plus souvent de petits cadres du mouvement que des militants obscurs, ce qui tout naturellement privilégie l'élément petit-bourgeois. Ensuite qu'il s'agit non plus de la Ligue des patriotes pure et dure des premiers temps du boulangisme mais de celle des toutes dernières années du siècle, parvenue au terme d'une lente dérive conservatrice. Or si préfascisme il y a dans les organisations ligueuses, c'est au point de départ de leur évolution qu'il faut le rechercher, à un moment où l'idéologie de synthèse qui préside à leur éclosion ne se trouve point encore contaminée par l'élément ultraconservateur qui en saisira bientôt les leviers de commande, par le poids des bailleurs de fonds ou simplement par la logique opportuniste du combat électoral. On peut gloser à l'infini sur ce choix méthodologique de Sternhell, prélude à l'interprétation qu'il fera par la suite du fascisme français (cf. *Ni Droite, ni Gauche*, Paris, Seuil, 1983). Faut-il réduire le fascisme à l'idéologie de sa phase de gestation ? En vertu de quoi les grands partis de masse, PNF et NSDAP, lancés à l'assaut des démocraties libérales en crise et surtout les dictatures totalitaires de l'entre-deux-guerres ne seraient plus que des alliages bâtards, dérivés du pur métal des commencements. Laissons de côté pour l'instant ce problème de fond que nous aurons tout loisir d'aborder dans la suite de cette étude. Et admettons avec Sternhell qu'il existe une parenté de fait entre le premier boulangisme et le premier fascisme, l'un et l'autre nés à gauche et aussitôt récupérés par la droite.

Situés chronologiquement à mi-chemin de la gauche bonapartiste post-quarante-huitarde et du fascisme de l'immédiat après-guerre, le boulangisme et ses retombées ligueuses présentent une différence majeure avec le premier de ces mouvements. Ils ne sont pas seulement populaires, contestataires de l'ordre établi et hostiles à la république bourgeoise, mais ajoutent à ces attributs la recherche d'une synthèse entre le nationalisme et le socialisme. Un socialisme il est vrai très éloigné du courant marxiste et qui puise sa sève aux racines de l'utopie préindustrielle, donc plus facilement récupérable par le traditionalisme, mais qui n'est pas pour autant étranger à l'idéologie de la classe ouvrière. Et d'ailleurs, reconnaissons-le, la synthèse socialiste nationale ne fonctionne pas seulement à cette date de haut en bas : adaptation en quelque sorte du discours antidémocratique petit-bourgeois aux aspirations égalitaires des masses à conquérir. Un pur et simple discours de récupération destiné à mobiliser à droite les principales victimes de la république bourgeoise. Elle est également de la part de certains leaders nationaux – à commencer par le jeune Barrès, élu député de Nancy en 1889 avec l'appui des voix ouvrières ou animateur quelques années plus tard de l'équipe de *La Cocarde*, dans laquelle figurent, à côté de Maurras et de Daudet, des hommes comme Camille Pelletan, Clovis Hugues et Fernand Pelloutier – adhésion sincère à un programme de restructuration sociale éliminant l'exploitation capitaliste.

Que Barrès et ses amis aient eu de la société industrielle et des changements à lui apporter une idée somme toute plus proche de celle des catholiques sociaux et des disciples de La Tour du Pin que des doctrines collectivistes, condamnées en bloc comme destructrices des forces vives de l'humanité, ne suffit pas à les ranger dans le camp des adversaires du socialisme. Du moins pas dans l'immédiat. Il faudra beaucoup de temps, on le sait, aux socialistes de tous bords, marxistes compris, pour prendre la mesure du socialisme national boulangiste et ligueur et pour s'engager contre lui, au cœur de la mêlée dreyfusarde, du côté des défenseurs de la république bourgeoise. Et encore y aura-t-il à cette date d'authentiques révolutionnaires, comme les blanquistes, pour maintenir l'alliance tactique avec la droite plébiscitaire.

L'antisémitisme constitue la seconde composante du préfascisme français. Un antisémitisme qui, comme en Allemagne et en Autriche, n'est plus seulement rejet traditionnel du peuple « déicide », mais le fantasme partagé d'intellectuels néo-darwiniens et de contempteurs, de droite et de gauche, du capitalisme, partant le dénominateur commun à tous ceux qui rejettent en bloc la démocratie bourgeoise et ses idéaux rationalistes et humanitaires.

A l'origine de ce nouvel antisémitisme, auquel, notons-le, l'Italie reste très largement étrangère, se trouve un courant d'idées qui procède directement de la remise en question antipositiviste de la fin du siècle, récupérant les travaux et les idées du naturaliste Darwin pour fournir un support scientifique aux postulats inégalitaires de l'impérialisme et de la contre-révolution. La tendance, on l'a vu, est commune aux grandes nations industrielles, mais la France joue un rôle particulièrement important dans la diffusion de ce darwinisme social et des théories racistes qui en découlent. Si Taine et Gobineau font seulement figure de précurseurs, le premier par son déterminisme racial rigoureux, le second par le lien qu'il établit entre le métissage des peuples et le déclin des civilisations, trois personnalités vont, à des titres divers, forger les outils conceptuels dont la nouvelle droite fera le ciment de la contestation du système.

Le sociologue Gustave Le Bon (1841-1931), auteur avec *La Psychologie des foules* (1895) d'un best-seller dont feront leur miel non seulement Hitler et Goebbels, mais avant eux Bergson, Freud et beaucoup d'autres, donne aux intuitions encore très littéraires de Taine un vernis scientifique et une cohérence qui séduiront les gourous du nationalisme. « Un peuple, affirme-t-il, est un organisme créé par le passé », ce qui pourrait à la rigueur s'accommoder du concept cher à Renan de la nation fondée sur un vouloir vivre commun, s'il n'ajoutait aussitôt, donnant à la notion d'« âmes des peuples » un contour ouvertement racial :

« Les divers éléments de la civilisation d'un peuple n'étant que les signes de sa constitution mentale, l'expression de certains modes de sentir et de penser spéciaux à ce peuple ne saurait se transmettre sans changement à des peuples de constitution mentale différente. Ce qui peut se transmettre, ce sont seulement des formes extérieures, superficielles et sans importance » (*Les Lois psychologiques de l'évolution des peuples,* p. 154).

Georges Vacher de Lapouge (1854-1936), agrégé de droit devenu sous-bibliothécaire à la faculté des lettres de Montpellier et fondateur de l'école anthroposociologique française, tire du même postulat initial et aussi d'une pratique expérimentale que reprendront à leur manière les spécialistes nazis de la race (mesure des crânes, examen des mensurations des élèves des lycées et de conscrits, etc.) l'idée que la décadence de la France tient à la disparition de l'aryen dolichocéphale blond. Lui aussi croit au déterminisme racial, lequel implique à ses yeux un anti-individualisme radical et une conception de la nature humaine en rupture complète avec la tradition chrétienne et avec l'héritage illuministe. « A cette puissance infinie des ancêtres, écrit-il, l'homme ne peut se soustraire. Il ne peut changer les traits de son visage, il ne peut davantage effacer de son âme les tendances qui lui font penser, agir comme ses ancêtres ont agi et pensé » (*L'Aryen*, Paris, 1899, p. 351). Et il ajoute : « La psychologie de la race domine celle de l'individu. C'est là une notion fondamentale du monisme darwinien et la contrepartie du rêve de l'âme vierge, forgé par les philosophes » (*ibid.*).

Mais le véritable médiateur entre le néo-darwinisme de la fin du siècle et le nationalisme musclé, celui qui, parti des mêmes prémisses – sélection naturelle des groupes humains et déterminisme racial –, finit par faire de l'antisémitisme le pivot de sa doctrine pseudo-scientifique, est Jules Soury (1842-1915). Pour cet archiviste-paléographe d'extraction modeste (son père était ouvrier opticien), disciple de Renan et futur directeur d'études à l'École pratique des hautes études, où Barrès suivra avec ferveur son enseignement de psychophysiologie, « la considération de la race demeure capitale dans l'histoire du monde ». Or, depuis l'Antiquité, deux races dont la nature, explique Soury, est « irréductible » – l'aryenne et la sémite – l'une « supérieure », l'autre « inférieure », se livrent en Europe une guerre sans merci. Si la France est devenue une nation décadente, c'est parce qu'elle a oublié cette leçon de l'histoire et parce que, de tous les pays européens, elle est le seul où l'on « n'a point le sentiment de la race ».

De ces considérations philosophico-historiques, confortées par les idées de Houston Chamberlain, Hitler et Rosenberg tireront plus tard la substance de leur délire doctrinal. En attendant, c'est le préfascisme français que nourrissent les idées déterministes et sélectionnistes de Le Bon, de Vacher de Lapouge et de Soury. De Barrès à Maurras et de la gauche blanquiste à Drumont. Drumont, dont le rôle est immense dans la propagation en France d'un antisémitisme de choc, synthèse du vieil antijudaïsme chrétien et de l'antisémitisme économique des classes populaires urbaines, dont Jeannine Verdès-Leroux a montré en quoi il était tributaire des difficultés conjoncturelles des années 1880 (*Scandale financier et antisémitisme catholique. Le krach de l'Union générale*, Paris, 1969). Homme de droite, « débordant – écrit Michel Winock – de sympathies monarchistes, Drumont tenta, sans doute avec plus de naïve sincérité que de machiavélisme, d'ébranler le régime républicain avec la complicité des troupes révolutionnaires socialistes » (*Drumont et Cie, antisémitisme et fascisme en France*, Paris, Seuil, 1982, p. 53). Tentative de récupération donc plus que véritable synthèse qui inclinera l'auteur de *La France juive* à faire l'apologie de la Commune (qu'il avait en son temps condamnée) et du terrorisme anarchiste, à distribuer les coups de chapeau à Guesde et aux blanquistes, ou encore à reprendre à son compte la thématique, pourtant aux antipodes de ses propres sentiments, du *Molochisme juif,* un ouvrage publié à Bruxelles en 1884 par l'ancien communard Gustave Tridon.

Quoi qu'il en soit, parfaitement réactionnaire au fond mais habile à manier un langage plébéien, le syncrétisme antisémite de Drumont va offrir un ciment idéologique à des individus et à des groupes qui n'avaient jusqu'à présent de commun que leur haine de la démocratie bourgeoise. En même temps, il fournit au petit peuple des villes une explication facile des maux dont est porteur le capitalisme moderne, spéculateur, exploiteur et instrument de la « puissance juive ». « National-socialiste » si l'on veut que ce programme sommaire et attrape-tout, tentative d'adaptation aux transformations de la société industrielle pour les uns, simple aspiration à la restauration de l'ordre ancien pour les autres, à commencer par Drumont lui-même qui, comme ses contemporains germaniques – les Stöcker, les Naumann, les Henri Class, les von Schönerer –, rêve d'une société organique soustraite au pouvoir juif et où coexisteraient harmonieusement les intérêts et les groupes. A la Ligue antisémitique, fondée par Drumont et de Biez en 1889, en pleine euphorie boulangiste, puis relancée par Jules Guérin dans la fièvre de l'affaire Dreyfus, les quelque 20 000 ou 30 000 militants parisiens et provinciaux qui structurent l'agitation nationaliste de la fin du siècle ont d'autres soucis que de mesurer la composition de l'alliage « national-social » que leur offrent les leaders-bateleurs de cette première organisation de masse de l'antisémitisme européen : Guérin lui-même, véritable professionnel de l'escroquerie qu'enrichira comme Drumont l'entreprise préfasciste, ou Morès, aventurier de haut vol et authentique marquis sorti tout droit des *Mystères de Paris,* démagogue et chef de bande, enfant chéri des bouchers de La Villette et du *Lumpen* des quartiers périphériques de la capitale. Tous les ingrédients, toutes les ambiguïtés et tous les clients du premier nazisme sont ici présents. Y compris l'élément prolétaire que l'on va retrouver, majoritaire cette fois, dans le troisième courant du préfascisme français.

Ce troisième courant est lui-même composite et autant que le précédent imprégné de xénophobie et d'antisémitisme. C'est en son sein que se constitue en 1903 – dans la foulée des syndicats « jaunes » de Lanoir et Biétry qui rassemblent à cette date une centaine de milliers d'adhérents – le parti socialiste national du même Biétry, un ouvrier horloger de Belfort dont la personnalité et le cursus font penser à Doriot et qui deviendra député de Brest. La percée du mouvement jaune sera de courte durée – les cinq ou six années qui coïncident avec la grande vague d'agitation ouvrière de la république radicale – mais son histoire n'est pas sans ressemblances avec celle des premiers temps du fascisme. Même importance au début des cadres issus du syndicalisme révolutionnaire, même discours contestataire fustigeant à la fois la démocratie bourgeoise, le capitalisme et le socialisme traditionnel, même glissement rapide vers la droite, favorisé comme plus tard en Italie et en Allemagne par les subsides de quelques possédants (ici le duc d'Orléans, la duchesse d'Uzès et divers représentants des milieux économiques comme l'industriel Gaston Japy), même ralliement en cours de route de membres de l'establishment dont Paul Leroy Beaulieu, membre de l'Institut et professeur au Collège de France. Même dérive enfin du socialisme de Biétry – dont les troupes servent de garde prétorienne aux nationalistes bon teint – vers des formules de collaboration de classes bien dans la ligne du conservatisme radical.

Plus proches encore du fascisme des origines sont les tentatives de synthèse qui s'opèrent à la veille de la guerre entre la fraction la plus activiste du syndicalisme révolutionnaire et la gauche maurrassienne. La première, ralliée aux thèses de Berth et de Sorel, prône la violence prolétarienne et le refus du parlementarisme. La seconde juge lénifiante et peu mobilisatrice la doctrine sociale de l'AF, telle qu'elle se développe alors autour de Firmin Bacconnier et de son hebdomadaire *L'Avenir social.* L'une et l'autre s'appliquent à occuper l'espace de contestation laissé vacant depuis l'affaire Dreyfus par l'embourgeoisement de la social-démocratie. C'est à ce courant que se rattachent, venus d'horizons opposés, d'une part l'équipe de syndicalistes militants que regroupe, autour de sa revue *Terre libre,* le secrétaire du syndicat des employés municipaux, Emile Janvion, et de l'autre l'action de Georges Valois et du cercle Proudhon. Croisant leur tir, ils trouveront vite une plate-forme commune contre l'ordre bourgeois dans l'exaltation du socialisme national prolétarien, l'apologie de la violence et de la guerre et, toujours et encore, dans un antisémitisme virulent.

Ainsi, à la veille de la guerre, la plupart des thèmes qui vont au lendemain du conflit former l'assise idéologique du phénomène fasciste sont-ils largement répandus en Europe. Il y a là, qu'il s'agisse des doctrines impérialistes ou nationalistes, du syndicalisme révolutionnaire, voire déjà de véritables protofascismes, tout un outillage idéologique dans lequel la petite et la moyenne bourgeoisie, qui seront les grands vaincues de la guerre, vont puiser pour donner une base doctrinale à la réaction de défense et de désespoir que représente pour la société de l'après-guerre le premier fascisme.

III

Naissance du fascisme italien

Pour Croce et pour les historiens de l'école libérale, le fascisme n'a été qu'une parenthèse dans l'histoire contemporaine de l'Italie. Un accident lié à la crise sans précédent de l'après-guerre ou encore un cas particulier de la grande vague de réaction qui suit, ou qui accompagne la poussée révolutionnaire des années immédiatement postérieures au conflit.

Il n'est pas douteux que l'avènement du fascisme s'inscrit dans ce contexte et que le succès de l'aventure mussolinienne doit beaucoup au fait que la bourgeoisie italienne a vu en celle-ci un moyen efficace de barrer la route au bolchevisme. Cette explication partielle ne rend compte toutefois ni de la nature, ni de la complexité du phénomène fasciste. L'offensive prolétarienne qui s'est développée en Italie au lendemain de la guerre pouvait tout aussi bien aboutir à une réaction classique : coup d'État militaire et établissement d'un régime autoritaire traditionnel, comparable à ceux qui se sont installés dans les pays ibériques ou en Europe de l'Est. Le fait qu'un tel régime aurait vraisemblablement eu du mal à se maintenir et que dès lors une mobilisation plus radicale des masses a été jugée nécessaire par les détenteurs du pouvoir dictatorial pose déjà un problème qui est celui de l'État totalitaire fasciste, s'opposant aux autres formes de régime d'exception.

D'autre part, au moment où le fascisme prend réellement son essor, c'est-à-dire à la fin de l'année 1920, l'assaut prolétarien a déjà été repoussé et les forces révolutionnaires sont en plein reflux. Tout se passe alors comme si la classe dirigeante, profitant de la faiblesse des organisations ouvrières, se décidait non seulement à mener une « contre-révolution posthume et préventive » (A. Tasca), mais encore à passer elle-même à l'offensive pour atteindre des objectifs qui ne sont plus seulement la riposte à la poussée socialiste et syndicaliste. Nous sommes ainsi amenés à considérer le fascisme comme lié d'une part à la situation très spécifique de l'après-guerre et d'autre part à la façon dont se sont opérées en Italie la révolution industrielle et la mise en place d'une façade démocratique qui recouvre en fait des archaïsmes nombreux.

Croissance

et déséquilibres

Le décollage de l'économie italienne a été relativement tardif. Il s'amorce en effet aux environs de 1880 et n'est pas complètement achevé à la veille de la guerre. Il s'opère donc à un moment où, dans la plupart des pays industrialisés, se réalise la fusion entre le capital industriel et le capital bancaire. Dès le début, le processus d'industrialisation de l'Italie en subit les effets, ce qui se traduit par une forte tendance à la concentration. En 1914, diverses branches de l'industrie transalpine – sidérurgie, constructions mécaniques, industries chimiques, etc. – se trouvent ainsi dominées par quelques grosses sociétés qui contrôlent le marché et constituent déjà de véritables puissances.

L'essor très rapide de ce secteur monopolistique est un facteur de déséquilibre pour l'économie de la péninsule car il est, à bien des égards, artificiel. Certaines industries, comme celle des produits sidérurgiques, ont été constituées à grands frais, avec l'aide de l'État et à l'abri d'une protection douanière dont les effets néfastes sont supportés par d'autres branches de l'activité économique. Ceci pour satisfaire la mégalomanie de certains milieux d'affaires et de dirigeants politiques qui, tantôt en sont l'émanation, tantôt voient simplement dans le développement de l'industrie lourde l'instrument d'une politique étrangère répondant aux impératifs du moment. Il y a, entre la volonté de puissance de la classe dirigeante, partiellement gagnée aux idées impérialistes, le protectionnisme, le poids d'une fiscalité qui pèse principalement sur les masses et les déséquilibres de la société italienne, des liens que dès la fin du XIXe siècle Vilfredo Pareto dénonçait dans son opuscule paru en 1898 : *La liberté économique et les événements d'Italie.*

Ajoutons que l'économie italienne se trouve d'autant plus déséquilibrée par l'émergence soudaine des trusts que statistiquement ce sont encore les petites unités, atelier et manufacture, qui l'emportent dans l'ensemble du secteur industriel. Coexistent ainsi dans le même système économique des industries de pointe ultra-modernes et hyperconcentrées, peu nombreuses mais politiquement influentes, et une masse d'entreprises traditionnelles qui résistent difficilement à la concurrence des premières mais dont le nombre reste assez grand pour freiner le développement de l'ensemble.

Les contradictions qui règnent à l'intérieur du secteur industriel se doublent en Italie d'une disparité fondamentale entre l'essor de l'industrie et la stagnation des campagnes. Problème qui à bien des égards recouvre celui du *Mezzogiorno*, et qui découle de la façon dont a été réalisée l'unité de la péninsule. Celle-ci s'est opérée en effet sous l'égide de la bourgeoisie d'affaires du Nord et s'est accompagnée d'une véritable colonisation du Midi. L'ancienne classe dirigeante du royaume de Naples s'est d'abord rebellée contre cette situation (cf. ses liens avec les sociétés secrètes : la Camorra napolitaine et la Mafia sicilienne). Puis, peu à peu, elle a accepté de collaborer avec la bourgeoisie piémontaise, dans la mesure où celle-ci lui permettait de maintenir son pouvoir économique sur les campagnes et son influence politique locale. Une véritable alliance, mise en lumière par Antonio Gramsci, s'est ainsi constituée entre les milieux industriels du Nord et les grands propriétaires du Sud, avec comme conséquence l'élargissement du fossé qui sépare les deux Italies.

En effet, d'une part le Sud se trouve, en matière d'investissements publics et privés, sacrifié systématiquement, et d'autre part la noblesse latifundiaire du Midi tend à placer dans les entreprises industrielles et financières du Nord les profits qu'elle retire de la médiocre gestion de ses domaines. Romeo Rosario a montré (*Risorgimento e capitalismo*, Bari, 1969) que, par ce biais, et du fait de l'énorme pression fiscale qui a pesé sur les masses rurales après la réalisation de l'Unité, la bourgeoisie italienne a pu, en l'absence d'une réforme agraire qui aurait détruit les modes de production archaïques liés à la grande propriété, effectuer cette accumulation primitive du capital qui est nécessaire au démarrage du processus d'industrialisation. Mais cela a entraîné en même temps des effets catastrophiques pour les provinces du Midi et pour l'équilibre socio-économique de toute la péninsule. Certes, des efforts ont été entrepris par la suite, principalement sous l'impulsion de Giolitti, pour débloquer le Sud où a été implanté un début d'infrastructure ferroviaire et industrielle. Mais ils n'ont porté que sur des zones très localisées (la région de Naples par exemple) et sont restés trop limités pour combler, même partiellement, le retard des régions méridionales.

Tensions sociales
et blocages politiques

Ces déséquilibres structurels nourrissent dans la société italienne des tensions auxquelles la guerre va donner un caractère aigu. Il y a d'abord au sein de la classe dirigeante une opposition croissante entre les agrariens du Sud, exportateurs de produits agricoles et par conséquent libre-échangistes, et la bourgeoisie industrielle du Nord, en général protectionniste. L'alliance qui s'était établie au temps de

Depretis et de Crispi entre ces deux groupes tend en effet à se défaire au fur et à mesure que s'accélère un processus de concentration du capital qui favorise le secteur industriel. Opposition de plus en plus forte également entre les entreprises de dimensions moyennes et la grande industrie hyperconcentrée, et à l'intérieur même de ce secteur en constante restructuration entre grandes sociétés et groupes financiers rivaux.

L'industrialisation accélérée du pays a également établi un clivage à l'intérieur de la petite et de la moyenne bourgeoisie. D'une part il y a eu constitution ou développement de catégories sociales dont l'essor est lié à la révolution industrielle. Ce sont les gens des « nouveaux métiers », les techniciens, les ouvriers qualifiés de la grande industrie. Ce sont également les représentants de groupes sociaux qui existaient déjà dans l'Italie préunitaire et préindustrielle mais qui ont accru leurs effectifs et leur influence avec l'Unité et avec les progrès économiques récents : fonctionnaires, enseignants, membres des professions libérales, etc. Dans l'ensemble, ces catégories sociales ont profité du décollage industriel, même si leurs conditions d'existence restent parfois médiocres (c'est le cas des instituteurs et des petits fonctionnaires).

En général ces « classes moyennes émergentes » – pour reprendre l'expression adoptée par Renzo De Felice dans sa fameuse *Intervista sul fascismo* (Bari, 1975) – tendent avant la guerre à s'intégrer au régime et cherchent seulement à lui donner une orientation plus démocratique. Elles constituent la clientèle de prédilection de l'extrême gauche non révolutionnaire : radicaux, républicains et aile réformiste de la social-démocratie. Mais la révolution industrielle a eu aussi pour effet d'appauvrir la classe moyenne traditionnelle : petits rentiers dont les ressources restent fixes alors que les prix ne cessent de monter, agriculteurs du Midi qui ont fait les frais des guerres douanières menées par les industriels du Nord, artisans et petits patrons concurrencés par les grandes unités de production, patriciat des petites villes, etc. Nombre d'entre eux estiment que la cause de leurs difficultés réside dans la toute-puissance du capitalisme libéral et dans le régime parlementaire qui en est l'expression politique. On les retrouve fréquemment dans la mouvance du nationalisme, de l'anarchisme, du syndicalisme révolutionnaire, attirés par des courants de pensée qui se veulent à la fois anticapitalistes, antiparlementaires et hostiles à la démocratie bourgeoise.

Les classes populaires subissent de la même façon les effets de la coexistence d'une économie archaïque avec des secteurs de pointe, fortement concentrés et en expansion rapide. Ainsi, tandis que le sort des ouvriers de la grande industrie s'améliore lentement, grâce aux efforts conjugués du réformisme giolittien et de l'action syndicale, les ouvriers des « vieux métiers », c'est-à-dire les représentants de l'ancienne aristocratie ouvrière voient leur rôle diminuer et parfois leurs emplois disparaître. D'où également, au moment où le prolétariat d'usines subit fortement l'influence du marxisme, leur adhésion à des formes de contestation radicales, à des idéologies préindustrielles et antimodernistes. C'est également le cas de la paysannerie, particulièrement de celle du Sud, cette grande vaincue d'une révolution industrielle qui, en Italie, ne parvient pas à fournir du travail à une population toujours plus nombreuse. En Sicile, la contestation agraire a pris dans les années 1890 la forme d'une jacquerie anarchisante durement réprimée par les hommes de la gauche constitutionnelle. Dans la plaine du Pô, en Émilie, dans la région de Ferrare, les journaliers agricoles forment au début du siècle une fraction importante de la clientèle syndicaliste révolutionnaire.

La « piémontisation » et l'industrialisation rapide de l'Italie ont par conséquent donné à la bourgeoisie du Nord une place prépondérante dans la vie économique de la péninsule. Cette domination matérielle, et dans une large mesure intellectuelle, s'accompagne jusqu'en 1911-1912 d'une véritable hégémonie politique, partagée avec les agrariens. A cette date, en effet, 3 millions d'Italiens sur un total de 36 millions ont légalement le droit de vote. De plus, le nombre des électeurs se trouve encore réduit, du moins jusqu'aux élections de 1906, par les consignes abstentionnistes du Saint-Siège. La vie politique est donc aux mains d'une classe politique peu nombreuse qui représente les intérêts de la bourgeoisie et de l'aristocratie foncière du Sud. Dans chaque circonscription, il n'y a que quelques milliers, parfois quelques centaines d'électeurs, ce qui facilite grandement la constitution de clientèles aisément manœuvrées par les préfets et par les candidats du gouvernement. Par le jeu des promesses électorales, de la corruption et de la menace (il n'est pas rare de voir dans le Sud les autorités et les candidats officiels s'entendre avec les sociétés secrètes : la Camorra et la Mafia), le pouvoir parvient à s'assurer une majorité stable, ce qui explique la longévité ministérielle de ceux que l'on appellera en Italie les « dictateurs parlementaires » : Depretis, Crispi et Giolitti. Avec la pesanteur de l'appareil administratif et judiciaire, la brutalité des méthodes répressives, le rôle encore considérable de la couronne et de l'armée, ces pratiques marquent les limites étroites du libéralisme de l'État italien. Tout naturellement, le fascisme se coulera dans ce moule autoritaire.

Le parlementarisme constitue ainsi dans l'Italie de la Belle Époque une façade qui dissimule le règne sans partage de la classe dominante. Or cette situation risquait à la longue de devenir dangereuse, l'opposition des masses ne pouvant se manifester qu'en dehors des voies légales, par la violence et la remise en cause globale du système. C'est ce qu'a bien compris Giolitti, le plus clairvoyant des hommes politi-

1. *Giolitti aux deux visages, conservateur bon teint et démocrate sincère. Caricature de* L'Asino.

ques italiens, celui qui, pendant les quinze années qui précèdent la guerre, exerce sur la vie politique de la péninsule une influence telle que l'on a pu parler, pour qualifier cette période, d'« ère giolittienne ».

Pour Giolitti, le problème le plus urgent que l'Italie ait à résoudre à l'aube du XXᵉ siècle est celui de l'intégration des masses. Cette intégration, dans laquelle il voit l'unique moyen d'éviter la révolution, lui-même a tout fait pour la réaliser, faisant adopter une législation un peu moins défavorable aux travailleurs et cherchant à faire comprendre aux patrons de l'industrie et aux latifundiaires qu'il faut parfois faire droit aux revendications ouvrières. Surtout, il fait voter en 1912 une nouvelle loi électorale qui, reconnaissant le droit de vote à tous les hommes de plus de 21 ans sachant lire et écrire ainsi qu'aux analphabètes de plus de 30 ans, fait passer le nombre des électeurs de 3 à 8 millions et permet l'année suivante aux socialistes de faire entrer 59 députés à la Chambre.

Les conditions dans lesquelles l'Italie s'est engagée dans le premier conflit mondial marquent toutefois les limites de la démocratie instaurée par l'homme d'État piémontais. Face à la masse du peuple italien, fondamentalement attachée au maintien de la paix, et aux groupes politiques les plus représentatifs (socialistes, catholiques, libéraux giolittiens), ce sont des formations marginales, peu nombreuses mais très actives – les nationalistes, les radicaux, les républicains, les anarcho-syndicalistes, des socialistes révolutionnaires comme Mussolini, alors directeur du quotidien *Avanti !* – qui ont livré et gagné la bataille pour l'intervention. Le rôle de ces groupes a surtout consisté à appuyer par une violente agitation l'action du gouvernement, habile à les utiliser, voire à télécommander leurs initiatives, pour forcer la main du Parlement et créer l'illusion du consensus populaire. En réalité, la décision de lancer l'Italie dans la guerre a été prise de sang-froid par une équipe extrêmement restreinte comprenant le roi, le président du Conseil Salandra et le ministre des Affaires étrangères Sonnino.

Avant même de s'engager dans la guerre, l'Italie se trouve donc affrontée à des problèmes graves dont certains découlent de l'inachèvement du processus unitaire et les autres de l'industrialisation rapide et inégale du pays. Pour reprendre l'expression que Lénine applique à la Russie, elle représente l'un des « maillons les plus faibles de la chaîne des pays impérialistes ». Non pas le plus faible assurément, car l'héritage féodal y est plus réduit que dans l'Empire des tsars, mais l'un des plus fragiles si l'on entend par là que l'immaturité des structures issues de la révolution industrielle le rend vulnérable aux assauts des adversaires de tous bords de la démocratie bourgeoise.

L'impact
de la guerre

La guerre a aggravé les déséquilibres du jeune État postunitaire et créé de nouveaux problèmes que la démocratie libérale se trouve incapable de résoudre.

Globalement, le conflit a été une catastrophe pour l'économie italienne, mais tous les secteurs n'ont pas été également atteints. Certains d'entre eux ont même profité de l'effort de mobilisation, ce qui a eu pour effet d'accuser les déséquilibres de la période précédente. L'agriculture, par exemple, a subi de graves dommages du fait de la levée en masse des ruraux. Elle a été sacrifiée aux impératifs de la mobilisation industrielle et, avec elle, les régions dont elle constituait la ressource quasi exclusive. Elle n'est pas cependant la seule victime de la guerre. Dans l'ensemble, l'industrie a souffert de la pénurie de main-d'œuvre qualifiée, de matières premières et de capitaux, mais de façon inégale. Les branches qui constituaient en 1914 le secteur de pointe de l'économie italienne ont même largement profité de la mobilisation industrielle. Il en est ainsi tout naturellement des industries qui, de près ou de loin, ont été liées à l'effort de guerre et ont, de ce fait, bénéficié des commandes de l'État et de l'attribution prioritaire de matières premières et de main-d'œuvre. Au premier rang viennent les grosses sociétés métallurgiques : l'Ilva, dont le capital est passé en deux ans de 30 à 300 millions de lires, sa rivale l'Ansaldo des frères Perrone, qui connaît une progression encore plus considérable (30 millions de lires de capital en 1916, 500 millions en 1918), les groupes Breda et Terni, ainsi que la Fiat d'Agnelli. Ont également profité de la mobilisation économique les industries chimiques, notamment la puissante Montecatini, les fabriques de pneumatiques (Pirelli), les usines de textiles et de chaussures destinées à l'armée, etc. Au total, il y a donc renforcement des branches qui possédaient déjà une forte avance sur le reste de l'économie italienne.

Or, les conditions dans lesquelles s'est effectué cet essor rapide des industries les plus modernes et les plus concentrées rendent celles-ci extrêmement vulnérables et soulignent le caractère artificiel du boom des années de guerre. Il s'est réalisé, en effet, dans le cadre d'une économie mobilisée, soutenue et dirigée par les pouvoirs publics, ce qui, une fois la paix revenue, pose un problème de reconversion et de désengagement de l'État. Même dans les branches où la démobilisation industrielle peut paraître aisée – industrie automobile, textiles –, le maintien d'une forte production suppose l'existence d'un vaste marché intérieur, qui n'existe pas en Italie, ou des possibilités d'écoulement à l'extérieur impliquant des prix compétitifs. Or, la production du temps de guerre s'est faite dans des conditions anti-économiques. L'État acceptant d'acheter à n'importe quel prix, il n'y a eu de la part des industriels aucun effort de compression des coûts. Venant s'ajouter au foisonnement des intermédiaires, cela rend difficile l'exportation des produits italiens. Enfin, la guerre a renforcé la concentration du capital financier, et ceci de telle façon qu'elle l'a rendu très sensible aux variations de la conjoncture. Grâce aux énormes bénéfices qu'ils ont réalisés pendant le conflit, les industriels se sont, en effet, assuré le contrôle des grandes banques. L'Ilva a ainsi mis la main sur la Banca commerciale, tandis que l'Ansaldo se liait étroitement à la Banca di sconto. Il y a donc une solidarité étroite entre capital industriel et capital bancaire, qui n'est pas sans risques pour ce dernier, les organismes de crédit devant fréquemment renoncer à des investissements rentables pour soutenir, en phase de basse conjoncture, les géants industriels en difficulté.

Le gonflement excessif du secteur métallurgique et l'accélération du processus de concentration capitaliste se sont opérés dans un cadre qui n'est plus celui de l'État libéral orthodoxe. D'une part, les liens se sont resserrés entre le monde des affaires et la haute administration. D'autre part, la mobilisation économique a abouti à la création d'organismes coordinateurs, telle la Commission centrale pour la mobilisation industrielle qui était chargée de répartir entre les entreprises les commandes de l'État et de fixer les quotas de production. L'État enfin est intervenu pour réquisitionner main-d'œuvre et entreprises ainsi que pour fixer les salaires et les prix. La paix revenue, les industriels et les hommes d'affaires se sentent bientôt mal à l'aise dans ce cadre dirigiste et réclament le retour à l'État manchestérien. Dès que se profile le spectre de la crise, ils se souviennent toutefois des aspects bénéfiques de son intervention et voient dans un dirigisme qu'ils pourraient contrôler le moyen de sauver le capitalisme du naufrage. A bien des égards, le ralliement de nombre d'entre eux au fascisme s'inscrit dans cette perspective.

La guerre a, d'autre part, bouleversé le corps social et aggravé les inégalités. Ce sont, en effet, les vaincus de l'industrialisation qui ont le plus souffert. La paysannerie a fourni les contingents les plus nombreux et subi les pertes les plus lourdes. En même temps, elle a fait les frais d'une politique qui, sacrifiant l'agriculture aux impératifs de la mobilisation industrielle, a provoqué l'effondrement des prix agricoles et ruiné nombre de petits exploitants. Pour garder le contrôle d'une masse jusqu'alors médiocrement motivée par les buts de guerre qu'ils ont fixés, les dirigeants italiens ont dû, après Caporetto, multiplier les promesses aux paysans. On a ainsi envisagé, de façon d'ailleurs très vague, de partager les grands domaines insuffisamment exploités, de bonifier les terres incultes et d'attribuer la terre à ceux qui la travaillent. Une fois l'armistice conclu, ces promesses vont rester lettre morte. Il en résulte, au cours des mois qui suivent la guerre, un très vif mécontentement des ruraux et, dès l'été 1919, un vaste mouvement d'occupation des terres non cultivées et des grands domaines.

Petite et moyenne bourgeoisie figurent également parmi les principales victimes du conflit. Leurs économies, placées en titres de rente à revenu fixe ou en bons du Trésor, ont fondu durant les années de guerre et, leur situation s'aggravant avec la crise, elles rendent le gouvernement responsable de l'inflation qui les ruine. Appauvries, déclassées, menacées de prolétarisation, elles réagissent en accusant les dirigeants politiques de faire le jeu des grands intérêts, tout en favorisant les ouvriers bénéficiaires d'exemptions et de salaires élevés. Une vive tension oppose ainsi les classes moyennes à la haute bourgeoisie et aux travailleurs de l'industrie. N'est-ce pas d'ailleurs dans ces deux catégories sociales que l'on trouve le plus de profiteurs de guerre, de *pescicani* (requins) et d'« embusqués » ? C'est une idée qui est fréquemment exprimée dans les milieux petits-bourgeois, là où se développe le plus volontiers l'esprit ancien combattant.

Ce sont ces milieux, rappelons-le, qui ont fourni la grande masse des officiers de réserve. Revenus du front, où nombre de leurs camarades ont trouvé la mort, ils découvrent le monde de l'arrière changé. Leurs économies ont été grignotées par l'inflation et le ralentissement des affaires rend leur reclassement difficile. Mais il y a pire. Là où ils s'attendaient à être accueillis en héros victorieux, les officiers doivent affronter souvent la colère de la foule pour qui ils symbolisent tous les crimes du militarisme. Dans les quartiers populaires des grandes villes, on fait la chasse aux officiers en uniforme. On les insulte. On leur arrache leurs décorations. Parfois on les dépouille de leurs vêtements. Attitude que les journaux socialistes ont le tort de ne pas condamner, quand ils ne l'encouragent pas, et que Gramsci compare à celle du « chien qui mord la pierre et non la main qui la lance ». Le fait est grave, car ces catégories sociales où se mêlent les membres des professions libérales, les petits propriétaires, les cadres de l'industrie et du commerce, avaient constitué depuis le début du Risorgimento l'une des assises les plus solides de la société italienne. En acceptant ou en accélérant leur déclassement, au moment où elle se trouve elle-même menacée par la poussée révolutionnaire, la classe dirigeante les condamne à devenir cette « élite de remplacement » dont parle Pareto et dans laquelle le fascisme va recruter ses militants et ses cadres.

La guerre a été globalement moins défavorable aux ouvriers dont le niveau de vie a progressé. La pénurie de main-d'œuvre qualifiée a en effet contraint les chefs d'entreprise à payer à leurs ouvriers des salaires décents et à embaucher des femmes et de jeunes adolescents, ce qui a fortement accru les revenus de nombreuses familles. Il faut noter toutefois que tous les secteurs n'ont pas également bénéficié de ces avantages et que les pouvoirs publics ne se sont pas privés d'intervenir, après Caporetto, pour limiter autoritairement les hausses de salaires. Surtout, ces conditions relativement favorables ont pris fin avec la cessation des hostilités. Très vite elles ont fait place à une situation inverse, les salaires restant bloqués ou augmentant faiblement, alors que les prix connaissent une hausse vertigineuse. La dégradation du niveau de vie ouvrier nourrit dès lors un vif mécontentement qu'aggravent encore la raréfaction des denrées alimentaires et le rétablissement des cartes d'alimentation.

La « *victoire mutilée* »

Beaucoup d'Italiens avaient espéré qu'une guerre victorieuse donnerait à leur pays un poids plus grand dans la vie internationale. Le gouvernement lui-même ne s'était engagé dans le conflit que pour achever l'unité du pays, en obtenant la cession des « terres irrédentes », faire triompher ses revendications nationales et satisfaire cet

« égoïsme sacré » évoqué par Salandra dans son discours du 8 octobre 1914.

Or les promesses faites à l'Italie se trouvent remises en question, lors de la conférence de la paix, par les principes de la diplomatie wilsonienne. Le président des États-Unis ne s'estime pas lié en effet par les actes diplomatiques signés pendant la guerre entre les pays de l'Entente. Aux conceptions traditionnelles fondées sur l'intérêt des États et sur le droit du vainqueur, il entend substituer une nouvelle diplomatie reposant sur la justice et sur le droit. C'est dans cette perspective qu'il a développé devant le Congrès les fameux « quatorze points », fondements à ses yeux d'une paix durable entre les nations. Sans doute le point 9 admet-il le principe d'une « rectification de la frontière italienne », mais il précise en même temps que celle-ci « devra être faite selon une ligne de démarcation clairement reconnaissable entre les nationalités ». Cela pose le problème du Haut-Adige, peuplé en majorité d'Allemands, et de la majeure partie de la Vénétie julienne et de la Dalmatie où domine le peuplement slovène. Celui de Fiume également, non évoqué par le traité de Londres, mais que les Italiens revendiquent maintenant au nom du principe des nationalités qu'ils sont ailleurs peu disposés à admettre.

L'opposition entre les idées de Wilson et le programme expansionniste du gouvernement de Rome se manifeste dès la première phase de la conférence de la paix. Un âpre débat s'engage entre le président des États-Unis, qui a fait étudier la question par un comité d'experts américains, et le président du Conseil italien Orlando. Ce dernier exige Fiume au nom du principe des nationalités, le Trentin, le Haut-Adige et la Vénétie julienne parce que ce sont « les frontières que Dieu a données à l'Italie », la Dalmatie enfin pour des raisons stratégiques. Wilson refuse de faire droit aux revendications italiennes concernant la Dalmatie et l'Istrie orientale, tout en proposant pour Fiume un statut de ville libre. Puis, pour forcer la main des négociateurs italiens, il fait paraître le 23 avril 1919 dans le quotidien *Il Tempo* un manifeste adressé au peuple italien et dans lequel il présente son projet de règlement du contentieux italo-yougoslave. Le ton est amical mais aucune référence n'est faite au gouvernement du royaume. Orlando a beau jeu d'accuser le président américain de s'être adressé aux Italiens par-dessus la tête de leurs dirigeants. Le 24 avril, il quitte brusquement la conférence de la paix, suivi deux jours plus tard de Sonnino, son ministre des Affaires étrangères.

Le geste des deux chefs de la délégation italienne à Paris sera sans lendemain. Leur départ n'ayant pas provoqué, comme ils l'espéraient, le blocage de la conférence, ils doivent – au moment où les alliés s'apprêtent à attribuer à la Grèce, cliente de l'Angleterre, la région de Smyrne primitivement promise à l'Italie – reprendre le chemin de la capitale française. Du 7 mai au 6 juin 1919 ils y essuieront refus sur refus et devront finalement accepter les conditions des Alliés, ce qui pour Orlando constitue une véritable déroute diplomatique, sanctionnée quelques jours plus tard par un vote de méfiance de la Chambre.

Cette affaire a eu des conséquences capitales pour l'avenir politique de l'Italie. Lorsque Orlando et Sonnino sont arrivés à Rome après avoir claqué la porte de la conférence, ils ont été accueillis triomphalement, dans une véritable fièvre d'exaltation chauvine où les socialistes sont à peu près les seuls à vouloir faire triompher l'idée d'une juste paix entre les peuples. Et c'est entre avril et juin 1919 que naît le thème de la « victoire mutilée », du sacrifice de centaines de milliers de morts rendu inutile par le complot de l'« impérialisme bancaire étranger » contre la « nation prolétaire ». Thème qui se développe d'abord dans les milieux nationalistes et chez les interventionnistes de gauche qui gravitent autour de Mussolini, mais qui ne tarde pas à s'étendre à des secteurs plus modérés de l'opinion italienne.

C'est la question de Fiume qui va donner toutefois au nationalisme italien de l'après-guerre sa tonalité spécifique. A Fiume, coexistent depuis l'armistice des troupes italiennes et un corps expéditionnaire interallié où domine l'élément français. Fin juin 1919, dans l'atmosphère surchauffée de la ville, des incidents graves opposent soldats italiens et français. Ce sont les « Vêpres fiumaines », à la suite desquelles le Conseil suprême interallié réclame la réduction du contingent italien et l'éloignement du régiment des grenadiers de Sardaigne, jugé responsable des événements.

2. D'Annunzio, devenu « il comandante », s'adresse à la population de Fiume et à ses « légionnaires » le 30 octobre 1919.

Deuxième acte du mélodrame fiumain. Des officiers de ce régiment « exilé » à Ronchi prennent contact au début du mois de septembre avec Gabriele D'Annunzio, lequel multiplie depuis plusieurs mois les déclarations enflammées sur la « sainteté de la cause fiumaine » et rêve de rééditer l'exploit de Garibaldi et de ses Chemises rouges en Sicile. Le poète-condottiere, autour duquel commencent à se rassembler des volontaires qui vont former le Bataillon des volontaires fiumains, est alors à l'apogée de sa gloire et représente pour nombre de combattants récemment démobilisés un véritable symbole. Aussi sa décision de prendre la tête des grenadiers de Sardaigne, bientôt rejoints par de petites unités isolées et par quelques chercheurs d'aventure, soulève-t-elle un vif enthousiasme dans la péninsule. A la mi-septembre, le *comandante*, qui a bénéficié d'importantes complicités militaires et des hésitations de Nitti, nouveau chef du gouvernement italien, prend possession de la ville « au nom de l'Italie » et y installe un pouvoir dictatorial.

Les faibles réactions gouvernementales et l'aide que D'Annunzio a reçue des militaires préfigurent ce que sera trois ans plus tard l'attitude du pouvoir et de l'armée face au dernier assaut du fascisme. De même l'opinion publique révèle dès cette époque une passivité plus ou moins complice que, dans sa majorité, elle conservera jusqu'au triomphe de Mussolini. Les moins enthousiastes, à l'exception des socialistes qui condamnent sans appel l'équipée dannunzienne, se trouvent dans le camp affaibli des meilleurs soutiens du régime : chez les libéraux giolittiens et parmi les réformistes de l'Union socialiste dont les deux principaux dirigeants, Bonomi et Bissolati, ont été exclus du PSI en 1911. Or, même ceux-là ne blâment dans l'entreprise fiumaine que les méthodes employées par le *comandante*, dangereuses, estiment-ils, pour l'avenir de la démocratie italienne. Ils se gardent bien en revanche de condamner les mobiles du putsch. Pour sa part, la droite conservatrice et nationaliste approuve sans réserve une initiative qu'elle souhaite voir aboutir au renversement du ministère « croate » de Nitti. Mais ses appuis les plus résolus, D'Annunzio les trouve à la fois à l'extrême droite, dans les rangs des nationalistes, et parmi les éléments extrémistes de l'interventionnisme de gauche : anarchistes et syndicalistes révolutionnaires.

Au début, l'élément nationaliste l'emporte sur tous les autres. Mais ne nous y trompons pas. Il s'agit d'un nationalisme plus heurté, plus véhément que celui de l'avant-guerre. Non plus celui de l'establishment, tel qu'il a pu se manifester dans l'action d'un Corradini et d'un Papini. Un nationalisme d'hommes d'affaires et d'intellectuels. Il se rattache davantage au courant futuriste, resté très minoritaire jusqu'en 1914. Sociologiquement, il recrute ses troupes parmi les éléments marginaux de la société, ou plus exactement parmi les déclassés et les désespérés. Tous ceux que la guerre a arrachés à leur milieu traditionnel et qui ne peuvent s'y réinsérer. Parce qu'ils retrouvent la place prise, ou simplement parce que la réadaptation au monde rassurant et médiocre dont la guerre les a tenus éloignés pendant plusieurs années s'avère impossible. On trouve là ceux que l'arrêt des combats a déçus : officiers et sous-officiers décorés et souvent insultés par le petit peuple des métropoles industrielles, grands blessés comme D'Annunzio lui-même, soldats des troupes de choc – *arditi*, « caïmans du Piave » vêtus de noir et fréquemment recrutés parmi les anciens détenus – ou encore jeunes bourgeois récemment démobilisés et qui éprouvent les pires difficultés pour se réadapter à la vie civile. Autrement dit, une clientèle qui est déjà celle du premier fascisme.

Peu à peu d'autres éléments viennent se joindre aux volontaires fiumains. Plus inquiétants encore pour la classe dirigeante parce que déterminés à utiliser le mouvement dannunzien pour en finir avec la société bourgeoise. Anarchistes et syndicalistes révolutionnaires soutiennent en effet, de près ou de loin, l'action du *comandante*. Les anarcho-syndicalistes de l'*Unione italiana del lavoro* (UIL) par fidélité aux idéaux du « mai radieux » de 1915, ce qui est également le cas de la Fédération des gens de mer et de son secrétaire, le capitaine Giulietti. D'autres, tel Malatesta, parce qu'ils attendent d'une éventuelle marche sur Rome l'effondrement du régime bourgeois et l'instauration d'une société libertaire, quitte à se retourner après coup contre leurs alliés nationalistes. Certains, comme le futuriste Mario Carli, se réclament même du bolchevisme. Non de celui qui triomphe en Russie avec le communisme de guerre. Moins encore du bolchevisme frelaté auquel se réfèrent les dirigeants maximalistes du PSI. Mais de l'esprit à la fois révolutionnaire et patriotique qui a permis à Lénine et à ses partisans de préserver, contre les assauts des démocraties bourgeoises, l'intégrité du territoire national. « Il y a, écrit-il, entre Fiume et Moscou un océan de ténèbres. Mais indiscutablement, Fiume et Moscou sont deux rives lumineuses. Il convient au plus vite de jeter un pont entre ces deux rives » (*Con D'Annunzio a Fiume*, Milan, 1920, p. 105).

Ces représentants de l'ultra-gauche finiront par exercer sur D'Annunzio une influence prépondérante. Ce sont eux qui lui inspirent, après la rupture avec Rome et l'installation d'un pouvoir dictatorial à Fiume, cette curieuse Constitution de la régence du Quarnaro. Bien caractéristique de la fusion qui s'opère entre nationalisme et syndicalisme révolutionnaire, ce document fonde le nouvel État sur une base corporatiste et affirme la primauté du travail sur la propriété des moyens de production. Il ne sera pas sans influence sur la Charte du travail adoptée quelques années plus tard par le régime fasciste. En attendant, il ne manque pas d'inquiéter la bourgeoisie italienne, y compris des nationalistes conservateurs comme Rocco et Coppola. Ce qui explique la désaffection d'une grande partie de l'opinion pour l'entreprise dannunzienne et la facilité avec laquelle Giolitti, qui a remplacé Nitti à la tête du gouvernement en juin 1920, peut venir à bout de la sécession. Fin décembre, le *comandante*, qui a vainement attendu le secours d'une insurrection populaire, ne peut empêcher le général Caviglia d'investir la ville. Un armistice est signé qui instaure à Fiume un gouvernement provisoire et fixe les conditions d'évacuation des légionnaires. Exit D'Annunzio.

L'affaire de Fiume s'est déroulée parallèlement à l'éclosion du premier fascisme. Et pour Mussolini, qui a soutenu assez mollement l'action de son rival, l'équipée dannunzienne est riche d'enseignements. Elle révèle à la fois la faiblesse de l'État libéral, les complicités qui peuvent être obtenues dans les milieux d'affaires et dans l'armée, l'attraction exercée sur les masses par une forme politique sachant associer le sentiment national et les revendications sociales. Mais elle montre en même temps que seul un parti structuré et discipliné peut tirer parti de ces diverses données. Le fascisme retiendra la leçon de l'échec du *comandante*, recueillant au passage l'héritage du rituel dannunzien – les longs dialogues scandés avec la foule –, ainsi que l'esprit, les méthodes et jusqu'à l'aspect extérieur (l'uniforme des *arditi* par exemple) des légionnaires du Quarnaro.

Une révolution manquée

Si l'affaire de Fiume est bien une répétition générale de la montée du fascisme, elle ne suffit pas à expliquer son essor au moment précis où s'achève l'entreprise dannunzienne, contemporaine de la grave crise économique, sociale et politique qui secoue l'Italie au sortir de la guerre.

Économiquement, l'Italie doit faire face au problème capital de la reconversion des industries de guerre et se réadapter aux contraintes ordinaires d'une économie de marché. Habitués au cours des années de guerre à un interventionnisme qui sert leurs intérêts, les industriels, tout particulièrement ceux du secteur hypertrophié de la métallurgie, comptent sur l'aide de l'État. Ils attendent notamment des pouvoirs publics le maintien de hauts tarifs douaniers, l'octroi de subventions, de substantielles commandes publiques, ainsi que l'abolition de la réglementation du temps de guerre concernant les salaires ouvriers. Autrement dit, un dirigisme limité dans le temps et fonctionnant à leur profit exclusif. Or les dirigeants politiques du royaume ne semblent pas disposés à satisfaire ces revendications des milieux d'affaires. Moins sans doute par fidélité inconditionnelle au libéralisme économique que par nécessité. En effet, la déroute monétaire s'aggrave en 1919, lorsque les États-Unis et la Grande-Bretagne dénoncent les accords signés pendant la guerre avec les Alliés pour soutenir artificiellement la parité de leurs monnaies avec la livre et le dollar. L'Italie souffre d'autre part d'une forte pénurie de devises due à la chute des exportations et à la diminution des rentrées « invisibles » (revenus du tourisme, fonds rapatriés par les travailleurs émigrés), ainsi que d'un spectaculaire déficit budgétaire.

Il en résulte, comme dans beaucoup d'autres pays européens, une situation inflationniste qui met gravement en péril la lire et contraint le gouvernement à adopter une politique de stricte orthodoxie financière. Pour comprimer les dépenses budgétaires, on décide de réduire au maximum l'aide apportée aux grandes entreprises, au moment précis où les effets de la crise mondiale – qui atteint l'Italie en 1920 – frappent de plein fouet un grand nombre d'entre elles. Signe de la dureté des temps, les plus grosses sociétés, celles qui ont pendant la guerre réalisé les profits les plus élevés et poussé le plus loin la concentration du capital, ne peuvent échapper à la ruine. Le groupe

Ilva connaît très vite de graves difficultés et doit à la fin de l'année subir une restructuration complète. L'Ansaldo est touchée à son tour et entraîne dans sa faillite, à l'automne 1921, la Banca di sconto sur laquelle elle avait établi son contrôle pendant la guerre. Ces faillites retentissantes provoquent celles d'entreprises de moindres dimensions et réduisent au chômage des dizaines de milliers de travailleurs. A long terme, elles ont un effet encore plus grave. Les milieux d'affaires n'oublieront pas le refus du président du Conseil Bonomi de faire supporter par le Trésor le déficit des firmes les plus menacées et tiendront l'État libéral pour responsable de leur naufrage.

Ces difficultés économiques et financières s'accompagnent d'une offensive prolétarienne qui atteint son point le plus aigu au cours de l'été 1920. Phénomène très largement spontané, lié davantage à la détérioration du pouvoir d'achat et aux promesses non tenues qu'à la contagion du bolchevisme russe et à l'action des états-majors politiques. Cela ne signifie pas que les motivations économiques aient été seules à provoquer l'ébranlement des masses italiennes. Celles-ci sont également animées d'une profonde volonté de changement et il est certain à cet égard que l'exemple russe n'est pas négligeable. Mais l'agitation conserve presque continûment un caractère « sauvage » qui contraste nettement avec la stratégie concertée, et d'ailleurs toute formelle, de la fraction majoritaire et maximaliste du parti socialiste.

L'agitation se répand d'abord dans les campagnes. Les paysans ont conscience d'avoir supporté le plus lourdement le poids de la guerre et attendent du retour à la paix l'amélioration de leurs conditions de vie – elles ont encore empiré pendant le conflit – et la solution du problème des terres, imprudemment promise après Caporetto. Dès le début de l'été 1919, les démobilisés occupent les grands domaines, d'abord dans le Latium, puis en Italie du Sud et dans la basse vallée du Pô. Menés par leurs dirigeants syndicaux, socialistes ou catholiques – certains sont des prêtres –, ils prennent possession des terres au son des cloches et des fanfares. En même temps, ouvriers agricoles et fermiers s'organisent en syndicats et en coopératives qui imposent aux grands propriétaires des conditions de travail et des contrats plus avantageux. Au début, les agrariens laissent passer l'orage et acceptent les revendications des travailleurs de la terre. Peu à peu cependant ils commencent à lever des milices privées pour récupérer leur bien, en attendant d'apporter leur appui au fascisme. Dès la fin de 1920 le mouvement d'appropriation des terres, qui a porté sur un peu moins de 30 000 hectares, marque le pas. Il a complètement cessé au printemps 1921 et c'est contre les coopératives rurales que s'exerce alors l'action terroriste des escouades fascistes.

Dans les zones industrielles, l'offensive ouvrière commence au printemps 1919 et se développe en trois vagues successives. La première est une série de grèves sauvages provoquées par le prix élevé des denrées alimentaires et qui dégénèrent vite en troubles sanglants. A Gênes, à Forli, à Milan, la foule pille et incendie les magasins et les dépôts de vivres, tandis qu'à Florence se constitue une « république des soviets » qui va durer trois jours. Il faut attendre l'automne pour qu'avec l'augmentation des salaires – Nitti a donné l'exemple en augmentant les traitements des fonctionnaires et le patronat suit – l'agitation cesse brusquement.

Le mouvement reprend cependant dès les premières semaines de l'année suivante. Cette seconde phase est caractérisée par la prolifération des arrêts de travail (on parle de « grévomanie ») et par la coloration plus politique des revendications (lutte pour la reconnaissance des conseils d'usine, pour l'appropriation des moyens de production, pour la gestion collective des entreprises), même si au départ la flambée de grèves est comme la précédente rigoureusement spontanée.

Mais c'est avec la troisième vague que l'agitation ouvrière prend un véritable caractère révolutionnaire. Née à l'Alfa Romeo de Milan, structurée par la puissante Fédération italienne des ouvriers métallurgistes, elle dure près de deux mois et prend la forme d'une grève générale avec occupation des locaux. Maîtres de leurs usines que contrôlent des conseils élus et que défendent des milices de « gardes rouges », les ouvriers semblent à la mi-septembre maîtres du jeu dans

3. *Grève aux usines Fiat de Turin en octobre 1920.*

le triangle industriel du Nord. Mais les états-majors syndicaux et les dirigeants socialistes acceptent de traiter avec Giolitti lequel, en échange d'une vague promesse de contrôle ouvrier sur les entreprises, obtient l'évacuation des usines et la reprise du travail. Au début de 1921 l'échec de l'offensive prolétarienne est consommé. Déçus par la médiocrité des résultats obtenus, ayant perdu toute confiance en leurs organisations syndicales, les travailleurs renoncent à la lutte. Et c'est au moment où intervient cette détente que les classes possédantes passent à la contre-attaque. Industriels et agrariens s'organisent dans de puissants syndicats patronaux : la Confindustria, fondée en mars 1920, et la Confagricoltura. Surtout, ils commencent à partir de l'automne à subventionner le fascisme et à utiliser les services de ses bandes armées pour démanteler les organisations de la classe ouvrière.

La crise
de l'État libéral

Après l'affaire de Fiume, le fait que les possédants doivent user de la violence et de l'illégalité pour préserver leurs privilèges et leurs biens souligne la faiblesse de l'État libéral et son incapacité à résoudre les problèmes auxquels l'Italie se trouve confrontée depuis la guerre. Il apparaît clairement que le système politique italien, tel qu'il a fonctionné depuis la fondation du royaume, se trouve inadapté aux changements produits par la révolution industrielle et par le conflit mondial. L'adoption du suffrage universel, la rivalité des diverses fractions de la classe dirigeante, l'aspiration des masses à un changement politique profond – telle qu'elle se manifeste dans la campagne en faveur de la réunion d'une Constituante destinée à réviser le *Statut* de 1848 –, le poids du modèle bolchevique rendent impossible le retour pur et simple au système giolittien. Il en résulte un immense vide politique que ne parviendront pas à combler les partis dont l'objectif est d'intégrer politiquement les masses italiennes et une instabilité ministérielle plus grande encore que dans l'Italie de l'avant-guerre.

Trois grandes forces politiques se disputent alors les suffrages des électeurs. La première regroupe les partis gouvernementaux, libéraux, modérés, radicaux, entre lesquels les différences idéologiques restent faibles. Plus caractéristique est le clivage qui oppose au lendemain de la guerre les anciens interventionnistes groupés autour de Nitti et les ex-partisans de la neutralité dont le chef est Giovanni Giolitti. Distinction qui repose également sur des rivalités d'ordre économique. Les premiers, du moins une partie d'entre eux, ont des liens étroits avec la Banca di sconto, les seconds des attaches avec la « Commerciale ».

Le second courant est celui de la démocratie chrétienne. Il est représenté par le parti populaire italien, fondé en janvier 1919 par un prêtre sicilien, devenu dirigeant puis secrétaire général de l'Action catholique : don Luigi Sturzo. Bénéficiant au début de l'appui de Benoît XV, qui voit dans la constitution d'un grand parti catholique le moyen de rallier une partie de la classe ouvrière, il se situe en principe au centre gauche. En réalité, il regroupe plusieurs tendances, parmi lesquelles celle des anciens partisans de don Romolo Murri (condamné par le Saint-Siège en 1906), d'inspiration franchement socialisante, et celle du député de Crémone, Miglioli, dont les positions sont assez proches de celles des marxistes. Ceci aura pour effet d'éloigner du PPI nombre de catholiques conservateurs qui vont par réaction apporter leur soutien au fascisme.

Enfin le parti socialiste représente, avec ses 200 000 adhérents et ses 177 députés (en 1919), le troisième courant, en même temps que la principale force politique du pays. Cette puissance apparente recouvre toutefois de profondes lignes de fracture. Il existe tout d'abord une minorité réformiste, fortement représentée à la Chambre. Elle se déclare prête à jouer le jeu parlementaire et prône une voie « gradualiste » vers le socialisme. Elle s'oppose donc à la majorité maximaliste du parti, convaincue depuis Caporetto et depuis la victoire des bolcheviks de l'imminence de la révolution. Lors du congrès qui se tient à Bologne à l'automne 1919, les maximalistes prêchent avec leur leader Serrati l'offensive immédiate contre un État bourgeois que la guerre et la crise ont ébranlé et qui se trouve, estiment-ils, en pleine décomposition. En adoptant à une majorité écrasante (80 % des votants) la motion que présentent les amis de Serrati, les congressistes optent pour la politique du « tout ou rien » et se refusent à tout compromis avec une bourgeoisie dont le règne leur paraît irrémédiablement fini.

En fait, l'appel à la révolution et à la création de conseils ouvriers s'inspirant du modèle russe exprime une violence surtout verbale. Grands admirateurs de Lénine, les dirigeants maximalistes ont peu de traits communs avec le groupe de révolutionnaires professionnels que le leader bolchevik avait réussi à créer en Russie. Ils restent ce qu'ils ont toujours été : des intellectuels petits-bourgeois ou des militants syndicalistes rompus à une tactique réformiste et légalitaire. Non à une action subversive et destructrice des cadres de l'État. Aussi, lorsque dans le courant de l'été 1920 la situation devient effectivement révolutionnaire et que se pose pour eux la question de savoir s'ils vont ou non prendre la tête d'un mouvement qu'ils ont encouragé – mais qui leur échappe – les voit-on faire machine arrière et refuser d'engager l'épreuve de force contre le pouvoir. En privant le mouvement d'une issue politique, cette dérobade entraîne l'échec de l'offensive prolétarienne.

Cette attitude a été vivement critiquée par une autre tendance minoritaire du parti : celle que regroupent autour de la revue turinoise *Ordine nuovo* des hommes comme Antonio Gramsci, Angelo Tasca et Palmiro Togliatti. Favorables à l'adhésion à la III° Internationale aux conditions fixées par Lénine, ceux-ci formeront après le congrès de Livourne, en janvier 1921, le parti communiste où coexistent pendant quelque temps à côté de ces léninistes de stricte obédience les gauchistes de Bordiga. A cette date, le parti socialiste italien se trouve en pleine crise. La bourgeoisie ne lui pardonne pas la « grande peur » de l'été 1920. Nombreux sont dans ses rangs ceux qui applaudissent aux assauts que lancent contre l'organisation socialiste les escouades armées du fascisme, quand ils ne leur apportent pas le soutien de leurs deniers. La classe ouvrière lui reproche de l'avoir abandonnée en pleine bataille, et ceci au moment où la victoire semblait proche. C'est avec des forces réduites – 60 000 membres au lieu de 200 000 en 1919, 122 députés contre 177 – que le PSI devra faire face, au cours de l'année 1921, à la grande offensive du fascisme.

Telles sont les forces politiques qui s'affrontent dans la péninsule au moment où prend naissance le mouvement des *fasci*. Or, cet affrontement s'inscrit dans un système politique bloqué. Pour sortir de l'impasse et adapter les institutions du pays aux nouvelles conditions économiques et sociales, beaucoup songent au lendemain de la guerre à un renouvellement profond du cadre constitutionnel. L'idée a été lancée pendant la guerre par le parti socialiste. Au lendemain de l'armistice, elle est reprise par divers groupements politiques qui se déclarent favorables à la réunion d'une assemblée constituante à laquelle il incomberait de réviser radicalement le *Statuto* de 1848. Mais les représentants de la classe dirigeante voient dans ce programme la première étape d'un processus révolutionnaire et le parti socialiste, désormais acquis à l'idée de dictature du prolétariat, le juge dépassé. Ni les uns ni les autres ne feront quoi que ce soit pour le faire aboutir. En juillet 1919, le projet sera définitivement enterré par Nitti.

C'est donc dans un cadre politique traditionnel que se font et se défont les gouvernements de l'après-guerre. Celui de Nitti, qui a remplacé Orlando en juin 1919 et tombe un an plus tard sur la question de Fiume. Celui surtout de Giolitti (juin 1920-juin 1921), qui représente incontestablement la dernière chance de la démocratie parlementaire en Italie. Dès la fin de la guerre, le vieux leader libéral a montré qu'il restait l'homme d'État le plus clairvoyant de la péninsule. En octobre 1919, il prononce dans son fief électoral de Dronero un discours qui le replace d'entrée de jeu à la tête de l'aile progressiste de la bourgeoisie italienne. Giolitti y dénonce les vices d'un système oligarchique qui a jeté l'Italie dans la guerre contre la volonté du peuple et il formule un programme néolibéral comportant en particulier une modification de la Constitution dans un sens plus démocratique.

Certes le discours de Dronero n'innovait pas fondamentalement. Resté fidèle à son projet d'intégration politique des masses, Giolitti proposait seulement d'accorder au peuple le maximum de réformes compatible avec le maintien du régime. Néanmoins, précisément parce qu'il était à la fois progressiste et modéré, son programme aurait pu servir de plate-forme commune aux anciens neutralistes (socialistes, catholiques, libéraux giolittiens) et aux interventionnistes de gauche. Or il n'en fut rien. Sans doute parce que les positions des divers acteurs de la vie politique italienne étaient désormais trop tranchées pour que pût fonctionner comme par le passé le « transformisme » – c'est-à-dire la récupération au centre d'une large fraction des opposants – de l'ère giolittienne. Les partis conservateurs virent dans le progressisme de l'homme d'État piémontais une voie qui conduisait tout droit au pouvoir des soviets. Quant aux deux partis de masse qui auraient pu soutenir son action, le PSI et le parti populaire, ils refusèrent de le faire. Le premier parce qu'il ne voulait en aucune façon voler au secours d'un régime moribond. Le second parce que Giolitti représentait à ses yeux la tradition laïque et centralisatrice avec laquelle il entendait précisément rompre. Leur refus d'une voie moyenne, sans doute inadaptée, il est vrai, aux aspirations de leurs troupes, aura des conséquences dramatiques. L'échec de la solution giolittienne ouvre en effet, en juin 1921, la crise du régime et laisse la voie libre au fascisme mussolinien.

Mussolini

et les débuts du fascisme

Jusqu'en 1921 le fascisme ne représente qu'un courant marginal dans la vie politique italienne. Son succès à partir de cette date il le doit à la conjonction de plusieurs facteurs, les uns de pure circonstance – l'échec de D'Annunzio à Fiume par exemple, qui oriente vers lui ceux que le leader nationaliste a déçus –, les autres plus directement liés aux forces profondes de l'histoire : la faillite de l'État libéral incapable de trouver une solution à la crise, la grande peur des possédants qui optent après la poussée révolutionnaire de l'été 1920 pour la contre-révolution préventive, l'indécision de l'état-major socialiste qui a refusé de consolider l'État bourgeois mais n'a pas su – ou pas voulu – lui substituer un pouvoir répondant aux aspirations des masses. A quoi il faut ajouter la personnalité de Benito Mussolini et le flair manifesté par le futur Duce pour sentir les courants porteurs de l'opinion et leur trouver un commun dénominateur.

Au début le fascisme se distingue difficilement d'autres mouvements ultra-minoritaires qui cherchent au lendemain immédiat de la guerre à tirer parti du discrédit pesant sur les partis traditionnels et sur les institutions parlementaires. Recrutant la majeure partie de leur clientèle dans la petite bourgeoisie, ces groupuscules prennent naissance dans une aire idéologique où se mêlent en s'opposant des tendances dont la source commune est le refus du libéralisme et du positivisme bourgeois : anarchisme, nationalisme, syndicalisme révolutionnaire, etc. Tel est le cas de l'Association des arditi d'Italie, fondée à Milan en janvier 1919 pour regrouper les anciens combattants des sections d'assaut sur un vague programme nationaliste. A l'origine de cette initiative, on trouve d'ex-futuristes comme Mario Carli ou comme Marinetti lui-même, auteur du *Manifeste* de 1909. Il est tout à fait caractéristique que le futurisme ait ainsi servi de relais entre le nationalisme de l'avant-guerre et la première version du fascisme. Toutefois, de même que lors de la campagne interventionniste de 1915, et comme à Fiume, les nationalistes sont vite rejoints par des éléments anarchisants et par des syndicalistes révolutionnaires.

Ce sont également les idéaux interventionnistes et révolutionnaires de 1915 qui président à la constitution du premier faisceau mussolinien. Le 21 mars 1919 une première réunion tenue à Milan, à l'appel du directeur du *Popolo d'Italia,* aboutit à la fondation d'un groupe auquel les participants donnent le nom de « faisceau de combat » (*fascio di combattimento*), terme qui se rattache à toute une tradition spontanéiste et révolutionnaire allant des faisceaux des travailleurs siciliens de 1893-1894 aux faisceaux d'action révolutionnaire des interventionnistes de gauche. A cette époque le mot appartient encore par conséquent au champ lexical de l'extrême gauche, bien que depuis 1917 les nationalistes s'en soient emparés : il y a eu après Caporetto un faisceau parlementaire de défense nationale et à la même date Marinetti a fondé un faisceau politique futuriste.

C'est deux jours plus tard, le 23 mars, que se situe la véritable date de naissance du fascisme. L'initiative revient également à Mussolini qui a convoqué une assemblée générale destinée à donner au mouvement des bases nationales. La réunion se tient à Milan, Piazza San Sepolcro, dans une salle prêtée par le Cercle des intérêts industriels et commerciaux. Il y a là, à côté de quelques idéalistes qui se sentent mal à l'aise dans les partis traditionnels mais ne sont pas pour autant des révolutionnaires, des aventuriers et des agitateurs, ainsi que de jeunes bourgeois récemment démobilisés et qui parviennent difficilement à se réinsérer dans la vie civile. Parmi les 200 ou 300 personnes qui ont constitué l'assistance un peu houleuse du meeting, l'histoire retiendra 119 noms, publiés dans les colonnes du *Popolo d'Italia* et qui représentent en gros quatre tendances : les *arditi* qui entourent le capitaine Ferruccio Vecchi, un héros des troupes d'assaut, des syndicalistes révolutionnaires représentés notamment par Michele Bianchi – probablement le groupe le plus nombreux –, des interventionnistes de gauche, enfin un petit groupe de futuristes menés par Carli et Marinetti.

A l'issue de la réunion de la Piazza San Sepolcro, il fut décidé de créer une organisation nationale, les *Fasci italiani di combattimento,* à laquelle Mussolini entendait conserver une structure très souple et qu'il situait résolument (dans l'une des trois déclarations lues par lui dans le courant de la séance) à l'extrême gauche du courant interventionniste, « combattant » et « national ». En même temps étaient jetées, de façon très confuse, les bases d'un programme qui ne sera rendu public que quelques mois plus tard, non sans avoir été retouché et un peu adouci par le directeur du *Popolo d'Italia.* On y trouve mêlées, à côté de revendications nationales encore très tempérées, des revendications économiques – dissolution des sociétés anonymes, lutte contre la spéculation, impôt sur le capital et sur les bénéfices de guerre –, sociales – journée de huit heures, participation des travailleurs à la gestion de l'entreprise, partage des terres – et politiques – réunion d'une Constituante, fondation d'une république italienne avec autonomie communale et régionale, institution du référendum populaire, etc. Au total, on le voit, ce sont les thèmes défendus par les éléments syndicalistes révolutionnaires qui l'ont emporté. Ce qui n'est pas sans effrayer un peu les futuristes et certains des nationalistes présents à la réunion du 23 mars, de même que les hommes d'affaires qui ont prêté la salle et qui voient dans l'éclosion de toute organisation concurrente du parti socialiste un moyen d'affaiblir celui-ci. Sans doute est-ce la raison pour laquelle Mussolini a tardé à rendre public le programme des *fasci* et multiplie par la suite les déclarations rassurantes.

Mussolini n'a pas inventé le fascisme. Mais comme Hitler il appartient à la couche sociale qui porte en elle au lendemain de la guerre un certain nombre de tendances, d'aspirations, de pulsions refoulées, auxquelles il saura donner un dénominateur commun. Petit-bourgeois contestataire, il résume en sa seule personne nombre d'options idéologiques de la classe dont il est issu : le spontanéisme révolutionnaire des anarcho-syndicalistes, l'interventionnisme de gauche des républicains et des démocrates, le nationalisme des anciens combattants, autant de composantes du premier fascisme. Quinze ans ou vingt ans avant beaucoup de ses compatriotes, il a subi une évolution qu'eux-mêmes vont connaître au lendemain immédiat de la guerre. Ce qui le prédispose à comprendre leurs problèmes et à tirer parti de leurs frustrations.

Benito Mussolini est né le 25 juillet 1883 à Predappio en Romagne, un pays sauvage, contrasté, qui fait des hommes rudes et difficiles à manier. Par ses origines familiales, il se rattache à diverses fractions de la petite bourgeoisie provinciale : celle de la terre par ses ancêtres paternels, celle de l'artisanat et de la boutique par son père Alessandro qui est forgeron et cafetier, celle enfin des professions libérales et de la petite propriété urbaine par sa mère Rosa qui est la fille d'un vétérinaire et a fait des études secondaires avant de devenir institutrice. Les longues courses dans la campagne, les batailles rangées avec les petits paysans, le travail à la forge ont modelé un adolescent solide et rude que ne rebutent ni les travaux manuels, ni les contacts avec les hommes du peuple. Sans doute ont-ils également accentué les traits d'un tempérament violent, peu enclin à dominer ses instincts et porté à la révolte : bien dans la ligne du modèle paternel. Alessandro, qui a baptisé son cabaret « Au rendez-vous des têtes chaudes » est en effet un coq de village intempérant et hâbleur qui affiche des idées socialistes ou anarchistes – la confusion est alors fréquente et lui-même distingue mal entre les deux – sur lesquelles il discourt inlassablement. La seule influence compensatrice est celle de la mère, Rosa Mussolini, qui donne au jeune garçon quelques rudiments de culture, mais qui meurt en 1905.

A 9 ans, le jeune Mussolini entre cependant au collège, chez les Salésiens de Faenza. Il y accomplit de bonnes études secondaires avant d'entrer à l'école normale de Forlimpopoli. A 19 ans, son diplôme d'instituteur en poche, il obtient un poste de maître suppléant à Gualtieri en Émilie. Pas pour très longtemps. A la fin de l'année scolaire, l'administration municipale décide de ne pas renouveler son contrat. C'est moins son engagement politique qu'on lui reproche – deux ans plus tôt, il est devenu membre du parti socialiste mais son activité y est encore très réduite – que le scandale causé par sa liaison avec une jeune femme du village dont le mari est soldat. Sans travail, peu désireux par ailleurs d'accomplir ses obligations militaires, il prend le chemin de la Suisse où il mènera pendant deux ans (1902-1904) la vie difficile d'un émigré sans qualification, pratiquant les métiers les plus divers (maçon, manœuvre, etc.) et passant d'un canton à l'autre pour échapper aux poursuites qu'entraînent ses activités politiques et syndicales. Ces années d'exil tourmenté seront capitales pour la formation du futur leader révolutionnaire. Il fréquente des dirigeants du PSI réfugiés en Suisse depuis l'insurrection milanaise de 1898, comme Serrati et Angela Balabanoff, et rêve avec certains d'entre eux d'expéditions libératrices de l'autre côté des Alpes. Il se donne en même temps une culture politique très composite et mal

4. Signature de Mussolini, à dix-huit ans, au retour d'un voyage à Ancône où il était allé passer un concours.

5. Le futur Duce du fascisme dans les bras de sa mère. Fille d'un vétérinaire, Rosa Mussolini avait fait de solides études secondaires avant de devenir institutrice. Son influence sur le jeune Benito a un peu compensé celle du père, Alessandro, buveur brutal et hâbleur.

6. Mussolini en 1916 en uniforme de bersagliere. Blessé lors d'un exercice de tir en avril 1917, il bénéficie d'une libération anticipée et peut reprendre à Milan sa campagne contre le neutralisme et le « défaitisme » des amis de Giolitti.

7. Ce très rare document des jeunes années de Mussolini révèle peut-être une vocation (manquée ?) d'acteur. L'apprenti instituteur tient ici un rôle dans Le Triomphe de la justice, représenté en janvier 1901 à l'école normale de Forlimpopoli.

8. Mussolini pendant son séjour en Suisse (1902-1904).

ERCE DE VINS F. TEDESC

RIMASTO DISOCCUPATO al termine dell'incarico provvisorio alla scuola elementare di Pieve Saliceto, Mussolini decise di emigrare in Svizzera: il denaro per il viaggio (45 lire) gli fu inviato dalla madre con un vaglia telegrafico. In Svizzera, Benito si adattò ai mestieri più umili: qui sopra è la bottiglieria di Losanna dove lavorò come garzone.

MUSSOLINI GIROVAGÒ da una città all'altra della Svizzera, incontrandosi con emigrati italiani e con esponenti del socialismo internazionale. Ebbe così modo di assecondare la sua innata passione per la politica, ma per mantenersi dovette fare perfino il manovale. La casa qui raffigurata sorge nel Bernese, e Mussolini collaborò alla sua costruzione.

IN SVIZZERA, Mussolini approfondì anche i suoi studi, iscrivendosi all'università di Losanna e seguendo i corsi del famoso economista Vilfredo Pareto. Questo è il suo libretto di iscrizione all'ateneo.

digérée, lisant pêle-mêle les théoriciens du marxisme, ceux de la violence révolutionnaire (Sorel et Kropotkine), Nietzsche et Schopenhauer. Il suit même pendant quelque temps à Lausanne les cours de Vilfredo Pareto, à qui le fascisme empruntera sa critique corrosive de la démocratie libérale. Lorsqu'il rentre en Italie en novembre 1904, Mussolini est déjà largement acquis aux idées anarcho-syndicalistes qui imprègnent la gauche du parti. Après deux ans passés sous les drapeaux et une période de bohème et de vagabondage, il se fixe en 1909 à Forli où il trouve un poste de professeur de français.

Commence alors pour lui une fulgurante ascension dans l'appareil du PSI. Dès 1910, Mussolini est à Forli administrateur de la fédération provinciale du parti et directeur de l'hebdomadaire *La Lotta di classe.* A 27 ans, il fait figure de chef du socialisme romagnol mais ce rôle purement local ne lui suffit pas. Son ambition, son extrémisme, son aptitude à saisir le courant qui passe et qui peut le porter au sommet, le conduisent à entrer en conflit avec les tendances réformistes des dirigeants nationaux. La guerre de Libye le place à la tête de ceux qui reprochent aux leaders modérés le soutien qu'ils apportent à la politique impérialiste de Giolitti. A Forli, il déclenche avec l'aide du jeune républicain Pietro Nenni une véritable émeute contre le départ des troupes pour l'Afrique et au congrès de Reggio Emilia, en juillet 1912, il fait prononcer par la nouvelle majorité révolutionnaire du parti l'exclusion des chefs de la tendance réformiste et « collaborationniste ».

Voilà donc le futur duce du facisme projeté à l'avant-scène de la grande politique. Désigné comme membre de la nouvelle équipe dirigeante du PSI, il se voit confier la direction de l'*Avanti !*, l'organe principal du parti, auquel il imprime une ligne révolutionnaire. Lorsque se déclenche la guerre européenne, Mussolini, qui a été en juin 1914 l'un des organisateurs de la fameuse « semaine rouge » – la vague insurrectionnelle qui déferle sur la Romagne et sur l'Émilie – occupe incontestablement la première place parmi les éléments durs du parti. Il se montre tout d'abord résolument neutraliste et attaque avec violence les interventionnistes de gauche, à commencer par les syndicalistes révolutionnaires comme Corridoni et Alceste De Ambris. Et puis, brusquement, il change de camp. Le 18 octobre, il publie dans l'*Avanti !* un article intitulé « De la neutralité absolue à la neutralité active et opérante » où il déclare que les socialistes italiens ne peuvent rester plus longtemps les spectateurs passifs du conflit international et dans lequel il prend parti pour l'intervention aux côtés de l'Entente.

La réaction des autres dirigeants du PSI est immédiate. Dès le 20 octobre Mussolini est écarté de la direction du quotidien socialiste et le 24 novembre il est exclu du parti. Une dizaine de jours plus tôt il a commencé à faire paraître un nouveau journal, le *Popolo d'Italia,*

1. *Mussolini représenté par le peintre futuriste Ambrosi. TDR.*

EGLI CAVALCHI AI LIMITI DEL MONDO
E TUTTA LA SUA GENTE ANDRÁ CON LUI

2

4

3

2. Les « mousquetaires du Duce ». Chacun des gardes du corps de Mussolini est représenté avec le visage du Duce. Anonyme. TDR.

3. Affiche de Todeschini : « Il chevauchera jusqu'aux limites du monde et son peuple avec lui! ». TDR.

4. Affiche publicitaire pour les aciéries Terni, productrices d'armements lourds (1937). TDR.

L'ORDINE DI POTENZIARE L'INDUSTRIA DI GUERRA
EMANATO DAL SUPREMO ORGANO DEL REGIME
TROVA LA "TERNI" PERFETTAMENTE PREPARATA

5. Affiche anonyme réalisée pour la célébration du raid aérien Italie-Brésil (1931). TDR.

6. « La révolution fasciste. » Cette toile du peintre futuriste Tato a appartenu à Mussolini. TDR.

5

6

Quelques réalisations de l'architecture fasciste en Italie :

7. *La piazza della Vittoria à Gênes.*

8. *La gare centrale de Milan.*

9. *Le foro italico à Rome.*

dont le financement a été assuré en partie par des intérêts privés (certains milieux d'affaires interventionnistes représentés en particulier par Filippo Naldi, directeur du *Resto del Carlino*) et aussi par des fonds versés par l'ambassade de France et par les socialistes français qui ont dépêché à Milan plusieurs émissaires parmi lesquels Marcel Cachin. Mussolini n'a pu ignorer l'origine des sommes qui étaient ainsi mises à sa disposition. Il est même certain qu'il les a sollicitées. On sait par exemple qu'il s'est rendu au moins une fois au palais Farnèse pour y réclamer des subsides. Cela ne permet pas de conclure à sa vénalité personnelle. Les fonds qui lui ont été remis pour soutenir sa campagne interventionniste sont venus après-coup, à un moment où il avait déjà décidé de rompre avec la ligne neutraliste de son parti. Ils n'ont pas provoqué sa conversion.

Pour expliquer son changement d'attitude, point n'est besoin d'invoquer des mobiles financiers qui ne sont pas dans la ligne du personnage. Il suffit de constater qu'en 1914 le directeur de l'*Avanti !* est un peu exilé dans son propre parti. Par tempérament, par formation, il se trouve plus proche des syndicalistes révolutionnaires de l'UIL que de beaucoup de dirigeants du PSI de l'ère giolitienne, un parti installé et prospère dans lequel il se sent mal à l'aise. Ne serait-ce que parce qu'il n'a jamais été un marxiste très convaincu. Sa culture politique n'est pas très différente de celle de nombreux interventionnistes de gauche et la guerre n'a fait à cet égard que précipiter une rupture probablement inévitable. Mais surtout, la motivation première de son attitude, il faut la rechercher dans la psychologie personnelle de Mussolini, dans son goût pour l'action, dans sa volonté de jouer les premiers rôles, dans son incapacité à subir une discipline. Jusqu'alors, il a toujours été à la tête de ceux qui dans le mouvement socialiste prenaient des initiatives violentes. Et voici que tout à coup il se trouve emprisonné dans la ligne modérée adoptée par le PSI (« ni adhésion, ni sabotage »). Ceci au moment où les hommes dont il est en fait idéologiquement et viscéralement le plus proche, les éléments avancés de l'interventionnisme de gauche, De Ambris, Corridoni, Michele Bianchi, lancent sur le ton de la guerre civile et de la prophétie millénariste les faisceaux interventionnistes d'action révolutionnaire et annoncent avec l'entrée en guerre de l'Italie le premier acte de la révolution.

Mobilisé dès le début de la guerre, Mussolini est envoyé sur le front de l'Isonzo comme caporal dans un régiment de bersagliers. Il se comporte courageusement, sans plus. Rien de comparable avec Adolf Hitler, pour qui la guerre constitue une fuite, une façon de compenser la vie de médiocre et de raté qui a été la sienne à Vienne et à Munich. C'est au cours d'un exercice de tir qu'en avril 1917 Mussolini est blessé gravement, ce qui lui vaut une libération anticipée. Rentré à

Milan, il reprend dans son journal sa campagne contre le neutralisme et le défaitisme giolittien.

Lorsque cessent les combats, en novembre 1918, Mussolini fait figure d'homme seul. Idéologiquement, il reste très proche du socialisme, au moins dans sa version anarchisante. Mais il cultive une haine tenace à l'égard de ceux qui l'ont banni et brûle de jouer à nouveau un rôle à sa mesure. Il est donc à la recherche d'un courant qui puisse le porter. Dans la ligne des faisceaux d'intervention, le fascisme lui paraît être un moyen de concilier ses tendances anarcho-syndicalistes et sa ferveur nationaliste.

Jusqu'à l'automne 1920, le fascisme ne rencontre qu'une audience des plus modestes et ne répond pas aux espoirs de son principal inspirateur. Certes, des *fasci* se constituent dans de nombreuses villes de la péninsule mais les effectifs restent maigres. Lors du premier congrès du mouvement, en octobre 1919, on ne dénombre encore que 56 faisceaux représentant 17 000 adhérents. En juillet 1920, à la veille de la grande vague de grèves insurrectionnelles, il y a tout au plus 30 000 membres pour 108 faisceaux. Il faut dire qu'à cette date le fascisme ne peut compter, à peu de choses près, que sur ses propres ressources qui sont fort minces. La classe dirigeante est plus inquiétée que séduite par un mouvement qui n'a pas encore rompu avec des racines anarchisantes et dont le programme, même édulcoré par Mussolini, ne ménage pas ses attaques contre les possédants et contre le système. Aussi les subsides sont-ils rares. Le journal de Mussolini a lui-même de la peine à vivre. D'autre part, les élections de novembre 1919 constituent une déception profonde pour le fondateur des faisceaux. Le mouvement n'a aucun élu à Milan, où Mussolini s'est porté candidat sur une liste où figuraient également le poète futuriste Marinetti et le chef d'orchestre Toscanini. Les fascistes n'ont obtenu que 4 795 voix contre 170 000 aux socialistes et 74 000 aux « populaires ». La déroute est telle que le directeur du *Popolo d'Italia* songe un moment à émigrer.

Deux événements vont permettre le décollage du mouvement fasciste. D'abord le reflux de la popularité de D'Annunzio après son échec à Fiume. Bien que Mussolini ait eu une attitude assez équivoque à l'égard du *comandante* et de son entreprise, il parvient en effet à récupérer le gros de la clientèle composite qui s'était rassemblée autour de lui et à offrir à ces aventuriers déçus et désœuvrés un moyen de prolonger leur action. L'autre chance du fascisme, c'est l'offensive prolétarienne qui la lui apporte. Non que les troupes mussoliniennes se soient au plus fort de la bataille lancées à l'assaut des citadelles ouvrières. On voit au contraire le directeur du *Popolo d'Italia* soutenir toutes les agitations et multiplier les surenchères. Au début, Mussolini appuie même les occupations d'usines et promet son concours à

Buozzi, le secrétaire de la Fédération des ouvriers métallurgistes. Mais en même temps qu'il soutient l'action spontanée des masses, il engage la lutte contre ceux qui pourraient tirer profit de la poussée révolutionnaire. Dès avril 1919, les fascistes profitent d'une grève lancée à Milan par le PSI et la CGL, pour incendier le siège de l'*Avanti !* C'est la première grande date historique du fascisme : la « bataille de la via dei Mercanti ». Elle sera suivie de beaucoup d'autres et les fascistes sont loin d'avoir toujours le dessus, du moins dans les premiers temps. Mais ce qui compte pour Mussolini c'est d'affirmer la présence de son mouvement. Il reste que jusqu'à la fin de l'été 1920 le fascisme n'est rien d'autre qu'une formation marginale, dépourvue d'assise populaire et n'agissant que pour son propre compte. Tout va changer avec la déroute ouvrière de l'automne 1920.

IV

L'avènement
du régime mussolinien

La fascisation de l'Italie commence au lendemain de l'offensive ouvrière de l'été 1920 et s'achève en 1926 avec les lois d'exception dites fascistissimes qui suppriment les dernières libertés et fondent véritablement la dictature mussolinienne. Entre ces deux actes, le « fascisme-mouvement » (que l'historiographie italienne distingue fondamentalement du « fascisme-régime ») subit lui-même une profonde transformation qu'explique très largement l'évolution de ses rapports avec les possédants : milieux d'affaires et agrariens.

Du premier
au second fascisme

Sa chance historique, nous l'avons vu, le fascisme l'a rencontrée au début de l'automne 1920, immédiatement après le reflux de la vague d'agitation ouvrière qui a fait trembler la classe dirigeante. Une fois écarté le danger révolutionnaire, la bourgeoisie songe en effet à empêcher un nouvel assaut contre ses positions. Pour cela, elle cherche à s'assurer les services de groupes politiques qui, sachant manier la démagogie verbale, ont une chance d'attirer à eux la fraction de la classe ouvrière que la dérobade des maximalistes a déçue, et qui soient en même temps suffisamment hostiles aux organisations officielles du prolétariat pour vouloir les démanteler. Une véritable alliance tend ainsi à se constituer entre le premier fascisme – plébéien mais non prolétaire, contestataire plutôt que révolutionnaire, idéologiquement et sociologiquement lié à la petite et à la moyenne bourgeoisie – et les classes possédantes, contre leurs adversaires communs : socialistes et syndicalistes réformistes de la CGL. C'est le moment où les fonds qui jusqu'alors avaient manqué à Mussolini commencent à affluer dans les caisses des *fasci*, fournis par les dirigeants de grosses sociétés industrielles – l'Ilva, par le truchement de Max Biondi, promoteur de la spectaculaire expansion du groupe pendant la guerre, diverses firmes sidérurgiques, mécaniques et électriques de la région lombarde et de Turin, sans doute aussi l'Ansaldo de Gênes qui toutefois est surtout intervenue en 1918 pour soutenir le *Popolo d'Italia* – ou par de grands propriétaires fonciers. Sans doute faut-il attendre le milieu de l'année 1921 pour que le financement du fascisme par le « grand capital » prenne un caractère massif, et pour que les « grands barons de l'industrie et de la finance » (E. Rossi, *Padroni del vapore e fascismo*, Bari, 1955) réservent leurs subsides – jusqu'alors répartis entre divers mouvements – à l'organisation mussolinienne. Dès cette époque, le flux est cependant suffisant pour que le directeur du *Popolo d'Italia* puisse faire vivre son journal et prospérer son mouvement.

L'alliance avec la classe dirigeante ne s'opère pas seulement sur le terrain financier. En octobre 1920, elle prend un caractère politique lors des élections administratives qui permettent aux fascistes de figurer dans les listes du « bloc constitutionnel », formé par les partis de gouvernement. Au même moment, l'État-Major invite plus ou moins ouvertement les officiers en cours de démobilisation à se joindre aux faisceaux, tandis que dans de nombreuses régions les autorités locales, les forces de l'ordre, l'appareil judiciaire et l'administration offrent leur appui aux membres de l'organisation fasciste.

Cela ne signifie pas que la classe dirigeante ait dans son ensemble souhaité l'avènement du fascisme et l'établissement d'une dictature lui permettant de préserver et de renforcer son pouvoir économique. Il est même probable que seule une infime minorité de possédants aient songé à une solution de ce type. En tout cas à cette date. Pour les autres, le fascisme n'est qu'un phénomène temporaire. Un produit de la guerre et de la crise dont le radicalisme et la véhémence antibourgeoise inquiètent les possédants, mais qu'il peut être utile d'utiliser comme brûlot pour démanteler les organisations ouvrières et récupérer le terrain perdu depuis la guerre. Quitte, une fois cet objectif atteint, à revenir aux pratiques traditionnelles de l'État libéral.

Giolitti ne raisonne pas autrement. Pour le vieux leader libéral, il ne sera pas plus difficile de « récupérer » le fascisme une fois accomplie son œuvre d'« assainissement », qu'il ne l'a été de désamorcer au début du siècle les offensives du prolétariat. Cela ne supprime pas les responsabilités des dirigeants politiques italiens, en particulier celle d'Ivanoe Bonomi, dont l'attitude au moment où il est ministre de la Guerre de Giolitti, puis en tant que président du Conseil, facilitera beaucoup l'action des escouades mussoliniennes.

Celles-ci – les *squadre* – prennent l'offensive au début de l'automne 1920. D'abord en Vénétie julienne où le fascisme présente encore le caractère urbain et plébéien de ses débuts. Ce qui ne l'empêche pas d'exercer son action terroriste au nom de la lutte contre le bolche-visme et contre les Slaves. Puis dans le nord et dans le centre de la

1. *Les débuts du squadrisme. Une expédition punitive en 1920.*

péninsule, avec un visage nouveau qui est celui de la contre-révolution agraire. Ce sont en effet les grands propriétaires fonciers qui, dans la basse vallée du Pô, en Émilie et en Toscane, subventionnent le squadrisme et utilisent celui-ci pour détruire les organisations du prolétariat rural, pour récupérer leurs terres occupées par les fermiers, les métayers et les journaliers agricoles et pour mettre fin aux contrats qui leur avaient été imposés au lendemain immédiat de la guerre. L'historiographie récente a mis l'accent sur le lien qui s'établit à cette date entre les récents acquéreurs de domaines modestes, bien décidés à maintenir leur nouveau rang social contre le péril – réel ou imaginaire – de la collectivisation des terres, la classe moyenne des petites agglomérations rurales et les agrariens, eux-mêmes en relation étroite avec certains milieux industriels et financiers. Typique de cette tendance est la convergence d'intérêts qui s'opère entre sucriers, agrariens et dirigeants de l'industrie mécanique de la région de Bologne, peu à peu confondus en un bloc agraro-industriel réactionnaire dont le porte-parole est le quotidien *Resto del Carlino* (V. Castronovo, *Storia d'Italia*, vol. IV, 1, Turin, Einaudi, 1975, p. 239-240).

Une grève des ouvriers agricoles de la région de Ferrare en octobre 1920, puis un coup de main des fascistes à Bologne en novembre de la même année, au moment où s'installe la municipalité d'extrême gauche, sont les deux événements qui donnent le signal de la contre-révolution préventive menée dans les campagnes par les escouades armées du fascisme. Le mouvement gagne vite du terrain car les fonds versés par les agrariens et par les industriels permettent de verser de véritables soldes aux squadristes (30 ou 40 lires par jour). Aussi voit-on s'enrôler dans les *squadre* beaucoup de ceux que la crise a privés de leur emploi. Ils y rejoignent les anciens combattants des troupes d'assaut, les aventuriers et les extrémistes de tous bords, parfois les repris de justice qui avaient constitué une partie des légions dannunziennes, et aussi des éléments nouveaux : les officiers récemment démobilisés par Bonomi, des jeunes gens issus de la bourgeoisie agrarienne, des membres de la classe moyenne des petites villes. Ces derniers constituant fréquemment, surtout lorsqu'ils ont été officiers pendant la guerre, les cadres du squadrisme.

Ce qui rassemble au début ces éléments disparates, c'est le goût de l'aventure et la nostalgie de la guerre – partagée par des jeunes gens qui ne l'ont pas faite mais qui rêvent d'imiter leurs aînés –, c'est aussi une haine farouche dirigée à la fois contre le communisme et contre l'ordre bourgeois. C'est enfin pour beaucoup le sentiment d'appartenir à une nouvelle élite, fondée sur des valeurs neuves – le courage, le dynamisme physique et l'esprit de décision, le sens du sacrifice, etc. – et capable de prendre la place d'une classe dirigeante que l'on juge sénile et décadente. Attitude extrêmement équivoque d'une couche sociale qui prend un visage révolutionnaire pour balayer les élites en place, mais qui en fait refuse viscéralement la révolution. Ne serait-ce que, parce que, même lorsqu'elle a tout perdu, elle demeure attachée par tradition, par formation, par réflexe de classe, aux anciens modèles socio-culturels, au monde stable et hiérarchisé qui a précédé les bouleversements de l'ère industrielle. Rien d'étonnant si elle recherche un ciment spirituel dans l'outillage que lui a légué ceux qui ont les premiers remis en cause l'ordre bourgeois et les méfaits de l'industrialisation : anarchistes, syndicalistes révolutionnaires ou théoriciens de la réaction nationaliste.

Partout, l'action du squadrisme revêt le même aspect réactionnaire et terroriste. Partout le scénario est le même. A l'appel des agrariens, les squadristes partent en camion de leurs bases urbaines pour des expéditions punitives dirigées contre les bourses du travail, contre les sièges des ligues agraires, des coopératives, des municipalités rurales. Ils sont trente, quarante, parfois cent, armés et équipés militairement. Ils pillent et incendient les bâtiments des organisations ouvrières, puis ils poursuivent dans la campagne ou assiègent les habitations des responsables syndicaux, et quand ils les ont pris, ils les frappent à coup de gourdins (le *manganello,* bientôt érigé en symbole de l'action punitive) ou leur font absorber de l'huile de ricin, quand ils ne les assassinent pas purement et simplement. La police intervient rarement. Quand elle le fait, les fascistes qui disposent le plus souvent d'engins motorisés fournis par l'armée sont déjà loin.

La terreur blanche s'abat ainsi sur le monde rural où, dès le milieu de l'année 1921, toute l'organisation socialiste est détruite. Elle gagne ensuite les villes, les petites agglomérations provinciales d'abord, puis les cités moyennes et enfin les grandes municipalités industrielles. Ici les fascistes dirigent leurs coups contre les maisons du peuple, les sièges des syndicats et ceux des journaux de gauche. Les opposants, communistes, socialistes, mais aussi les « populaires » et les libéraux sont poursuivis, contraints à s'agenouiller devant les emblèmes squadristes, frappés ou mis à mort.

Devant ce déchaînement de violences, Giolitti « reste neutre », ce qui veut dire qu'au lieu de poursuivre les fascistes, il dissout « pour maintenir l'ordre public » les municipalités socialistes dans une centaine de villes dont Bologne, Modène, Ferrare, et ne fait intervenir la police que dans les cas relativement rares où se manifeste une riposte ouvrière. Dans ces conditions, les squadristes ne tardent pas à imposer partout le règne du *manganello* et de l'huile de ricin. A la veille des élections de 1921, ils ne rencontrent plus guère de résistance qu'à Milan, Gênes et Turin.

Cette évolution favorise bien sûr les desseins de Mussolini. Celui-ci s'inquiète toutefois des excès du squadrisme. Bien que peu porté par tempérament aux jeux subtils du parlementarisme, il se rend compte de la nécessité de canaliser l'action désordonnée de ses troupes. Ne serait-ce que pour apaiser ceux de ses bailleurs de fonds qui jugent dangereux le tour pris par les événements. Il en résulte de sa part une attitude très ambiguë qui consiste d'une part à stimuler en sous-main l'action des squadristes afin d'achever le démantèlement de l'État libéral, et d'autre part à rassurer la bourgeoisie en donnant au fascisme une structure politique et parlementaire qui lui permette d'accéder légalement au pouvoir. Ce comportement équivoque apparaît clairement lors des élections de 1921. C'est à bien des égards la terreur exercée par les escouades fascistes contre les adversaires du « bloc national » qui permet à celui-ci d'emporter la majorité des sièges et à Mussolini lui-même, élu en même temps à Milan et à Bologne, d'entrer avec trente-quatre des siens au parlement italien.

Aussitôt le « duce du fascisme », qui a pris place à l'extrême droite de l'hémicycle, profite de la tribune qui lui est offerte pour exposer son programme de gouvernement. Le 21 juin 1921, il prononce devant la Chambre un discours confus mais rassurant dans lequel il définit les objectifs du fascisme politique : diplomatie dynamique et revendicatrice, condamnation du marxisme mais promesse de satisfaire les revendications ouvrières, éloge de l'État « manchestérien », garantie de la propriété privée, etc. Encore une fois un programme « attrape-tout » mais orienté nettement plus à droite que celui de 1919. Giolitti – qui n'est pas à proprement parler un « philo-fasciste » mais applique au présent les leçons de son expérience politique – se félicite de cette évolution. Il voit dans la parlementarisation du fascisme un phénomène comparable à l'intégration politique des socialistes qu'il avait su mener à bien avant la guerre, et il pense pouvoir domestiquer Mussolini comme dix ans plus tôt les leaders réformistes, quitte à lui offrir quand il le faudra un poste ministériel. Or le chef du fascisme a de plus hautes ambitions. Dès cette époque il songe sérieusement à tenir les premiers rôles et il n'hésite pas pour cela à jouer sur les deux tableaux : celui de l'action parlementaire et celui d'une agitation maintenue toutefois dans certaines limites de façon à ne pas effrayer les classes possédantes.

Le Duce contesté

Le programme exposé par Mussolini à Montecitorio impliquait que le directeur du *Popolo d'Italia* pût compter sur la discipline sans faille de son mouvement. Or la réalité est toute différente. La création d'un conseil central des *fasci* n'a pu empêcher que ces derniers se développent de façon anarchique, en liaison avec les féodalités et avec les sources de financement locales. Depuis l'automne 1920, un fossé s'est creusé entre les hommes de la direction milanaise, groupés autour de Mussolini et de son journal, et les bandes armées qui se sont constituées localement et sont entièrement dévouées à leurs chefs, les *ras* (du nom des chefs éthiopiens : un héritage linguistique des guerres coloniales comme notre « caïd »), tout-puissants dans leurs fiefs et peu soucieux d'appliquer les directives du comité central. Farinacci à Crémone, Grandi à Bologne, Balbo à Ravenne, Bottai à Rome, Giunta à Trieste, Augusto Turati à Brescia, etc., font ainsi figure de petits potentats dont l'autorité et les appuis financiers reposent sur la terreur qu'ils inspirent à la gauche, ce qui ne les dispose pas à accepter facilement la parlementarisation du mouvement.

Ce hiatus entre le fascime politique et le squadrisme, Mussolini juge urgent de le faire disparaître. L'action inconsidérée des ras ne risque-t-elle pas en effet de décourager les bailleurs de fonds du fascisme milanais et du *Popolo d'Italia,* préoccupés avant toute chose de rétablir l'ordre public et d'instaurer, ne fût-ce que provisoirement, un régime favorable à leurs entreprises ? Outre qu'elle peut en même temps provoquer une puissante riposte populaire, détacher du fascisme la bourgeoisie libérale, dresser contre lui une partie de la classe politique et finalement entraîner une action répressive de la part des pouvoirs publics. Ces craintes ne tardent pas à se trouver confirmées, notamment par la création d'une milice populaire, les *arditi del po-*

polo qui, utilisant les mêmes armes et les mêmes méthodes que les squadristes, rendent coup pour coup et remportent quelques succès locaux.

Désireux à la fois d'empêcher le développement de cette contre-offensive ouvrière et d'exploiter dans un sens politique une situation qu'il juge favorable, Mussolini va laisser les députés fascistes Acerbo et Giuriati négocier avec leurs collègues socialistes Ellero et Zaniboni un pacte de pacification qui sera signé le 3 août. Les deux parties s'engagent à faire cesser les violences et à respecter l'adversaire. En fait, il s'agit d'un document de pure forme et qui ne sera pas appliqué. Ni les *arditi del popolo,* dont les socialistes désavouent l'action minoritaire, ni les communistes n'ont en effet contresigné le pacte. Quant aux dirigeants locaux du fascisme, qui n'ont pas été consultés et ne rêvent pour leur part que d'assauts et d'expéditions punitives, ils refusent purement et simplement de se soumettre et continuent de semer la terreur dans les campagnes et dans les villes dont ils ont pris le contrôle.

Cette révolte des ras provoque aussitôt une crise qui ébranle pendant plusieurs semaines le mouvement fascite. Le 17 août, Dino Grandi organise à Bologne un rassemblement des *fasci* d'Émilie et de Romagne. Banderoles et chansons y évoquent la trahison de Mussolini tandis que Grandi exalte le souvenir de l'équipée fiumaine et le message « révolutionnaire » de la constitution du Quarnaro. Les autres chefs du fascisme agraire – peu troublés apparemment par la contradiction qu'il y a à afficher des options dannunziennes et révolutionnaires, tout en recevant de l'argent des grands propriétaires pour briser les organisations ouvrières – approuvent cette attitude et refusent à leur tour le pacte de pacification, ce qui entraîne la démission de Mussolini de la Commission exécutive nationale.

Est-ce à dire que le directeur du *Popolo d'Italia* renonce à reprendre en main le mouvement qu'il a créé et qui est en train de lui échapper ? En fait il a simplement changé de tactique et lorsque redoublent en septembre les violences des squadristes, il propose de transformer le fascisme en un parti organisé et de soumettre cette transformation au congrès qui doit se tenir à Rome au mois de novembre. Et il propose aussitôt à la future organisation un programme fort modéré, qui ne doit plus grand-chose aux origines anarcho-syndicalistes du mouvement. Il prône en particulier le retour au libéralisme économique de stricte observance, la mise en place d'un État fort, capable de préserver la paix sociale et de rétablir la cohésion nationale, une politique extérieure expansionniste, autant de thèmes qui, rompant avec la phraséologie pseudo-révolutionnaire de 1919, sont destinés à rassurer les hommes de l'establishment dont Mussolini recherche désormais l'appui politique et financier.

Le projet mussolinien est d'abord très mal accueilli par les dirigeants du squadrisme qui en dénoncent le caractère réactionnaire et
bureaucratique. Il faut dire qu'à cette époque le mouvement fasciste
reste statistiquement dominé par les éléments petits-bourgeois. D'une
enquête menée en 1921 par le secrétariat des *fasci* il ressort que sur
151 000 adhérents, soit en gros la moitié de l'effectif des inscrits, on
compte qu'à côté des 18 000 propriétaires terriens et des 4 000 industriels, il y a 14 000 petits commerçants, 15 000 employés, 7 000 petits
fonctionnaires, 10 000 membres des professions libérales, 20 000 étudiants originaires des différentes fractions de la bourgeoisie, soit une
proportion dépassant largement celle de ces couches dans l'ensemble
du corps social. Quant aux 60 000 membres restants, ce sont essentiellement des travailleurs agricoles (37 000) originaires des régions où le
fascisme domine par la violence et des ouvriers (23 000) dont beaucoup sont des chômeurs qui ont trouvé dans le squadrisme un remède
provisoire à leur misère. La dominante petite-bourgeoise ne fait donc
aucun doute, même si les chiffres fournis n'ont qu'une valeur indica-
tive.

La tendance est encore plus accentuée si l'on considère les cadres
du parti qui se constitue en novembre 1921. Qu'il s'agisse des responsables nationaux, des secrétaires fédéraux ou des petits dirigeants
locaux, on peut affirmer que les trois quarts au moins viennent de la
petite bourgeoisie urbaine. On conçoit que dans ces conditions ils
opposent une vive résistance à une évolution dont ils perçoivent plus
ou moins confusément qu'elle renforcera à long terme le pouvoir
multiforme de l'establishment.

Un compromis va toutefois se réaliser entre les représentants du
squadrisme et le comité central milanais qui soutient l'initiative de
Mussolini. Ce dernier renonce sans grand regret au pacte de pacification, en échange de l'acceptation par les ras de son projet politique. Si
bien que lors du congrès de Rome qui se réunit à partir du 9 novembre 1921, les 15 000 délégués représentant 2 200 faisceaux de combat, soit environ 320 000 adhérents, approuvent la constitution du
parti national fasciste, ainsi que le programme proposé par le Duce.
Ceci au milieu des acclamations et des embrassades des dirigeants
réconciliés.

La fondation du PNF marque un tournant capital dans l'histoire du
fascisme. L'évolution entamée au lendemain des grèves insurrectionnelles de l'été 1920 s'achève ici avec la mise en place d'un grand parti
de masse structuré et discipliné, qui est en même temps une organisation réactionnaire liée aux grands intérêts privés. A ceux-ci il offre
l'appui de ses bandes armées ainsi qu'une possible solution de rechange à l'inconsistance de l'État libéral. A savoir un pouvoir fort,
capable à la fois de restaurer l'État manchestérien et de mettre au pas

la classe ouvrière. Il reste que ce second fascisme ne fait pas disparaître d'un seul coup le premier. Celui-ci survit au lendemain du congrès de Rome où Grandi a un moment opposé au programme de Mussolini celui des inspirateurs de la constitution de Fiume. Le squadrisme devient ainsi le refuge du premier fascisme, tout comme en Allemagne les SA de Röhm et l'entourage de Gregor Strasser constituent ce « nazisme de gauche » dont Hitler se débarrassera brutalement en 1934. L'évolution sera différente en Italie, où Mussolini va réussir à intégrer progressivement le premier fascisme dans le second en donnant au régime une structure corporatiste et en faisant du parti l'instrument de la promotion d'une importante fraction des classes moyennes. Jusqu'au moment où, faisant resurgir par le verbe le fascisme contestataire et anti-bourgeois des origines, il se servira de lui pour imposer aux classes dirigeantes sa conception totalitaire de la société et de l'État.

Le fascisme
à l'assaut du pouvoir

La démission de Giolitti le 1er juillet 1921 marque pour l'Italie la dernière chance de survie de l'État libéral. Ses successeurs, Bonomi puis Facta, sont des hommes intègres mais qui manquent de surface politique. Il est vrai que les partis constitutionnels se refusent désormais à soutenir une personnalité de premier plan, capable peut-être de rétablir l'ordre mais aussi de retirer de cet éventuel succès un avantage personnel dommageable aux autres leaders politiques.

Tandis que les partis se livrent à ces jeux subtils, paralysant le mécanisme de la démocratie libérale et peu conscients, semble-t-il, de la désaffection du « pays réel » envers la classe politique, la subversion fasciste gagne du terrain. Pour les hommes qui en détiennent les leviers de commande, il ne s'agit plus seulement de montrer leur force ou de terroriser l'adversaire, mais de provoquer ouvertement l'État bourgeois et de prouver son impuissance afin de substituer à la légalité constitutionnelle le pouvoir de fait du fascisme.

La démonstration sera d'autant plus éclatante, que dans un premier, temps Bonomi paraît décidé à résister avec énergie aux désordres suscités par les squadristes. Au lendemain de son investiture, il donne aux autorités locales l'ordre formel de s'opposer aux actes de violence – d'où qu'ils viennent – et, à la fin décembre, il prononce l'interdiction de toutes les organisations armées. En même temps, il fait savoir

2. Une coiffure fasciste italienne.

aux députés qu'il est prêt, pour mettre fin à la subversion, à utiliser contre les fauteurs de troubles toutes les ressources de la législation pénale. Prises un an plus tôt, ces mesures auraient eu quelque chance de mettre un frein à la violence fasciste. Au moment où elles sont adoptées, elles vont au contraire relancer l'agitation et aboutir à un résultat inverse. Pour les fascistes, il est clair en effet que le nouveau président du Conseil, qui a été élu à Mantoue sur une liste du Bloc national où figurent également des représentants du PNF, n'osera pas mettre ses menaces à exécution. Le voudrait-il que Bonomi doit rapidement constater que ses déclarations énergiques ont peu d'effet sur les responsables locaux du pouvoir. Préfets, policiers et magistrats ferment les yeux sur les illégalités squadristes, quand ils ne les favorisent pas. Autrement dit, tandis que l'État libéral se décompose, la classe dirigeante, qui a tremblé un an plus tôt devant l'offensive révolutionnaire, soutient désormais ouvertement la violence réactionnaire du fascisme.

Dans ces conditions, l'organisation mussolinienne n'a aucune peine à relever le défi qui lui a été lancé par Bonomi. Le chef du gouvernement ayant prononcé la dissolution des *squadre,* la direction du PNF réplique que « le parti ne fait qu'un avec ses escouades » et ordonne à ses adhérents de se transformer en squadristes. Il faudrait, pour faire respecter le décret, dissoudre le parti lui-même et Bonomi n'en a ni les moyens, ni probablement le désir. Le pouvoir recule donc devant la détermination des fascistes et cette dérobade entraîne aussitôt de nouveaux progrès. C'est le moment où le fascisme se transforme effectivement en un grand mouvement de masse. Il y a à cela plusieurs raisons. La désaffection croissante des Italiens à l'égard d'un système politique bloqué, déconsidéré par ses pratiques byzantines et que personne ne songe sérieusement à défendre. Le ralliement au projet mussolinien d'une fraction importante des classes moyennes, jusqu'alors peu enclines à soutenir un mouvement jugé déstabilisateur et révolutionnaire mais auquel le succès et la proximité du pouvoir confèrent une sorte de légitimité préventive. Le renfort enfin que constitue l'adhésion au PNF d'éléments appartenant au prolétariat dont tous ne sont pas recrutés parmi les chômeurs et dans les rangs du *lumpen* comme s'est obstinée à le faire croire une vulgate marxiste continûment préoccupée de faire coïncider les actes et la doctrine.

Certes, cela ne signifie pas que la classe ouvrière qui, jusqu'à ce moment, avait plutôt boudé les faisceaux se soit soudain convertie au programme démagogique de Mussolini. Du moins cela ne concerne-t-il que des éléments isolés. Le véritable apport de masse est celui des *braccianti,* des ouvriers agricoles, plus ou moins incorporés de force dans les corporations syndicales mises sur pied par Edmondo Rossoni à l'issue d'une nouvelle offensive du fascisme agraire. Destinées à encadrer les membres des syndicats rouges, démantelés par le squadrisme, ces organisations que domine le patronat constituent bientôt une masse de manœuvre qui atteindra 700 000 inscrits en juillet 1922. En même temps, sous l'impulsion d'Italo Balbo et des généraux De Bono et Gandolfi, le squadrisme se transforme en une véritable armée, dotée de l'uniforme des *arditi* (chemise et fez noirs) et étroitement soumise à la direction du parti.

Avec l'arrivée au pouvoir de Luigi Facta, qui remplace Bonomi en février 1922, s'accélère la décomposition de l'État libéral. Cela permet au fascisme de se présenter comme la seule force réelle du pays, l'État nouveau qui germe sur les ruines de l'ancien. Dès lors se multiplient les démonstrations de force : défilé de 20 000 fascistes dans les rues de Milan le 26 mars 1922, vastes rassemblements à l'occasion du 1er mai dans plusieurs villes, dont Bologne, où des heurts violents opposent les partisans de Mussolini aux militants et aux sympathisants du PSI, intervention de Balbo à la tête de 40 000 miliciens le 12 mai à Ferrare. A chaque fois les pouvoirs publics capitulent. A Bologne, où Facta a envoyé la troupe, le général qui la commande négocie avec Balbo et obtient l'évacuation de la ville contre la mutation du préfet. Même recul du pouvoir à Crémone où Farinacci fait envahir la préfecture, saccager l'appartement du « populaire » Miglioli et détruire les organisations ouvrières. Facta, pour rétablir l'« ordre », se contentera de dissoudre la municipalité socialiste.

Cet assaut généralisé du fascisme contre l'État libéral démissionnaire et plus ou moins complice de sa propre destruction laisse sans réactions les appareils partisans. Libéraux giolittiens et démocrates-sociaux de Nitti ont bien fusionné en novembre 1921, mais ils ne peuvent, avec leurs 150 députés, gouverner qu'avec l'appui des « populaires » et des socialistes. Or le PPI, que traversent des courants contraires et qui craint pour sa propre cohésion, décide de rester fidèle à sa ligne centriste et de ne pas trop s'engager aux côtés du gouvernement. De son côté, la majorité du PSI demeure hostile à toute forme de participation ou de soutien. Certes, tous les socialistes ne sont pas d'accord avec cette attitude, à commencer par les représentants du groupe parlementaire qui, en juin 1922, vote un ordre du jour appelant à soutenir « tout ministère qui assurera la restauration de la légalité et de la liberté ». Mais l'état-major reste intraitable. Serrati et le conseil national du parti désavouent les réformistes, désormais rassemblés autour de Turati, et lors du congrès de Rome, en octobre 1922, ces derniers se voient exclus du PSI. Aussitôt, ils constituent une nouvelle formation, le parti socialiste unitaire, qui entraîne la moitié des 65 000 adhérents restants et 65 députés sur 122.

A la chute de Facta, en juillet 1922, il apparaît que seule l'alliance des libéraux et des démocrates – socialistes et « populaires » – peut sauver le régime. Or, l'intransigeance des maximalistes et les réticences de l'aile conservatrice du parti catholique, d'une part, le veto de Giolitti qui redoute de faire les frais du rapprochement entre les deux grandes formations populaires, d'autre part, font échouer le projet. On se contente de replâtrer tant bien que mal le cabinet Facta qui n'est plus que l'ombre d'un gouvernement. Désormais, entre le fascisme et le pouvoir, l'ultime obstacle est constitué par les forces populaires, fortement ébranlées, certes, mais non détruites par l'offensive squadriste.

Au début de 1922 a eu lieu, en effet, un regroupement des organisations ouvrières. En février, la CGL réformiste, l'UIL et divers syndicats autonomes (cheminots, travailleurs des ports, etc.) ont formé une Alliance du travail, destinée à préserver contre toute tentative de reconquête patronale les acquis des luttes récentes. L'échec d'un front politique antifasciste incite cette organisation unitaire à livrer l'ultime bataille. Soutenue par les socialistes - maximalistes et réformistes – et par le jeune parti communiste, l'Alliance décide, en juillet 1922, de lancer un mot d'ordre de grève générale, baptisée légalitaire dès lors qu'il s'agit de faire obstacle à la subversion fasciste. L'objectif est double : d'une part, montrer aux fascistes et à la classe dirigeante la puissance encore considérable du mouvement populaire et, d'autre part, exercer une pression sur les parlementaires pour que soit constitué un ministère antifasciste dans lequel pourraient entrer Turati et ses amis.

Or l'échec est total sur tous les points. Effrayés par la grève générale, les populaires rejettent toute idée de collaboration avec les socialistes. Mais surtout, l'alibi contre-révolutionnaire permet aux fascistes de se substituer à l'État dans la lutte contre les grévistes et de prendre pied dans les grandes métropoles industrielles, derniers bastions de résistance du socialisme italien. Deux jours après le début de la grève « légalitaire », le 2 août, le PNF, qui avait donné quarante-huit heures au gouvernement pour rétablir l'ordre, lance ses troupes contre les citadelles ouvrières. Les fascistes envahissent les villes, incendient les bourses du travail et les sièges des syndicats, notamment à Milan, à Gênes, à Livourne, et obligent les ouvriers à reprendre le travail. A Parme – où des barricades ont été dressées par les antifascistes –, la bataille fait rage pendant cinq jours entre les ouvriers et les hommes de Balbo. Mais partout les fascistes ont finalement le dessus. En quelques jours, ils s'installent en maîtres à Turin, à Modène, à Padoue, à Reggio Emilia, etc. Si bien que, lorsque l'Alliance du travail donne, le 3 août, le signal de la reprise, elle ne fait que sanctionner un fait accompli. La réaction du mouvement ouvrier est venue trop tard et c'est, en fin de compte, le fascisme qui a tiré profit de la grève légalitaire.

3

3. *Mussolini entouré de « chemises noires » au moment de la Marche sur Rome.*

4. *Mussolini et Gabriele d'Annunzio en compagnie du « quadrumvir » De Bono, sur le lac de Garde en 1922.*

5. *Dans leur lutte contre les organisations ouvrières et paysannes, les fascistes ont très tôt disposé d'armes modernes et de moyens motorisés. Ici, arrivée d'un camion de squadristes pour une expédition punitive en zone rurale (1920).*

4

5

La marche sur Rome

Au milieu de l'été 1922, le fascisme est donc en fait, sinon en droit, devenu l'État. Pourtant Mussolini hésite encore à franchir le Rubicon et à s'emparer du pouvoir par la force. Il lui suffit d'utiliser la violence de ses troupes comme un moyen de pression lui permettant d'y accéder légalement. Ainsi, tandis qu'il laisse ses lieutenants imposer au pays un climat de terreur, il se pose lui-même en personnage rassurant, respectueux des intérêts des classes possédantes (il fait paraître à partir de janvier la revue *Gerarchia* dans laquelle il multiplie les professions de foi en faveur de l'État manchestérien), voire de l'institution monarchique, pour peu que le souverain veuille bien rester neutre. En même temps, il négocie avec les dirigeants libéraux, Giolitti et Nitti, Salandra et Facta, afin de désamorcer toute velléité de réaction de la part de la classe politique italienne.

Mussolini amène ainsi peu à peu les représentants de l'establishment à l'idée de sa venue au pouvoir, tout en préparant au grand jour l'insurrection armée destinée, le moment venu, à leur forcer la main. C'est dans le courant de la seconde quinzaine d'octobre que les « quadrumvirs » – le général De Bono, Italo Balbo, Michele Bianchi, secrétaire général du PNF, et De Vecchi – mettent au point le scénario de la Marche sur Rome. On fixe les points de concentration des troupes fascistes à Santa Marinella, Monte Rotondo et Tivoli et l'on choisit, comme date de l'opération la fin du congrès qui doit se tenir à Naples fin octobre. Le 24, lors de la séance inaugurale qui réunit 40 000 Chemises noires, le Duce expose brutalement ses exigences : « Nous n'entendons pas vendre notre admirable droit d'aînesse pour un plat de lentilles ministériel... Nous voulons devenir l'État ! » Puis il regagne Milan, peut-être moins par prudence, comme on le dit généralement (Milan est à trois quarts d'heure de voiture de la frontière suisse), que pour afficher symboliquement sa puissance, au cœur de la principale métropole industrielle du pays. En même temps, les quadrumvirs mobilisent leurs troupes, tandis que Grandi et le jeune comte Ciano se rendent dans la capitale pour surveiller la situation et prendre contact avec Salandra que l'on va charger de transmettre au souverain l'ultimatum de Mussolini : démission de Facta ou marche sur Rome.

La Marche sur Rome n'est que l'une des actions, la plus spectaculaire sans doute, mais pas nécessairement la plus efficace, menée à partir du 28 octobre par les Chemises noires. Le plus important, c'est en effet ce qui se passe dans les petites villes où les squadristes viennent prendre position devant les préfectures, les commissariats de police, les centraux téléphoniques, et engagent des négociations avec les autorités civiles ou militaires. Rares sont les cas où comme à Bologne, Ancône et Vérone, l'armée résiste. Partout ailleurs, il y a cependant un ou deux jours de flottement au cours desquels fascistes et soldats se trouvent face à face, les autorités attendant pour prendre une décision de savoir comment va évoluer la situation.

Il en est de même à Rome. Les colonnes de Chemises noires qui ont reçu l'ordre de converger sur la capitale ne représentent au total qu'une petite armée de 26 000 hommes armés et équipés médiocrement. On est loin des « 300 000 de la Marche sur Rome » qu'exaltera plus tard l'historiographie officielle du régime. Les vivres manquent et l'enthousiasme a été rafraîchi par les trombes d'eau qui n'ont cessé d'accompagner les squadristes. Face à ces colonnes clairsemées que conduisent les quadrumvirs, le général Pugliese, qui commande la garnison de Rome, dispose de 28 000 hommes bien équipés et pourvus d'armes lourdes. Selon Badoglio, il aurait suffi de cinq minutes de feu pour mettre en déroute les bandes fascistes. Mais l'intention de leurs chefs n'a jamais été de prendre le pouvoir d'assaut. Il s'agit de faire pression sur ce qu'il subsiste d'autorité dans le pays pour que l'État libéral cède la place à la dictature des faisceaux sans violer trop ouvertement sa propre légalité.

D'avance la partie est gagnée auprès d'une large fraction de la classe politique et pour ceux qui, dans de nombreux milieux dirigeants, ont déjà choisi la solution Mussolini, il importe seulement de maintenir les formes légales pendant que sur le terrain, ou dans la coulisse, les fascistes et leurs alliés livrent la dernière bataille. Au dernier moment, la résistance de Facta manque de faire échouer le plan des adversaires de la démocratie libérale. Mais, circonvenu par Salandra, par le nationaliste Federzoni et par de prestigieux chefs militaires – le général Diaz, l'amiral Thaon di Revel – le roi refuse de signer le décret instaurant l'état de siège. Craignant pour sa couronne, il préfère à l'épreuve de force la solution que proposent De Vecchi et les leaders nationalistes et que soutiennent les milieux d'affaires, les militaires et la droite libérale : un gouvernement Salandra à participation fasciste.

Il est clair que la majeure partie de la classe dirigeante – y compris les milieux industriels qui ont suivi de très près l'évolution des choses et ont dépêché auprès de Mussolini le secrétaire général de la Confindustria Olivetti, pour explorer les intentions du leader fasciste – se serait parfaitement accommodée d'une telle solution. Par ce biais, elle pouvait espérer garder en main les leviers de commande et intégrer le fascisme en apprivoisant son chef. Mais déjà Mussolini s'est employé à faire monter les enchères. Dans la nuit du 28 au 29, il refuse le portefeuille de l'Intérieur dans un cabinet Salandra et repousse les invitations à venir à Rome que lui transmettent par téléphone Grandi, De Vecchi et Ciano. Au même moment, Salandra s'aperçoit de son côté qu'il a déjà perdu l'appui des milieux dirigeants. Les télégrammes qui lui parviennent et qui émanent de la Confindustria, de la Confédération de l'agriculture, de l'Association bancaire, des sénateurs Conti et Albertini, magnats de l'industrie électrique, etc. se prononcent tous en faveur d'une solution Mussolini. Les grands intérêts privés ont choisi et, fort de leur soutien, le Duce du fascisme peut poser ses conditions dans le *Popolo d'Italia* du 29 octobre : « Pour arriver à une transaction avec Salandra, point n'était besoin de mobiliser. Le gouvernement doit être nettement fasciste. »

Salandra ayant renoncé, le roi Victor-Emmanuel invite Mussolini à se rendre à Rome pour constituer le ministère. Le 29 au soir le leader du PNF quitte Milan en wagon-lit, tandis que pour célébrer leur victoire les fascistes milanais incendient le siège de l'*Avanti !* et ceux de Turin les locaux de l'organe communiste *Ordine nuovo*. Ainsi la Marche sur Rome n'a-t-elle été, tout comme les journées du « mai radieux » de 1915, qu'une mise en scène destinée à forcer la main des députés et cette fois les hésitations du souverain, tout en maintenant intact le manteau constitutionnel.

Parvenu légalement au pouvoir, il reste à Mussolini à maquiller sa victoire en pronunciamiento. Pas seulement par goût du geste théâtral mais parce qu'il lui faut apparaître aux yeux de l'opinion comme le sauveur de l'Italie, le vainqueur d'une lutte impitoyable contre le bolchevisme. Sans doute aussi pour satisfaire la vanité des *ras* squadristes, mobilisés à grand bruit pour un combat gagné d'avance. Le 30 au matin, il se présente devant le roi en tenue de « Chemise noire » et pour justifier cette mascarade il déclare : « Je viens tout droit de la bataille qui s'est heureusement déroulée sans effusion de sang. » Le soir, il donne l'ordre aux squadristes, bloqués dans des wagons de chemins de fer aux portes de Rome, d'entrer dans la capitale pour y défiler. Pendant toute une journée, les Chemises noires vont tenir la rue et y répandre la terreur, multipliant les provocations et les sévices contre les journaux de l'opposition et contre les militants des formations adverses : socialistes, communistes, syndicalistes et populaires.

L'avènement du fascisme n'est donc pas, comme le prétendra une légende forgée par le Duce, le résultat d'une lutte acharnée contre la subversion révolutionnaire. Il n'est que l'issue d'une crise politique révélant l'inadaptation du régime et des partis aux problèmes posés depuis l'unité par l'évolution économique et sociale de l'Italie. Problèmes que la guerre et les difficultés économiques qui ont suivi celle-ci ont fortement aggravés. Tout au plus, les violences désordonnées du squadrisme ont-elles accéléré la décomposition de l'État libéral. Le fascisme n'a pas remporté une victoire sur des adversaires au faîte de leur puissance. Il a comblé le vide politique creusé par la crise de l'après-guerre en utilisant la subversion commme levier de son succès.

Vers la fascisation
de l'État

Porté au pouvoir par une procédure constitutionnelle, Mussolini va devoir au début respecter, au moins formellement, les institutions du royaume. Ne serait-ce que pour se concilier la classe dirigeante pendant la période où une contre-offensive antifasciste reste théoriquement possible. Cette phase de « dictature légale » concrétise l'alliance du fascisme et des milieux économiques dominants. Une alliance dont il est clair qu'elle demeure ambiguë, conflictuelle et provisoire, chacune des deux forces s'appliquant à utiliser l'autre pour fonder ou raffermir son pouvoir.

Il ne semble pas en effet que, dans sa très grande majorité, la bourgeoisie italienne ait consciemment tenu à substituer au régime en place celui de la dictature du parti unique et de son chef tout-puissant. Pour nombre de ses représentants, il importait seulement de parachever l'œuvre de démantèlement des organisations ouvrières, déjà aux trois quarts réalisée par le squadrisme, et de renforcer l'exécutif afin de rendre impossible un nouvel assaut des forces révolutionnaires, ou présumées telles. Ce double objectif, on pensait pouvoir l'atteindre sans concéder à Mussolini autre chose que des pleins pouvoirs limités dans le temps, afin qu'il puisse accomplir l'œuvre d'assainissement dont l'Italie avait besoin. Après quoi, la classe dirigeante pourrait rendre à ses mandataires traditionnels les rênes du pouvoir. Or le nouveau chef du gouvernement voyait évidemment les choses d'un autre œil. Par ambition personnelle, par conviction idéologique, et aussi parce que le mouvement qu'il dirige représente des forces dont les intérêts ne coïncident pas nécessairement avec ceux de la grande bourgeoisie et qui aspirent à substituer leur hégémonie à celle des élites traditionnelles. Aussi, au cours des dix-huit mois qui suivent sa désignation comme premier ministre, Mussolini va-t-il s'efforcer de mettre à profit les pouvoirs exceptionnels qui lui sont donnés pour préparer l'avènement de la dictature.

Le respect calculé des règles constitutionnelles impose à Mussolini d'obtenir le vote de confiance d'une Chambre dans laquelle les fascistes ne comptent que trente-cinq députés. Situation précaire mais qui se trouve largement compensée par d'autres atouts : la lassitude de l'opinion devant l'incurie gouvernementale et la stérilité des jeux parlementaires, le ralliement de nombreux ténors politiques de la droite et du centre, avec à leur tête Salandra et surtout Giolitti, pour qui « le ministère Mussolini est le seul qui puisse rétablir la paix sociale », l'appui de la grande presse, etc. Les seuls véritables opposants sont à cette date les socialistes maximalistes et les communistes, auxquels se joignent quelques protestataires isolés comme le comte Sforza, qui démissionne avec éclat de son ambassade à Paris, ou le jeune journaliste turinois Piero Gobetti, directeur de l'hebdomadaire *Rivoluzione liberale.*

Devant cette adhésion comportant autant de crainte que d'admiration, Mussolini va user alternativement de la carotte et du bâton, et surtout il va chercher à rassurer l'opinion et à se rallier la majorité silencieuse. La composition du ministère reflète cette préoccupation. Les fascistes n'y détiennent qu'un petit nombre de portefeuilles : ceux de la Justice (Oviglio), des Terres libérées (Giuriati) et des Finances (Stefani), plus pour Mussolini lui-même l'Intérieur et l'intérim des Affaires étrangères. Il est vrai que ce peu d'appétit ministériel se trouve corrigé par la nomination de fascistes durs – De Vecchi, De Bono, Acerbo, Costanzo Ciano – aux postes de sous-secrétaires d'État. Il reste que les non-fascistes sont en majorité. Les nationalistes sont représentés par Federzoni (Colonies) et les monarchistes par les deux vainqueurs de 1918 : le général Diaz et l'amiral Thaon di Revel. Ont également des représentants dans le cabinet les démocrates-sociaux de Nitti, les amis de Salandra et ceux de Giolitti, ainsi que les « populaires » qui obtiennent deux portefeuilles. Seuls les socialistes ne sont pas invités à entrer au gouvernement, bien que Mussolini ait un moment songé à y appeler le député Baldesi, membre de la CGL, et n'ait abandonné ce projet que sur la pression de Salandra et de la droite.

Il faut ensuite rétablir l'ordre dans la rue. A Rome du moins, car dans les provinces les dirigeants du squadrisme, qui redoutent de se voir supplantés par les représentants légaux du gouvernement, entretiennent un désordre d'autant plus grand qu'ils sont parfois plusieurs à se disputer la suprématie locale. Le 31 au soir, Mussolini, qui a laissé pendant vingt-quatre heures ses hommes semer la terreur dans la capitale, leur donne l'ordre de l'évacuer et s'assure personnellement que tous les squadristes ont quitté la ville par le train. Enfin, pour parachever ces manœuvres rassurantes, il multiplie les professions de foi pacifistes à l'égard des puissances européennes. D'où les nombreux ralliements qui s'opèrent au lendemain de la Marche sur Rome, émanant de chefs militaires, de hauts fonctionnaires, d'intellectuels libéraux comme Benedetto Croce ou d'hommes politiques comme Giolitti et Orlando.

Mais en même temps le leader fasciste prépare l'installation de la dictature légale et pour cela il continue de jouer conjointement de la mansuétude et de la menace. Ainsi, il maintient la Chambre issue des élections de 1921, non sans avoir humilié ses membres auxquels il déclare début novembre : « Je pouvais faire de cette salle sourde et grise un bivouac de manipules », ce qui ne l'empêche pas d'obtenir l'investiture par 306 voix contre 116. Il laisse également subsister une presse d'opposition, mais il interdit la grève et se fait donner les pleins pouvoirs par les députés et les sénateurs (24 et 29 novembre), devenant pour un an le dictateur légal du pays. Il en profite aussitôt pour affirmer sa mainmise sur l'État. D'une part en créant des institutions nouvelles : le Grand Conseil du fascisme qui réunit les ministres, les principaux dirigeants du parti, de hauts fonctionnaires et qui prend toutes les décisions politiques importantes; la Milice volontaire pour la sécurité nationale, placée sous sa seule dépendance, véritable garde prétorienne du chef du gouvernement; les commissaires politiques, dotés par lui d'un pouvoir absolu sur les autorités locales. D'autre part, en dirigeant contre les adversaires déclarés du fascisme une impitoyable répression. On voit se multiplier les arrestations : celle du libéral turinois Gobetti, libéré sur l'intervention de Croce, celle de Serrati et de toute la rédaction de l'*Avanti !,* celle de Pietro Nenni, devenu socialiste en 1921, etc. Des associations ouvrières sont dissoutes, 40 000 cheminots sont licenciés, la fête du 1er mai est supprimée.

Devant cette évolution dictatoriale et terroriste du régime, une opposition libérale ne tarde pas à se manifester. Elle regroupe tous ceux qui, de Nitti à Amendola, ont fait un moment confiance à Mussolini, mais qui estiment désormais – c'est également le cas du parti populaire de don Sturzo – que la « normalisation » annoncée par le président du Conseil n'est qu'une façade derrière laquelle le chef du fascisme achève l'instauration de son pouvoir personnel. Pour briser leur résistance, Mussolini a une fois de plus recours à la violence. L'appartement de Nitti est ravagé par les fascistes. Giovanni Amendola est bâtonné dans la rue, de même que des membres du PPI, voire des fascistes dissidents comme le député Misuri, chef des fascistes de Perugia. Et c'est dans cette atmosphère de terreur qu'à une très faible majorité la Chambre et le Sénat votent, à l'automne 1923, une nouvelle loi électorale destinée à donner la majorité absolue aux fascistes et à leurs alliés. Opération très largement réussie. Aux élections d'avril 1924, les subsides de la grande industrie et la terreur exercée par les squadristes permettent à la coalition dominée par le PNF (le *listone*) d'obtenir 65 % des voix et 375 sièges.

Pourtant, une crise profonde va mettre en péril le nouveau régime après l'assassinat par un commando fasciste du député socialiste Matteotti. Pour établir de façon définitive sa dictature, Mussolini doit en effet faire légaliser par la Chambre les lois d'exception adoptées au temps des pleins pouvoirs et juguler toutes les manifestations d'opposition émanant du Parlement et de la presse. Or, dès l'ouverture des chambres, le 24 mai, le socialiste unitaire Giacomo Matteotti attaque avec violence le chef du gouvernement et les dirigeants fascistes qu'il accuse, preuves en main, de violations de la liberté électorale et de malversations. Ceci au milieu des vociférations de la majorité et des menaces du Duce. Le 10 juin, alors qu'il se rend à la Chambre pour réitérer ses accusations, Matteotti est enlevé en voiture par des fascistes qui le tuent et enterrent son corps dans la campagne romaine. Mussolini n'a problablement pas donné l'ordre exprès d'assassiner le député socialiste. Mais les menaces qu'il a, à plusieurs reprises, proférées contre lui ont été prises au sérieux par les meurtriers, des squadristes dirigés par Amerigo Dumini et connus pour travailler sous la direction de De Bono, chef de la Sûreté. Ils seront en mars 1926 condamnés à des peines légères et immédiatement amnistiés.

La disparition de Matteotti – dont le corps ne sera retrouvé qu'au mois d'août – provoque une immense émotion dans toute l'Italie. Dès le 27 juin, les députés de l'opposition décident de boycotter les séances de la Chambre et cette grève des parlementaires, baptisée Aventin par référence à la sécession de la plèbe romaine en révolte contre le patriciat, s'accompagne d'une courageuse campagne contre le terrorisme fasciste, des parlementaires se substituant à la police pour dénoncer les crimes, stimuler les magistrats et alerter l'opinion. La presse réagit également, y compris des journaux comme le *Giornale d'Italia,* l'organe de Salandra, qui abandonne ses positions philofascistes pour réclamer la lumière. Mais le plus grave pour Mussolini c'est que l'opinion moyenne, jusqu'alors plutôt favorable au fascisme, se détourne de lui du jour au lendemain. L'indignation est telle que de nombreux membres du PNF, parfois des fascistes de la première heure, déchirent leur carte ou arrachent leurs insignes, les uns par volonté sincère de protestation, les autre par crainte de représailles populaires, ou simplement parce que le régime paraît condamné. Tandis que plusieurs députés anciens combattants quittent bruyamment le parti, tous ceux qui avaient soutenu Mussolini par opportunisme prennent leurs distances. Il en est ainsi d'Orlando et de Giolitti qui votent contre le gouvernement en novembre. Ils seront suivis quelques semaines plus tard par Salandra.

Découragé et prostré, Mussolini laisse passer l'orage et fait des concessions à l'opposition, abandonnant à Federzoni le ministère de l'Intérieur et contraignant à la démission De Bono et les sous-secrétaires d'État fascistes. Il ne tarde pas cependant à reprendre pied avec l'appui de sa majorité et celui du roi. Il y parvient d'autant mieux que les députés de l'Aventin ne parviennent pas à se mettre d'accord et refusent de recourir à l'épreuve de force, tandis que les dirigeants squadristes font bloc autour du premier ministre et que Farinacci, leur chef de file, menace de déclencher une nouvelle vague terroriste. Le 3 janvier 1925, Mussolini jette brusquement le masque de la conciliation. Dans le discours qu'il prononce à Montecitorio, il revendique « la responsabilité politique, morale, historique de ce qui est arrivé », annonce aux députés qu'il est prêt à engager la lutte avec l'opposition et promet aux fascistes une situation « éclaircie » dans les quarante-huit heures.

Le danger écarté, Mussolini se préoccupe de mettre en place les rouages de la dictature. Deux hommes vont présider à la liquidation de l'opposition : Federzoni, le nouveau ministre de l'Intérieur, qui, dès le 31 décembre 1924, a fait saisir tous les journaux hostiles au gouvernement et arrêter de nombreux journalistes, et Farinacci, le plus déterminé et le moins scrupuleux des dirigeants squadristes, qui est placé à la tête du parti en février 1935. La désignation du ras de Crémone au secrétariat du PNF marque bien la victoire des éléments durs, des vieux fascistes, sur les nouveaux militants (en mai 1923 il y a déjà 500 000 inscrits et 200 000 Chemises noires), partisans d'une normalisation rapide qui leur aurait permis de jouir en paix des prébendes du régime. Farinacci se fixe immédiatement un double objectif : écraser par la force toute velléité d'opposition et briser au sein même du parti les tendances révisionnistes. Il en résulte une recrudescence des actes terroristes, les plus tristement célèbres étant l'attentat contre Amendola, sauvagement frappé à coups de gourdin le 25 juillet 1925 et qui mourra quelques mois plus tard à Cannes des suites de ses blessures, et la « nuit de sang » de Florence le 4 octobre. Ceci en toute impunité. Lorsque, le 16 mars 1926, s'ouvre le procès des assassins de Matteotti, c'est d'ailleurs Farinacci en personne qui assure la défense des accusés.

C'est dans ce climat de violence et de terreur, tandis que les opposants au fascisme se réfugient dans la clandestinité ou prennent le chemin de l'exil, que le ministre de la Justice, l'ancien nationaliste Rocco, met au point les lois destinées à modifier la nature et les structures du pouvoir, remplaçant à tous les échelons le principe démocratique par celui de l'autorité. Les pouvoirs du chef du gouvernement sont élargis. Responsable devant le roi seul, il peut légiférer par décrets, tandis que disparaît l'initiative parlementaire. Les administrations sont épurées, les conseils municipaux, les pouvoirs des préfets étendus. Enfin la liberté de la presse est supprimée.

En novembre 1926, à la suite d'un attentat contre Mussolini – celui du jeune Zamboni – qui est sans doute, au moins au départ, une provocation policière, Rocco fait voter les lois dites de défense de l'État ou lois fascistissimes. Elles achèvent de supprimer toute liberté en Italie, annulent les passeports, suppriment les publications antifascistes, prononcent la dissolution des partis et des organisations susceptibles de mener une action contre le régime. En même temps sont créés une police politique, l'OVRA, et un tribunal spécial de défense de l'État.

Les années 1925-1926 marquent donc l'aboutissement du processus de fascisation de l'État. Il a fallu quatre ans de tâtonnements et d'expériences contradictoires à Mussolini pour créer sur les ruines de la démocratie parlementaire un régime de type nouveau. La lenteur même du processus invite à la réflexion sur la nature du phénomène. D'autant plus que si durant ces quatre années la violence est toujours présente, rien, en dépit de légendes complaisantes et tenaces, n'apparente l'avènement du fascisme à un classique coup d'État. Ni Rubicon franchi, ni spectaculaire 18 Brumaire, mais une lente perversion du régime libéral par ceux-là mêmes qui en détiennent les leviers. Avec l'installation du fascisme, c'est une nouvelle méthode de prise du pouvoir, adaptée au siècle des masses, qui fait son entrée dans l'histoire.

V

Qu'est-ce que le fascisme ?

Depuis qu'il a été introduit dans le vocabulaire politique, il y a un peu plus de soixante ans, le mot « fascisme » a servi à désigner tant de mouvements, de régimes, d'attitudes individuelles et collectives, de modes d'agir et de penser, que la première tâche de tous ceux qui se proposent d'en écrire l'histoire doit consister à mettre un peu d'ordre dans ce chaos, en prenant un recul suffisant pour que – quoi que l'on pense du fascisme et de ses responsabilités dans le drame qui a déchiré l'Europe et le monde – trop de considérations morales et idéologiques ne viennent fausser le souci de circonscrire et d'expliquer en termes aussi « scientifiques » que possible une réalité historique infiniment complexe.

Les événements dont le fascisme italien et le national-socialisme ont été les responsables directs ont en effet provoqué de tels bouleversements dans le cheminement historique du siècle et laissé des traces si profondes et si douloureuses dans la mémoire collective d'une bonne partie de l'humanité que le terme s'est chargé d'un contenu émotionnel et d'une tonalité répulsive qui n'ont pas facilité la tâche de l'historien en quête d'une interprétation globale et objective du phénomène. Jusqu'à une date récente, la réprobation que suscitait toute référence au fascisme a fait de l'usage du mot un outil polémique, voire un instrument de combat capable de mobiliser sur des mots d'ordre antifascistes des fractions importantes de l'opinion, principalement dans les pays de démocratie libérale où il a servi tantôt à rejeter en bloc toutes les manifestations d'une politique de droite, tantôt, au contraire, à identifier fascisme et totalitarisme rouge, sans que dans les deux camps l'on dise très clairement où finit la droite et où commence le totalitarisme.

Cette pratique de l'assimilation n'est pas neuve. De la même façon que l'on qualifie aujourd'hui de fasciste, souvent par simple réflexe, toute dictature militaire de la droite, on a, pendant l'entre-deux-guerres, usé commodément de la même étiquette pour désigner des mouvements ou des régimes très classiquement réactionnaires. Ce qui ne veut pas dire qu'il n'y ait pas eu contagion réciproque, la « révolution » fasciste débouchant en fin de compte sur une dictature favorable aux intérêts des possédants et nombre de régimes autoritaires et paternalistes cherchant à se donner un visage neuf et une plus grande efficacité en adoptant les méthodes et certains signes extérieurs du fascisme. Il reste que celui-ci possède des caractères spécifiques que l'historien du passé immédiat se doit de dégager, avant d'aborder le problème de la diffusion du fascisme dans le monde et celui de sa permanence ou non jusqu'à nos jours. C'est ce que nous voudrions tenter de faire dans ce chapitre en proposant un modèle, ou plus modestement peut-être une grille de lecture à laquelle pourront être confrontées les diverses formes de pouvoir d'exception instaurées depuis le début des années 20. Auparavant, il nous faut évoquer les principales interprétations historiques du fascisme, ainsi que les schémas théoriques élaborés à partir des données fournies par les sciences sociales.

Les historiens

devant le fascisme

Les premières interprétations du fascisme sont aussi anciennes que le fascisme lui-même. Elles sont contemporaines des batailles menées contre la violence squadriste avant et après la Marche sur Rome. Elles portent donc à la fois la marque de leur temps et celle des courants de pensée qui leur ont donné naissance et représentent les diverses fractions de l'opinion ·antifasciste. Tant il est vrai qu'au début de la décennie 1920, ce sont les adversaires de Mussolini qui, par nécessité de trouver une riposte à l'offensive dirigée contre la démocratie libérale et contre les organisations ouvrières, s'efforcent d'expliquer le fascisme, de l'intégrer dans leur propre conception du monde et de son évolution historique, tout en rejetant sur les autres les responsabilités de son éclosion. Les fascistes eux-mêmes ne revendiquent alors d'autre doctrine que celle du « fait » et leurs admirateurs, italiens et étrangers, s'accommodent de l'explication simpliste et rassurante par la réaction de défense d'une société en proie à la subversion bolchevique. C'est ainsi que se sont constituées les interprétations classiques du fascisme, lesquelles ont dominé la production historique jusqu'à la fin des années 50, non sans avoir subi d'ailleurs d'importantes retouches. Trois d'entre elles, correspondant aux trois grandes familles idéologiques de l'antifascisme, ont joué et jouent encore un rôle important dans l'historiographie de la question.

La première est la thèse de la « maladie morale » de l'Europe. S'agissant du fascisme italien, elle apparaît dès les premières années de la dictature mussolinienne sous la plume d'écrivains et d'hommes politiques libéraux. Ainsi, un homme comme Nitti considère-t-il, dès

1926, que fascisme et bolchevisme sont des accidents de l'Histoire et que l'avènement du totalitarisme, tant en Italie qu'en Russie, est le fait de minorités agissant pour leur propre compte à contre-courant de l'évolution « normale » des sociétés vers la démocratie et le progrès.

C'est Benedetto Croce qui devait, entre 1943 et 1947, donner à cette théorie sa forme la plus élaborée et lui assurer une large diffusion. Pour l'historien philosophe abruzzais, le fascisme n'est pas un phénomène spécifiquement italien. Sous une forme ou sous une autre, il s'est développé au lendemain de la guerre dans la plupart des pays européens, en réaction contre la tendance générale à la réalisation des idéaux hérités de la philosophie des Lumières. Il ne s'inscrit donc pas dans le cours de l'Histoire. Il n'est pas la résultante d'une situation politique donnée, mais, au contraire, un accroc dans l'évolution de la société occidentale, une maladie inoculée à un organisme sain, ou, si l'on préfère, une « parenthèse » correspondant à une période d'effacement de la « conscience de la liberté ».

Friedrich Meinecke (*Die Deutsche Katastrophe,* 1946) applique au cas allemand un schéma identique. Reprenant et approfondissant les idées de Jacob Burckhardt, qui avait le premier entrevu que les « germes du grand malaise » de l'Europe se trouvaient dans les « illusions optimistes de l'époque des Lumières et de la Révolution », Meinecke voit dans le national-socialisme et dans le fascisme en général une « surprenante déviation » de la ligne suivie depuis le XVIIIe siècle par l'évolution de la civilisation européenne. La première guerre mondiale vient brusquement accélérer le processus de déstructuration sociale et la remise en cause des valeurs sur lesquelles reposait la civilisation de l'Occident, consécutifs aux grandes mutations du XIXe siècle.

Ce thème d'une crise morale de la civilisation, marquée par l'aspiration générale au bien-être matériel et par le besoin compensatoire des masses de trouver un palliatif au désarroi causé par la perte des idéaux traditionnels (notamment religieux), avec comme point d'aboutissement leur adhésion à une formule totalitaire restructurante, a été repris et développé par deux historiens allemands, G. Ritter (*Die Dämonie der Macht*) et Golo Mann (*Deutsche Geschichte des 19. und 20. Jahrunderts,* 1958), et par l'Américain Hans Kohn (*The Twentieth Century,* 1949). Ce dernier tire toutes les conséquences de la thèse libérale pour en arriver à l'idée qu'il existe une parenté étroite entre le fascisme et le communisme. L'un et l'autre visent à la mise en place d'un nouvel ordre social obtenu par la mobilisation et l'intégration forcée des masses, au bénéfice d'une petite minorité organisée, habile à exploiter leurs problèmes matériels et moraux, leur immaturité politique et leurs déceptions. Ce qui permet à Kohn de distinguer le fascisme des régimes autoritaires traditionnels, lesquels se proposent seulement de maintenir ou de restaurer l'ordre ancien au profit d'une oligarchie qui joue au contraire sur la passivité des masses et se soucie peu de leur intégration.

Si la thèse de la maladie morale s'inscrit chez Croce dans une perspective idéaliste, elle apparaît chez d'autres comme le produit de l'idéologie positiviste et rationaliste qui, depuis le XVIIIe siècle, caracté- rise de larges secteurs de l'intelligentsia occidentale. Le sociologue Jules Monnerot a montré (*Sociologie de la Révolution,* Paris, 1969) que la foi dans le progrès et le postulat d'un homme de plus en plus « connaissant », de plus en plus rationnel, s'accommodent mal de conceptions qui feraient du fascisme et du totalitarisme en général l'aboutissement d'un long processus historique. Parlant du grand si- lence de la sociologie française des années 1920 et 1930 devant le fascisme, il y voit une véritable volonté de censure et il écrit : « N'ou- blions pas qu'il s'agit des soubassements mêmes de la foi démocra- tique et républicaine en France, tels qu'ils pouvaient être décrits au temps de la première guerre mondiale du XXe siècle. Ne voilà-t-il pas que cette guerre provoque en Europe une vague de *régimes forts* ? Le fascisme apparut l'un d'eux. Voici comment les défenseurs « scientifi- ques » ou pseudo-scientifiques de la formule politique démocratique interprètent les informations ainsi reçues : *il ne pouvait s'agir là que d'une régression passagère* qui n'affectait pas, *ne pouvait pas affecter le sens général de l'évolution.* »

On retrouve, bien que le philosophe italien soit lui-même aux antipodes du positivisme, la notion de parenthèse énoncée par Croce. Le fascisme n'est qu'un accident de l'Histoire. Un accident réaction- naire qui ne peut modifier que temporairement l'évolution normale de la civilisation occidentale et n'a pas de véritables racines dans le passé. Ce qui dégage singulièrement la responsabilité des classes dirigeantes dans la genèse des totalitarismes hitlérien et mussolinien. N'est-ce pas Croce qui écrit que le fascisme « ne fut pensé ni voulu par aucune classe sociale en particulier, ni en particulier soutenu par aucune d'elles » ?

La thèse radicale met au contraire l'accent sur les responsabilités de la bourgeoisie italienne et allemande dans l'avènement du fascisme et du national-socialisme. Née en Italie, dans les milieux de gauche non marxistes, elle a connu un grand succès parmi les antifascistes en exil, particulièrement du côté des « hétérodoxes » de Giustizia e Libertà, avant de donner naissance à un courant de l'historiographie qui déborde très largement la culture italienne. Selon cette théorie, le fascisme serait la résultante logique et inévitable d'une longue évolu- tion et la conséquence des vices inhérents au développement histo- rique de certains pays au premier rang desquels figurent l'Italie et l'Allemagne.

Il faut toutefois considérer plusieurs niveaux dans cette interprétation, diamétralement opposée à la précédente. Il y a ceux tout d'abord qui font remonter les origines du fascisme à un passé lointain, le XVIIᵉ siècle pour les États italiens soumis au despotisme et à la corruption et, pour l'Allemagne, la réforme luthérienne. C'est d'ailleurs surtout à ce dernier pays que s'applique la thèse du fascisme comme produit de l'histoire nationale, telle qu'elle apparaît par exemple dans les ouvrages d'Edmond Vermeil (*Doctrinaires de la Révolution allemande,* 1939; *L'Allemagne, essai d'explication,* 1939), de W. M. Mac Govern (*From Luther to Hitler : The History of Fascist-Nazi Political Philosophy,* 1941), et de Peter Viereck (*Metapolitics : From Romantics to Hitler,* 1941).

Une seconde tendance limite les précédents historiques du fascisme à la période contemporaine et plus particulièrement, s'agissant de l'Allemagne et de l'Italie, aux décennies qui ont suivi l'unification de ces deux pays et les débuts du processus d'industrialisation. Dans les deux cas, on constate une incapacité fondamentale de la classe dirigeante à résorber les déséquilibres nés de l'industrialisation rapide, à intégrer politiquement les masses et à mettre en place les rouages d'un véritable régime démocratique. En Italie, par exemple, dont l'histoire est examinée dans cette perspective par le Britannique Dennis Mack Smith (*Italy. A Modern History,* 1959). Il est clair qu'à la veille du premier conflit mondial deux problèmes n'ont pu être résolus par la monarchie constitutionnelle et par l'oligarchie au pouvoir. D'une part, la distorsion de plus en plus criante entre les secteurs industriels de pointe, étroitement liés au capital bancaire et déjà très fortement concentrés, et les secteurs très retardés de la production agricole et artisanale. D'autre part, la non-intégration des masses, privées de leur encadrement traditionnel, à une vie politique que domine par les voies de la « dictature parlementaire » une classe dirigeante très peu nombreuse. En ce sens le fascisme ne sera que le *révélateur* d'une crise profonde de la société italienne, très antérieure à l'apparition du mouvement mussolinien. Comme leurs adversaires libéraux, les tenants de la théorie du « fascisme-révélation » parleront également de maladie, mais il s'agit pour eux d'une maladie congénitale, « chronique, écrivait déjà avant la guerre l'antifasciste G. Donati, de l'histoire et du caractère des Italiens ».

De même, en Allemagne, le national-socialisme trouverait ses racines directes dans la persistance de structures socio-politiques féodales, dans le caractère militaire de l'État prussien et dans la démission d'une bourgeoisie ayant limité ses ambitions à la réussite matérielle et abandonné la direction des affaires publiques à la caste des hobereaux. Dans l'un et l'autre cas, on aboutit à l'idée d'une évolution inéluctable vers le fascisme, ce qui est évidemment faire bon marché d'événements aussi importants que la guerre et la révolution bolchevique, et a donné lieu à de vives controverses. D'où le développement d'une troisième tendance, infiniment plus nuancée et qui vise seulement à dégager de la préhistoire des fascismes les germes de la future dictature totalitaire. Un ouvrage comme celui de Karl D. Bracher (*Die Deutsche Diktatur,* 1969), l'un des livres les plus complets et les plus éclairants sur l'Allemagne nationale-socialiste, appartient incontestablement à cette dernière catégorie, de même que l'œuvre de l'Italien Chabod, lequel écrivait déjà en 1952 :

« Que le fascisme ait été une simple aventure survenue tout à coup dans l'histoire de l'Italie, comme si elle provenait de l'extérieur, personne ne peut le soutenir; qu'il ait mis fortement en lumière des thèmes et des attitudes propres à la vie italienne et déjà latents depuis belle lurette – à commencer par l'esprit nationaliste, qui ne fut pas imitation pure de l'étranger, même s'il prospère parallèlement à de semblables attitudes à l'étranger, et qu'il en retire des encouragements –, cela me semble plus discutable. Seulement – et c'est ici que Croce a pleinement raison – ces germes ne conduisaient pas nécessairement au fascisme...

« ... Aux origines du fascisme, c'est-à-dire lors de la crise des milieux dirigeants italiens entre 1919 et 1922, certaines dispositions, certaines attitudes, sans doute présentes de 1870 à 1914, mais au second plan, deviennent des éléments d'un poids décisif. Cette transformation en réalité politique effective et décisive d'éléments jusqu'alors purement *potentiels,* ou de poids négligeable, n'advient qu'à ce moment-là, par la faute et à cause des erreurs des hommes de ce temps-là, non de ceux de 1860 ou de 1880...

« ... C'est alors que les précédents (attitudes nationalistes, etc.) peuvent devenir des éléments d'influence puissante et peut-être décisive, et encore, jusqu'au dernier moment, l'issue n'était pas « fatale », prédéterminée » (« Croce storico », dans *Rivista storica italiana,* oct.-déc. 1952, p. 518 *sq*).

La troisième interprétation classique est celle des marxistes. Adversaires principaux du fascisme et premières victimes de la terreur squadriste, communistes et socialistes révolutionnaires ont été amenés très tôt à réfléchir sur le sens profond du phénomène fasciste et à élaborer une théorie destinée à servir de base idéologique à la lutte contre cette nouvelle forme d'action contre-révolutionnaire. Là encore cependant, on ne peut parler d'une théorie unique et immuable. En effet, si dans l'ensemble la thèse centrale ne change pas, il y a eu, dans la façon dont les théoriciens du marxisme et les dirigeants de la IIIᵉ Internationale ont apprécié les rapports entre le fascisme et le capitalisme, des variations nombreuses et importantes. Le fond commun aux différentes moutures de l'interprétation marxiste est le suivant : le fascisme ne peut s'expliquer que dans le cadre des structures socio-économiques de la société capitaliste, au stade de la concentration monopolistique et de l'impérialisme. Il est à la fois le produit de leurs contradictions et la forme, particulière au XXe siècle, revêtue par la réaction antiprolétarienne. A partir de cette vulgate, le schéma varie sensiblement d'une période à l'autre.

C'est au cours de la phase d'installation de la dictature mussolinienne, entre 1922 et 1927, que les débats sur la nature du fascisme ont été les plus passionnés au sein de l'Internationale communiste et que les différences d'interprétation ont été les plus fortes. Il est vrai qu'à cette époque l'organisation communiste internationale conservait encore une souplesse qui disparaîtra avec l'avènement du stalinisme. Dès le IVe Congrès, qui s'ouvre à Moscou le 5 novembre 1922, une semaine après la Marche sur Rome, le Komintern entreprend de s'occuper officiellement du fascisme et de définir sa nature. Or les discussions sont très vives. Elles opposent ceux qui, après avoir cru comme Trotski et Zinoviev à l'imminence de la révolution en Italie, prennent au sérieux la dictature des faisceaux et ceux qui voient dans l'avènement de Mussolini, comme Umberto Terracini, une « crise ministérielle passagère » ou, comme Bordiga, un simple changement de personnel de la bourgeoisie. Elles mettent aux prises, d'autre part, des congressistes qui, avec Zinoviev, interprètent le fascisme comme l'expression pure et simple de la réaction des agrariens – l'équivalent du « blanc-gardisme » russe ou de la contre-révolution de Horthy (c'est une interprétation que récuse Clara Zetkin dans son discours devant l'exécutif élargi de l'Internationale communiste au cours de

1. *Clara Zetkin prononçant un discours à l'époque des premiers succès du fascisme en Europe. La dirigeante communiste allemande a été l'une des rares, parmi les personnalités marquantes de la IIIe Internationale, à percevoir certains des traits originaux du fascisme.*

l'été 1923 mais qui sera reprise en 1929 par Martynov lors du IXe plénum du Komintern) – et ceux qui, groupés autour de Bordiga et de Radek, voient en lui, au contraire, un phénomène indissolublement lié au capitalisme moderne.

C'est d'ailleurs le discours prononcé par Karl Radek qui constitue à cette date la position officielle de la IIIe Internationale. Il présente le fascisme comme une « offensive du capital » consécutive à l'échec du prolétariat et des socialistes, et comme une forme nouvelle adoptée par la contre-révolution. Thèse reprise l'anné suivante par la conférence du parti communiste allemand réunie à Francfort et qui définit le fascisme comme « une contre-révolution préventive différente de la contre-révolution classique en ce qu'elle fait appel à des slogans pseudo-radicaux ».

Il faut cependant attendre le VIe Congrès de l'Internationale communiste (1928), le premier de l'ère stalinienne, pour qu'elle reçoive une formulation plus complète, d'ailleurs très différente de celle de 1924. Le fascisme se trouve désormais défini comme l'une des formes *classiques* de la réaction, à l'époque du déclin du capitalisme et de la décomposition de la bourgeoisie, en un moment où le prolétariat, par manque d'expérience révolutionnaire et en l'absence d'un grand parti de classe, a été incapable d'organiser la révolution. Il est l'instrument le plus efficace mis au point par la bourgeoisie pour combattre la classe ouvrière lorsque les moyens légaux de l'État libéral n'y suffisent plus et l'arme utilisée par la classe dirigeante pour détruire l'avant-garde révolutionnaire. Le VIe Congrès analyse en même temps la structure sociale du mouvement fasciste, reconnaissant ses origines petites-bourgeoises et admettant qu'il a ses racines dans les classes moyennes condamnées au déclin par la crise du capitalisme, ce qui ne l'empêche pas de pouvoir compter sur l'appui d'éléments prolétariens aigris par la défaite de leurs espoirs révolutionnaires et rejetés à droite par la « trahison de la social-démocratie ». Quant au fascisme au pouvoir, il est interprété comme une dictature *directe* de la bourgeoisie, masquée par l'idée nationale et par une phraséologie socialisante destinée à opérer le ralliement des masses.

Cette interprétation du fascisme considéré comme strictement contre-révolutionnaire, c'est-à-dire comme une réponse directe et immédiate à la révolution, devait avoir des conséquences désastreuses sur la stratégie adoptée par l'Internationale communiste face à la montée du fascisme européen. En cherchant à faire entrer à tout prix le phénomène fasciste dans le schéma marxiste traditionnel, elle entretient l'illusion dangereuse d'un messianisme révolutionnaire dont la dictature des faisceaux serait la phase préliminaire. Dès le Ve Congrès (1924), les dirigeants du Komintern s'étaient mis d'accord sur l'idée que le fascisme n'était en fait que le révélateur de la crise économique catastrophique dans laquelle le capitalisme se trouvait engagé depuis la guerre. Cette crise ne pouvait, à moyen terme, déboucher sur autre chose que sur la victoire du prolétariat. Sans doute la situation révolutionnaire qu'elle avait engendrée avait-elle, en même temps, déterminé une situation contre-révolutionnaire dont le fascisme avait pu tirer parti à court terme en s'emparant du pouvoir. Mais son avènement devait être compris comme l'ultime convulsion d'un capitalisme affaibli et irrémédiablement condamné.

Cette thèse dite du « catastrophisme économique » allait dicter l'attitude de la III⁰ Internationale jusqu'à l'avènement d'Hitler et même un peu au-delà. Elle aboutit, en effet, à l'idée que le fascisme est, dans une certaine mesure, un phénomène positif en ce sens qu'il rapproche le prolétariat de la révolution, qu'il accélère le processus de pourrissement du capitalisme et qu'il peut être, de ce fait, interprété comme la *dernière* forme politique de la dictature du prolétariat, nécessairement et immédiatement suivie de la dictature du prolétariat.

De là à voir dans le fascisme une étape inévitable dans l'évolution de la société capitaliste et dans la voie qui débouche sur le processus révolutionnaire, il n'y avait qu'un pas que, dans l'ensemble, l'Internationale communiste n'a pas ouvertement franchi, mais que certains de ses membres ont accompli, notamment après le déclenchement de la grande dépression des années 30, laquelle est apparue après coup comme la justification des thèses catastrophistes. Et ceci, même après la victoire du national-socialisme. Ne trouve-t-on pas, dans un éditorial de la *Pravda* du 16 novembre 1933, l'idée que l'aggravation de la terreur fasciste ne pouvait avoir pour effet que de renforcer le parti communiste ? Autre conséquence de cette théorie de l'inéluctable raidissement de la société bourgeoise menacée, le refus de reconnaître la spécificité du fascisme et l'incapacité de la III⁰ Internationale à le distinguer de la forme démocratique parlementaire de l'État bourgeois. Ceci apparaît dès 1922 dans les thèses de Rome du tout jeune parti communiste italien, rédigées par la tendance ultra-gauche de Bordiga et qui affirment que « le fascisme est un *stade naturel* du développement du capitalisme ». C'est ce que confirme d'autre part, en 1931, le rapport présenté par Manouilski devant le XI⁰ plénum de l'Internationale communiste : « Le fascisme croît de façon organique à partir de la démocratie bourgeoise. Le processus de passage de la dictature bourgeoise aux formes ouvertes de répression constitue l'essence même de la démocratie bourgeoise. » On retrouvera cette thèse, à peine modifiée, dans le discours de certains dirigeants gauchistes à la fin de la décennie 1960.

C'est à partir de cette conception que s'est développée la théorie du « front unique de la bourgeoisie » dont, comme l'affirme Boukharine lors du V⁰ Congrès de l'Internationale communiste (juillet 1924), fascisme et social-démocratie ne sont que deux manifestations différentes. Elle est aussi à l'origine de la tactique classe contre classe qui, jusqu'en 1935, domine l'action des partis communistes et se traduit, au moment de la poussée hitlérienne, par le refus du PC allemand de collaborer avec les socialistes. On en connaît les conséquences dramatiques. Il faut attendre les premières manifestations agressives d'Hitler pour que, sous l'impulsion de Staline – d'ailleurs poussé dans cette voie par certains dirigeants communistes occidentaux –, le Komintern se décide à opérer un renversement stratégique et à jouer la carte des fronts communs contre la droite. Non sans que d'importantes retouches soient apportées à l'interprétation d'ensemble du fascisme, redéfini par Dimitrov lors du VIIᵉ congrès du Komintern comme « la dictature ouverte et terroriste des éléments les plus réactionnaires, les plus chauvins, les plus impérialistes du capital financier ». Ce qui, à la fois, reléguait au magasin des antiquités la thèse du social-fascisme et reconnaissait l'existence d'une bourgeoisie non fasciste, voir antifasciste, avec laquelle il était possible de collaborer. Au total, une formulation assez proche de ce qu'est aujourd'hui encore l'interprétation marxiste du fascisme, au moins dans sa version orthodoxe (si ce mot a encore un sens à l'heure où ces lignes sont écrites).

Dès cette époque cependant des voix marxistes se sont élevées pour tenter de corriger les conceptions dogmatiques de l'Internationale et pour nuancer, parfois de façon très sensible, le schéma d'ensemble. Celles d'abord de communistes qui resteront par la suite fidèles à l'orthodoxie du mouvement mais qui, raisonnant sur le cas italien, soulignent les faiblesses de la théorie catastrophiste. C'est le cas d'Antonio Gramsci, principal inspirateur des « thèses de Lyon », rédigées à l'intention du IIIᵉ Congrès du PCI en exil, tenu à Lyon en janvier 1926, et aussi celui de Palmiro Togliatti (*A proposito del fascismo*, 1928). Pour les deux maîtres à penser du communisme italien l'idée du fascisme comme phase ultime du capitalisme doit être rejetée, le premier l'interprétant non comme un aboutissement mais au contraire comme la forme d'organisation d'un capitalisme jeune, et le second affirmant qu'il n'y aurait probablement pas de fascisme dans les pays depuis longtemps industrialisés. L'un et l'autre admettent d'autre part que le fascisme possède vis-à-vis du grand capital une marge d'autonomie qui se traduit par exemple par l'expropriation partielle d'une fraction de l'ancienne classe dirigeante. Ceci parce que, comme l'estime Gramsci, il n'est pas l'expression pure et simple du pouvoir de classe du capital financier, mais le résultat, comme toute autre forme de l'État bourgeois, d'un *équilibre* entre les différentes classes et catégories sociales qui constituent le « bloc au pouvoir ».

Une conception assez proche de celle de Gramsci a été exprimée par un marxiste dissident, l'Allemand August Thalheimer – ancien

2. *Frontispice de l'œuvr. de Giovanni Gentile Le Fascisme (1924)*

3. *Palmiro Togliatti (1893-1964)*

4. *Cette caricature paru dans L'Asino (de tendance démocrate radicale dénonce la « collusion . de fait entre socialistes e fascistes pour abattre l régime libéral en Italie Le président du conse. Facta, s'adressant . Mussolini et à Turat déclare : « Brave garçons, c'est comme cel que vous me plaisez ! En haut, don Sturze leader du parti populaire*

5. *Antonio Gramsc. (1891-1937), principa inspirateur des « thèse de Lyon », rédigées e janvier 192.*

GIOVANNI GENTILE

IL FASCISMO
AL
GOVERNO DELLA SCUOLA

(Novembre '22 — Aprile '24)

DISCORSI E INTERVISTE

RACCOLTI E ORDINATI DA

FERRUCCIO E. BOFFI

1924
REMO SANDRON — EDITORE
Libraio della Real Casa
PALERMO · MILANO · NAPOLI · BOLOGNA · GENOVA · TORINO · FIRENZE

2

3

4

5

membre du çomité central du KPD, disgracié en 1924 pour « droi-tisme » – dans un article paru en 1930 dans la revue de l'opposition communiste *Gegen den Strom* (« Über den Faschismus »). Thalheimer y soutient l'idée que le fascisme n'est qu'un cas particulier du bona-partisme, étudié par Marx et Engels; l'abandon par la bourgeoisie de son pouvoir politique dans le but de sauvegarder son pouvoir écono-mique aboutissant dans l'un et l'autre cas à l'autonomie de l'exécutif. Théorie qui, en faisant du fascisme l'une des formes de l'état d'excep-tion instauré par le capital, admet qu'il peut y en avoir d'autres et par conséquent s'inscrit en faux contre la thèse catastrophiste.

D'autres travaux publiés pendant la période de l'entre-deux-guerres par des marxistes non orthodoxes et par des dissidents méritent égale-ment d'être mentionnés. Ceux de Trotski (*Écrits* II et III), naviguant entre la notion de dictature du grand capital et l'idée que la petite bourgeoisie marginalisée et en voie de prolétarisation a joué un rôle fondamental dans l'avènement du fascisme. « La petite bourgeoisie, écrit-il, tient à l'ordre tant que les choses vont bien pour elle; mais quand elle a perdu l'espoir, elle est prête à se tourner vers les solutions les plus extrêmes : c'est ce qui a permis de renverser l'État démocra-tique et de hisser le fascisme au pouvoir en Italie et en Allemagne. » Ceux de Daniel Guérin qui, dans *Fascisme et grand capital* (1936), a eu le premier le mérite d'établir une comparaison sérieuse, même si elle reste très dogmatique, entre fascisme italien et national-socialisme. Les travaux d'Ernst Bloch (1935) qui explique le fascisme par la coexistence dans une même société de structures mentales collectives correspondant à l'état présent de l'économie capitaliste et de structures anciennes se rattachant à un passé depuis longtemps révolu, cette « non-simultanéité » s'appliquant notamment à la paysannerie et à la petite bourgeoisie. Ceux du social-démocrate autrichien Otto Bauer (« Der Faschismus », dans *Zwischen Zwei Weltkriegen ?* 1936), exilé en Tchécoslovaquie où il élabore une théorie peu complaisante à l'égard du réformisme, en fin de compte assez proche de celle de l'Internationale communiste, version VIIe Congrès. Ceux enfin de Frantz Borkenau (*Zur Soziologie des Faschismus*, 1932), pour qui le fascisme représente, dans les pays où un puissant mouvement ouvrier freine les progrès du capitalisme, le moyen utilisé par ce dernier pour vaincre la résistance prolétarienne.

Une mention particulière doit être faite de la thèse soutenue à la fin des années 20 par l'un des principaux dirigeants du parti communiste italien, Angelo Tasca. Pour ce dernier, le fascisme n'est en aucune façon le signe de la proche disparition du capitalisme, mais au contraire l'annonce de son renforcement. Il n'y a donc pas à attendre, comme le croient alors les dirigeants de l'Internationale, une décom-position interne du système capitaliste et il est indispensable pour abattre le régime mussolinien de s'allier, en Italie et ailleurs, avec les autres forces antifascistes. Cette thèse – qui sera également celle du Français Jacques Doriot, en plus élaboré – a fait l'objet de vifs débats à l'intérieur du PCI et du Komintern, et en décembre 1928 Staline a dû intervenir personnellement pour la faire rejeter. En mars 1929, Tasca fut convoqué devant le comité central et sommé de renoncer à ses « erreurs ». Son refus entraîna son exclusion, ce qui ne devait pas empêcher ses idées de triompher en 1935 au moment où fut élaborée la stratégie des « fronts communs ».

Depuis la guerre, un certain nombre d'historiens de formation marxiste ont entrepris de réexaminer le phénomène fasciste en prenant un certain recul vis-à-vis des thèses élaborées au temps de la IIIᵉ Internationale. Sauf bien entendu dans les pays de l'Est où la tendance est au contraire à la reproduction stéréotypée de la formule adoptée en 1935 (cf. par exemple les écrits du dirigeant est-allemand Walter Ulbricht). Si le postulat fondamental – le fascisme considéré comme agent du grand capital et expression du pouvoir de classe de la bourgeoisie en période de crise – n'a pas été remis en cause, des travaux comme ceux du Britannique G.H.D. Cole (*A History of Socialist Thought,* Londres, 1953) et des Américains P. A. Baran et P. M. Sweezy (*Monopoly Capital,* New York, 1966) ont totalement rompu avec l'idée de l'inéluctabilité du phénomène et ont fortement nuancé l'explication monovalente et schématique du Komintern.

A côté de ces trois grandes interprétations classiques, qui ont constitué jusqu'à une date relativement récente les tendances dominantes de l'historiographie, il faut encore signaler des théories qui peuvent être considérées comme secondaires, soit parce qu'elles ne représentent pas un effort d'explication suffisant, soit parce que leur influence sur les historiens du fascisme a été faible. C'est le cas des interprétations données par les fascistes eux-mêmes et par des historiens de tendance très conservatrice. Les premiers insistent sur les aspects révolutionnaires du fascisme qu'ils interprètent comme un retour aux source des valeurs prélibérales, menacées à la fois par la décadence des démocraties parlementaires et par la montée du communisme. Rares sont ceux qui, comme G. Volpe, ont réussi à dépasser le niveau du mémorialisme et de l'apologétique. Les seconds mettent l'accent au contraire sur ce que le fascisme a de conservateur et voient en lui un rempart surgi spontanément pour assurer le sauvetage de la société occidentale au moment où celle-ci allait se trouver submergée par la subversion marxiste.

Plus intéressante, même si elle n'a eu qu'un retentissement limité, est l'interprétation donnée par certains historiens et penseurs catholiques, principalement le Français Jacques Maritain (*Humanisme intégral,* 1936), et l'Italien Augusto Del Noce (*Totalitarismo e filosofia della*

Storia, 1957). Bien qu'elle se rattache à maints égards à la thèse de la « maladie morale », elle présente sur celle-ci l'avantage de ne pas chercher à occulter les responsabilités des classes dirigeantes occidentales et elle s'efforce d'expliquer les origines de la crise de civilisation qui a donné naissance à ces deux phénomènes totalitaires que sont le fascisme et le communisme.

L'apport

des sciences sociales

Depuis une trentaine d'années les études sur le fascisme ont été renouvelées par les travaux des sociologues, des spécialistes de la psychologie sociale et de la science politique, voire des sémiologues et des linguistes. Bien qu'elles soient, au même titre que les études historiques, influencées par telle ou telle idéologie – la thèse totalitaire de l'école américaine est d'inspiration libérale, les travaux des sociologues de l'école de Francfort ont subi l'empreinte du marxisme –, ces disciplines ont leur problématique propre et présentent l'avantage de rompre avec les schémas classiques d'interprétation. Elles offrent donc à l'historien des matériaux qui peuvent lui permettre d'éclairer certains concepts et d'élargir sa compréhension du phénomène fasciste.

La première de ces théories est celle qui a été développée depuis le début des années 1950 par des sociologues et des politologues américains, en particulier par Hannah Arendt (*The Origins of Totalitarianism,* 1951) et par C. F. Friedrich et Z. K. Brzezinski (*Totalitarian Dictatorship and Autocracy,* 1956). Dix ans plus tôt, dans la foulée du dissident nazi Hermann Rauschning (*La Révolution du nihilisme,* 1937), les écrits de Carlton J. Hayes et Thomas Woody (dans *Proceedings of the American Philosophical Society,* 1940) s'étaient appliqués déjà à faire entrer dans une même catégorie, le totalitarisme, les dictatures allemande, italienne et soviétique, expliquant ainsi le pacte germano-soviétique par la nature profonde des régimes concernés et non par de simples considérations tactiques. Ceci, sans grand souci d'ailleurs, c'est un défaut que l'on retrouve chez leurs épigones des années 50, de rattacher la théorie à l'histoire et en considérant davantage fascisme et communisme comme des essences que comme les produits d'un passé intelligible.

Tombée passagèrement dans l'oubli au temps de la « grande alliance », la thèse totalitaire ressuscite brusquement avec la « guerre froide » et va connaître pendant une dizaine ou une quinzaine d'années un considérable succès. Pour ses adeptes, le fascisme est avec le communisme l'un des visages adoptés par le totalitarisme moderne, phénomène caractéristique du XXᵉ siècle. A l'origine – on voit que l'on rejoint ici la thèse de la « maladie morale » –, il y a une crise de la société contemporaine, qui remonte au XIXᵉ siècle et présente trois aspects majeurs : le passage de l'État libéral-national au stade de l'impérialisme, l'effondrement du système des valeurs de classe et surtout l'atomisation du corps social. La rupture des liens et des groupes sociaux traditionnels, conséquence de la révolution industrielle, a eu pour effet de libérer des individualités que le nivellement de la société et de la culture a condamnées à l'isolement et à l'uniformité. Ainsi se sont constituées les « masses », ces « fragments d'une société atomisée » (H. Arendt), incapables d'une conscience de classe spécifique et d'objectifs politiques bien déterminés. Ce qui en fait une proie facile pour les démagogues de tous bords.

Le totalitarisme – dont Friedrich et Brzezinski énumèrent les critères essentiels – idéologie « globale », parti unique, système de terreur physique et psychologique, monopole des moyens d'information et de l'appareil militaire, contrôle bureaucratique de l'économie – représente dans ces conditions une tentative pour capter l'énergie de ces masses généralement apathiques et apolitiques, pour les intégrer dans un nouveau système socio-politique et opérer, au profit d'une « élite » d'extraction petite-bourgeoise que dominent dans un premier temps des éléments « marginaux », une restructuration du corps social. Théorie de circonstance qui n'est évidemment pas sans arrière-pensées politiques, dès l'instant où elle cherche davantage à souligner ce qui rapproche fascisme et communisme que ce qui les distingue et où elle oppose à ces deux formes du totalitarisme une société libérale-démocratique étrangement pure de toute contamination et de toute responsabilité. Ni les conditions de la prise du pouvoir, ni le jeu des forces sociales qui sous-tend l'avènement de la dictature ne préoccupent beaucoup les théoriciens du totalitarisme. Dans les modèles qu'ils élaborent, fascisme et nazisme paraissent surgir tout armés du néant.

Sans aboutir aux mêmes conclusions, d'autres sociologues ont souligné le rôle de l'*atomisation* de la société et de l'apparition en son sein de masses inorganisées pour expliquer la genèse du fascisme. Dès 1929, l'Allemand Karl Mannheim (*Ideologie und Utopie*) décrit dans cette perspective le fascisme comme l'irruption sur la scène politique de masses non intégrées dans l'ordre social existant et guidées par des intellectuels déclassés constituant le noyau de cette « élite de remplacement » dont parlait déjà Pareto et qui seule est capable de mettre en mouvement les foules silencieuses et inertes. Cette idée de l'intervention d'une nouvelle élite dirigeante a été étudiée plus récemment par le Français Jules Monnerot (*Sociologie de la Révolution, op. cit.*). Elle apparaît aussi, sous une forme un peu différente, plus abstraite, dans l'étude de Georges Gurvitch sur *Les cadres sociaux de la connais-*

sance, le fascisme – au sens large, intégrant le franquisme, le salazarisme et même les régimes populistes du Tiers Monde contemporain – y étant interprété comme le produit et l'expression politique de la société technico-bureaucratique moderne.

Une troisième série d'interprétations sociologiques du fascisme place au premier rang des facteurs d'explication l'action des classes moyennes. Elle apparaît dans le courant des années 30 avec les travaux de H. Lasswell (*The Psychology of Hitlerism,* 1933), de David J. Saposs (*The Role of the Middle Class in Social Development*, 1935) et de Svend Ranulf (*Moral Indignation and Middle Class Psychology,* 1938). Elle a été reprise plus récemment et complétée par deux sociologues américains, N. S. Preston (*Politics, Economics and Power,* 1967) qui interprète le fascisme comme « un mouvement révolutionnaire nationaliste » de la classe moyenne économiquement prolétarisée, à la fois contre le collectivisme marxiste et contre la tendance à la concentration de la société capitaliste – thèse qui n'a rien de très novateur et que l'on rencontre déjà sous la plume de l'historien italien Luigi Salvatorelli en 1923 (*Nazionalfascismo*) et surtout S. M. Lipset (*Political Man. The Social Bases of Politics,* 1960).

Lipset admet également que le fascisme est un mouvement issu de la classe moyenne et qu'il représente « une protestation à la fois contre le capitalisme et contre le socialisme, contre la grande entreprise et les grands syndicats ». Mais son interprétation ne s'arrête pas là. Il estime en effet que chacune des trois grandes familles politiques nées de la Révolution française repose sur une base sociologique bien déterminée : à la droite correspondent les différentes fractions de la bourgeoisie, à la gauche socialiste les travailleurs de l'industrie et la partie la plus pauvre de la paysannerie, au centre enfin les classes moyennes. Bien sûr, il n'y a pas superposition exacte entre chacun de ces groupes sociaux et les tendances politiques qui sont censées les représenter. Il y a des ouvriers de droite et des bourgeois de gauche, cela personne ne songe à le nier. Mais l'important, explique Lipset, c'est que, dans les grandes lignes, le postulat soit vérifié par les faits. A partir de là, il montre que chacune des trois grandes forces sociales qu'il décrit se divise politiquement en deux tendances antagonistes : une tendance démocratique ou modérée et une tendance extrémiste. Le fascisme, dans cette perspective, n'est pas autre chose que l'aile extrémiste de la famille centriste, tandis que le radicalisme (au sens français du terme, désignant le mouvement radical) en représenterait l'aile démocratique.

Cette thèse ne manque pas d'aspects séduisants. Elle permet en particulier à Lipset de distinguer le fascisme proprement dit des mouvements et des régimes autoritaires qui représenteraient la version extrémiste des deux autres familles socio-politiques : pour la droite, les dictatures réactionnaires du type Horthy ou Salazar; pour la gauche, le communisme bien sûr, mais aussi des phénomènes tels que le péronisme. Mais elle présente également bien des faiblesses, celle notamment de ne tenir aucun compte de l'intervention des grands intérêts privés dans l'évolution des mouvements et des régimes de type fasciste.

Le grand apport de la sociologie américaine des années 60 est d'avoir contraint les historiens – certains d'entre eux du moins – à reconsidérer le rapport entre fascisme et classe moyenne, en déplaçant le centre d'intérêt des militants et des cadres aux simples adhérents et surtout aux électeurs, autrement dit à la base de masse du mouvement, infiniment moins marginale et « atomisée » que ne le prétendaient par exemple les théoriciens de l'école « totalitaire ». S'appuyant sur des travaux de sociologie électorale, Lipset a dressé le portrait-robot de l'électeur nazi en 1932 : « membre indépendant des classes moyennes, protestant, vivant dans sa ferme ou dans une petite localité, ex-électeur d'un parti centriste ou régionaliste, hostile à la grande industrie » (« Der « Faschismus », die Linke, die Rechte und die Mitte », *Kölner Zt. f. Soziologie und Sozialpsychologie,* 1959). Peu de traits communs dans ce tableau avec les « réprouvés » du fascisme activiste : corps francs, squadristes, SA, etc. De même que dans celui que fait d'*Une petite ville nazie* entre 1930 et 1935 (Northeim-en-Westphalie, baptisée Thalburg par l'auteur) un autre sociologue américain, W. S. Allen. Le petit-bourgeois rallié au national-socialisme dont il reconstitue le cheminement mental et politique (à partir des archives municipales et d'entretiens avec les habitants) ne fait figure ni de déraciné, ni même de victime de la crise et il paraît au début parfaitement à l'aise dans le réseau de groupements professionnels et d'amicales diverses qui structurent le tissu social urbain. S'il apporte sa voix à Hitler (28 % de voix nazies en 1930, 62 % en juillet 1932), c'est moins par désarroi que par peur d'une radicalisation à gauche et parce que les représentants locaux du NSDAP se montrent à la fois dynamiques et respectables. D'autre part, la monographie d'Allen – dont les conclusions certes ne doivent point être généralisées – montre que, dans le cas précis de Northeim/Thalburg, les structures traditionnelles d'encadrement de la population demeuraient à peu près intactes en 1933 et que ce sont les nazis qui les ont détruites, créant en quelque sorte le phénomène de masse avant de restructurer autour de leurs propres organisations les parcelles du corps social éclaté. Le processus est tout différent de celui que décrivent Hannah Arendt et Brzezinski.

A côté de ces thèses strictement sociologiques se sont développées depuis une quinzaine d'années des interprétations socio-économiques dont le mérite est d'avoir cherché à dégager les points de ressemblance entre le fascisme des années 30 et certains régimes autoritaires installés de nos jours en Amérique latine et dans le reste du Tiers Monde.

L'une des plus significatives, sinon la plus éclairante, est celle qu'a exposée dans un livre publié en 1965, *The Stages of Political Development*, l'Américain A. F. Kenneth Organski. Pour cet auteur, les sociétés contemporaines seraient amenées à passer par quatre grandes étapes étroitement dépendantes de la croissance économique, lesquelles sont, dans l'ordre, le stade de l'unification primitive, celui de l'industrialisation, celui du « bien-être national » et celui de l'abondance (Organski, on le voit, suit d'assez près le schéma élaboré par Rostow).

Le fascisme, explique Organski, ne peut apparaître que dans le courant du second stade, et plus particulièrement dans la première phase de ce stade d'industrialisation. Ce qui ne veut évidemment pas dire qu'il soit la seule formule politique possible à ce niveau du développement économique. Le politologue américain souligne, au contraire, le fait que pendant la période de l'entre-deux-guerres ont coexisté en Europe trois types de régimes politiques représentant précisément trois réponses aux problèmes posés par l'industrialisation et par l'accumulation primitive du capital : le régime libéral bourgeois, le stalinisme et le fascisme, les différences tenant essentiellement au rythme de croissance. De ce schéma un peu abstrait, Organski tire un certain nombre de conclusions dont certaines sont pour le moins discutables. Il refuse par exemple de considérer le fascisme comme un produit idéologique de la petite bourgeoisie et surtout, il ne veut pas admettre le caractère fasciste du national-socialisme, parce que, estime-t-il, l'Allemagne avait déjà atteint le stade de la pleine industrialisation au moment où Hitler a accédé au pouvoir. En revanche, son analyse permet de poser un problème important qui est celui des possibles résurgences du fascisme dans le monde d'aujourd'hui. En effet si, comme le montre Organski, et cette démonstration est sans doute la partie la plus convaincante de son ouvrage, le fascisme est bien l'une des réponses aux problèmes posés par l'industrialisation des sociétés modernes, l'arrivée des pays économiquement attardés à ce niveau du développement peut effectivement donner naissance à des conditions proches de celles qui dans l'Europe des années 20 ont présidé à l'éclosion et à la montée du fascisme.

C'est également une explication de type socio-économique que donnent du phénomène fasciste des sociologues de formation marxiste mais d'orientation idéologique plus gauchisante : Marcuse, Horkheimer, Adorno, Habermas, et en général les membres et les disciples de l'École de Francfort. Ceux-ci ne considèrent pas le fascisme comme un accident unique du capitalisme mais comme « le produit d'une constellation historique qui prend ses racines profondes dans l'évolution de notre ordre social » (H. C. F. Mansilla, *Faschismus und eindimensionale Gesellschaft,* 1971, p. 10) et ils estiment qu'il y a une contradiction fondamentale au stade monopolistique de nos économies modernes entre des infrastructures qui ne sont plus concurrentielles et une idéologie qui reste officiellement celle du libéralisme. Ce déphasage constitue une menace pour le capitalisme monopoliste. Pour y échapper, celui-ci a, pendant la période de l'entre-deux-guerres, revêtu dans certains pays le visage du fascisme et il peut encore éventuellement prendre celui d'une dictature plus ou moins totalitaire. En fait, depuis la seconde guerre mondiale, les sociétés industrielles se sont efforcées de parvenir au même résultat sans rompre en apparence avec le libéralisme politique. Ainsi est née la société *unidimensionnelle,* définie par Marcuse et par ses disciples comme une société qui, à la recherche d'une stabilité absolue, élimine toute discussion et s'oriente vers l'uniformité politique, en utilisant notamment de façon massive les moyens modernes d'information et de propagande pour créer et maintenir cette uniformité. Autrement dit, pour les sociologues de l'École de Francfort, fascisme et néocapitalisme ne sont que les deux aspects d'une même réalité socio-économique, les sociétés développées contemporaines pouvant parfaitement maintenir et renforcer leurs structures sans avoir recours pour cela à l'état d'exception que constitue la dictature fasciste.

Avec l'école de Francfort, nous abordons en même temps que l'explication socio-économique une autre sphère d'investigation qui est celle de l'interprétation psycho-sociale. Étudiant le décalage entre infrastructures monopolistiques et superstructures libérales, Horkheimer montre que cette contradiction a pour résultat de développer des tendances irrationnelles qui se manifestent par exemple dans l'antisémitisme (*Die Juden und Europa*). T. W. Adorno et E. Fromm étudient pour leur part le problème de la « personnalité autoritaire » et de ses fondements sado-masochistes. Fromm montre notamment (*Escape from Freedom,* 1941) que, dans nos sociétés destructurées du XXe siècle, l'homme n'a rompu ses liens traditionnels avec le groupe que pour se trouver isolé et aliéné. Il en résulte un sentiment d'impuissance dont il cherche à se débarrasser par des « mécanismes de fuite ». Ce sont ces mécanismes : l'autoritarisme, la « destructivité », le conformisme, qui seraient à la base du fascisme. Non que Fromm nie les fondements économiques et politiques du phénomène, mais ce qui, pour lui, est capital, c'est d'expliquer pourquoi le fascisme a pu s'imposer à des dizaines de millions d'individus sans rencontrer de résistance. Finalement, il aboutit à l'idée – s'appliquant au cas particulier du national-socialisme – que dans un contexte socio-économique donné qui est celui de l'inflation et du pouvoir croissant des monopoles, il y a eu accentuation de certains traits de caractère des classes moyennes, à commencer par leurs tendances sado-masochistes, puis récupération par l'idéologie nazie qui les a amplifiés et transformés en forces utilisées pour soutenir l'expansion de l'impérialisme allemand. Comparant ensuite le fascisme et le communisme stalinien, Fromm admet qu'il y a au moins un caractère fondamental commun aux deux régimes qui est « le fait d'offrir à l'individu atomisé un refuge et une nouvelle sécurité ».

Avec Fromm et Adorno l'explication socio-historique s'appuie déjà largement sur des notions empruntées à la psychanalyse. C'est une voie dans laquelle Wilhelm Reich s'est engagé beaucoup plus profondément et beaucoup plus tôt puisque le livre qu'il a consacré à la question (*Massenpsychologie des Faschismus*) date de 1933. La thèse de Reich peut se résumer de la façon suivante. La structure caractérielle de l'homme comporte trois couches « concentriques » : une couche superficielle au niveau de laquelle « l'homme moyen est réservé, courtois, compatissant, conscient de son devoir », une couche moyenne qui correspond en gros à l'inconscient freudien et qui « se compose exclusivement d'impulsions cruelles, sadiques, lubriques, cupides, envieuses », enfin ce que Reich appelle le « noyau biologique profond », dans lequel l'homme est également bon, aimant, etc. A la première couche fondée sur la maîtrise de soi et la tolérance correspond le libéralisme politique, au noyau biologique naturel « l'esprit authentiquement révolutionnaire », le fascisme s'appliquant à la couche intermédiaire des pulsions refoulées. A partir de ce postulat de base, Reich démontre que le fascisme est essentiellement une réaction déviée et sado-masochiste à l'aliénation de la société moderne et à la répression sexuelle et autoritaire. S'appuyant lui aussi sur l'exemple de la société allemande, il explique pourquoi la petite bourgeoisie, les femmes et les jeunes, plus sujets que les autres catégories sociales à cette répression, sont davantage porteurs des germes du fascisme. C'est à ce niveau d'explication que son étude peut être utile à l'historien, sans que l'on soit pour autant obligé d'en admettre les fondements psychanalytiques, d'ailleurs très discutés.

Retour

à l'histoire

Il en est ainsi de la plupart des schémas d'explication proposés par les sciences sociales et par la psychologie. Ils permettent rarement d'interpréter le phénomène fasciste dans sa totalité mais ils fournissent à l'historien des instruments de travail extrêmement utiles et l'obligent à reconsidérer ses propres certitudes. Depuis le début de la décennie 1970 on assiste d'ailleurs à un relatif repli des grandes théories explicatives au profit d'études ponctuelles, de monographies, d'analyses quantitatives comme celle qu'a entreprise Michael Kater à partir du fichier central du parti nazi, conservé au Centre de documentation de Berlin. Parmi les dernières théories-synthèses il faut citer celles de l'Argentin Germani (*Sociologia de la modernizacion,* Buenos Aires, 1969), fondée sur la comparaison du fascisme italien et du péronisme, de l'Italien L. L. Garruccio (*L'industrializzazione tra nazionalismo e rivoluzione,* Bologne, 1969) et du Français N. Poulantzas (*Fascisme et dictature,* Paris, 1970) dont le propos reprend dans une perspective plus large et plus nuancée – non sans raccourcis simplificateurs toutefois – les thèses de Daniel Guérin sur les rapports entre fascisme et grand capital.

Limites des sciences sociales dont les modèles, aussi sophistiqués qu'ils soient, peuvent difficilement rendre compte de la diversité et de la complexité du phénomène, mais aussi et surtout crise des idéologies qui rejaillit fortement sur les interprétations classiques, poussées sur le terreau de la lutte antifasciste, et plus particulièrement sur les explications marxistes et marxisantes qui ont dominé le débat intellectuel à la charnière des années 1960 et 1970. « Ethnologisation » enfin de l'objet étudié, simplement parce que le temps a passé dépouillant la réflexion sur le fascisme de ses aspects émotionnels et, pour reprendre l'heureuse expression de De Felice, « démonologiques ». Telles sont les raisons qui inclinent aujourd'hui les spécialistes du fascisme à croiser les approches en mêlant continûment l'exposé des faits – mieux connus grâce à l'ouverture d'archives jusqu'alors inexploitées – et la réflexion sur les faits, mais dans une perspective où dominent les préoccupations de l'historien. Un retour en quelque sorte à l'objectif fixé il y a près d'un demi-siècle par Angelo Tasca : définir le fascisme, c'est avant toute chose en écrire l'histoire.

L'œuvre qui illustre le mieux cette volonté de réhabiliter le factuel aux dépens de la théorie pure, non dans une perspective qui ferait sa religion du contingent, mais avec le souci d'éliminer – autant que faire se peut – les présupposés idéologiques, les modèles abstraits et les concepts réifiés, est celle de Renzo De Felice. Certes, le biographe du Duce n'échappe pas lui-même à tous les pièges qu'il dénonce et n'emporte pas toujours la conviction lorsqu'il substitue aux idées reçues des propositions provocatrices dont certaines ne sont pas rigoureusement démontrées. Au moins son entreprise a-t-elle le mérite de bousculer les interprétations traditionnelles et de remettre en question, à la lumière d'un matériel documentaire d'une extrême richesse, certaines des certitudes de l'historiographie classique. Posant, à contre-courant de la production éditoriale postsoixante-huitarde, un regard froid sur le fascisme, il a pris le risque d'être assimilé par l'establishment intellectuel d'outre-monts aux thuriféraires de la dictature mussolinienne et a déclenché contre lui, au milieu de la décennie 1970, une campagne de critiques et d'attaques personnelles d'une rare violence.

A l'origine de cette tempête, il y eut la publication en 1974 du quatrième tome de la monumentale biographie de Mussolini (*Mussolini il Duce, I/Gli anni del consenso*, Turin, Einaudi), suivie presque immédiatement de la fameuse *Intervista sul fascismo* (Bari, Laterza, 1975), un entretien sur la spécificité du fascisme italien accordé par le professeur romain au jeune historien américain Michael A. Ledeen. De Felice y formulait un certain nombre de propositions en désaccord formel avec les interprétations classiques du fascisme, défini par lui comme le point d'aboutissement d'une tradition politico-culturelle constituant l'une des matrices du Risorgimento. A savoir celle d'un national-jacobinisme successivement incarné par le couple Mazzini-Garibaldi, par les républicains ralliés à la monarchie de Savoie et rassemblés à la fin du XIXe siècle autour de Francesco Crispi, enfin par les « interventionnistes de gauche », animateurs au printemps 1915, avec les nationalistes, de la campagne pour l'entrée en guerre de l'Italie.

Ainsi relié au courant du radicalisme de gauche, le fascisme se trouvait réinséré dans l'histoire contemporaine de l'Italie, doté au moins dans sa phase originelle d'un label « progressiste » et opposé fondamentalement au national-socialisme, dont De Felice soulignait le « pessimisme tragique » et la vocation réactionnaire. Il devait être considéré dans cette perspective non comme l'avatar ultime d'un capitalisme aux abois, en proie aux effets conjugués de la crise et de la poussée révolutionnaire, ni comme le produit idéologique d'une petite bourgeoisie incapable de s'adapter aux mutations de la société industrielle, mais au contraire comme l'instrument forgé par les classes moyennes émergentes (fonctionnaires, représentants des professions libérales, techniciens, etc.), pour accéder au pouvoir et substituer leur propre hégémonie à celle des couches dirigeantes traditionnelles.

En mettant l'accent sur les aspects révolutionnaires du fascisme et sur les aspirations modernistes d'une partie de sa clientèle, De Felice prenait le contre-pied d'une historiographie héritière des interprétations élaborées au plus chaud de la lutte contre la dictature par les principaux courants de l'antifascisme. Réaction salutaire, à bien des égards, mais aussi singulièrement restrictive dès lors qu'elle s'appliquait davantage à l'idéologie des premiers faisceaux qu'à celle du fascisme-régime, faisait bon marché de la composante nationaliste et réactionnaire du squadrisme et tendait à marginaliser le rôle des classes dirigeantes dans l'avènement de la dictature. Si l'on ajoute à cela que le biographe du Duce établissait – documents à l'appui – l'existence d'un consensus à peu près unanime des masses italiennes à l'égard du régime mussolinien triomphant, on conçoit que, dans l'Italie tourmentée des années 1970, en proie à la montée parallèle des terrorismes rouge et noir et à la menace de coup d'État, les thèses de l'historien romain aient provoqué quelque scandale et attiré sur lui les foudres de l'intelligentsia progressiste.

De Felice fut accusé sans beaucoup de nuances par nombre d'historiens, de journalistes et d'hommes politiques, d'avoir délivré une sorte de brevet de légitimité au fascisme, en proclamant qu'au cours de la période allant des accords du Latran à la fin de la guerre d'Éthiopie, les Italiens s'étaient somme toute assez bien accommodés de la dictature mussolinienne. Peut-être parce que celle-ci était moins étrangère à leurs traditions et à leur culture qu'on ne l'avait dit jusqu'alors. Devant une telle levée de boucliers, il avait fallu que, prenant position en faveur du consensus, l'un des chefs historiques de l'antifascisme, le communiste Giorgio Amendola, pesât de tout son poids dans le débat pour que celui-ci perdît de son agressivité.

Six ans après la bataille autour de l'*Intervista,* la parution du cinquième tome de la biographie du Duce (*Mussolini il Duce, II/Lo Stato totalitario, 1936-1940,* Turin, Einaudi, 1981) suscita infiniment moins de polémiques que les écrits de 1974 et 1975. Constatation d'autant plus surprenante que la tranche chronologique couverte porte sur les années les plus brûlantes du *ventennio,* à savoir celles du raidissement totalitaire, de l'alignement sur l'Allemagne nazie et de la plongée dans la guerre. Faut-il voir dans cette dédramatisation du débat le ralliement de la majorité des historiens aux thèses formulées par le biographe de Mussolini, ou au contraire l'abandon par ce dernier de ses suggestions les plus provocatrices ? Le De Felice d'aujourd'hui est-il, comme le suggère Nicolà Tranfaglia (*La Repubblica* du 1-7-1981), en contradiction avec celui de 1974 ? Ne serait-ce pas plutôt que ses détracteurs ont intériorisé, et en fin de compte avalisé, certaines de ses interprétations ? Dans un monde où les événements se précipitent, le fascisme n'est-il pas tout simplement devenu à ce point objet d'histoire, à ce point étranger à notre présent, que l'on puisse l'examiner avec un regard d'ethnologue ?

Le livre de Renzo De Felice pose pourtant des questions qui ne sont pas sans échos dans nos sociétés contemporaines. Comment une dictature devient-elle totalitaire et pourquoi ? Quel est, dans le processus qui caractérise cette transformation, le poids respectif des hommes et des structures ? Y a-t-il une logique du totalitarisme aboutissant inéluctablement à la guerre, etc. ? L'exemplarité et la spécificité du cas italien n'interdisent pas au lecteur de comparer et de généraliser des réponses qui intéressent autant le présent et l'avenir du monde que son passé immédiat, ni au spécialiste de bâtir des théories explicatives, applicables à d'autres régimes et à d'autres périodes. Simplement, l'histoire est au centre de l'entreprise et sa complexité est une invite à aborder avec prudence l'étape de la généralisation.

Qu'est-ce que le fascisme ?

Le thème principal du tome V de la biographie du Duce (l'alibi biographique, s'il n'a pas été abandonné, recouvre depuis longtemps un dessein autrement vaste !) porte sur la nature du totalitarisme fasciste. Ce qui implique que soit reconnue au régime mussolinien l'appartenance à la catégorie bien spécifique des totalitarismes. Or pour de nombreux historiens, si l'Italie a bien servi de matrice aux dictatures de l'entre-deux-guerres, elle n'a elle-même connu, en fin de période, qu'un totalitarisme incomplet, fort éloigné des modèles parfaitement achevés que constituent l'Allemagne nationale-socialiste et la Russie stalinienne. De Felice estime au contraire que le fascisme peut être considéré, à partir de 1937-1938, comme un authentique régime totalitaire. La différence avec l'Allemagne de Hitler et avec l'URSS existe, il en convient, mais il s'agit dans son esprit d'une différence de *nature,* non de degré.

Le trait spécifique de ce totalitarisme à l'italienne résiderait dans la politisation à outrance de la société civile, entamée au lendemain de la guerre d'Éthiopie et s'effectuant parallèlement à la dépolitisation de l'État. Une évolution qui va de pair avec le renforcement croissant du rôle de l'administration, et surtout des pouvoirs du Duce aux dépens de ceux des représentants du parti. Différence fondamentale avec les totalitarismes hitlérien et stalinien, qui auraient plutôt tendance à nier l'État en tant que tel, ou du moins à le subordonner au parti, le fascisme italien s'identifie au contraire à l'État, assignant à celui-ci comme fin d'absorber le parti et d'en assumer toutes les fonctions. Dans cette perspective, le gouvernement idéal aurait été pour Mussolini, s'il n'avait pas dû tenir compte, au moins partiellement, du poids de certains « barons », celui – tout entier composé de technocrates de haut vol – des directeurs généraux de l'administration. Autrement dit, ce serait cette structure à deux étages – état bureaucratique étroitement soumis au Duce d'une part et société civile mobilisée par le PNF d'autre part – qui constituerait la spécificité du fascisme italien.

Jusqu'en 1936, et c'est en ce sens qu'il ne peut être qualifié de totalitaire, le régime mussolinien a fonctionné sur les bases d'un compromis avec les forces traditionnelles que représentent l'Église, la monarchie et la bourgeoisie, auxquelles était concédée une certaine marge d'autonomie. Après la proclamation de l'Empire, Mussolini se décide brusquement à rompre le pacte tacite qui liait le sort de son régime aux anciennes élites et aux détenteurs du magistère spirituel, inévitablement promis à reconquérir leurs positions si lui-même ne parvenait pas à asseoir durablement le système instauré par la « révolution fasciste ».

S'interrogeant sur les raisons de ce tournant totalitaire, les historiens du fascisme avaient été amenés à l'interpréter :

– tantôt comme une déviance de l'histoire allant, comme ses homologues allemand et russe, à contre-courant de l'évolution « normale » des sociétés vers le progrès et la démocratie (thèse libérale);

– tantôt comme la conséquence des options originelles du fascisme, ou encore comme le point d'aboutissement logique d'un processus imposé au régime par les nécessités de la lutte contre la crise. Les choix dirigistes et autarciques opérés par le Duce pour sauver le capitalisme italien débouchant sur la mobilisation des masses autour de mots d'ordre agressifs et sur la militarisation du corps social, prélude à l'aventure guerrière;

– tantôt enfin comme le produit de l'exacerbation des contradictions de la société italienne au temps du fascisme, l'accent étant mis ici sur la lutte des classes, la montée des oppositions et la nécessité de mettre en place un appareil répressif de plus en plus rigoureux.

A quoi s'ajoutait, commune à ces diverses thèses, l'idée que le totalitarisme fasciste résultait, dans une large mesure, de l'alignement pur et simple sur l'alliée germanique. Autant d'interprétations rassurantes, parce que conformes aux idées reçues – totalitarisme importé ou totalitarisme secrété par la fraction la plus réactionnaire de la classe dirigeante – auxquelles De Felice oppose résolument celle d'une « révolution culturelle » *voulue* par Mussolini et s'inscrivant dans une tradition nationale, contestataire de l'ordre social établi. Autrement dit, un retour aux sources du premier fascisme, républicain, irreligieux et antibourgeois.

De là découle un certain nombre de propositions que l'on peut résumer de la façon suivante :

– la conversion de l'Italie aux pratiques totalitaires est moins liée à la volonté d'imiter l'hitlérisme qu'au désir de mener à son terme l'évolution du régime, telle que la concevait son principal inspirateur;

– le totalitarisme n'est pas le produit de la crise, mais correspond au contraire, comme en témoignent certains travaux récents, à une relative amélioration de la situation économique;

– il ne s'agit pas d'un choix de la bourgeoisie italienne visant à renforcer ses privilèges et son pouvoir, mais très précisément d'un choix opéré contre elle, même si elle en est indirectement bénéficiaire. En d'autres termes, la révolution culturelle fasciste se fixe pour objectif de briser l'hégémonie de la classe dirigeante traditionnelle, jugée incapable de présider aux destinées de la nation parce que dangereusement individualiste, hédoniste, cosmopolite, mercantile, etc.

– d'où la nécessité d'assurer la pérennité du régime en fondant celui-ci non plus sur l'adhésion passive du plus grand nombre mais sur le consensus « actif » d'une race régénérée par la « coutume fasciste ».

De cette entreprise, visant à remodeler le corps social et à façonner un homme nouveau, l'historiographie, surtout hors d'Italie, n'a souvent retenu que les aspects les plus délirants et les plus grotesques : le pas de l'oie rebaptisé « pas romain » pour les besoins de la cause, l'emploi obligatoire du *tu* et du *voi*, substitués à la troisième personne (usage de « laquais »), les hiérarques défilant au pas de gymnastique, etc. Elle n'a pas voulu voir, et le livre de De Felice nous invite à le faire, qu'au-delà de ces manifestations dérisoires et de leur échec, il y avait une volonté affichée et réelle – je dirai *désespérée* – de changer l'homme. Par tous les moyens : l'école, le sport, les mouvements de jeunesse, la préparation militaire et finalement la guerre.

Le fascisme :

essai d'explication

Les grandes monographies historiques comme celles de De Felice pour l'Italie, Karl D. Bracher pour l'Allemagne (*Die Deutsche Diktatur. Entstehung Struktur Folgen des Nationalsozialismus*, Köln, Berlin, 1969), G. Allardyce (*The Place of Fascism in European History*, 1971), H. R. Kedward (*Fascism in Western Europe, 1900-1945*, Glasgow-Londres, 1969), E. Weber (*Varieties of Fascism*, Toronto-Londres, 1964), S. J. Woolf (*European Fascism*, Londres 1968), etc., pour les autres formes de dictature fascisantes de l'entre-deux-guerres, inclinent à établir un même constat : il est impossible de considérer le fascisme comme un phénomène simple et immuable et d'en donner une explication monovalente. En effet, même si l'on s'en tient à une définition étroite en écartant d'une part la thèse totalitaire des sociologues américains et de l'autre interprétation large du fascisme considéré comme un cas particulier de la réaction antiprolétarienne, on doit admettre qu'il existe des variantes et des étapes dans le fascisme, ce qui implique deux grands critères de distinction.

En premier lieu le critère spatial. Il n'y a pas *un* fascisme mais *des* fascismes. Sur un fond commun, correspondant à une situation historique donnée (l'Europe au lendemain de la première guerre mondiale, le monde au moment de la grande crise économique des années 30), il y a éclosion de mouvements politiques d'un type nouveau, proches parents les uns des autres si l'on considère leur base sociologique, leur programme, leurs méthodes d'action, mais en même temps dotés d'une spécificité qui tient au passé, aux traditions, aux structures des pays dans lesquels ils se développent.

En second lieu le critère temporel. Il y a des étapes dans l'évolution du fascisme et c'est probablement ce phénomène, souvent négligé par l'historiographie et par les sciences sociales, qui est capital, car il permet d'éclairer certaines contradictions apparentes du fascisme. On peut en distinguer quatre. Le stade du « premier fascisme » voit se développer dans un contexte de crise des mouvements extrémistes incarnant les intérêts et les sentiments d'une large fraction des classes moyennes. Ils sont à la fois dirigés contre le capitalisme et contre les forces révolutionnaires d'extrême gauche. Le « second fascisme » se caractérise au contraire par l'alliance plus ou moins formelle qui se noue pour la conquête ou la reconquête du pouvoir entre les grands intérêts privés et la petite bourgeoisie. Le troisième stade est celui du fascisme au pouvoir et le quatrième correspond à l'établissement du totalitarisme absolu (certains auteurs américains parlent à cet égard de *full fascism*, de fascisme intégral, mais en faisant aussitôt remarquer qu'il n'a guère été en vigueur qu'en Allemagne au moment de la guerre). Essayons de définir avec précision chacune de ces étapes.

Le premier fascisme caractérise la réaction irrationnelle et en partie au moins spontanée des classes moyennes affrontées à un certain nombre de problèmes :

– la destructuration de la société traditionnelle, entamée dès le début du processus d'industrialisation et fortement accélérée par les grandes mutations qui caractérisent la seconde révolution industrielle. C'est le moment où se constitue une société de masses, composée d'individus atomisés et nivelés. Évolution qui s'accompagne d'un désarroi profond, d'une volonté de fuite, à la recherche d'un refuge et d'une nouvelle stabilité. En même temps se trouvent libérées des pulsions jusqu'alors réprimées et qui donnent au premier fascisme son caractère violent et irrationnel. A cet égard, comme dans beaucoup d'autres domaines, la guerre joue évidemment un rôle de révélateur et d'accélérateur;

– la prolétarisation d'une partie de la petite bourgeoisie évoluant à contre-courant du processus de concentration industrielle et la perte de prestige social qui en découle. Là aussi il s'agit d'un phénomène perceptible dès la fin du XIXe siècle mais qui va se trouver accentué par la guerre et par la crise qui suit celle-ci;

– la montée parallèle de nouvelles couches, également issues de la petite et de la moyenne bourgeoisie mais qui appartiennent à des secteurs favorisés par les transformations économiques et administratives récentes. Pour les représentants de ces classes moyennes « émergentes », jusqu'alors écartés des leviers de commande de l'État, la crise qui ébranle les élites traditionnelles ou leur retour en force au lendemain de la grande vague contestataire de l'après-guerre constituent une invite à substituer leur hégémonie à celle des anciens détenteurs du pouvoir. Dans les pays d'ancienne tradition démocratique, l'ascension politique de ces catégories bénéficiaires du processus de modernisation s'est accomplie pacifiquement, par compromis et association avec la grande bourgeoisie libérale. Ailleurs, elle va s'opé-rer de façon beaucoup plus heurtée à la faveur de la crise et nourrit incontestablement la contestation fasciste;

– la menace révolutionnaire. Fortement imprégnées des idéaux et des valeurs (nationales, religieuses, hiérarchiques, etc.) dont sont por-teuses les couches dirigeantes, jalouses d'autre part de leurs préroga-tives sociales (même réduites au seul domaine psychologique), les classes moyennes refusent de se laisser entraîner sur la voie de la révolution socialiste. Elles se radicalisent certes, mais généralement dans un sens réactionnaire;

– la disponibilité d'une « élite de remplacement » qui, dans le cas du fascisme des années 20, est due essentiellement à la guerre et qui se manifeste au moment où les classes dirigeantes paraissent incapables de rétablir la situation. Cette élite nouvelle se recrute principalement parmi les éléments les plus mobiles de la société de l'après-guerre, dans les rangs des déclassés et des laissés-pour-compte de la société industrielle ayant acquis dans l'aventure guerrière des vertus qui ne sont plus celles de la classe dirigeante traditionnelle, mais qui répon-dent mieux que celles-ci aux nécessités du moment. « Il y a un ordre social, écrit J. Monnerot (*Sociologie de la révolution, op. cit*, p. 495), où Hitler ne peut dépasser le rang de caporal et quinze ans plus tard un autre ordre où il est le bénéficiaire d'un processus de reconstitution du pouvoir. » Dans cet appel de pouvoir qui répond à l'incapacité croissante des oligarchies, les éléments petits-bourgeois qui constituent les cadres des formations de combat sécrétées par la « situation de détresse » (J. Monnerot) ont besoin d'une idéologie ou du moins de thèmes mobilisateurs. Ils les puiseront dans l'outillage idéologique que leur a légué le XIXe siècle dans sa phase antipositiviste et où se mêlent anarchisme et syndicalisme révolutionnaire, populisme et blanquisme, nationalisme et futurisme. C'est à partir de là que se constitue le premier fascisme et c'est ce qui explique son aspect radical et anti-bourgeois, même lorsqu'il perçoit les subsides des industriels et des agrariens et joue, au profit de ces derniers, le rôle d'une garde blanche. C'est également à ce niveau que le poids des facteurs propres à chaque nation se manifeste le plus ouvertement, donnant à chaque fascisme sa spécificité.

Le « second fascisme » peut se définir comme le produit d'une alliance entre le premier fascisme, expression des tendances nationa-listes et anarchisantes de la petite bourgeoisie, et d'importants secteurs du monde industriel et agrarien. Dans la première version de ce livre, parue en 1973, j'ai employé la formule « grand capital » pour désigner cette fraction du corps social assimilable à la haute bourgeoisie et jugée globalement favorable au fascisme, suivant une tendance à la réification des concepts très répandue à l'époque et tributaire d'une vision marxiste de l'Histoire, d'ailleurs réduite à un schéma simplifié et simplificateur. C'est un point sur lequel, sans renier l'interprétation d'ensemble, je me sens aujourd'hui en désaccord avec moi-même, admettant bien volontiers que le soutien des grands intérêts privés au fascisme a été limité à certains secteurs et ne répond pas à un projet conscient et unanime visant à instaurer durablement la « dictature du capital ». Cela dit, il est clair que, livré à ses seules forces, le fascisme n'a que des chances extrêmement réduites d'accéder au pouvoir, voire simplement de survivre. Pour qu'il puisse se transformer en un vaste mouvement de masse et entretenir ses bandes armées, il a besoin des subsides de la grande propriété foncière et des magnats de l'industrie. Il doit également pouvoir compter, au cours de la lutte qu'il engage contre les organisations politiques et syndicales de la classe ouvrière, sur la complicité plus ou moins ouverte des détenteurs de l'appareil d'État : chefs militaires, hauts fonctionnaires, magistrats, etc. En fait, l'alliance du premier fascisme et de ces représentants de la haute bourgeoisie n'a pas été immédiate. En Italie, elle ne s'est réalisée qu'au lendemain des grandes grèves insurrectionnelles de l'été 1920. En Allemagne, elle s'opère une première fois en 1922, subit une longue éclipse après l'échec du putsch de la brasserie, pour reprendre aux environs de 1928 et devenir vraiment effective au début de 1932. Les milieux économiques se montrent en effet méfiants à l'égard d'un mouvement qui, pour s'attirer la sympathie des masses, proclame hautement sa haine du capitalisme. Tout au plus voient-ils en lui un moyen de diviser la classe ouvrière et c'est ce qui explique les quelques subsides qu'ils se hasardent alors à lui accorder. Pour que cet appui réticent et irrégulier se transforme en soutien massif, il faut qu'interviennent certaines conditions :

– une crise profonde du système libéral, jugé incapable, par ceux qui en étaient jusqu'alors les principaux bénéficiaires, de sauvegarder leurs intérêts essentiels. Après avoir épuisé toutes les autres possibilités, la classe dirigeante se rallie – tactiquement et, du moins le croit-elle, provisoirement – à la solution fasciste, acceptant de sacrifier son pouvoir politique pour conserver sa puissance économique;

– une situation économique catastrophique, impliquant de la part des grands intérêts privés l'appel à un État providence capable de sauver les entreprises en difficulté et d'assurer par tous les moyens, y compris le réarmement et l'usage de la force, des commandes et des marchés;

– une menace révolutionnaire. Il est à noter cependant que ce n'est pas au moment où le péril est le plus grand que s'opère l'alliance fascisme-haute bourgeoisie, mais une fois le danger passé. Il s'agit alors d'éviter une nouvelle offensive prolétarienne par une contre-révolution préventive.

À ces causes conjoncturelles et qui caractérisent ce que Jules Monnerot définit comme une « situation de détresse », viennent s'ajouter des conditions d'ordre structurel :

– la nécessité, ressentie par certains milieux économiques, d'accélérer le processus de modernisation et de concentration capitaliste dans des pays où les structures économiques héritées du passé risquent de freiner très sensiblement l'évolution;

– la non-intégration politique des masses, mal encadrées par les partis traditionnels, phénomène qui s'applique aux pays dépourvus de traditions libérales;

– l'existence d'un puissant mouvement ouvrier révolutionnaire, incapable certes de prendre le pouvoir par ses seules forces, mais susceptible de ralentir par son action l'essor de l'économie.

Une fois consommée, l'alliance des milieux économiques dirigeants et du premier fascisme entraîne une évolution rapide de ce dernier. D'une part, on assiste à une modification, dans un sens réactionnaire, du programme initial (celui de mars 1919 pour les *fasci*, le programme de 1920 pour le NSDAP) et, d'autre part, on voit coexister au sein des mouvements fascistes deux courants fondamentalement distincts : un courant radical et socialisant que l'on trouve en Italie dans le squadrisme et en Allemagne dans la « gauche nazie », un courant politique et réactionnaire qui est précisément celui du second fascisme et qui peut entrer en conflit avec le premier.

Le troisième stade est celui du fascisme au pouvoir. Il se caractérise par le maintien de l'alliance entre les grands intérêts et les classes moyennes et repose par conséquent sur un *compromis* qui lui permet de jouir d'une assez grande autonomie par rapport à des groupes sociaux dont les intérêts divergent et qui constituent sa base socio-économique. Au cours de cette troisième phase, le fascisme-régime présente les caractères suivants :

– les classes économiquement dominantes (agrariens, bourgeoisie industrielle, milieux d'affaires) exercent à l'intérieur du bloc au pouvoir une hégémonie qui n'est pas totale (à la différence des dictatures militaires classiques) et qui, d'ailleurs, tend à se réduire tandis que croissent, avec le renforcement du totalitarisme, l'influence du parti et des détenteurs du pouvoir politique. Pour maintenir durablement leur pouvoir socio-économique, ces catégories sociales sacrifient en partie leur domination politique au profit d'un sauveur (Duce, Führer), généralement issu de la petite bourgeoisie et qui, s'étant largement appuyé sur cette classe, doit par la suite l'associer à la direction de l'État. Ce partage du pouvoir se traduit par la mise au pas apparente des classes dirigeantes (armée soumise au régime, haute administration épurée, contestation par le fascisme du magistère moral et intellectuel exercé par l'establishment traditionnel, etc.). Mais, en même temps, le régime comble d'honneurs leurs représentants. Surtout, il leur offre, pour prix de leur docilité et de leur adhésion à ses objectifs, un incontestable renforcement de leur domination économique, d'une part en accélérant les tendances monopolistiques du capitalisme et, d'autre part, en désamorçant, par le biais du corporatisme et de la répression, les revendications de la classe ouvrière;

– en même temps, le fascisme au pouvoir ne peut renier complètement ses origines petites-bourgeoises et il lui faut bien, d'une façon ou d'une autre, satisfaire sa base sociologique. Il y a là une contradiction fondamentale du régime puisque, par ailleurs, celui-ci favorise les tendances à la concentration capitaliste. Il est indéniable que la petite bourgeoisie a été, économiquement parlant, l'une des grandes victimes des régimes fascistes, la politique menée par ces derniers en faveur des grands intérêts privés lésant gravement le petit commerce et la petite production. D'où la nécessité ressentie par les dirigeants fascistes de leur fournir des compensations. D'une part, la politique de grandeur et de prestige pratiquée par les États fascistes, et, d'autre part, phénomène capital, la possibilité de promotion sociale offerte par le parti et par les organismes qui en dépendent. Ce sont, en effet, les membres des classes moyennes qui constituent, tant en Italie qu'en Allemagne, les cadres du parti unique. Ils en retirent, outre les quelques privilèges matériels liés, directement ou non, aux fonctions qu'ils exercent, des avantages de prestige qui leur permettent de nourrir leur appétit de puissance et de compenser la médiocrité globale de leur situation économique. Autrement dit, il s'opère un véritable partage du pouvoir entre la haute bourgeoisie, classe dominante, qui renforce sa puissance économique et inspire, au moins pendant un certain temps, les grandes options du régime, et la classe moyenne, classe « tenant de l'État » (N. Poulantzas, *Fascisme et dictature, op. cit.*), qui en assume la gestion. Le guide (Duce, Führer) constituant la clé de voûte du système;

– le totalitarisme fasciste se distingue enfin des autres régimes d'exception mis en place par les classes dirigeantes par son souci d'intégrer les masses au nouveau système. Ceci implique des concessions et des avantages accordés aux classes populaires, dans le but de les rallier au régime sans porter atteinte aux intérêts majeurs du capitalisme. Mais aussi, l'enrégimentement des masses dans des organisations corporatistes et paramilitaires, ainsi que leur encadrement par le parti unique.

En fin de compte, on aboutit à la mise en place d'un système totalitaire pur dans lequel le parti et/ou le chef charismatique finissent par imposer leur action autonome aux forces socio-économiques qui les ont portés au pouvoir. Ce quatrième stade du fascisme (*Full Fascism*), caractérisé par la primauté du politique et de l'idéologie sur l'économique, par le renforcement des méthodes de terreur physique et psychologique et par la volonté de substituer un ordre nouveau à l'ordre bourgeois, n'a été complètement réalisé que par l'Allemagne pendant la guerre. Amorcé en Italie à partir de 1937-1938, il n'a pu s'imposer que très superficiellement à une société civile sur laquelle s'est exercé jusqu'à la guerre le magistère des élites traditionnelles.

Avant d'aborder l'étude des différents fascismes, je voudrais formuler un certain nombre de propositions qui me semblent devoir permettre de définir le phénomène fasciste et de le distinguer d'autres formes de régimes d'exception (dictatures militaires, régimes autoritaires traditionnels, etc.). Ces propositions sont au nombre de six :

1. Le fascisme n'apparaît pas à n'importe quel moment de l'histoire et même de l'histoire contemporaine. Je ne dirai pas, comme en 1973, qu'il « correspond à un certain stade de développement des économies capitalistes qui est celui du passage au capitalisme monopoliste ». Formulé en ces termes empruntés au bréviaire léniniste, le postulat me paraît en effet aujourd'hui trop étroitement lié au facteur économique. À quoi il faut ajouter que, s'il existe bien des tendances oligopolistiques dans les économies industrielles du premier XXe siècle, le capitalisme monopolistique appartient, comme le grand capital, au monde des concepts réifiés. J'écrirai donc plus volontiers que l'apparition et l'essor du fascisme coïncident avec l'ère des impérialismes et de la concentration industrielle et financière fonctionnant dans un cadre qui reste fondamentalement celui des États-nations. Il y a donc, comme le suggère, en partant de tout autres critères, l'historien-philosophe allemand Ernst Nolte (*Le Fascisme dans son époque*, Paris, Julliard, 1970, 3 vol.), une « époque du fascisme ». Elle s'achève avec le second conflit mondial et avec l'avènement d'un système capitaliste infiniment plus internationalisé et intégré que par le passé;

2. Second critère : le fascisme est le résultat d'une crise (économique, sociale, politique, culturelle) du système libéral et constitue une réponse à une situation de détresse;

3. Cette crise affecte en particulier la petite bourgeoisie et détermine chez elle des réactions irrationnelles et une idéologie radicale qui caractérisent le premier fascisme;

4. Le fascisme accède au pouvoir grâce à l'alliance, tactique et conflictuelle, entre les grands intérêts privés et de larges secteurs des classes moyennes;

5. Le fascisme au pouvoir aboutit au renforcement des structures du capitalisme et accélère le processus de concentration;

6. Cette évolution s'accompagne d'une restructuration du corps social obtenue par l'enrégimentement des masses, la mise en place d'un appareil de terreur physique et psychologique, l'action d'un chef national tout-puissant et l'emprise d'un parti unique. Ce dernier représente

le moyen le plus efficace par lequel l'ancienne classe dirigeante s'efforce d'indemniser moralement la petite bourgeoisie économiquement lésée.

Ces critères constituent mon hypothèse de travail. En principe, tous sont nécessaires pour que l'on puisse véritablement parler d'un système fasciste. Il reste qu'en l'absence du premier – qui correspond à une phase bien précise du développement des sociétés industrielles – on peut admettre que se sont constitués, dans nombre de pays n'ayant pas encore atteint ce niveau, des mouvements qui, dans la plupart des cas, ne pourront pas dépasser le stade du premier fascisme.

Ces réserves faites, les critères énoncés permettent de définir un *modèle* fasciste auquel j'aurai constamment recours dans cette étude.

VI

Préhistoire du national-socialisme

Les interprétations du fascisme hitlérien ont donné lieu à une abondante littérature dont rend compte, pour ne citer que cet ouvrage d'accès commode pour un public de langue française, l'excellent petit livre de Pierre Ayçoberry : *La question nazie* (Paris, Seuil, 1979). Recoupant les orientations dominantes de l'historiographie classique, le débat se polarise ici autour de deux grandes tendances, délimitées par le degré d'enracinement dans le passé que les historiens reconnaissent au national-socialisme.

D'un côté, on estime que les comportements et les idées qui ont triomphé en Allemagne avec l'avènement du IIIe Reich sont le point d'aboutissement d'un long processus historique, prédisposant en quelque sorte ce pays au nationalisme conquérant et à l'autoritarisme d'État. Pour les défenseurs de cette thèse, l'origine de la « catastrophe allemande » est à rechercher très loin dans le passé germanique, au moins jusqu'à la réforme luthérienne, peut-être même jusqu'aux siècles obscurs du haut Moyen Age. Cette vision déterministe et démonologique de l'histoire allemande, considérée comme porteuse en ses commencements des germes du mal absolu que constitue le totalitarisme hitlérien, est surtout présente dans les écrits d'historiens étrangers. Elle est par exemple au centre des travaux du germaniste français Edmond Vermeil (*Doctrinaires de la révolution allemande,* Paris, 1938, et surtout *L'Allemagne, essai d'explication,* Paris, 1945) lequel, interprétant l'histoire de la nation allemande depuis les invasions barbares, considère le nazisme comme résultant d'une évolution marquée par trois grandes étapes dont les effets se conjuguent :

– le luthéranisme, introduit au XVIe siècle, aurait incliné les Allemands à l'obéissance aveugle au pouvoir d'État;

– le militarisme prussien, triomphant avec les Hohenzollern, leur aurait insufflé l'amour de l'armée, de la discipline et des vertus guerrières, ainsi qu'un appétit illimité de conquête et de domination;

– enfin cette volonté de puissance, débouchant sur une politique d'expansion en Europe et hors d'Europe, aurait subi au cours des dernières décennies du XIXe siècle les effets multiplicateurs d'une croissance économique et démographique particulièrement rapide.

Nombre d'historiens anglais et américains (R. Butler, *The Roots of National Socialism*, Londres, 1941; W. Shirer, *The Rise and Fall of the Third Reich*, New York, 1960, traduction française : *Le Troisième Reich*, Paris, 1965, etc.) ont développé avec quelques variantes des thèses identiques, introduisant dans le débat sur l'hitlérisme et ses conséquences pour le monde l'idée d'une responsabilité *allemande* si profondément enracinée dans le passé que l'on voit mal où se situent les frontières – toujours très floues il est vrai – qui séparent ici « culture » et « nature ».

A la limite, c'est « l'âme allemande » qui s'est trouvée mise en cause par cette littérature autant que l'histoire du Reich millénaire, ce qui n'a pu que conforter les opinions publiques – principalement dans un pays comme la France et au moins pendant les dix ou quinze années qui ont suivi la guerre – dans la conviction que l'Allemagne et son peuple obéissaient à un destin particulier se déroulant à contre-courant de l'évolution « normale » des sociétés contemporaines, en marche vers le progrès et la démocratie. Même une analyse aussi fine et démythificatrice dans son principe que celle du germaniste français Robert Minder (*Allemagnes et Allemands*, t. I, seul paru, Paris, 1948) s'inscrit involontairement dans le même schéma, dès lors qu'en cherchant à substituer au stéréotype dominant l'image de l'extrême complexité de l'âme allemande – carrefour d'influences et de cultures diverses – elle tend à souligner, psychanalyse à l'appui, son « anormalité », et à entretenir le mythe d'une « bonne » et d'une « mauvaise » Allemagne, la première divisée et riche de son pluralisme culturel, la seconde unifiée pour son plus grand malheur et pour celui de l'Europe par le militarisme prussien.

A l'opposé de cette thèse se regroupent tous ceux qui, refusant de prendre en compte l'atavisme dont seraient porteurs le peuple allemand et son histoire, considèrent que le national-socialisme, comme son homologue italien, est un pur produit du XXe siècle. Toutefois, à partir de ce postulat commun, les interprétations divergent de façon radicale selon que l'accent est mis sur la crise de civilisation qu'entraîne l'émergence des masses ou sur l'évolution du capitalisme, affronté au double problème de la concentration monopolistique et de la révolution.

On retrouve ici l'opposition évoquée au chapitre précédent entre les thèses libérales – complétées et élargies par les réflexions des représentants de l'école totalitariste (H. Arendt, F. Brzezinski, etc.) et les thèses développées par les historiens, les philosophes et les sociologues marxistes. Dans le premier cas, on rejoint l'interprétation de Croce et la théorie de la « parenthèse », appliquée à l'histoire allemande par Gerhard Ritter (*Europa und die deutsche Frage,* Munich, 1948, et *The Historical Foundations of the Rise of National Socialism,* in *The Third Reich,* Londres, 1955) pour qui le nazisme n'est qu'un accident malheureux, sans véritables racines dans le passé et qui, dans des conditions analogues, aurait pu tout aussi bien se développer dans un autre pays que l'Allemagne. Dans le second, on se trouve en présence d'une immense production d'où émergent, à côté des écrits orthodoxes reproduisant avec plus ou moins de nuances certaines des thèses en vigueur à l'époque de la IIIe Internationale, les interprétations infiniment plus sophistiquées de l'école de Francfort, l'œuvre du philosophe et sociologue hongrois G. Lukács (*Die Zerstörung der Vernunft,* Berlin, 1954) ou des travaux qui, comme ceux de l'Allemand (émigré aux États-Unis après 1933) Franz Neumann (*Behemoth. The Structure and Practice of National Socialism,* New York, 1944), ont tenté de rattacher avec beaucoup de pertinence la crise du capitalisme dont s'est nourri le fascisme hitlérien aux héritages du passé allemand.

Sans vouloir à tout prix trouver un juste milieu entre ces interprétations contradictoires, je dirai qu'aucune d'entre elles ne suffit à expliquer le phénomène nazi. Pour le comprendre, il importe à la fois d'explorer prudemment et sans présupposés déterministes les siècles formateurs de la nation allemande, d'examiner les conditions dans lesquelles le national-socialisme a pu croître et substituer son hégémonie à celle des cercles dirigeants de la République de Weimar, de considérer enfin la part du contingent, incarné entre autres par le destin sans éclat du fondateur du IIIe Reich.

Les pesanteurs
du passé

Prétendre qu'il existe une continuité linéaire entre les tribus d'outre-Rhin, telles que les décrit l'historien latin Tacite, et l'Allemagne de Guillaume II et d'Hitler – comme l'ont fait d'un cœur léger certains historiens et germanistes consciemment ou non inclinés à trouver une justification scientifique aux politiques de démantèlement du Reich – relève d'une attitude d'esprit aussi douteuse et dangereusement déterministe que celle des doctrinaires allemands du nationalisme et plus tard du nazisme. C'est à la fois admettre que le présent des nations découle d'une structure quasi immuable, ce qui revient à épouser les théories raciales, peu fondées scientifiquement, dont se nourrit précisément le discours pangermaniste, et faire bon marché des formidables brassages ethniques qui ont caractérisé depuis deux mille ans l'histoire de l'Europe. C'est vouloir projeter sur un passé lointain, sélectivement reconstruit, des attitudes mentales forgées à l'époque des nationalismes triomphants et fournir en quelque sorte un alibi rationnel à une doctrine qui se réclame hautement de l'irrationnel.

La référence à Luther mérite davantage d'être prise en compte à condition de n'être considérée ni comme le facteur déterminant de l'histoire politique et intellectuelle de l'Allemagne postmédiévale, ni comme le révélateur de la spécificité de l'âme germanique, opposant – comme l'écrit Vermeil au lendemain de l'avènement du nazisme – « l'acte allemand », « symbolique par excellence » (*L'Allemagne du Congrès de Vienne à la révolution hitlérienne,* Paris, 1934, p. 13), à l'hégémonie religieuse et culturelle de Rome. Certes, en postulant l'autonomie intérieure totale de l'individu en même temps que sa soumission aux pouvoirs séculiers, en créant un hiatus profond entre l'éthique individuelle, stricte et rigide, et la morale collective que le sujet n'a pas vocation à juger, en substituant comme le souligne Marx « l'asservissement par conviction » à « l'asservissement par dévotion », le luthéranisme a puissamment concouru à l'établissement en Allemagne de structures étatiques autoritaires et nourri les tendances conservatrices du corps social. De là à voir en lui le responsable principal, sinon unique, de l'apathie politique des populations allemandes, le géniteur en même temps que le signe de leur « esprit servile », il y a une distance qu'il serait imprudent de franchir. D'abord parce que la soumission aveugle aux autorités n'a rien de spécifiquement allemand et que l'apolitisme des masses n'est pas étranger aux pays de tradition romaine, orthodoxe ou autre, tandis que la démocratie a trouvé un terrain favorable dans des sociétés de forte imprégnation luthérienne (les pays scandinaves par exemple). Ensuite parce que, comme l'a justement rappelé l'un des meilleurs spécialistes français de l'Allemagne (J. Droz, *Les historiens français devant l'histoire allemande,* in *Europa, Erbe und Aufgabe,* Wiesbaden, 1956), s'il est vrai que la plupart des Allemands se sont effectivement accommodés à l'époque moderne de la domination exercée par des princes d'ailleurs souvent bienveillants, les actes de courage politique et les mouvements de révolte n'ont été dans cette partie de l'Europe ni moins nombreux ni moins résolus qu'ailleurs.

Il n'y a donc pas de prédestination de l'Allemagne à accoucher, après quatre siècles de gestation, du totalitarisme hitlérien. Tout au plus l'histoire et les contraintes géopolitiques – il est clair que, fixée sur une voie de passage ouverte à tous les envahisseurs, la nation allemande n'a pu survivre qu'au prix d'une discipline rigoureuse – ont-elles façonné des comportements collectifs, créé des réflexes (le militarisme prussien est lui-même né d'une réaction de défense avant de devenir agressif et conquérant), forgé des cadres psychologiques et sociaux qui, dans des circonstances données, faciliteront l'avènement du national-socialisme. Il en est de l'Allemagne avant Hitler comme de l'Italie préfasciste telle que la définit Chabod : elle porte en elle les germes de la dictature et du totalitarisme, mais il ne s'agit que d'une virtualité parmi d'autres. Son histoire nous aide à comprendre les événements de 1933, mais elle ne débouche pas inéluctablement sur eux.

Des réserves identiques peuvent être formulées à l'encontre de psychosociologues tels que Fromm, Adorno et autres représentants de l'école de Francfort, pour qui le national-socialisme s'explique par le rôle qu'ont joué en Allemagne des structures familiales d'une extrême rigidité, dominées par le père, et par le culte de la « personnalité autoritaire » qui en résulte. De cette situation qui, soit dit en passant, n'a rien d'exceptionnel dans l'Europe du XIXe siècle, découleraient l'immaturité politique des masses allemandes ainsi que les fortes tendances sadomasochistes qui, à partir de la cellule de base du corps social, sont censées imprégner celui-ci dans son ensemble. Freud rejoint ici Luther, dans une interprétation qui met l'accent sur la soumission de l'individu aux pouvoirs – pouvoir de l'État et pouvoir du chef de famille – et sur les effets, individuels et collectifs, du refoulement des instincts et des pulsions.

En effet, tant que le système fonctionne normalement, les structures familiales et religieuses constituent de puissants facteurs de stabilité. Il en a été ainsi jusqu'à la fin du XIXe siècle. A partir de cette date, les choses ont commencé à changer. Avec la seconde révolution industrielle, génératrice d'exode rural, d'urbanisation rapide, de dépérissement des structures traditionnelles, de déclassements sociaux, une fraction importante des masses allemandes – notamment la petite bourgeoisie et les ruraux – s'est trouvée déracinée, coupée des bases sécurisantes de la famille autoritaire, livrée aux angoisses de la solitude individuelle insuffisamment compensée par la soumission au pouvoir d'État. De cette « atomisation », libératrice d'énergies longtemps retenues, seraient nées les pulsions sadomasochistes qui vont nourrir le nationalisme, l'impérialisme et bientôt le fascisme. Recherche d'un palliatif au désarroi du présent, à l'inquiétude produite par le jeu de forces inconnues et irrationnelles, dans la fuite vers des mouvements autoritaires qui ôtent à l'individu le souci de la décision à prendre, vers une communauté aux idéaux abstraits, dépassant la raison humaine. Culte compensateur du héros, du « génie », du chef charismatique, sur lequel sont projetées les aspirations à sortir d'un destin ordinaire. A la limite, abdication autopunitive du moi dans une logique qui veut que le plus inconditionnellement soumis à l'autorité sans bornes du « guide » soit en même temps le plus héroïque.

Selon Adorno et Fromm, ce quasi-délire masochiste de la collectivité appelle sa contrepartie sadique, dirigée contre ceux que l'on désire d'autant plus voir humiliés et traités en « sous-hommes » que l'on se sent soi-même humilié et frustré par la comparaison que l'on fait entre la position souvent brillante qu'ils occupent dans la hiérarchie sociale et la médiocrité de son propre sort. Inséparable du nationalisme de l'ère wilhelmienne et plus tard du nazisme, l'antisémitisme devient ainsi à la charnière du xixe et du xxe siècle le ciment des idéologies et des mouvements dont se réclament de nombreux représentants d'une petite bourgeoisie à la fois nostalgique et contestataire de l'ordre ancien.

Ces thèses ne sont pas sans intérêt. Elles contribuent fortement à rendre intelligible l'adhésion d'une partie des masses allemandes aux mots d'ordre du national-socialisme. Elles ne suffisent pas toutefois à expliquer le phénomène nazi, ne serait-ce que parce que ce qui est dit des structures familiales et psychologiques de l'Allemagne pré-hitlérienne pourrait, à quelques nuances près, s'appliquer à des pays qui n'ont pas succombé à la tentation fasciste. Admettons que, comme le luthéranisme, ces structures ont constitué un terrain favorable à l'apparition et au développement du national-socialisme, mais gardons-nous d'y voir la cause unique du processus historique qui aboutit à l'avènement de l'ordre nouveau hitlérien.

Quatre étapes principales jalonnent ce processus dont il faut dire et redire qu'il aurait pu déboucher sur d'autres voies que celle dans laquelle l'Allemagne s'est engagée au début de la décennie 1930.

La première coïncide avec le grand bouleversement de l'ère révolutionnaire et impériale. C'est alors que, par réaction contre un modèle français imposé par la force des baïonnettes, vont se fixer les traits spécifiques du nationalisme d'outre-Rhin. Il s'agit, notons-le bien, d'un choix délibéré des classes dirigeantes allemandes effectué à contre-courant des tendances cosmopolites et illuministes qui, jusqu'au plus haut niveau de l'État, n'avaient cessé de gagner du terrain au cours de la seconde moitié du xviiie siècle. On sait que, dans un premier temps, la Révolution française fut accueillie avec enthousiasme en Allemagne, du moins dans la fraction la plus éclairée de la bourgeoisie, et que le modèle institutionnel qu'elle offrait à l'Europe obtint l'adhésion de nombreux intellectuels qui, à l'instar d'un Joseph Görres – jacobin fervent et promoteur de la République cisrhénane –, mais aussi des Fichte, Hegel, Schelling, Hölderlin, voire de Schiller et de Goethe, jugeaient périmée la structure du Reich millénaire.

Très vite il fallut se rendre à l'évidence que la France ne se contentait pas d'exporter ses idées et qu'après une phase défensive, en fait de libération des peuples soumis à la tyrannie des princes, elle ne faisait que substituer sa domination à celle des monarques d'ancien régime. Dès lors c'est contre elle que se cristallisa le sentiment national des Allemands, unanimes, surtout après le traumatisme causé par le désastre de 1806, non seulement à vomir l'impérialisme napoléonien mais aussi à rejeter en bloc l'héritage des Lumières et de la Révolution : le libéralisme, la démocratie, le rationalisme, l'idée de progrès, considérés comme les produits d'une philosophie étrangère. A la modernité française furent opposés le passé et les valeurs idéalisées du Reich traditionnel, au culte de la Raison celui de l'« âme » et de l'« esprit du peuple » (*Volkgeist*), à la « civilisation » incarnée par la France la « culture » allemande, émanation quasi biologique du génie national. On voit que dès cette époque l'opposition, qui va devenir classique, entre la conception française de la nation – vécue comme une adhésion raisonnée aux valeurs qu'elle incarne, un choix de l'intelligence et du cœur – et la conception allemande, fondée sur l'appartenance de fait à la collectivité raciale, se trouve formulée. De cette vision romantique, nourrie de rêves compensateurs, d'évasion passéiste, de références empruntées au légendaire, aux folklores germaniques, à une tradition médiévale sacralisée et en fait sélectivement reconstruite, les nationalistes ultras feront leur miel à la fin du siècle. Mais les thèmes qu'ils développent et les mythes qu'ils manipulent sont déjà en place lorsque sombre l'Empire napoléonien. Au *Siegfried* et aux *Niebelungen* de Joseph Görres fait écho, à plusieurs décennies d'intervalle, l'œuvre lyrique et patriotique de Richard Wagner. Wagner, né à Leipzig en 1813 : double symbole d'un lieu et d'une date (la « bataille des nations ») qui scellent le destin de l'Empire et la revanche des Allemands coalisés.

La seconde étape correspond à l'échec de la révolution libérale-nationale de 1848. Échec d'une troisième voie, dont pouvaient être porteurs les petits États constitutionnels du centre et du sud de l'Allemagne, entre la voie révolutionnaire incarnée par la France haïe et la voie réactionnaire représentée par l'Autriche et la Prusse. Échec d'un processus unitaire contrôlé par la bourgeoisie progressiste et finalement réalisé sous l'égide de la monarchie et de l'aristocratie prussiennes. Échec enfin du projet de « grande Allemagne », ouverte et multinationale, dont l'Autriche eût été le noyau promoteur, au profit de la solution offerte par le souverain Hohenzollern et plus tard par Bismarck : à savoir la création d'un État national allemand, d'une « petite Allemagne » fermée aux autres nationalités et dominée par la Prusse. Symboliquement, les trois couleurs (noir, rouge et or) de la *Burschenschaft* (l'association patriotique des étudiants libéraux), qui avaient été adoptées par le parlement de Francfort en 1848, s'effacent l'année suivante devant la figure traditionnelle de l'aigle impérial. Dès cette époque, il est clair que la bourgeoisie allemande accepte de subordonner ses aspirations politiques à ses intérêts économiques, sacrifiant ses idéaux progressistes à l'unité du Reich et au rêve de république libérale la réalité d'une monarchie héréditaire inspirée et gérée par la haute noblesse terrienne.

La troisième étape s'étend sur une période plus longue englobant l'ère bismarckienne et le début du règne de Guillaume II. C'est alors que se fixent certains traits spécifiques de l'Allemagne contemporaine et que s'élaborent des structures et des comportements collectifs dont le nazisme assumera plus tard l'héritage : la prussianisation du Reich aux dépens de particularismes régionaux d'inspiration plus libérale, la prépondérance conquise par l'Église luthérienne, plus étroitement soumise au pouvoir que son homologue catholique, la mise en place d'un État patriarcal et omnipotent, seul détenteur des responsabilités politiques et sociales, régnant sur une masse de citoyens-sujets apolitiques auxquels sont distribués récompenses et châtiments par le biais du socialisme d'État et de la répression de masse (on sait que Bismarck a constamment oscillé entre ces deux pôles), enfin la dépolitisation des classes économiquement dirigeantes en faveur de la caste des hobereaux.

Ce dernier point est essentiel et découle directement des choix opérés par la bourgeoisie allemande au cours de l'étape précédente. En effet, si elle a été voulue par elle, l'unité de l'Allemagne ne s'est pas faite grâce aux efforts de cette catégorie sociale, mais par la force des baïonnettes prussiennes, au profit d'un État ayant conservé certains traits de sa structure féodale primitive et que dominent les Junkers. Au lendemain de la proclamation de l'Empire, les milieux dirigeants de l'économie ont accepté sans résistance cette prépondérance prussienne et aristocratique dans la conduite des affaires publiques. De l'unification du Reich, ils n'attendaient plus guère en 1871 qu'un essor renouvelé et amplifié de leur puissance matérielle et ils ont fait passer cet objectif avant leurs aspirations politiques, s'assimilant en même temps aux anciennes élites, alors qu'en France et en Angleterre celles-ci avaient eu tendance au contraire à s'embourgeoiser. Résignation d'autant plus conciliable avec leurs intérêts que le régime autoritaire prussien leur permettait d'abandonner la lutte contre le prolétariat à ceux qu'ils jugeaient plus aptes qu'eux-mêmes à mater la violence ouvrière naissante. De ce compromis est né un hiatus profond entre les structures économiques en rapide mutation de l'Allemagne nouvelle et les archaïsmes persistants du cadre institutionnel et politique. Dès 1895 Max Weber s'en inquiétait, regrettant « que les classes vers lesquelles se dirige la puissance économique et avec elle l'ambition politique ne soient pas encore mûres pour diriger l'État » (leçon inaugurale prononcée à Fribourg-en-Brisgau). Une quarantaine d'an-nées plus tard, à la veille de la victoire nazie, Ernst Bloch tirera du même constat son idée de la « non-contemporanéité » des groupes sociaux constituant la société allemande et montrera à quel point ce déphasage est porteur de périls pour la démocratie.

Le très rapide processus d'industrialisation et de concentration éco-nomique et financière que connaît l'Allemagne au cours des deux dernières décennies du XIXe siècle modifie peu cette situation et tend au contraire à en accuser les effets pervers. Le système politique continue d'être dominé par les hobereaux, dont le poids dans l'État est hors de proportion avec la place qu'ils occupent dans l'appareil de production. Bénéficiaire d'un découpage électoral qui, pour les élec-tions au Reichstag, favorise les campagnes et ne tient aucun compte de l'urbanisation croissante du pays, maîtresse, grâce au système très inégalitaire des « trois classes » du Landtag prussien (15 % des élec-teurs les plus imposés élisent les deux tiers de l'assemblée), l'aristocra-tie terrienne détient les principaux leviers de commande de l'État : la bureaucratie d'où, depuis la réorganisation effectuée entre 1881 et 1888 par Robert von Puttkammer, tous les éléments progressistes ont été éliminés, et surtout la Reichswehr dont l'encadrement est monopo-lisé par les représentants de la noblesse. La bourgeoisie n'a dans ces conditions aucune chance d'apprendre à gouverner le pays et va se trouver au lendemain de la guerre totalement désemparée devant la République.

Dans cette « société féodale industrielle », pour reprendre l'heureuse expression du sociologue Ralf Dahrendorf, dominée par une mince couche sociale d'aristocrates occupant les postes clés de l'appareil d'État, le modèle culturel dominant reste, en pleine phase d'industria-lisation à outrance, celui des élites « pré-industrielles ». Les différentes strates de la bourgeoisie en sont imprégnées en profondeur et cher-chent, chacune à son niveau, à le reproduire, le plus souvent en n'assumant que ses aspects les plus rétrogrades : l'autoritarisme, la soumission inconditionnelle aux autorités, la militarisation de la vie quotidienne, l'idolâtrie vouée à la dynastie régnante, le culte de l'hon-neur affiché jusque dans ses manifestations les plus gratuites. Ceci aux dépens de certains aspects positifs de la morale « féodale » : le respect de la culture, une incontestable générosité, le sens des responsabilités sociales, etc. S'y ajoutent des traits non exclusifs de la bourgeoisie allemande mais qui sont ici particulièrement accusés : un attachement jaloux aux biens matériels, la parcimonie, une certaine étroitesse d'esprit, un puritanisme pudibond appliqué à toutes les séquences de la vie sociale et familiale. Bref, le bourgeois féodal du Reich wilhel-mien, à la fois refoulé et imbu de lui-même, coïncide fréquemment avec le portrait sans indulgence que fait Thomas Mann de celui qui rêve, écrit-il ironiquement, de s'appeler « General Doktor von Staat » (général docteur d'État). Une figure que l'on va retrouver après la guerre, tout juste un peu outrée, dans l'œuvre picturale d'un George Grosz.

Une démocratie fragile

Avec la révolution de 1918 et la proclamation de la République de Weimar commence la quatrième étape. *A priori,* les obstacles que rencontre le nouveau régime sur la voie du retour à la normale sont les mêmes que ceux des autres pays belligérants : problèmes posés par la démobilisation et la reconversion économique, difficile réadaptation des combattants à la vie civile, paupérisation et déclassement d'une partie des classes moyennes, etc. Mais ils sont ici particulièrement aggravés par les pesanteurs du passé et par les circonstances de la défaite.

Celle-ci a été d'autant plus douloureusement ressentie qu'au moment de l'armistice, aucun soldat ennemi ne se trouvait sur le territoire du Reich. Ainsi la majorité des Allemands peut-elle estimer, confortée dans ce sentiment par les hauts cadres de l'armée, que l'Empire n'a pas été abattu par les armes mais « poignardé dans le dos » par ses ennemis de l'intérieur. Nombreux sont ceux qui, à l'annonce des conditions de l'armistice, réagissent avec la même stupeur horrifiée que le jeune Ernst von Salomon :

« Ce fut, écrit l'auteur des *Réprouvés,* comme si la faim, à laquelle je croyais m'être habitué, me tordait les parois de l'estomac. Quelque chose me monta à la gorge, m'emplit la bouche d'un goût nauséabond et fit danser devant mes yeux un millier d'étincelles. Tout disparut à ma vue, même les gens qui étaient là autour de moi en rangs serrés, tout, sauf ces lettres noires qui avec le calme le plus effrayant m'enfonçaient dans le cerveau tant de choses monstrueuses. Tout d'abord, je ne compris pas; je dus faire un effort pour comprendre. Je crus devoir rire, la gorge sèche je marmonnai des choses tout seul... A la fin, je ne retins qu'une chose, c'est que les Français allaient venir, que les Français entreraient en vainqueurs dans la ville » (*Les Réprouvés,* Paris, Plon, 1931, p. 14-15).

De ce traumatisme va naître un profond ressentiment contre tous ceux que l'on croit responsables de la défaite : les révolutionnaires de gauche qui ont précipité le pays dans les troubles de l'insurrection, mais aussi les socialistes majoritaires et leurs alliés centristes qui ont eu le triste privilège de signer l'armistice de Rethondes après la disparition du gouvernement impérial. Longtemps, l'extrême droite ne parlera d'eux que comme des « criminels de novembre » et leur réprobation s'étendra à la jeune République de Weimar dont les sociaux-démocrates ont été les principaux artisans.

Le nouveau régime voit ainsi le jour avec un handicap difficilement surmontable et, de fait, ne parviendra qu'exceptionnellement à rassembler autour de lui une majorité populaire qui lui soit favorable. Sauf en 1928, année de grande prospérité, les « partis de Weimar » – les socialistes, le centre catholique, les libéraux-démocrates – se trouvent battus dans toutes les confrontations électorales par les partis d'opposition. A gauche par les indépendants et les communistes. A droite, par les nationaux-allemands (soutenus par les pangermanistes, l'Église luthérienne et les Junkers), les populistes (représentant la bourgeoisie d'affaires) et les groupuscules extrémistes. En temps de crise, l'évolution favorise nettement les formations les plus radicales. Ainsi le parti communiste prend des voix et des sièges aux sociaux-démocrates en 1924 et en 1932. Mais surtout, l'on assiste continûment à un déplacement des suffrages vers la droite. En 1919, celle-ci n'en obtient que 14,7 %, alors qu'elle en rassemble près de 44 % en 1932. Certes, la montée des partis antirépublicains est largement imputable aux difficultés matérielles que rencontre dans un premier temps le nouveau régime, mais elle n'est guère ralentie par le retour de la prospérité et paraît bien davantage refléter l'impréparation du corps électoral aux règles du jeu démocratique. D'ailleurs le manque de maturité politique n'affecte pas seulement les masses et s'applique tout aussi bien aux états-majors partisans. Toutes les formations politiques refusant *a priori* de porter seules le fardeau des responsabilités, la République de Weimar ne connaîtra que de fragiles coalitions gouvernementales. Entre le 13 février 1919 et le 28 janvier 1933, l'Allemagne est gouvernée par 19 cabinets ministériels dont une bonne moitié ne s'appuie sur aucune majorité au Reichstag. Ainsi le pays va-t-il s'habituer à transgresser les principes du parlementarisme.

En matière économique, la République doit faire face aux séquelles de la guerre. A la suite des combats et des remaniements territoriaux opérés par le traité de Versailles, l'Allemagne a perdu plus de 10 % de sa population. Amputée de l'Alsace-Lorraine et de la Haute-Silésie, momentanément privée du charbon de la Sarre, elle a vu ses approvisionnements en matières premières et en produits énergétiques considérablement réduits, tandis que le secteur agricole qui conserve une structure traditionnelle (vastes domaines fonciers insuffisamment exploités, 30 % de la population active en 1925) et a peu bénéficié des efforts de modernisation apportés à l'industrie au cours de la guerre freine l'élargissement du marché intérieur. Certes le problème n'est pas nouveau mais, jusqu'à la veille du conflit mondial, le Reich wilhelmien l'avait résolu par sa politique impérialiste favorable aux exportations et en pratiquant une politique d'armement qui avait absorbé une partie des surplus industriels. Dépouillée de ses colonies et de ses investissements extérieurs, obligée d'autre part de réduire son potentiel militaire, la République de Weimar ne peut offrir les mêmes débouchés à l'industrie lourde et doit affronter la menace permanente du chômage.

De plus, elle ne trouve pas le soutien des grands intérêts privés qui restent hostiles au régime jusqu'en 1924, date à laquelle sous l'égide de Gustav Stresemann, porte-parole de certains milieux industriels et diplomate avisé, l'économie allemande parvient à se réinsérer dans le système international, alors bénéficiaire d'une conjoncture favorable. Momentanément affaiblie par la guerre, qui a usé jusqu'à la corde une partie des équipements productifs et fait chuter la production au-dessous du niveau de 1913, l'industrie allemande a en même temps bénéficié d'un fort courant de concentration rendu nécessaire par les besoins de l'armée, ainsi que d'innovations techniques (notamment dans le domaine de la sidérurgie) qui favorisent considérablement l'accroissement de la productivité. En principe, cette situation devrait permettre à l'Allemagne de retrouver son rang de grande puissance industrielle et commerciale, mais la relative exiguïté du marché intérieur et le resserrement des échanges internationaux n'offrent au lendemain du conflit que des débouchés médiocres à son industrie, contraignant celle-ci à travailler au-dessous de sa capacité de production.

Surtout, le nouveau régime doit faire face à une situation financière catastrophique, prélude à la crise monétaire la plus spectaculaire de l'histoire des sociétés industrielles. De 1920 à 1923, l'Allemagne connaît en effet une inflation galopante dont les origines sont complexes. Aux effets de la guerre qui a obligé le gouvernement impérial, comme ceux des autres pays belligérants, à recourir à la « planche à billets » pour couvrir les énormes dépenses militaires, à ceux tout aussi contraignants de la crise économique mondiale, s'ajoutent les raisons spécifiques liées au paiement des réparations – qui pèsent lourdement sur le budget de la nation sans être aussi déterminantes toutefois que le prétendront après coup les dirigeants du Reich – et à l'occupation de la Ruhr qui a immobilisé pendant plusieurs mois la principale région économique du pays et a obligé le gouvernement allemand à financer la « résistance passive ».

D'autre part, les milieux économiques, en particulier ceux de l'industrie lourde, portent une responsabilité importante dans l'aggravation du désordre monétaire. Ils voient en effet dans l'inflation un

Une démocratie fragile

1. *Ouvriers allemands
portant des pancartes de
protestation contre la vie
chère et le chômage
en 1920.*

2. *La crise de 1923 en
Allemagne : une soupe
populaire.*

moyen commode de se libérer des dettes qu'ils ont contractées auprès des banques privées et de la Reichsbank, tout en tirant profit de la dépréciation extérieure du mark pour accroître leurs exportations. Multipliant les emprunts, refusant de rapatrier les capitaux qu'ils ont placés à l'étranger, ils bénéficient de la complicité de l'État, peu empressé à prendre les mesures d'urgence exigées par la situation désastreuse de la monnaie. Les autorités permettent en effet à la Reichsbank de financer le déficit à coups de fortes avances du Trésor, autorisent les industriels à payer leurs dettes en monnaie dépréciée et évitent d'accroître la pression fiscale sur les possédants. Il faut attendre l'arrivée au pouvoir de Stresemann pour que cette politique de soutien inconditionnel aux grands intérêts, cyniquement appliquée par le chancelier Cuno qui était lui-même président d'une grande compagnie de navigation, soit abandonnée.

Ces facteurs conjugués provoquent en moins de quatre ans une véritable décomposition de la monnaie. La circulation des billets est passée en 1919-1920 de 23 à 92 milliards de marks, si bien qu'en février 1921 le mark est tombé à 9 % de sa valeur nominale, à 2 % en novembre. Dès l'année suivante, le mouvement s'accélère, échappant à tout contrôle des autorités monétaires, et prend bientôt des proportions inimaginables : en janvier 1922, le mark-or vaut encore 46 marks-papier; il en vaut 4 280 en janvier 1923, 84 000 en juillet, 24 millions en septembre, 6 milliards en octobre, 1 trillion en décembre.

Devant ce naufrage de la monnaie-papier, les commerçants s'efforcent d'ajuster leurs prix à la valeur-or des marchandises. Instruits par les chambres de commerce de la valeur du mark, ils modifient quotidiennement – bientôt plusieurs fois par jour – leurs étiquettes, sans réussir le plus souvent à adapter leurs prix au cours de la monnaie. L'État, les banques provinciales, parfois les grandes entreprises émettent au jour le jour des signes monétaires qui doivent presque aussitôt être surchargés, de même que les timbres-poste. Tandis que les paysans refusent d'échanger leurs produits contre une monnaie sans valeur et que le troc fait sa réapparition dans les campagnes, ouvriers et employés demandent à être payés quotidiennement, et il faut une valise pour emporter les billets.

Déjà fortement touchés par le chômage, les salariés sont avec les détenteurs de revenus fixes les principales victimes de la crise. Au plus fort de la tourmente, le pouvoir d'achat des premiers s'effondre et ne représente plus que le quart ou le cinquième de ce qu'il était en 1919. Quant aux seconds, ils subissent une véritable expropriation dont souffrent surtout les retraités et les petits épargnants mais qui n'épargne guère davantage les patrons des petites et moyennes entreprises, incapables de lutter contre la concurrence des grosses sociétés et souvent absorbées par celles-ci. Il en résulte une désaffection profonde de ces catégories sociales pour un régime qui n'a pas su défendre leurs intérêts et une radicalisation politique dont l'extrême droite sera la principale bénéficiaire.

Seuls les possédants ont tiré profit de la déroute du mark. Tandis que les détenteurs de domaines fonciers importants bénéficient de la hausse des prix agricoles, le monde des affaires et les magnats de l'industrie spéculent à la baisse du mark et rachètent à bas prix des entreprises en difficulté, obtenant des banques et de l'État des prêts à court terme qu'ils remboursent en monnaie dépréciée. La concentration du capital, déjà très avancée en Allemagne, fait ainsi d'énormes progrès. De nouveaux trusts naissent pratiquement pendant la nuit, bâtis sur la spéculation et sur la misère des autres. Hugo Stinnes, ami du futur chancelier Stresemann, devient ainsi l'un des géants de l'industrie lourde. Mais les *konzerns* déjà établis, ceux que contrôlent un Thyssen ou un Otto Wolff, n'hésitent pas davantage à jouer à fond la carte de l'inflation et renforcent considérablement leur position. C'est seulement dans le courant de l'année 1924, sous le gouvernement de Wilhelm Marx, avec Stresemann aux Affaires étrangères, que s'amorce le redressement financier du Reich. L'arrivée au pouvoir d'une coalition dominée par les populistes, avec Stresemann à la chancellerie et le docteur Hans Luther aux Finances, précipite le mouvement que favorisent le renversement de la conjoncture mondiale et l'adoption d'une monnaie de transition, le *Rentenmark,* gagé sur le potentiel économique du pays et vite remplacé par un nouveau *Reichsmark* rattaché à l'étalon or. Autre facteur favorable, les arrangements sur la question des réparations qui en allègent considérablement le poids : les plans Dawes et Young, adoptés respectivement en 1924 et 1929. Tandis que les diverses manipulations monétaires et l'apurement de la dette intérieure (il est décidé que les titres d'emprunt émis avant l'inflation ne seraient revalorisés que dans une proportion allant de 2,5 à 10 % selon la date d'émission, ce qui correspondait à une banqueroute de fait) achèvent de ruiner les petits épargnants, porteurs de fonds d'État, l'afflux massif de capitaux étrangers – plus de 20 milliards de *Reichsmarks* dont plus de la moitié en provenance des États-Unis – permet à l'industrie allemande d'effectuer d'importants investissements et lui donne un nouveau souffle.

A partir de 1925, l'euphorie économique et le rétablissement de la paix sociale favorisent la stabilisation politique et font reculer les partis extrémistes. Aux élections de 1928, la majorité s'exprime pour la première et unique fois en faveur du régime de Weimar. Pourtant l'atmosphère des années troubles n'a pas changé du jour au lendemain et les forces antirépublicaines qui ont pris racine avec la crise demeurent une menace pour la jeune démocratie allemande.

Le climat
des années 20

« Notre retour de la guerre, jeunes, sans foi, comme des mineurs remontés d'une galerie effondrée. Nous avions voulu marcher contre le mensonge, l'égoïsme, l'avidité, la sécheresse de cœur, causes de tout ce que nous laissions derrière nous... Nous avions été durs, ne nous fiant qu'au camarade à notre côté... Mais qu'en était-il sorti ? Tout s'était écroulé, falsifié, oublié. Et celui qui ne pouvait oublier, il ne lui restait plus que la défaillance, le désespoir, l'indifférence et l'alcool. Le temps des grands rêves humains et virils était révolu. »

L'homme qui écrit ces lignes à la fin des années 30 – Erich Maria Remarque dans *Les Camarades* (*Drei Kameraden,* 1938) – n'est pas comme Jünger un représentant de la culture *völkisch,* ni comme von Salomon un « lansquenet » passé au service de la contre-révolution, mais un homme de gauche et un pacifiste. Pourtant sa révolte contre l'ordre établi par les héritiers d'Ebert et de Noske, sa nostalgie du front, son désespoir devant un monde qui s'effondre, ne sont pas sans relation avec les thèmes que développent des écrivains de la même génération engagés dans le combat contre les « criminels de novembre ». C'est que, dans le formidable bouillonnement intellectuel et artistique qui caractérise la République de Weimar, rares sont les voix qui s'élèvent pour défendre l'ordre social et politique instauré au lendemain de la guerre et de la révolution.

Pour la génération des combattants, décimée et meurtrie par la guerre, puis humiliée par la défaite et le difficile reclassement dans la société des civils, comme pour la majorité des Allemands, de tous âges et de toutes conditions, le spectacle qu'offre le Reich en 1919 est celui d'une planète ramenée au temps du chaos. Certes l'Allemagne n'a connu sur son sol ni les combats dévastateurs qu'ont eu à subir ses voisines, ni l'invasion d'une armée de plusieurs millions de combattants. Si la Rhénanie est occupée militairement par les Alliés, c'est une armée allemande disciplinée, en armes et invaincue sur le terrain qui rentre du front et défile, musique en tête, dans quelques-unes des grandes métropoles du Reich. Mais ce sauvetage un peu dérisoire des apparences ne rend que plus intolérable aux anciens sujets de Guillaume II la décomposition qui s'opère sous leurs yeux au cours des mois qui suivent les journées insurrectionnelles de novembre. En quelques semaines, c'est tout un monde qui s'écroule sous leurs pieds : celui de l'État prussien, établi depuis des siècles par les Hohenzollern, celui des dynasties princières emportées avec lui par le vent de l'histoire, celui des magistères et des cadres traditionnels provisoirement remplacés aux postes de commande par des sociaux-démocrates inexpérimentés mais pétris de nationalisme, auxquels va incomber la tâche redoutable d'exécuteurs testamentaires de l'ancien régime.

On sait comment les Ebert, Noske et autres Scheidemann s'acquitteront de la besogne en écrasant, avec l'aide de la Reichswehr et des corps francs, la révolution ouvrière et ses dirigeants spartakistes. Dès le printemps 1919, la contre-révolution a partout triomphé en Allemagne, mais la social-démocratie n'en tire que peu de profit pour elle-même. Pour l'extrême gauche, elle restera jusqu'à l'avènement d'Hitler, et au-delà, le fossoyeur de la révolution. Pour la droite, elle est responsable d'avoir de l'intérieur miné l'ancien régime et d'avoir porté contre lui le premier coup de boutoir, puis de s'être soumise au *Diktat* de Versailles.

Plus encore que la révolution spartakiste, les conditions de paix imposées par les vainqueurs ont en effet traumatisé – et de façon très vive – la majorité des Allemands, offrant à la droite et à l'extrême droite un puissant levier politique et donnant une force nouvelle aux tendances irrationnelles qui caractérisent de longue date le nationalisme allemand. Comment l'Allemagne de Bismarck et de Guillaume II, géant industriel et première puissance militaire du monde, a-t-elle pu accepter de se laisser dépouiller d'une partie de son territoire, de son empire colonial, de sa flotte de guerre, du plus gros de son armée, sans livrer sur son sol la bataille décisive ? A cette question, les formations antirépublicaines, manifestement approuvées par la majeure partie de l'opinion, répondent qu'il ne peut y avoir d'autre explication plausible que celle de la trahison intérieure. Une trahison qui remonte bien au-delà du « crime » de novembre, au moins jusqu'aux toutes dernières années de l'ère bismarckienne et dont les protagonistes sont les marxistes et les juifs, alliés dans un complot international dirigé contre le « peuple allemand ». L'identification du socialisme avec la « juiverie » est ancienne. Elle date des premières attaques bourgeoises contre Marx et va se trouver confirmée par le fait que bon nombre de dirigeants révolutionnaires allemands – Rosa Luxemburg, Karl Liebknecht, Kurt Eisner – sont israélites. Que l'on ajoute à ce mélange « dissolvant » le « grand capital cosmopolite », traditionnellement opposé aux forces « saines » du monde industriel, et voici dénoncés à la vindicte populaire les responsables des malheurs du pays. Amplifiés par la défaite et par le *Diktat,* ces thèmes, qui ne sont pas neufs, vont apporter au nationalisme *völkisch* et bientôt à Hitler le principal levier de leur propagande.

La peur de la révolution, le sentiment d'un effondrement général des valeurs et des institutions du Reich impérial, les frustrations causées par la défaite expliquent le foisonnement de groupuscules d'extrême droite et l'audience qu'ils rencontrent dès les premières années de la République parmi les masses allemandes, particulièrement dans les fractions les plus destructurées du corps social et les plus touchées par la crise économique et monétaire.

Parmi ces groupes, spontanément surgis du terreau révolutionnaire, il faut tout d'abord citer les corps francs. Les premiers se constituent au lendemain immédiat de l'armistice dans les territoires conquis de l'Est, dans le *Baltikum*. Ils recrutent leurs troupes parmi les officiers et sous-officiers auxquels la démobilisation n'offre qu'un avenir incertain en échange de « l'odeur de mâles aventures » (E. von Salomon, *op. cit.*), et parmi les aventuriers et les laissés-pour-compte de la société bourgeoise : déclassés, marginaux, chômeurs, attirés par la nourriture abondante et la forte solde (en partie financée par les industriels et par les Junkers) et mêlés à d'authentiques patriotes. Le socialiste Noske, ministre de la Reichswehr, essaie vainement de soumettre ces groupes paramilitaires aux ordres de l'institution militaire. Mais en même temps, il n'hésite pas à les utiliser comme fer de lance de la contre-révolution. Il fait ainsi appel à eux pour mater l'insurrection spartakiste à Berlin, la république socialiste de Brême, la République des conseils à Magdebourg, le régime de Kurt Eisner en Bavière. Il les envoie contre les Polonais en Haute-Silésie et même contre les Yougoslaves en Carinthie, offrant à ces rebelles, à ces « hommes rejetés des normes bourgeoises » (E. von Salomon), un moyen d'échapper au conformisme prosaïque de la vie civile et un vernis de respectabilité que leurs chefs vont immédiatement mettre à profit pour servir d'instrument aux adversaires du nouveau régime.

3. Le général von Lüttwitz (le quatrième à partir de la gauche) entouré de son état-major.

En août 1919, le général von Lüttwitz et le fondateur de la Ligue nationale, Wolfgang Kapp, décident en effet de renverser le gouvernement Ebert en s'appuyant sur les corps francs, principalement sur la brigade Ehrardt, installée dans la région de Berlin. La Reichswehr se désolidarisant de l'équipe au pouvoir, celle-ci doit quitter la ville à la hâte. Seule la riposte immédiate des organisations ouvrières, qui lancent un mot d'ordre très suivi de grève générale, empêche le putsch de Kapp de réussir. Mais la grève se prolonge dans la Ruhr où elle prend bientôt une allure insurrectionnelle. Devant cette nouvelle menace de l'extrême gauche, la même Reichswehr n'hésite pas à offrir sa protection au gouvernement et à déclencher une répression sanglante contre les travailleurs.

Après ces événements, et sous la pression des vainqueurs, Ebert décide de dissoudre les corps francs. Certains continuent à survivre dans les régions qui échappent encore au pouvoir central (en Bavière et en Franconie). Tel est le cas du Bund Oberland, du Wiking et du Wehrwolf créé en 1923 après l'occupation de la Ruhr par les troupes franco-belges. D'autres se reconstituent sous la forme de sociétés

4. Entrée de uhlans dans Berlin lors du putsch de Kapp, en mars 1920. Ils portent le brassard des corps francs de la Baltique

secrètes. Ainsi la brigade Ehrardt se transforme en Organisation Consul. Elle est l'instigatrice de l'assassinat du leader du Zentrum catholique Erzberger (août 1921), à qui l'extrême droite reprochait d'avoir accepté le traité de Versailles et proposé, lorsqu'il était ministre des Finances, des projets fiscaux frappant durement les possédants, et de celui du ministre des Affaires étrangères, Walter Rathenau (juin 1922), industriel d'origine israélite, président du trust de l'électricité AEG et favorable à un rapprochement avec les Alliés. D'autres enfin se transforment en associations civiles, comme le Stahlhelm (Casque d'acier), fondé en 1918 contre la « cochonnerie de révolution ». Après l'occupation de la Ruhr, le Stahlhelm devient la grande organisation de la droite nationaliste sous l'impulsion d'Alfred Hugenberg, fondateur de la Ligue pangermaniste, ancien président de la firme Krupp et magnat de la presse (il contrôle 35 % des journaux et 90 % de l'industrie cinématographique). Elle comptera près de 500 000 adhérents à la fin de la décennie 1920.

Les exploits et le rayonnement de ces mouvements extrémistes répondent certes à l'attente d'une fraction importante de la population allemande. Mais leur action, le plus souvent illégale, et le fait qu'ils ont survécu aux nombreuses interdictions lancées par le gouvernement n'ont été rendus possibles que grâce à la complaisance évidente des cadres de la République et de représentants du monde des affaires. En Bavière, entre 1919 et 1923, sur 376 attentats politiques 354 sont imputables à la droite nationaliste. Or les juges ne prononcent aucune condamnation à mort et les peines édictées (une vingtaine seulement) dépassent rarement quatre mois de prison. La gauche voit en revanche dix de ses membres condamnés à mort et les autres frappés de peines allant jusqu'à quinze ans de réclusion. Cette justice à sens unique s'explique par le fait que les membres de l'administration judiciaire sont presque tous des fonctionnaires de l'ancien régime. Cette persistance d'éléments réactionnaires au sein de l'*establishment* républicain constitue un grave handicap pour le régime de Weimar.

Le même raisonnement vaut pour la Reichswehr. Elle est profondément antirépublicaine et souhaiterait un régime fort n'hésitant pas à réarmer. De plus, l'ancienne camaraderie du temps de guerre la lie aux membres des corps francs. Le mot prononcé par le général von Seeckt au moment du putsch de Kapp : « La Reichswehr ne tire pas sur la Reichswehr » résume parfaitement cette attitude. Hostilité à l'égard de la République, peur du socialisme : tels sont les sentiments qui inclinent ces deux leviers de la puissance publique, l'administration et l'armée, à soutenir l'extrême droite terroriste. En même temps, celle-ci bénéficie du soutien financier que lui prodiguent certains milieux économiques (magnats de l'industrie mais aussi grands propriétaires fonciers qui ont fait jouer aux corps francs le rôle d'une

1. *Couverture du livre* Fascismo, *publié par l'Avanti! : enquête sur les actions terroristes des squadristes.*

2. *Carte de vœux dans l'Italie de l'après-guerre (1920).*

3. *L'incendie de l'Avanti!, le quotidien du Parti socialiste italien, par les fascistes : dessin de l'Asino (1922).*

4. *Scène de rue en Bavière. TDR.*

5. *« Vue d'une ville prise de la rivière. »*
1919. TDR.

6. « *Almenhaus.* » *1912. TDR.*

7. « *Die Berglandschaft.* » *1916. TDR.*

8. « *Mutilés de guerre jouant aux cartes* », toile d'Otto Dix. TDR.

10. *Affiche d'A. L. Mauzan pour l'« emprunt de la Libération » en Italie en 1917-1918.*

9. *Affiche pour les élections de 1925 en Allemagne.*

garde blanche) partisans de l'établissement d'un régime fort. C'est seulement à partir de 1924 que l'attitude de la grande bourgeoisie deviendra moins hostile à la République, la prospérité générale et le fait que l'un des siens, Gustav Stresemann, se trouve à la tête du gouvernement dissipant momentanément ses rancœurs et ses craintes.

L'opposition antirépublicaine ne dispose pas seulement d'hommes de main, organisés dans les corps francs, et de complices installés à tous les postes de commande de l'appareil d'État. Elle a aussi ses penseurs et ses « intellectuels » (encore que le mot soit rejeté par la droite, comme faisant partie du champ culturel et politique de la gauche), animateurs de cercles, d'associations, de groupuscules politiques formant la constellation hétéroclite du *Deutsche Bewegung.* Pour les hommes qui la composent et qui se démarquent des grandes forces conservatrices classiques, parti populiste et parti national-allemand, le salut de l'Allemagne ne réside pas dans un attachement nostalgique au Reich wilhelmien. Ils estiment, au contraire, que le déclin de l'Allemagne a commencé bien avant le tremblement de terre de 1918, avec l'avènement d'un ordre capitaliste et matérialiste incarné par Berlin, cette « métropole si peu allemande » (W. Laqueur, *Weimar, une histoire culturelle de l'Allemagne des années 20,* traduction française, Paris, Laffont, 1978), avec les progrès feutrés accomplis par les modèles culturels importés de l'Europe de l'Ouest. La guerre n'a fait qu'accentuer un processus de déculturation largement entamé avant le conflit et elle l'a rendu manifeste en faisant de Berlin et d'autres métropoles du Reich les vitrines désolantes d'une société crépusculaire exhibant – à la manière des toiles expressionnistes d'un Otto Dix ou d'un George Grosz – ses tares et ses déviances.

Ainsi l'extraordinaire foisonnement littéraire et artistique de la république de Weimar apparaît-il à beaucoup comme le signe d'un déclin de la culture allemande, une culture « populaire » (*völkische Kultur*), opposée à la « civilisation » (*Zivilisation*) cosmopolite, mécanique, artificielle, sans âme, totalement étrangère au génie national. Le remède à cette décomposition, les théoriciens du nouveau nationalisme ne le recherchent pas dans le retour pur et simple au Reich wilhelmien, voire bismarckien, déjà suspect à leurs yeux d'avoir subi les effets de virus dissolvants qui s'appellent catholicisme romain, démocratisme ploutocratique, socialisme marxiste, mais dans la restauration de valeurs profondément ancrées dans l'histoire de la nation allemande. La « révolution conservatrice » que nombre d'entre eux appellent de leurs vœux se réfère à un modèle prussien antérieur au despotisme éclairé – et passablement francophile – d'un Frédéric II. Telle est la voie tracée par Oswald Spengler dans son *Déclin de l'Occident* (1920) et dans *Prussianisme et Socialisme,* davantage encore celle que définit Moeller Van der Bruck dans son *Troisième Reich*

(1922) : aspiration à la restauration d'un État fort, retour à la tradition allemande et notamment à celle du solidarisme disciplinaire, dépassement de la notion de classe, assimilation de valeurs nouvelles dans la mesure seulement où « elles contribuent à développer la vitalité de la nation », constitution enfin d'un « Grand Reich à vocation universaliste ». Jugeant dans les dernières années de sa vie son projet irréalisable et tout proche de voir dans la Russie soviétique le seul modèle capable de mobiliser les énergies du peuple allemand, Moeller Van der Bruck se suicidera en 1925, mais sa pensée va continuer pendant de nombreuses années de structurer les divers courants se réclamant de la révolution conservatrice. Rassemblés dans de puissantes associations comme le *Juni-Klub* – où se mêlent de jeunes intellectuels nationalistes, des militaires, de hauts fonctionnaires et des syndicalistes – et plus tard le *Herren-Klub,* disposant de revues influentes comme le *Ring* et le *Gewissen,* venus souvent des corps francs et militant dans le *Stahlhelm* de Hugenberg, des hommes comme Heinrich von Gleichen, Max Hildebert Böhm, Rudolf Pechel et Edgar Yung, secrétaire de von Papen, se prononcent en faveur d'un conservatisme renouvelé, promoteur d'un État autoritaire, corporatif et chrétien, défenseur du germanisme et capable d'assurer la prépondérance de l'Allemagne sur la Mitteleuropa. Ceci dans une perspective qui reste fortement imprégnée de traditionalisme et d'esprit aristocratique.

Le second courant néonationaliste est celui de la « révolution völkisch ». Plus populaire dans son recrutement, il se distingue surtout du premier par son adhésion à un racisme « biologique », principalement dirigé contre les juifs et déjà représenté avant la guerre par divers mouvements préfascistes s'inspirant des thèses des Gobineau, Vacher de Lapouge et autres H. S. Chamberlain. Très présente dans l'idéologie sommaire des corps francs, la pensée *völkisch* circule à travers un fourmillement de petits groupes et d'organisations paramilitaires, tantôt élitistes et ultra-réactionnaires, tantôt au contraire d'inspiration anarchisante, voire communisante, ayant en commun, outre le culte de la violence et le refus affiché de toute morale politique, un anticapitalisme et un antisémitisme virulents, un antichristianisme tout aussi affirmé et une foi sans limites en la supériorité absolue de la race nordique débouchant parfois sur un paganisme mystique dont le national-socialisme, qui va peu à peu récupérer et intégrer ces divers courants, assumera plus tard l'héritage. Se rattachent entre autres à cette forme particulièrement radicale du nouveau nationalisme, des hommes apparemment aussi différents que le général Lüdendorf – qui avait fait publier pendant la guerre les fameux *Protocoles des Sages de Sion* pour dénoncer le « complot juif », Ernst Röhm, futur dirigeant des SA, le médecin G. W. Schiele, l'écrivain Ernst Jünger, le futur ministre nazi Walter Darré – théoricien de l'idéologie de la « terre et du sang », – le comte Reventlwov, fondateur d'une « religion nordique » ennemie des francs-maçons, des juifs et des jésuites, et Gregor Strasser dont l'anticapitalisme militant ne peut être sans écho dans une Allemagne en proie à l'inflation galopante des années de crise. S'y rattachent également divers courants gauchistes comme celui de Beppo Römer, leader du corps-franc *Oberland* et le « national-bolchevisme dont le principal dirigeant, Ernst Niekisch, disciple de Moeller Van der Bruck, développe dans sa revue *Widerstand* le thème corradinien de la lutte entre « nation prolétaire » et « nations ploutocratiques » et se fait le propagateur de l'idée d'une ouverture à l'Est de la diplomatie allemande.

Entre ces divers groupes de la révolution conservatrice et de la révolution völkisch, qu'opposent fréquemment des rivalités de personnes et de clans mais que ne sépare aucune barrière idéologique véritable, circule un discours dont Jean-Pierre Faye a admirablement démontré en quoi il avait peu à peu joué le rôle d'un ciment, favorisant la fusion ultérieure des courants néo-nationalistes sous l'égide du totalitarisme nazi (*Langages totalitaires,* Paris, Hermann, 1972). En Bavière, où Hitler a fait ses premières armes de candidat à la dictature, une telle synthèse a commencé à s'opérer dès le lendemain immédiat du conflit.

Dans l'Allemagne déchirée et meurtrie de l'après-guerre, la Bavière tient en effet une place particulière. Elle est l'un des épicentres de l'agitation nationaliste. L'Église catholique, dominante dans l'ancien royaume des Wittelsbach, y soutient ouvertement les mouvements extrémistes qui se sont constitués en 1919 pour lutter contre la République des conseils de Kurt Eisner. Le nonce Pacelli, le futur pape Pie XII, protestera même avec vigueur en 1921 contre la dissolution des milices civiles – en fait véritables formations terroristes d'extrême droite – sous prétexte qu'elles maintiennent l'ordre, une bonne partie de ces miliciens allant aussitôt rejoindre les rangs de la SA nationale-socialiste. L'armée elle-même se différencie de celle du Reich. Non seulement elle est antirépublicaine, mais elle refuse d'obéir à von Seeckt, jugé trop modéré par les officiers supérieurs bavarois. Hitler trouvera parmi eux l'un de ses premiers appuis importants.

Depuis les années de guerre Munich connaît une prolifération de petits groupes politiques nationalistes. Parmi eux, on trouve le Comité ouvrier pour une bonne paix d'Anton Drexler, un ouvrier serrurier employé des chemins de fer bavarois. Drexler a pris comme modèle pour son organisation le Comité libre pour la paix ouvrière, un groupuscule antisémite, antimarxiste et antipacifiste qui existe à Brême depuis 1916. Cet homme « débile, myope, à la poitrine étroite » (W. Maser, *Naissance du parti national-socialiste allemand*, Paris, traduction française, Fayard, 1967), ne peut réunir que 28 camarades de travail le jour de la fondation de son association, le 7 mars 1918. Cela suffit cependant pour éveiller l'attention de la société Thulé, filiale bavaroise de l'Ordre germanique qui a été fondé en 1912 par le nationaliste *völkisch* Rudolf von Sebottendorf. En 1918 tous les membres des mouvements nationalistes un peu en vue se retrouvent dans les salons élégants de l'hôtel des Quatre-Saisons, quartier général de Thulé. Plusieurs futurs adhérents du NSDAP, et non des moindres, font partie de ce club où se côtoient notables radicaux et agitateurs plébéiens : Alfred Rosenberg, Hans Frank, Gottfried Feder, Dietrich Eckart et le père Bernhard Stempfle qui aidera Hitler à rédiger *Mein Kampf.* Thulé édite le *Münchner Beobachter,* un journal qui s'adresse à la bonne société munichoise mais déborde d'invectives envers les marxistes et les juifs et compte parmi ses adhérents le comte Arco-Valley, assassin de Kurt Eisner. Le journaliste sportif Karl Harrer est chargé par l'organisation de prendre contact avec Drexler qui a publié entre-temps son vade-mecum politique : *Mein politisches Erwachen* (Mon éveil politique).

Harrer pousse le serrurier nationaliste à fonder le 5 janvier 1919 son propre parti : le Deutsche Arbeiter Partei (parti ouvrier allemand). Par son antisémitisme primaire et sa phraséologie socialisante, le DAP se distingue de la société Thulé dont le racisme est plus théorique et l'idéologie strictement élitaire, mais qui voit dans le mouvement d'Anton Drexler un utile instrument de pénétration et de division des milieux ouvriers. Ce qui assure en outre au DAP l'appui complaisant de l'armée, maîtresse de la capitale bavaroise depuis le printemps 1919. C'est en qualité d'homme de confiance de l'officier de propagande Karl Mayr que, le 12 septembre 1919, un jeune caporal d'origine autrichienne mais qui a fait la guerre dans les rangs de l'armée bavaroise, Adolf Hitler, assiste à une réunion du DAP. Cet obscur agent du service d'instruction politique de l'armée va faire d'un groupuscule qu'il qualifie lui-même dans ses mémoires de « club croupion de la pire sorte » un mouvement de masse qui le portera au pouvoir en janvier 1933.

Adolf Hitler

Le futur maître du IIIe Reich est né le 20 avril 1889 à Braunau am Inn, petite localité frontalière entre l'Autriche et la Bavière. Il est le quatrième enfant du douanier Alois Hitler, marié en troisièmes noces avec sa lointaine cousine Klara Pölzl. L'enfant Hitler n'a rien de l'aryen blond dont il fera plus tard le prototype de la « race des seigneurs ». Sa fiche raciale, dressée par le spécialiste munichois von

Gruber, le présente en ces termes : « Visage et tête de race bâtarde, métissée. Front bas et fuyant, nez sans beauté, pommettes larges, yeux petits, cheveux foncés. » Les renseignements sur sa famille contenus dans les biographies officielles d'Adolf Hitler sont d'une extrême discrétion. Lui-même n'en parle pratiquement jamais, ce qui a conduit certains historiens et même quelques-uns des plus proches collaborateurs du Führer – Hans Frank notamment, dans la déposition qu'il a rédigée lors du procès de Nuremberg – à flairer un « secret » dans son ascendance. La thèse selon laquelle Hitler aurait eu du sang tchèque par sa mère manque de preuves concluantes. De même celle qui, se référant aux « aveux » de Hans Frank (volontiers mythomane et qui souffrait de troubles psychiques), lui attribue une ascendance juive. Elle a notamment été défendue par Franz Jetzinger, dans un livre par ailleurs excellent (*Hitler's Youth*) où il est affirmé que le père naturel d'Alois Hitler était un jeune juif de Graz, Frankenberger, fils de commerçants chez qui Maria Anna Schicklgruber, mère d'Alois, avait été servante. Celle-ci se trouvait enceinte lorsqu'elle avait quitté sa place et ne devait se marier que plusieurs années après avec le commis meunier Johann Georg Hiedler. Ce dernier n'a jamais reconnu le fils illégitime de Maria Anna, qui aurait pendant quelques années encore reçu une pension alimentaire des Frankenberger.

La seule chose qui soit à peu près certaine dans ce scénario compliqué c'est que, longtemps après la mort de son beau-père – il avait alors une quarantaine d'années –, Alois Schicklgruber a réussi à se faire légitimer grâce au témoignage trompeur de son « oncle », Johann Nepomuk Hiedler. N'ayant pas d'héritier mâle, celui-ci lui aurait promis d'insérer une clause dans son testament, l'associant à ses légataires à condition qu'il change son nom en Hiedler. Alois accepta de le faire à l'occasion de sa reconnaissance posthume et c'est probablement à la suite d'une erreur de transcription faite par le curé de la paroisse que le patronyme fut transformé en celui de Hitler. Ce qui est important dans l'histoire tourmentée du lignage hitlérien, c'est moins la certitude que le futur dirigeant nazi avait du sang juif dans les veines (cela est au contraire extrêmement douteux, comme l'a révélé une enquête du *Spiegel* en 1957) que ce qu'Hitler a su et cru de ses origines. Or, selon tous ses biographes, il a toujours été convaincu que Johann Georg Hiedler était son grand-père. On peut certes s'interroger – comme le fait l'historien israélien Saül Friedländer (*L'antisémitisme nazi, histoire d'une psychose collective*, Paris, Seuil, 1971) – sur les effets d'une éventuelle autocensure du Führer concernant son ascendance, son délire et son fanatisme antisémites, visant en quelque sorte à tuer symboliquement en lui le juif possible et à projeter vers l'extérieur une haine suicidaire contre sa propre personne, mais cette interprétation séduisante reste du domaine de l'hypothèse.

Adolf Hitler connaît une enfance très protégée. Contrairement à ce qu'il affirmera plus tard dans *Mein Kampf*, sa famille est loin de vivre dans la gêne. Pendant les années de l'école élémentaire, rien ne paraît distinguer le futur dictateur des autres enfants de son âge. Il joue aux Indiens avec ses camarades d'école et dévore, comme beaucoup de petits Allemands et Autrichiens de l'époque, les ouvrages de James Fenimore Cooper et de Karl May. Simplement, comme l'écrit Marlis Steinert, « Hitler continua à jouer à ses jeux même à un âge où il aurait dû les avoir abandonnés, et il aimait encore lire Karl May une fois devenu chancelier du Reich » (*L'Allemagne nationale-socialiste, 1933-1945*, Paris, Richelieu/Bordas, 1972, p. 56). Fuite prolongée dans un univers onirique consécutive à la naissance d'un jeune frère en 1894, puis à la mort prématurée de cet « intrus » quelques années plus tard ? Acceptons-en l'hypothèse prudente. Pour le reste, le jeune Hitler est un bon élève, doué en dessin et particulièrement appliqué en histoire et en géographie.

Et puis les choses changent brusquement en 1900, au moment où le fils d'Alois Hitler entre au collège de Linz. Non seulement il échoue totalement en mathématiques et en sciences, mais les notes deviennent médiocres dans les matières où il avait jusqu'alors brillé. Première manifestation d'une aversion profonde pour le travail continu et régulier qui caractérisera toute sa vie le comportement du Führer ? Peut-être, mais cela n'explique en rien le changement brutal intervenu dans l'existence du jeune garçon à l'âge de onze ans. Hitler donne lui-même une explication plausible de cette crise dans *Mein Kampf*. Elle est classique, mais ici le conflit avec le père se double d'un refus opposé à la volonté paternelle de voir l'adolescent embrasser comme lui-même une carrière de fonctionnaire de l'État autrichien. Hitler aspirait pour sa part à devenir artiste-peintre, idée jugée aberrante par un homme dont la récente intégration à la classe moyenne ne s'était pas faite sans difficulté. De cette opposition naquit probablement le désir conscient ou inconscient du futur Führer de saboter ses études et de chercher davantage encore un refuge dans le rêve. La mort d'Alois, survenue en 1903, ne libère pas pour autant le jeune homme qui continue tant bien que mal de suivre les cours de la *Realschule* jusqu'en 1905, date à laquelle il quitte définitivement le collège. Une maladie, peut-être psychosomatique et survenue en tout cas fort à propos, lui évite de perdre une année supplémentaire.

On est très mal renseigné sur les deux années qu'Adolf Hitler passe encore à Linz avant de partir pour la capitale de l'empire des Habsbourg. Lui-même qualifie cette période de « vide et d'une vie aisée », mais il n'entre pas dans le détail de ses occupations. La seule source est le témoignage que fournira plus tard l'un des rares amis d'enfance du jeune Hitler, August Kubizek (*Adolf Hitler. Mein Jugendfreund*), mais il doit être manié avec infiniment de prudence. Il semble bien que l'adolescent passe le plus clair de son temps à échafauder des projets peu réalistes, qu'il se passionne pour l'urbanisme, le théâtre, la peinture, accessoirement pour la politique. C'est aussi pendant ces deux années de quasi-oisiveté que se dessinent les traits majeurs de son caractères : un égocentrisme qui frôle l'hystérie narcissique, sa tendance à prendre ses rêves pour des réalités, son besoin de parler des heures sans écouter les arguments de ses interlocuteurs, son incapacité à appréhender plus d'un point de vue à la fois. Son ami le décrit comme « un jeune homme étonnamment pâle, frêle, avec des yeux lumineux ».

En 1907, Hitler part pour Vienne accompagné de Kubizek. Poursuivant ses rêves de jeunesse, il se présente à l'Académie des beaux-arts où il est refusé avec la mention : « dessin d'épreuve insuffisant ». Premier échec cinglant qui le frappe, écrira-t-il, « comme un coup de foudre dans un ciel clair ». Encouragé par le directeur de l'Académie à s'orienter plutôt vers l'architecture, il n'ira pas non plus très loin dans cette voie, encore que nous sachions très peu de choses sur les modalités de cette seconde déconvenue. Commence alors cette vie de bohème et de marginal qu'Adolf Hitler se complaît à relater dans *Mein Kampf*, affirmant qu'il a vécu pendant ces années viennoises dans la plus complète indigence. Cette version des faits, reprise par de nombreux ouvrages consacrés au Führer et au national-socialisme (Konrad Heiden, Rudolf Olden, August Kubizek, Alan Bullock, William L. Shirer, etc.), s'est révélée partiellement fausse à la lumière de recherches plus récentes et plus solidement documentées. Certes ce que dit Hitler dans ses mémoires n'est pas à rejeter en bloc. Il a effectivement travaillé comme manœuvre et ouvrier auxiliaire sur divers chantiers de la ville. Il a vécu à la fin de 1909 dans un asile de nuit du quartier de Meidling, puis dans un foyer de jeunes de la Meldenmannstrasse. Il est vrai également que c'est seulement à partir de 1910 qu'il gagne à peu près correctement sa vie en vendant aquarelles et cartes postales. Mais il y a aussi tout ce qu'il ne dit pas. La pension d'orphelin (Klara Hitler était morte d'un cancer de la poitrine peu après qu'il eut quitté Linz pour la capitale autrichienne) que lui et sa sœur Paula touchent pendant quelques années. L'héritage paternel ensuite qui s'élève, selon les calculs de Maser, à 58 couronnes par mois. Soit au total au moins 80 couronnes perçues mensuellement, alors qu'un instituteur gagne 70 couronnes et un employé des postes moins de 60. Cela est suffisant pour mener sans trop de privations cette existence de bohème intellectuelle qui caractérise toute une frange marginalisée de la petite bourgeoisie viennoise au début du siècle. Vie oisive de faux clochard traînant d'interminables journées dans les cafés au bord du Danube, discutant de n'importe quoi avec des compagnons de fortune, s'enivrant de projets fumeux. Le travail sur les chantiers dans tout cela, de toute façon très passager, sert surtout à arrondir les fins de mois et à rompre un peu avec une solitude devenue pesante.

Quant aux séjours à l'asile de nuit et au foyer de jeunes, ils ont sans doute aussi d'autres raisons que celles suggérées plus tard par le Führer. Les fréquents changements de domicile à la fin de 1909 coïncident avec la période où il aurait dû se présenter aux autorités militaires pour accomplir sa période de formation. Or il semble bien qu'il était résolu depuis longtemps à échapper à cette obligation. Non par antimilitarisme. Hitler aurait volontiers accepté d'être soldat, à condition que ce soit au service d'un État national allemand. Non de l'Autriche-Hongrie, cette « Babylone des races ». On peut également penser qu'après avoir vécu pendant plusieurs mois seul dans une chambre (il s'est séparé de son ami Kubizek dans le courant de l'année 1908) il ait ressenti le besoin de retrouver un public auquel adresser ses diatribes politiques.

C'est à Vienne en effet que débute sa vraie passion pour la politique. Au cours des années 1908-1912 se forgent les conceptions qui vont déterminer son adhésion au nationalisme extrémiste, et à partir de là toute sa carrière future. Ces idées n'ont rien de très original. Elles reflètent seulement, de manière exacerbée, l'atmosphère qui règne à cette époque dans la capitale des Habsbourg. On y pressent sourdement, sur fond de conflits sociaux et politiques, la fin toute proche d'un monde à bout de souffle et l'on en tient pour responsables le conformisme et l'immobilisme que font régner des élites d'un autre temps et une dynastie crépusculaire.

Dans cette ambiance très politisée, deux courants se partagent les sympathies de la classe moyenne radicalisée à droite par les progrès du socialisme, les revendications ouvrières, l'agitation croissante des minorités nationales et les menaces d'éclatement de l'Empire. Le christianisme social du bourgmestre Karl Lueger, nostalgique de l'ordre médiéval, et le socialisme national du pangermaniste Georg von Schönerer, partisan de l'Anschluss et ennemi de tous les « étrangers ». L'un et l'autre sont violemment anticapitalistes, antimarxistes et antisémites. En s'inspirant de leurs idées, Hitler n'innove pas. Il pourra bien écrire dans *Mein Kampf* : « C'est à cette époque que mes yeux s'ouvrirent à deux dangers que je connaissais à peine de nom et dont je ne soupçonnais nullement l'effrayante portée pour l'existence du peuple allemand : le marxisme et le judaïsme. » En fait de découverte, il ne fait qu'attraper au vol des idées qui sont dans l'air, comme des milliers d'autres petits-bourgeois et d'intellectuels ratés qui hantent comme lui les cafés et les meetings improvisés de la capitale autrichienne.

5. *Maison occupée par Hitler dans son enfance à Lambach, Autriche (à droite sur la photo).*

6. *Adolf Hitler (quatrième à partir de la gauche, debout) pendant la guerre, au milieu de ses compagnons de combat.*

De l'antimarxisme d'Adolf Hitler il n'y a pas grand-chose à dire. Il est classique, même dans son assimilation à la « juiverie ». Il a beau écrire qu'en deux ans il a « pénétré toute la théorie de Marx et Engels » et que cette lecture lui a permis de refuser scientifiquement le marxisme, il n'a guère retenu que des fragments de la vulgate, aussitôt assimilés à sa propre *Weltanschauung,* comme d'ailleurs tout ce qu'il lit à l'époque avec un appétit désordonné – Schopenhauer, Nietzsche, Treitschke, Ranke, H. S. Chamberlain, Gobineau, Gumplowicz, Sombart, etc. – intégrant à sa vision sommaire du monde et de son histoire tout ce qui peut le conforter dans ses certitudes. Quant au premier contact avec le monde ouvrier et avec le syndicalisme, il s'est fait sur les chantiers où il a travaillé comme manœuvre et il a tout de suite été négatif. « Dès le début, écrit-il, ce ne fut pas très réjouissant. Mes habits étaient encore corrects, mon langage châtié et mon attitude réservée. » Sa perception du prolétariat reste donc celle d'un petit-bourgeois, fier de son statut social et inquiet des menaces de marginalisation qui pèsent sur sa classe. Il se déclare choqué par l'hostilité marquée des travailleurs envers des valeurs qui lui sont chères : la nation, le germanisme, l'autorité des lois, la religion, la morale. « Il n'y avait rien de pur, dira-t-il dans *Mein Kampf,* qui ne fût traîné dans la boue. » Réaction de déclassé qui annonce, avec dix ans d'avance, celle des classes moyennes prolétarisées par la crise et que l'effondrement du Reich laisse désemparées. Le fait d'avoir ainsi vécu un processus psychologique que connaîtra après la guerre sa clientèle future constitue l'une des raisons de son succès ultérieur auprès des masses allemandes.

L'antisémitisme d'Hitler mérite un examen plus approfondi car il constitue véritablement la clé de voûte de son système. Là encore toutefois, rien de très original au départ dans la conversion du futur numéro un nazi au racisme antisémite qui s'opère au cours des années viennoises. Peut-être a-t-il auparavant, contrairement à ce qu'il affirme dans *Mein Kampf,* éprouvé un ressentiment vague pour certains de ses condisciples juifs de la *Realschule,* nourri par la propagande de von Schönerer dont l'un des bastions était précisément la ville de Linz. Il n'y a sur ce point aucune certitude. C'est bien à Vienne que ces tendances latentes vont se muer en un antisémitisme militant et virulent qui prend chez Hitler un caractère fanatique, bien différent de l'antisémitisme de salon qui régnait alors dans l'entourage de Lueger. Passons sur les raisons « objectives » de cette conversion, telles qu'il les relate dans ses souvenirs : le constat qu'il aurait fait à Vienne des liens existant entre la traite des blanches et les milieux israélites, le monopole exercé par ceux-ci sur la vie économique, intellectuelle et artistique, l'« enjuivement » de la social-démocratie, la rencontre de juifs de l'Est, avec leurs longs kaftans et leurs barbes noires, etc. Plus déterminante dans son cheminement mental a été la lecture épisodique de la revue *Ostara,* animée par un cistercien défroqué, Georg Lanz von Liebenfels, et propagatrice de thèmes racistes particulièrement haineux dirigés principalement contre les « singes de Sodome ». *Ostara* aurait eu près de 100 000 lecteurs à la veille de la guerre. C'est dire que le délire raciste de son directeur, fondateur d'un Ordre du temple nouveau et qui rêvait d'une sélection planifiée au profit des hommes « blonds-bleus », n'était pas sans écho dans la conscience petite-bourgeoise de l'époque. Chez un intellectuel raté comme Hitler, désireux de faire coïncider ses rêves avec la réalité et sexuellement refoulé (on ne connaît aucune présence féminine dans sa vie, tant à Vienne qu'à Munich), il répond à un fiévreux besoin compensatoire et devient en peu de temps le catalyseur de tendances jusqu'alors latentes. Cette phrase de *Mein Kampf,* s'appliquant à l'extrême fin du séjour viennois, prend ainsi tout son relief : « C'est à cette époque que prirent forme en moi les vues et les théories générales qui devinrent la base inébranlable de mon action. Depuis j'ai eu peu de choses à y ajouter, rien à y changer. »

Le 24 mai 1913, Hitler part pour Munich. La capitale autrichienne, écrasée, estime-t-il, sous le poids des éléments non allemands, lui est odieuse, surtout il fuit les obligations militaires auxquelles il ne peut plus très longtemps se soustraire. A Munich, contrairement à ses affirmations ultérieures, il gagne convenablement sa vie en travaillant comme peintre indépendant. Il reste en même temps un solitaire qui s'intéresse à la politique et notamment à la politique extérieure. Son rêve le plus cher serait de voir se réaliser une union intime entre l'Allemagne et l'Autriche permettant à la monarchie wilhelmienne de dominer ce « cadavre d'État » qu'est devenu à ses yeux sa propre patrie.

Les déclarations de guerre le plongent dans une euphorie délirante. « Pour moi aussi, dira-t-il, ces heures furent comme une délivrance des pénibles impressions de ma jeunesse. Je n'ai pas non plus honte de dire aujourd'hui qu'emporté par un enthousiasme tumultueux, je tombai à genoux et remerciai de tout cœur le ciel de m'avoir donné le bonheur de pouvoir vivre une telle époque. » Aussitôt il adresse une lettre à Louis III de Bavière, le suppliant de l'enrôler dans l'armée bavaroise. Le 16 août 1914, il est incorporé au 16e régiment dans l'armée d'infanterie. Cette jubilation n'est pas seulement le résultat du nationalisme panallemand du futur Führer. Pour lui, l'aventure militaire constitue une occasion unique de tirer un trait sur sa vie de raté. Jusqu'alors son existence avait été ponctuée de fuites successives devant des situations devenues intolérables : fuite dans le rêve pour échapper au destin planifié que lui dicte la volonté paternelle, fuite dans la maladie au moment où il échoue dans ses études, évasion dans la politique et la marginalité lorsqu'il voit se fermer devant lui les portes de l'Académie des beaux-arts, fuite à Munich... La guerre paraît enfin lui offrir une destinée conforme à ses ambitions.

Des années passées sous l'uniforme bavarois, Hitler dira dans *Mein Kampf* : elles ont été « le temps le plus inoubliable et le plus sublime de ma vie terrestre ». L'homme qui a échoué dans le monde bourgeois devient un fanatique de l'univers simple et ordonné des armées. Les futures unités de combat du parti nazi (SA et SS), l'image d'une communauté nationale retrempée par les combats et triomphant de toutes les divisions sociales, le mythe du chef imposant sa volonté à la masse reflètent les impulsions décisives qu'Hitler a reçues pendant les années passées au front. Son système de valeurs s'y forme définitivement : la hiérarchie naturelle fondée sur le principe de l'exécution aveugle des ordres reçus, les vertus instinctives prenant le pas sur l'intellect, la polarisation simplificatrice du monde résumée dans le cliché « ami-ennemi », etc.

Hitler servira pendant toute la guerre comme estafette entre l'état-major et les avant-postes. Une fonction qui correspond admirablement à ses tendances solitaires. Il l'assume avec courage et a été sans aucun doute un très bon soldat. Blessé à deux reprises et décoré de la croix de fer de 1re classe, il ne dépassera pas cependant le grade de caporal, ses supérieurs jugeant qu'il manquait « d'aptitude pour conduire les hommes » ! La nouvelle de la défaite l'atteint à l'hôpital militaire de Paselwak, en Poméranie, où il est soigné pour des lésions oculaires provoquées par les gaz de combat. Sa déception, sa rage impuissante, son humiliation sont sans bornes : « Je conçus de la haine, écrira-t-il, la haine des auteurs de cette catastrophe. Le 21 novembre 1918, il quitte l'hôpital prussien avec la ferme détermination de « devenir un homme politique ».

VII

Naissance et essor du parti nazi (1919-1928)

De retour à Munich vers la fin de 1918, Hitler tombe en pleine effervescence révolutionnaire. Incorporé au bataillon de réserve de son régiment, alors contrôlé par les conseils de soldats, il ne semble pas qu'il ait joué le moindre rôle durant l'éphémère république des soviets – sinon peut-être en essayant de s'intégrer à la fraction gauchiste dissidente de la social-démocratie (USPD) : opportunisme ou noyautage provocateur ? – ni au moment où le corps franc du général von Epp vient délivrer la ville au début de mai 1919. Aussitôt après, ses supérieurs ayant apprécié son fanatisme nationaliste et son zèle à dénoncer les anciens meneurs des conseils, il est chargé par la section Information, presse et propagande de la Reichswehr d'organiser des cours d'éducation politique destinés à récupérer les soldats qui avaient été contaminés par les idées révolutionnaires. C'est en qualité d'homme de confiance de ce service qu'il reçoit mission d'assister, pour information, le 12 septembre 1919 à une réunion du DAP de Drexler. Il participe avec fougue au débat (sur les 46 personnes présentes, on compte 16 artisans, 13 représentants des professions libérales et 5 étudiants) et se rend quatre jours plus tard à la réunion du comité directeur où Drexler l'a fait inviter et l'accueille avec chaleur :

« A vrai dire – écrira-t-il dans *Mein Kampf* – je fus quelque peu pris au dépourvu. On lut le procès-verbal de la séance précédente et l'on vota une motion de confiance à l'égard du secrétaire. Ce fut ensuite le rapport financier (l'association possédait sept marks et cinquante pfennigs en tout et pour tout) et le trésorier reçut quitus, mention également inscrite au procès-verbal...

« ... Terrible, terrible ! Impossible d'imaginer une activité de cercle plus déplorable et plus mal conduite. Allais-je adhérer à une telle organisation ? »

Ayant pesé le pour et le contre, Hitler accepte finalement la carte qui lui est remise (portant le numéro 555, car pour faire illusion on a commencé la numérotation à 501) et devient le septième membre du comité directeur. Peut-il trouver une meilleure issue à l'impasse dans laquelle il se trouve que de franchir l'étroit Rubicon du professionnalisme politique ? La démobilisation s'annonce prochaine et il n'a aucune chance de faire carrière dans la petite armée de métier que le traité de Versailles impose à l'Allemagne. Ni de réaliser ses ambitions en acceptant, à condition qu'il le trouve, un travail régulier et peu gratifiant. A bien des égards, l'adhésion au DAP est une nouvelle fuite devant un horizon bouché.

Hitler

contre Drexler

Lorsqu'il adhère au DAP à la fin de l'été 1919, Hitler n'a aucune expérience de la vie politique militante. Simplement il a su observer les partis viennois et a réfléchi sur les raisons de leurs succès ou de leurs échecs. Au pangermaniste von Schönerer et à Karl Lueger – bourgmestre de Vienne et fondateur du parti social-chrétien – qu'il admire et dont il se sent proche, il fait grief de s'être délibérément coupés de leur clientèle potentielle, le premier en développant des thèmes aussi impopulaires, dans l'Autriche du début du siècle, que l'anticatholicisme de choc, le second en restant sur des positions strictement conservatrices, alors que la social-démocratie qu'il déteste a su mobiliser les masses autour d'une idéologie de combat. Tirant la leçon de ce double constat, renforcé dans ses convictions par la lecture de *La Psychologie des foules* de Gustave Le Bon (vraisemblablement faite pendant le séjour à Vienne), puis par celle du livre de Mac Dougall, *The Group Mind,* il s'est forgé une tactique de séduction des masses fondée sur quelques règles simples. Les thèmes de combat destinés à rassembler autour d'une formation et d'un projet politiques le plus grand nombre possible d'individus doivent être peu nombreux, faciles à assimiler, ramenés à des slogans percutants et inlassablement répétés, suffisamment vagues enfin pour que les représentants de toutes les catégories sociales se sentent concernés. Autrement dit, il s'agit de trouver un commun dénominateur au mécontentement et aux frustrations des Allemands, de le traduire en formules simples et de convaincre les masses qu'aucune organisation politique traditionnelle n'offre de remède aussi efficace et aussi universel à leurs maux que celle dont il s'apprête à devenir le leader.

Le DAP lui paraît en mesure de jouer ce rôle de formation « attrape-tout ». L'antisémitisme, le nationalisme, la dénonciation des « criminels de novembre » et de leurs complices fournissent des slogans mobilisateurs assez généraux pour rallier de larges secteurs de la population. Il en est de même de l'antimarxisme socialisant, dont l'ambiguïté affichée permet aux dirigeants du parti de jouer à la fois

sur la fibre contre-révolutionnaire de la bourgeoisie et sur un gauchisme désordonné, partagé par nombre de représentants des classes
moyennes et du prolétariat. Simplement, pour que le groupuscule
munichois se transforme en un mouvement d'envergure nationale, il
lui faut une organisation solide et un chef charismatique, habile à
capter l'énergie des masses. En moins de deux ans Hitler va lui donner
cette organisation et substituer à la faible autorité de Drexler un
pouvoir absolu exercé par sa propre personne.

Devenu d'entrée de jeu membre du comité directeur du DAP, Hitler
assume dans cet obscur aréopage les fonctions de chef de la propagande. Sa première préoccupation sera d'assurer au parti sa totale
indépendance à l'égard des formations idéologiquement les plus proches de lui et, par conséquent, concurrentes du mouvement de Drexler. A cette fin il se débarrasse, dès le mois de décembre 1919, de la
tutelle exercée sur le DAP par la Thulé en expulsant son homme de
liaison, Karl Harrer, accusé par le futur Führer d'imprimer au parti un
esprit trop sectaire et de le condamner ainsi à la stagnation. Dans le
même but, il refuse obstinément toutes les alliances avec les autres
formations nationalistes : DNSAP (parti ouvrier allemand national-
socialiste) autrichien, et surtout DSP (parti socialiste allemand). Fondé
à Hanovre, lui aussi au lendemain de la guerre, ce dernier se différencie du DAP par le caractère moins virulent de son antisémitisme, par
ses orientations plus démocratiques, plus authentiquement populistes,
également par son rayonnement qui dépasse largement le cadre local.
A plusieurs reprises ce parti très dynamique proposera à Hitler une
collaboration plus étroite que refuse le dirigeant du DAP, craignant de
perdre dans une association de ce genre sa pleine liberté d'action et
affirmant qu'il n'accepterait qu'une soumission inconditionnelle de ses
rivaux. Attitude payante puisqu'en 1922 le DSP doit se dissoudre pour
ne pas avouer ouvertement sa déconfiture. La plupart de ses membres
sont absorbés par le parti nazi.

Grâce à ses talents d'orateur et d'organisateur (c'est sur son initiative que les invitations sont désormais tapées à la machine puis
multigraphiées et que des collectes permettent aux caisses du parti de
se remplir) Hitler voit son influence croître rapidement au sein de
l'organisme dirigeant du DAP, lui-même en pleine mutation sociologique. L'aristocratie ouvrière, représentée par Drexler et par quelques-
uns de ses amis, se voit lentement submergée par les intellectuels
marginalisés, par les militaires aigris et par les représentants des
professions libérales.

Parmi les premiers, l'une des figures les plus représentatives est celle
de Dietrich Eckart, fils d'un grand avocat munichois, alcoolique,
morphinomane et candidat malheureux à la gloire littéraire. Très lié à
Hitler, c'est lui qui introduira le futur leader nazi dans le milieu très

fermé de la haute société bavaroise et le mettra en rapport avec les hommes de la Reichswehr, lui également dont le soutien permettra au parti d'acquérir le *Völkischer Beobachter*. Ce rôle de mentor, Eckart le partage avec un autre représentant de l'establishment, le Balte allemand Max Erwin von Scheubner-Richter, trait d'union lui aussi avec le monde des affaires, les cercles monarchiques et l'Église et par l'intermédiaire duquel Hitler fera en 1921 la connaissance de Ludendorff. Un autre Balte allemand, Alfred Rosenberg, architecte raté comme le Führer et futur idéologue du NSDAP, fait également son entrée au comité exécutif du parti, porteur de théories raciales pseudo-scientifiques dont Hitler fera son miel, tout comme il puisera dans les idées d'un autre dirigeant du DAP, autodidacte de l'économie politique et théoricien de l'asservissement par l'intérêt, pour nourrir son propre antisémitisme. Devenu par la suite gênant, du fait de son anticapitalisme militant, Feder sera limogé dès l'avènement du IIIe Reich et envoyé enseigner ses chimères à l'université technique de Berlin. A ce petit cercle des intellectuels du parti se rattachent Julius Streicher, ancien dirigeant du DSP de Nuremberg passé au NSDAP en 1922 (après avoir dirigé l'hebdomadaire antisémite *Der Stürmer*) et Rudolf Hess, disciple médiocre du géopoliticien munichois Haushofer mais d'un dévouement sans limites au futur maître du Reich.

Du côté des militaires, le personnage important est le capitaine Ernst Röhm, ancien bras droit du chef des corps francs, le général von Epp, et fondateur des milices bourgeoises bavaroises, puis de la SA. Partisan déterminé de la restauration monarchique avant de devenir l'un des chefs de file de la tendance révolutionnaire du NSDAP, ce lansquenet doublé d'un idéaliste a joué un rôle considérable dans les rapports entre la Reichswehr et le parti, attirant dans les rangs de ce dernier un bon nombre d'officiers, d'anciens combattants et de membres des corps francs. La rivalité qui l'oppose dès le départ à Hitler trouvera, on le sait, une issue tragique en juin 1934, lors de la « nuit des longs couteaux ».

En 1922, Hermann Göring rejoint les rangs du parti nazi. Fils de l'ancien gouverneur du Sud-Ouest africain allemand, marié à une riche Suédoise, très lié à la bonne société munichoise et aux milieux industriels du Reich, cet as de l'aviation pendant la guerre diffère fortement des petits bourgeois déclassés qui forment en majorité les premiers cadres du NSDAP. Ses relations avec les cercles dirigeants conservateurs aideront puissamment le jeune parti. En 1923, c'est Göring et non pas Röhm qu'Hitler placera à la tête du haut commandement de la SA, geste significatif de l'orientation qu'il entend désormais donner à son parti.

Jusqu'en 1921, Hitler ne jouit d'aucune prérogative particulière au sein du DAP. A cette date les membres et le président du comité directeur sont élus par les adhérents et l'exécutif du parti fonctionne démocratiquement. Son influence croissante dans la formation présidée par Drexler, l'ancien agent des services de propagande de la Reichswehr la doit au double rôle que très tôt il est appelé à tenir dans le parti. D'abord celui de propagandiste, fébrilement appliqué à faire connaître le groupuscule munichois. A sa demande, celui-ci ne se réunit plus en cercle fermé. Il organise des réunions publiques, souvent payantes, annoncées par voie d'affiches et de tracts. Il fait paraître des annonces dans le *Völkischer Beobachter.* On commence à parler de lui dans la capitale bavaroise. Mais surtout l'étoile d'Adolf Hitler et son audience dans le DAP et en dehors de celui-ci grandissent en même temps que sa réputation d'orateur. A la première réunion publique du parti, le 16 octobre 1919 au Hofbraühauskeller, il découvre devant un auditoire de 111 personnes qu'il sait parler. Désormais les diatribes inlassables contre le gouvernement des « criminels de novembre », contre le *Diktat,* contre les marxistes, contre la « juiverie internationale », vont se mouler dans un style très personnel et qui va se perfectionner au fil des jours et des meetings. Les premières phrases sont prononcées d'une voix sourde, presque timide. Puis le ton s'enfle, le débit s'accélère. L'orateur s'enivre de ses propres propos tandis que croît l'enthousiasme de l'auditoire et achève son discours dans un état d'hystérie communicative.

Les premiers succès ne se font pas attendre. En janvier 1920, le DAP ne compte encore que 190 membres. Mais les sympathisants affluent aux réunions publiques. Deux mille personnes assistent le 24 février, dans la salle des fêtes du Hofbraühaus, à la première réunion de masse du DAP. Devant une assemblée houleuse, peu à peu gagnée aux idées de l'orateur, Hitler y annonce la transformation du Deutsche Arbeiter Partei en National-Sozialistische Deutsche Arbeiter Partei (NSDAP : parti national-socialiste ouvrier allemand). En même temps, il présente le programme en 25 points du parti. Conçu dans ses grandes lignes par Drexler, assisté de Dietrich Eckart, de Gottfried Feder et de plusieurs membres de la Thulé, celui-ci constitue un mélange confus d'idées raciales, « *völkisch* », nationalistes, voire impérialistes, antisémites, anticapitalistes, antidémocratiques et ouvertement revanchardes. Les tendances gauchisantes y sont nettement moins affirmées que dans le programme fasciste de mars 1919 et seuls les thèmes d'opposition (contre Versailles, contre les « criminels de novembre », contre les juifs, etc.) y sont formulés avec clarté. Dans sa version primitive, et elle ne changera guère par la suite, l'idéologie nazie est un catalogue de rejets, une idéologie « anti » faisant appel au ressentiment, aux pulsions refoulées, à la violence irrationnelle des masses. Les points constructifs en revanche restent volontairement vagues, ce qui doit permettre au NSDAP de rallier à sa propagande des couches sociales traditionnellement antagonistes, chacune interprétant à sa façon et en sa faveur les allusions voilées à une révolution prochaine.

Cette attitude est manifestement payante. En mai 1920, le NSDAP compte 675 membres appartenant à toutes les classes de la société, avec toutefois une tendance très nette au recul de la participation ouvrière au profit des éléments bourgeois et petits-bourgeois. L'arrivée d'Hitler à la direction du parti ne fera que la renforcer. En 1922, on compte 27 % d'ouvriers et artisans (33 % en 1920), 28 % de fonctionnaires et employés (14,6 % deux ans plus tôt), près de 16 % de commerçants (13 % en 1920), 6,74 % de représentants des professions libérales, 5 % d'étudiants et universitaires, un peu moins de 4 % de patrons. Sans que l'on puisse en fixer le pourcentage, les femmes et les anciens militaires sont assez fortement représentés au NSDAP. En revanche, les agriculteurs (1,56 %) et les ouvriers non qualifiés de la grande industrie (moins de 3 %) y occupent un espace extrêmement réduit, l'élément prolétarien du parti étant constitué de représentants de l'aristocratie ouvrière, les uns recrutés comme Drexler lui-même dans le milieu des chemins de fer, les autres dans le monde des vieux métiers menacés de marginalisation par les transformations économiques récentes. Quant au grand patronat, s'il est à peu près absent de l'effectif militant, il commence à s'intéresser au jeune mouvement national-socialiste. Dès la fin de 1920, les premières subventions en provenance de ce secteur viennent apporter une manne providentielle aux caisses du parti, passablement vidées par les dépenses de propagande. C'est grâce à elles que le NSDAP peut, en décembre de la même année, acheter son propre journal : le *Völkischer Beobachter*.

L'année 1921 est celle de la lutte pour la direction du parti entre son fondateur Drexler et le « chef de la propagande ». Le premier a certes beaucoup d'estime pour Hitler mais il commence à redouter ses initiatives personnelles et son ambition. L'affrontement porte principalement sur la question des alliances avec les formations de droite et sur certains points du programme. Tandis qu'Hitler déverse tout son fiel anticapitaliste sur la communauté juive, Drexler se montre tout aussi hostile aux autres représentants du grand capital et aux grands propriétaires fonciers. Dans la partie de bras de fer qui oppose les deux hommes, le président du parti a pour lui la majorité du comité directeur, mais les atouts les plus sûrs sont du côté d'Adolf Hitler, lequel peut compter sur la masse des adhérents, sur l'appui du second propagandiste du NSDAP, Hermann Esser, un antisémite et un antimarxiste de choc, et sur celui des bailleurs de fonds du mouvement, peu enclins à soutenir de leurs deniers les projets anticapitalistes de Drexler.

Invité par le comité directeur à rendre compte de ses activités,

Hitler annonce le 11 juillet qu'il démissionne du parti mais exige en même temps une explication publique avec ses adversaires devant une assemblée générale des militants. Conscients que sans lui le NSDAP a toute chance de voir ses effectifs fondre et ses caisses se vider, les amis de Drexler capitulent à la fin juillet sur tous les points de l'ultimatum qui leur a été présenté :

– Refus de toute fusion à droite et priorité absolue du NSDAP sur tous les autres partis et groupes concurrents, dans le Reich et en Autriche;

– Élimination de toute opposition au sein du parti;

– Réélection du comité directeur dont Hitler, doté de pouvoirs dictatoriaux, devient le principal dirigeant. Tandis que Drexler se trouve cantonné dans la fonction-potiche de président honoraire, lui-même se voit reconnaître par ses pairs le titre de Führer (guide) du NSDAP, encore que le terme n'apparaisse dans la *Völkischer Beobachter* qu'au début du mois de novembre 1921.

La militarisation

du parti

De toutes les formations politiques du Reich, le parti nazi est le seul qui ait à sa tête un chef dictatorial. Fort de cette prérogative, le Führer entreprend aussitôt la réorganisation de son mouvement. Bien que le comité directeur n'ait plus que des fonctions de représentation, ses membres sont éliminés et remplacés par des fidèles du numéro un nazi. Au cours des deux années suivantes se précisent l'encadrement des membres et la militarisation du parti. Déjà, depuis février 1920, le DAP disposait d'un service d'ordre officiellement destiné à tenir les adversaires du mouvement éloignés de ses réunions publiques et à éviter ainsi les affrontements inutiles. En réalité, constituée d'anciens des corps francs, d'aventuriers, de marginaux, voire d'authentiques délinquants, cette milice ne s'était pas laissé cantonner dans des tâches défensives, s'occupant à terroriser les juifs et les ouvriers marxistes (ou prétendus tels), ou provoquant des bagarres au cours des réunions du parti ou des formations adverses.

En 1921, ce service d'ordre est regroupé dans des « centuries » qui, sous la couverture inoffensive de sections sportives, cachent une véritable activité paramilitaire (elles figurent d'ailleurs dans les plans de mobilisation de la Reichswehr). Entraînées militairement par les hommes de la société secrète Consul, elles prennent en septembre de la même année le nom de Sturm-Abteilung (section d'assaut) et sont placées sous le commandement d'anciens officiers de la brigade Ehrhardt, réfugiés à Munich après l'échec du putsch de Kapp. Au début, les SA sont dotés d'un uniforme gris-vert – anorak et bonnet de ski – qui les fait ressembler aux chasseurs alpins autrichiens. La chemise brune, héritage du corps franc Rossbach et hommage indirect au fascisme mussolinien, fera son apparition plus tard, après le coup de force manqué de novembre 1923.

A côté des centuries de la SA, le NSDAP dispose de formations diverses visant à encadrer militairement ses membres : une section d'artillerie, un échelon motorisé, un bureau de renseignements, un corps de musiciens, une section cycliste, une section technique et un corps de cavaliers. En mai 1922 est fondée l'Association des jeunes du NSDAP, transformée par la suite en Hitler-Jugend (Jeunesse hitlérienne). Le drapeau à croix gammée fait son apparition dans le courant de l'année 1920, lors des grandes réunions publiques du parti.

1. *Ces « sections sportives », organisées en « centuries » et rassemblées à Coburg en 1921, constituent en fait le service d'ordre du NSDAP.*

2. *Apparition des premières croix gammées dessinées sur les drapeaux à l'occasion du retour du corps de Dreyer, saboteur fusillé par les troupes françaises d'occupation dans la Ruhr en 1923.*

Ce symbole très ancien du soleil et du feu – le « svastika », en sanscrit « heureuse vie », est présent en Asie occidentale dès le quatrième millénaire avant Jésus-Christ – avait été adopté au XIXe siècle par les jeunesses allemandes de Jahn. Hitler l'avait connu, mêlé à des images chrétiennes, dans sa petite école de Lambach en 1897-1898. On le retrouve au lendemain de la guerre comme emblème des antisémites baltes et autrichiens, dans les armes de Lanz von Liebensfels, à la société de Thulé, dans la revue *Ostara,* ou encore sur les véhicules motorisés qui ont participé au putsch de Kapp. Il est difficile de dire dans ces conditions par qui il a été introduit dans la symbolique nazie. Hitler le revendique, tout comme le dentiste Fritz Krohn. En revanche, c'est le futur maître du IIIe Reich qui établit l'agencement du drapeau et de l'insigne nazis.

« Moi-même, écrira-t-il dans *Mein Kampf,* après d'innombrables essais, je m'arrêtai à une forme définitive : un rond blanc sur fond rouge, et une croix gammée noire au milieu... Dans le rouge, nous voyons l'idée sociale du mouvement, dans le blanc l'idée nationaliste, dans la croix gammée la mission de la lutte pour le triomphe de l'aryen et aussi pour le triomphe de l'idée du travail productif, qui fut et restera éternellement antisémite. » Insignes et brassards, conçus sur le même modèle, deviennent rapidement obligatoires pour les membres du parti. Par contre, le salut romain et le « Heil Hitler ! » ne seront introduits que plus tard.

En même temps, le Führer apporte de sérieuses retouches au contenu idéologique du mouvement. Les thèmes anticapitalistes sont abandonnés. Plus exactement ils se polarisent autour de la minorité juive, « cosmopolite » et « antinationale ». Lors de la grève des cheminots bavarois, en 1922, les positions adoptées par le NSDAP traduisent clairement ce tournant conservateur. Il est en effet proclamé à cette occasion qu'une grève n'est licite que si elle tend à améliorer la « situation productive de la collectivité », non la condition spécifique des travailleurs. En juillet 1923, le *Völkischer Beobachter* publie dans le même esprit un programme agraire dont le point le plus important est le sauvetage de la classe moyenne. Cela n'empêche pas Hitler de jouer quand il le faut dans un registre populiste, mais pour l'essentiel sa propagande est désormais destinée aux diverses strates de la bourgeoisie.

Aussi les subsides commencent-ils à affluer de toutes parts. Aux premiers bailleurs de fonds du mouvement, la femme du fabricant de pianos Bechstein, la famille Bruckmann, la riche Balte Gertrud von Seidlitz, Ernst Hanfstaengl, Fritz Krohn, l'éditeur Lehmann, viennent s'ajouter dans le courant de l'année 1922 quelques grands noms de l'industrie allemande : le constructeur de locomotives von Borsig, le manufacturier ausbourgeois Grandel, les fabricants d'automobiles Daimler-Benz, l'industriel munichois Aust – intermédiaire entre Hitler et le très respectable *Herrenclub* – Fritz Thyssen (qui aurait versé selon Bullock 100 000 marks-or au NSDAP), peut-être Stinnes et probablement beaucoup d'autres. Les preuves formelles manquent, mais il semble bien que le parti d'Adolf Hitler ait reçu des fonds américains, français, suisses, tchécoslovaques, hongrois, russes blancs, baltes et bulgares. Qu'il ait touché également de l'argent de Mussolini paraît moins probable. Il est évidemment impossible d'évaluer le montant des sommes qui viennent ainsi remplir les caisses du NSDAP. Mais il a dû s'agir de fonds considérables, versés souvent en devises. Malgré les ravages de l'inflation, le mouvement hitlérien possède, lors de sa dissolution en novembre 1923, un avoir d'environ 170 000 marks-or.

En même temps que s'élargit son assise financière, le NSDAP voit son audience et son effectif militant croître au rythme de l'inflation et des bouleversements sociaux qui accompagnent celle-ci. A l'automne 1923, il compte déjà 55 000 membres, parmi lesquels 35 000 ont adhéré depuis le début de l'année, répartis dans plusieurs centaines de sections dont la localisation déborde largement le cadre originel de la Bavière. La plupart d'entre elles ont survécu à l'interdiction des formations extrémistes, prononcée après l'assassinat de Rathenau, en se reconstituant sous une dénomination apolitique (club sportif, association culturelle, etc.). Le gouvernement bavarois s'est d'ailleurs opposé à cette interdiction et les groupes nationalistes continuent de bénéficier dans cette partie du Reich du soutien sans réserve de l'administration, de la police et de l'armée.

Surtout, Hitler sait admirablement utiliser ses troupes, mobilisées en permanence et omniprésentes sur le terrain, pour accroître la notoriété et l'influence du parti nazi. Lors de la « journée allemande » de Coburg, en octobre 1922, les SA, malgré leur infériorité numérique dominent les autres formations paramilitaires et, au lendemain de cette manifestation, le NSDAP prend la direction de l'Union allemande de combat qui regroupe aux côtés des SA les anciens corps francs bavarois (Bund Oberland, Reichsflagge, Wiking, Unterland) et s'oppose à la très conformiste Union des ligues patriotes que dirigent des monarchistes comme von Kahr.

Le « putsch de la brasserie »

Les troubles monétaires, sociaux et politiques qui secouent l'Allemagne en 1923 (inflation galopante, occupation de la Ruhr, mouvement autonomiste rhénan, etc.), le modèle offert par Mussolini avec la toute récente Marche sur Rome, la tension qui oppose avec une acuité croissante le gouvernement central du Reich et les autorités bavaroises, tous ces éléments concourent à la montée d'une psychose de coup d'État à Munich. Depuis le printemps, les formations antirépublicaines envisagent ouvertement de prendre la tête d'une marche sur Berlin, mais c'est l'arrivée au pouvoir de Gustav Stresemann, le 23 août 1923, qui donne véritablement le coup d'envoi de la crise.

Craignant une normalisation rapide de la situation pour l'ensemble du Reich, l'extrême droite bavaroise amplifie son agitation, multipliant les manifestations de violence, les journées allemandes, les démonstrations paramilitaires, et entretenant dans l'ancienne capitale des Wittelsbach une atmosphère d'état de siège. Le 26 septembre, poussé par les milieux monarchistes, le gouvernement bavarois décrète l'état d'urgence sur l'ensemble du territoire du Land et nomme Gustav von Kahr commissaire général d'État. Par ce putsch larvé, qui confère à son principal représentant des pouvoirs quasi dictatoriaux, la droite ultra-conservatrice affiche sa volonté de rompre avec les autorités berlinoises et engage la Bavière dans la voie de la sécession.

Ces événements se déroulent dans un contexte de vive agitation antirépublicaine affectant plusieurs régions du Reich. Le 30 septembre, c'est la tentative de la « Reichswehr noire » du colonel Buchrucker pour s'emparer de la citadelle de Küstrin. Quelques jours plus tard les communistes prennent le pouvoir en Saxe et en Thuringe. Pour faire face à cette opposition conjuguée des extrêmes, Ebert a décidé le 26 septembre de promulguer, en vertu de l'article 48 de la Constitution, l'état d'exception sur l'ensemble du territoire du Reich et de confier les pleins pouvoirs à l'armée. Aussitôt von Seeckt engage l'épreuve de force contre les adversaires d'un régime pour lequel il éprouve personnellement peu de sympathie, réprimant avec énergie le coup de force de la Reichswehr noire, puis écrasant les centuries prolétariennes communistes et destituant von Lossow qui, à Munich, a refusé d'obtempérer aux ordres de ses supérieurs et a fait prêter serment à ses troupes non plus au Reich mais au gouvernement bavarois.

Dès l'avènement de von Kahr se précise la rivalité entre ce défenseur du séparatisme et de la restauration monarchique en Bavière et le chef du NSDAP, pour qui les événements de Munich ne constituent qu'un tremplin en vue de la conquête du pouvoir fédéral par la droite « révolutionnaire ». Outre von Lossow, von Kahr a rallié à sa cause le chef de la police bavaroise von Seisser. Mais les rapports de force entre ce triumvirat de hobereaux et Hitler ne sont pas évidents car une fraction importante de l'armée et de la police sympathise ouvertement avec l'Union de combat (*Kampfbund*). Chacun pense pouvoir faire avancer ses pions en utilisant habilement l'autre jusqu'au moment où, craignant de se voir éliminé par les forces monarchistes, le Führer décide de faire le premier pas.

L'occasion semble se présenter dans la soirée du 8 novembre 1923. Les amis politiques de von Kahr, quelques membres du gouvernement bavarois et plusieurs officiers supérieurs et hauts fonctionnaires se sont réunis au Bürgerbräukeller pour commémorer par une conférence « sur le marxisme » le cinquième anniversaire de la révolution des conseils. Vers 21 heures, Hitler pénètre dans la salle, suivi de Göring et d'un petit groupe d'hommes armés. Il tire un coup de revolver vers le plafond et annonce à l'assistance ébahie que la révolution nationale a commencé. Puis il demande aux membres du triumvirat de le suivre dans une pièce voisine et leur fait part de ses projets immédiats. Le préfet de police Pöhner et von Kahr se partageront le pouvoir en Bavière, tandis que lui-même deviendra le chef d'un gouvernement national placé à la tête du Reich. Von Lossow et Seisser occuperont respectivement les charges de ministres de la Reichswehr et de la police. Quant à la nouvelle armée, composée principalement de membres des formations paramilitaires et promise à une spectaculaire marche sur Berlin, elle sera placée sous les ordres de Ludendorff. Mis devant le fait accompli le triumvirat ne peut que s'incliner.

Sûrs de leur succès – une partie de la population munichoise leur est acquise et en donnera la preuve le lendemain en accrochant aux fenêtres des drapeaux à croix gammée –, les putschistes se contentent d'occuper pendant la nuit le ministère de la Guerre et négligent les autres points stratégiques de la ville : gare, postes, dépôts d'armes et de munitions, etc. Or von Kahr et ses amis n'ont donné leur assentiment au coup de force que sous la menace et ont eu tôt fait de changer d'avis. Dès trois heures du matin, le commissaire général d'État fait diffuser sur toutes les ondes radiophoniques du Reich un message dans lequel il déclare se désolidariser du putsch et, dans les premières heures de la matinée, tandis que von Lossow reprend possession du ministère de la Guerre avec les troupes qui lui sont restées fidèles, plusieurs dizaines de partisans du Führer sont arrêtés par la police.

3. *Le « putsch de la brasserie » : Munich, novembre 1923.*

Vers midi, un cortège d'environ deux mille personnes ayant à sa tête Hitler, Göring et Ludendorff prend le chemin du quartier gouvernemental. Face à l'union sacrée des conservateurs de Munich et de Berlin, les conjurés jouent leur va-tout estimant qu'ils peuvent encore faire basculer de leur côté une partie de la population et des forces de l'ordre. Une heure plus tard, ils se heurtent à l'entrée de la Feldherrenallee au barrage de gendarmerie mis en place par von Kahr. Un coup de feu éclate, dont on n'a jamais établi clairement l'origine, suivi d'une brève mais sanglante fusillade. On relèvera 19 morts – 16 manifestants et 3 policiers – dont l'un des plus proches compagnons du Führer, von Scheubner-Richter, et de nombreux blessés, parmi lesquels Göring, qui parviendra à se réfugier en Autriche, et Hitler lui-même entraîné au sol par la chute de Scheubner-Richter et qui s'en tire avec une luxation de l'épaule et diverses contusions. Tandis que Ludendorff poursuit imperturbablement sa marche vers le barrage de police, le cortège se disperse dans un vent de panique et le chef du NSDAP prend la fuite en sautant dans une voiture conduite par un militant du parti. Il trouve un refuge très provisoire à Uffing, dans la banlieue de Munich, où son ami, le critique d'art Ernst Hanfstaengl, lui offre l'hospitalité de sa maison de campagne. C'est là que, le 11 novembre, les policiers viennent l'arrêter. Le soir même, il est transféré à la forteresse du Landsberg où il retrouve le gros de ses camarades.

La « politique de légalité »

(1924-1928)

Le putsch de la brasserie et son issue peu glorieuse marquent un nouveau tournant – décisif celui-là – dans l'histoire du NSDAP. D'abord parce que le Führer va transformer un désastre sur le terrain en victoire politique. Ensuite parce que, tirant habilement la leçon de son échec, il change radicalement de stratégie et engage le parti nazi dans une voie toute différente de celle qu'il lui avait jusqu'alors tracée. Il a compris que la Reichswehr demeure trop conservatrice et légaliste pour faire cause commune avec un putschiste, surtout s'il ne sort pas directement de ses rangs. Pour gagner l'appui de l'armée, ou obtenir simplement qu'elle reste neutre, il faudra se présenter sous un jour respectable. Hitler écarte donc toute nouvelle idée de coup d'État et décide de partir à la conquête du pouvoir en empruntant les voies légales.

Auparavant, il lui faut affronter les conséquence du coup de force. En février 1924, il est traduit devant un tribunal munichois en même temps que Ludendorff, Röhm et Frick, qui seront acquittés, et que plusieurs personnages d'un rang plus modeste. Habile à se transformer en accusateur de ceux qui l'ont trahi, il va faire de son procès un triomphe personnel, se posant en patriote intègre, victime des intrigues du triumvirat, et il profite de la circonstance pour exposer son programme à un public qui dépasse largement le cadre de la Bavière. La popularité du Führer, les sympathies qu'il a conservées dans les milieux conservateurs dont sont issus les membres du tribunal, la crainte également qu'ont les juges de voir la classe dirigeante bavaroise éclaboussée par les retombées du procès expliquent la relative sérénité des débats et la clémence du verdict : cinq ans de forteresse pour le principal inculpé, avec possibilité de grâce avant l'expiration de la peine. Le minimum, pour un cas avéré de haute trahison. Neuf mois plus tard, Hitler sera effectivement grâcié et libéré.

Pendant le bref séjour passé à la forteresse de Landsberg dans des conditions plus que confortables – le Führer y tient une véritable cour, recevant d'innombrables visites et présidant repas et débats politiques sous les plis d'un drapeau à croix gammée –, Hitler met à profit ce temps de réflexion pour compléter sa culture politique (selon Hans Franck il lit ou relit Nietzsche, H. S. Chamberlain, Ranke, Treitschke, Marx, Bismarck ainsi que le souvenirs de guerre des hommes d'État allemands et alliés) et pour rédiger le premier tome de *Mein Kampf,* en partie au moins dicté à Rudolf Hess et lu à ses compagnons de détention lors des veillées du samedi soir à Landsberg.

Conçu au départ comme un bilan de « quatre années et demie de lutte », *Mein Kampf* devait se transformer au fil des jours en un mélange assez indigeste d'autobiographie recomposée, de traité doctrinal et de manuel d'action politique. Passons sur les souvenirs personnels dont, nous l'avons vu, la fiabilité est souvent douteuse et arrêtons-nous un instant sur la *Weltanschauung* hitlérienne, sur la conception du monde dont est porteur le livre du Führer, complété en 1926 par un second volume et par les écrits ultérieurs de quelques théoriciens nazis (Rosenberg, E. Krieck). Elle repose sur l'idée que la communauté raciale allemande – le *Volk* – fondée sur le sang, la langue et la culture est supérieure à toutes les autres. Appliquant les théories darwiniennes de « lutte pour la vie » et de sélection des espèces à l'histoire de l'humanité, Hitler explique celle-ci par la lutte des races, la domination du monde devant revenir à la plus douée : celle des aryens blonds dolichocéphales, dont les Allemands sont les seuls représentants authentiquement purs.

De ces postulats nébuleux, largement tributaires des idées de H. S. Chamberlain, de Gobineau, de Vacher de Lapouge, découle toute la

4. *Adolf Hitler, pendant sa détention à la forteresse de Landsberg en 1924. Il profitera de ces vacances forcées (les conditions de détention étaient particulièrement clémentes) pour rédiger la plus grande partie de Mein Kampf.*

5. *Congrès national-socialiste à Weimar (1926).*

doctrine. Un État fort, conçu sur le modèle hégélien et fondé sur le principe aristocratique de la nature, auquel il revient d'assurer la domination de la race des seigneurs en préservant sa pureté. Une société hiérarchisée, sélectionnant les « meilleurs » pour les placer aux postes de commande, et tout entière unie autour de son chef. Une politique étrangère visant à intégrer dans le Reich tous les peuples de culture allemande, puis à conquérir un « espace vital » (*Lebensraum*) nécessaire à l'épanouissement de la race supérieure, enfin à dominer durablement le monde.

Pour réaliser ces objectifs, l'Allemagne devra faire la guerre.

D'abord à la France, « inexorable et mortelle ennemie du peuple allemand », responsable de son asservissement à Versailles. Ensuite, non seulement reconquérir les frontières de 1914, mais encore donner au peuple allemand des terres nouvelles aux dépens de la Russie, livrée aux juifs et aux bolcheviks. « De la sorte, nous autres, nationaux-socialistes, nous reprenons la tâche là où elle a été laissée il y a six cents ans. » Un tel programme implique une population nombreuse, une jeunesse saine et forte, rompue à tous les exercices physiques et prête à tous les sacrifices, et surtout une parfaite cohésion « raciale » obtenue en éliminant les forces « dissolvantes » de la société allemande, au premier rang desquelles viennent les juifs.

Au total une doctrine dont le racisme et l'antisémitisme forment le noyau dur et qui présente incontestablement des aspects révolutionnaires dès lors qu'elle proclame son mépris pour les valeurs morales et humaines établies. La bourgeoisie, ce « monde du smoking et du monocle » (Bracher), est désignée comme l'un des principaux obstacles à la construction de l'Allemagne nouvelle. Au moins verbalement, Hitler stigmatise le nationalisme « bourgeois » parce qu'il manque de vigueur, le capitalisme opposant son pouvoir anonyme aux justes aspirations des élites de remplacement, le monde des universitaires qui perpétue des valeurs humanistes démodées. Beaucoup de rhétorique et de démagogie dans tout cela, mais aussi une réelle animosité à l'égard de l'establishment et le désir du Führer de régler ses comptes avec l'ancienne classe dirigeante.

Libéré le 24 décembre 1924, Hitler retrouve à Munich un NSDAP affaibli et traversé de courants contraires dont il a lui-même, depuis sa résidence forcée de Landsberg, entretenu la rivalité. Certes, le parti a survécu à la dissolution qui a suivi le putsch de la brasserie. S'alliant à divers groupes nationalistes et antisémites d'Allemagne du Nord, ses dirigeants demeurés en liberté ont fondé avec ceux-ci le Mouvement national-socialiste pour la liberté dans le Reich, tandis qu'en Bavière ils s'unissaient au Völkische Block. Aux élections de 1924, ils ont obtenu un score tout à fait honorable, faisant élire 32 députés au Reichstag (6,6 % des voix), parmi lesquels plusieurs ténors du parti dont Hitler redoute fortement la concurrence, en particulier celle de Gregor Strasser. Pour le remplacer pendant sa captivité, le Führer a désigné Rosenberg, trop effacé et trop timoré, estime-t-il, pour lui ravir sa place de leader charismatique du mouvement. Röhm et Strasser sont beaucoup plus dangereux, de même que Frick et Feder. Aussi le prisonnier du Landsberg s'applique-t-il à dresser contre le petit clan des parlementaires celui des adversaires de la participation aux élections (Rosenberg, Esser, Streicher), prenant le risque d'affaiblir temporairement son organisation pour mieux la reprendre en main une fois purgée la peine de forteresse. C'est donc un parti réduit dans ses effectifs – 27 000 membres au lieu de 55 000 un an auparavant – et profondément divisé que le Führer récupère à la fin de 1924. Mais en son sein nul n'a réussi à substituer son autorité à la sienne.

Bénéficiant d'une étonnante complicité de la part des autorités bavaroises, Hitler reconstitue officiellement son parti le 25 février 1925. Sa première tâche consiste à renforcer sa position en éliminant ses principaux rivaux. Ludendorff se retire le premier en 1925, déçu qu'Hitler ne l'ait pas soutenu contre Hindenburg, lors du second tour de l'élection présidentielle. Röhm quitte le parti la même année. N'ayant pu imposer au Führer sa conception du rôle des SA, dont il voudrait faire une force indépendante de la direction du parti, il donne sa démission et s'exile en Bolivie. Hitler le remplace par le capitaine Pfeffer von Salomon, sans réussir à discipliner beaucoup plus les sections d'assaut. Aussi favorise-t-il à partir de 1928 la montée de leurs rivaux, les *Schutzstaffeln* (SS : échelons de protection) dont il confie le commandement à l'un de ses plus fidèles lieutenants : Heinrich Himmler.

Le concurrent le plus redoutable reste Gregor Strasser. Cet ancien pharmacien doté d'une forte personnalité défend des idées orientées nettement plus à gauche que celles du Führer. Partisan d'un corporatisme inspiré du modèle mussolinien, de la nationalisation de l'industrie lourde et de la séquestration des grands domaines fonciers, Strasser est le représentant d'un nationalisme socialisant et plébéien qui correspond aux tendances les plus radicales du premier fascisme et trouve un écho en Allemagne du côté des nationaux-bolchevistes. Au printemps 1925, il se réconcilie bruyamment avec Hitler, sans cesser pour autant de mener en Allemagne une action personnelle et fractionnelle qui ne peut que l'opposer gravement au numéro un du parti. Il est secondé dans cette voie par son frère Otto et par un jeune membre du NSDAP, Joseph Goebbels, handicapé physique et romancier raté doublé d'un propagandiste de premier ordre.

L'épreuve de force entre les deux hommes s'engage en novembre 1925. Strasser réunit à Hanovre un congrès des dirigeants du Nord qui propose – reprenant à son compte un mot d'ordre des communistes et

Naissance et essor du parti nazi (1919-1928)

des socialistes – d'exproprier sans indemnité les anciennes familles princières. L'envoyé d'Hitler, Gottfried Feder, s'oppose vainement à cette revendication démagogique et l'atmosphère est telle que Goebbels propose l'exclusion du Führer et son remplacement par Gregor Strasser à la direction du parti. Pour briser cette révolte ouverte de la gauche nazie, Hitler convoque à Bamberg, en février 1926, un congrès national du mouvement qui met Strasser en minorité et l'oblige à se soumettre. Quant à Goebbels, une invitation à Munich, où « les attentions du Führer flattent – écrit Bracher – son complexe d'infériorité », fait de lui un admirateur inconditionnel du chef du NSDAP. Au début de 1926 , Hitler est donc redevenu le leader incontesté du parti nazi. Désormais les éventuelles divergences entre les membres de la direction seront réglées par un comité d'enquête et d'arbitrage dont la composition dépend de lui seul. Il dispose ainsi d'un instrument de contrôle et d'épuration qui lui permet d'étouffer dans l'œuf toute velléité de concurrence.

Les finances du parti constituent pour Hitler un autre sujet d'inquiétude. L'échec pitoyable du putsch, le redressement du mark opéré par Schacht, la relative stabilisation sociale et politique du régime font que nombre des bailleurs de fonds du NSDAP – et d'autres organisations d'extrême droite – se détournent du mouvement hitlérien pour se rallier à la république conservatrice. D'autre part, l'interdiction qui est faite au Führer de parler en public, d'abord en Bavière au début de 1925, puis dans les autres régions du Reich, prive le numéro un nazi de sa meilleure arme de propagande.

Cette interruption forcée de son activité d'agitateur laisse toutefois à Hitler le loisir de se consacrer à la réorganisation du parti. Il ne s'agit pas seulement de réformer l'organisation nazie afin de la soumettre plus étroitement à son chef, mais de créer un instrument de pouvoir, capable à tout moment de se substituer à l'État républicain et d'offrir une structure d'encadrement au corps social. Dans cette perspective, le parti-État est calqué sur le modèle administratif et politique du Reich. 34 *Gaue* (cantons) sont créés. Ils coïncident grossièrement aux 34 circonscriptions électorales pour la désignation des députés au Reichstag. A la tête de chaque canton, un *Gauleiter* soumis directement au Führer répond de l'activité des *Kreisleiter* (chefs de secteurs) qui, à leur tour, surveillent les *Ortsleiter* (chefs des groupes locaux). L'Allemagne se trouve ainsi tout entière quadrillée par les organisations nazies, elles-mêmes dirigées par deux organes centraux : le PO I (Organisation politique n° 1), dont la fonction consiste à saper le gouvernement en place, et le PO II qui s'est constitué en cabinet fantôme. Dirigé par le Führer, celui-ci rassemble divers spécialistes : Nieland pour les questions de politique étrangère, Otto Dietrich pour la presse, Darré pour les problèmes agricoles, Hans Frank pour les affaires juridiques, etc. Enfin, à côté de ces organismes traditionnels, il existe un service de la race et de la culture et un bureau de la propagande, dirigé par Goebbels.

Mais le NSDAP se veut aussi parti-société. Entre 1925 et 1929, de nombreuses organisations parapolitiques ont été créées. Destinées à attirer au parti les diverses classes d'âge (Ligue des écoliers nazis, Jeunesse hitlérienne, corporations étudiantes dirigées par Baldur von Schirach), les femmes (Ligue des jeunes filles allemandes, Ligue des femmes allemandes) et les différents groupes socio-professionnels (Ligue des avocats, des médecins, des enseignants, etc.), elles préfigurent l'État totalitaire et sa volonté d'encadrer l'individu dans toutes les manifestations de sa vie publique et privée. Grâce à elles le parti nazi dispose, en 1928, de 100 000 cadres expérimentés, tout prêts à prendre en main les rênes du pouvoir.

Les résultats électoraux restent cependant médiocres. Lors des élections de 1928, le NSDAP se présente cette fois avec la bénédiction du Führer et n'obtient que 2,6 % des voix. Mais leur répartition sociologique et géographique est significative. La Bavière, certes, demeure le principal bastion du national-socialisme, mais celui-ci est maintenant implanté en Franconie et en Allemagne du Nord. Très faible dans les métropoles et les centres industriels, il recrute le gros de ses adhérents et de ses électeurs dans les petites villes et dans les campagnes. On constate ainsi une sous-représentation des ouvriers par rapport à la société allemande et une forte sur-représentation des classes moyennes (principalement artisans, employés de commerce, petits fonctionnaires, instituteurs) et des paysans, dont l'afflux massif s'explique par la crise permanente qui, en pleine période de prospérité, frappe l'agriculture allemande. Autre phénomène digne d'être souligné : l'attrait qu'exercent sur une partie de la jeunesse le dynamisme du NSDAP et son hostilité affichée à l'égard de l'establishment. En 1931, près de 40 % des membres du parti nazi ont moins de 30 ans. Quant à l'électorat féminin, dont le rôle va devenir décisif après 1930, il se montre encore enclin jusqu'à cette date à voter pour le centre et pour la droite conservatrice.

Le score modeste de 1928 ne rend pas compte de ce qui fait la force du NSDAP, laquelle consiste dans une organisation disciplinée, efficace et inconditionnellement soumise à son chef. Avec le parti communiste, le mouvement hitlérien est de toutes les formations politiques la seule qui, disposant de cadres nombreux et aguerris, soit capable à tout moment de prendre et de garder le pouvoir. La crise économique qui frappe l'Allemagne au début des années 30 lui en offre l'opportunité et cette fois Hitler ne la laissera pas échapper.

VIII

Fascisme et régimes autoritaires dans l'Europe des années 20

L'essor et l'avènement du fascisme italien sont contemporains d'événements qui ont affecté, au cours de la décennie qui suit le premier conflit mondial, la plupart des pays européens. Dans nombre d'entre eux, le bref intermède libéral démocratique qui fait suite à la guerre – et qui est dû pour une bonne part à l'influence exercée par les grandes démocraties et au prestige qu'elles ont retiré de leur victoire – ne dure pas plus de quelques années, voire comme en Hongrie de quelques mois. Il fait place à des régimes autoritaires, généralement instaurés à l'issue d'un coup d'état militaire et destinés dans la plupart des cas à écarter la menace révolutionnaire et à restaurer le pouvoir des élites traditionnelles. On ne peut dans ces conditions les considérer comme fascistes. Ni les bases socio-économiques, qui restent celles des États semi-féodaux du XIXe siècle, ni la nature profonde et les intentions affichées de ces régimes, qui ne visent pas à intégrer les masses dans un système totalitaire, ne correspondent aux critères que nous avons essayé de définir. Ce qui n'a pas empêché ces dictatures classiques d'être assimilées fréquemment aux régimes fascistes, surtout à partir du moment où il est devenu manifeste que les aspects révolutionnaires du fascisme italien n'ont servi en réalité qu'à masquer le caractère profondément contre-révolutionnaire du pouvoir mussolinien.

L'interprétation donnée au début de la décennie 1920 par la IIIe Internationale et qui visait à considérer le fascisme comme « l'une des formes classiques de la contre-révolution » ne pouvait que renforcer cette tendance, ceci malgré les mises en garde de Clara Zetkin. Il faut dire que le caractère exemplaire du fascisme italien, l'efficacité de ses méthodes, l'aisance avec laquelle il avait su imposer dans la péninsule une dictature de droite avec des mots d'ordre de gauche et renforcer le capitalisme en multipliant les promesses démagogiques allaient inciter les dirigeants des États réactionnaires de l'Europe rurale à adopter certains traits du fascisme, ne fût-ce que formellement, ce qui devait faciliter la confusion entre les deux types de régimes.

Un autre phénomène concourt à l'idée que se font alors les Européens de la fascisation de leur continent. Il s'agit de la prolifération hors de la péninsule de partis et de mouvements se réclamant du fascisme italien. Ce sont d'abord de simples sections du PNF établies au sein des colonies italiennes installées à l'étranger, les unes surgies spontanément des cercles dirigeants – généralement très exigus – de l'émigration, les autres créées de toutes pièces par les autorités italiennes. A Munich, il existe dès septembre 1922 une Union fasciste, directement affiliée au parti italien et que soutient le consul général. Elle est en rapport avec le NSDAP et fournit, semble-t-il, un appui discret à Hitler. En France, le premier *fascio* constitué parmi les émigrés italiens apparaît à Reims en novembre 1922. Un autre est fondé à Marseille en janvier 1923 et en août de la même année celui de Paris voit officiellement le jour, à l'initiative de Nicolà Bonservizi, journaliste au *Popolo d'Italia* et ami personnel de Mussolini. Peu à peu on voit se développer des groupes mixtes réunissant Italiens et ressortissants du pays d'accueil, et ceci en dehors même du vieux continent. Au Mexique, l'ancien socialiste Carlos Mendez Alcade fonde à Jalapa en novembre 1922 un mouvement de ce type. L'année suivante, les premières chemises noires font leur apparition dans les rues de New York, tandis qu'en Angleterre se constituent les British Fascisti. Il faut remarquer cependant que les sections étrangères du PNF et les mouvements qui les imitent mobilisent des effectifs extrêmement restreints. Il en est de même jusqu'à la crise des mouvements nationaux d'inspiration fasciste. A cette époque, Mussolini estime d'ailleurs que le fascisme n'est pas « un article d'exportation » et il ne fait pas grand-chose pour encourager les efforts de ses disciples étrangers.

Fascisme et réaction
en Europe de l'Est

La Hongrie a été la première, après l'Allemagne sociale-démocrate, à opposer à la vague révolutionnaire de l'immédiat après-guerre le barrage d'une contre-révolution. Il faut noter cependant que ce n'est pas le gouvernement nationaliste installé à Szeged en juin 1919 qui a eu le mérite de triompher du régime communiste instauré par Bela Kun. Ce sont en effet les troupes roumaines qui, après avoir écrasé l'armée populaire du colonel Stromfeld, ont occupé Budapest et mis fin à la République des conseils. Le nouveau régime – une monarchie sans souverain confiée par l'assemblée élue en janvier 1920 au régent Miklós Horthy von Nagybánya, ancien commandant en chef de la marine austro-hongroise – souffrira, au moins au début, de ses origines allogènes. Il apparaît en effet aux yeux de beaucoup de Hongrois comme une restauration imposée par l'étranger, non comme le résultat d'un puissant mouvement national anticommuniste.

La terreur blanche, accompagnée de brutalités commises contre les juifs, qui se répand dans le pays au lendemain de la victoire roumaine, ne peut que renforcer cette impression. Sans doute, les groupes qui se constituent alors sous les ordres d'anciens officiers et qui exercent, surtout dans les campagnes, des représailles dirigées contre les communistes, contre les sociaux-démocrates et en général contre tous ceux qui, d'une façon ou d'une autre, ont servi la République des conseils, font-ils songer aux *fasci* agraires, tels qu'ils se manifesteront deux ans plus tard en Italie. En fait leur composition sociale est fondamentalement différente de celle des escouades fascistes, comme elle diffère de celle des corps francs allemands. On y trouve peu d'éléments appartenant à la petite bourgeoisie urbaine et moins encore de représentants des classes populaires. Ils se recrutent essentiellement parmi les officiers et parmi les membres de l'administration et des professions libérales, ces trois catégories étant généralement issues de la petite noblesse terrienne, de la gentry. On retrouvera cette composante majeure dans les mouvements hongrois d'inspiration fasciste.

Quant au régime instauré par Horthy, il est typiquement conservateur et ne s'apparente que de fort loin au régime des faisceaux. Sans doute le pluralisme officiel des formations politiques et le parlementarisme, rétablis en 1921 par le comte Bethlen, qui va présider pendant dix ans aux destinées du gouvernement hongrois, sont-ils de pure façade. Il existe en effet un parti dominant, issu de l'union du parti national chrétien et du parti des petits agriculteurs, et qui constitue l'expression politique des deux fractions de la classe dirigeante, grands propriétaires et gentry, associées dans le bloc au pouvoir. La bourgeoisie, peu nombreuse, constituée en majorité d'éléments israélites, se trouve écartée de la direction des affaires. Mais on ne peut parler de véritable parti unique. Les élections sont théoriquement libres, même si dans les campagnes le scrutin est public, et en 1922 les sociaux-démocrates obtiennent 25 élus avec 15 % des voix (ne les verra-t-on pas se permettre en 1928 d'accueillir une délégation italienne aux cris de « A bas les assassins de Matteotti ! » ?). D'autre part, si le gouvernement adopte une attitude étroitement nationaliste et poursuit une politique extérieure résolument agressive, il ne cherche en aucune façon, comme le feront l'Italie et l'Allemagne, à associer les masses à ses objectifs, ni à les intégrer dans un système totalitaire. Il se préoccupe assez peu du sort des ouvriers et de la paysannerie et ne cherchera pas à régler les problèmes qui se posent à ces catégories sociales, qu'il s'agisse de la question des terres ou de celle du chômage.

Le fascisme hongrois est né en grande partie de la dissociation de l'alliance de la petite noblesse et des grands intérêts agrariens. Ces derniers ont en effet trouvé dans le comte Bethlen un représentant diligent et se sont, à partir de 1921, trouvés avantagés par rapport à la gentry et à la petite bourgeoisie, en partie ruinées par l'inflation et politiquement évincées des leviers de commande de l'État. Ce sont ces catégories sociales qui fournissent, pour une bonne part, aux premiers mouvements d'inspiration fascisante leurs cadres et leurs troupes.

On voit en effet se constituer en Hongrie à partir de 1922 plusieurs organisations d'extrême droite, plus proches semble-t-il par leur idéologie raciale, antisémite et « nationale-socialiste » du parti d'Hitler que de celui de Mussolini. Il s'agit notamment du Camp fasciste hongrois, des Hongrois en réveil, avec leurs sections de protection nationale, et du MOVE, l'union des officiers, fondée par Julius Gömbös. Ce dernier, fils d'un instituteur rural et d'une mère d'origine allemande, entretient des relations étroites avec Hitler et Ludendorff. Proche collaborateur de l'amiral Horthy au temps du gouvernement de Szeged, il fait figure de leader de l'aile fascisante du parti gouvernemental. En 1923, les fascistes hongrois entament une campagne d'agitation sur des slogans révisionnistes (récupération des territoires perdus lors des traités de paix et création d'une Grande Hongrie), antisémites et anticapitalistes. Ils opposent ainsi le capital chrétien, « créatif » et juste, au capital juif, « injuste et exploiteur », reprenant les idées énoncées avant la guerre par Gottfried Feder et dont Hitler a fait son miel. Ils préconisent une réforme agraire radicale, dont l'un des aspects serait d'ailleurs l'expropriation partielle des couches possédantes israélites. Gömbös songe même à cette époque à une marche sur Budapest, mais le gouvernement Bethlen ne laisse pas aux groupes fascisants le temps de préparer leur coup de force. Il dissout les principales organisations extrémistes tandis que Gömbös, revenu à des positions plus conservatrices, ne tarde pas à rallier le parti gouvernemental avant de devenir en 1929 ministre de la Guerre. Jusqu'à la crise, le fascisme hongrois entre plus ou moins en sommeil, se contentant d'accentuer son caractère raciste et national, en cherchant par exemple à prouver les origines hongroises du Christ !

En Autriche, l'évolution vers une forme autoritaire de gouvernement est postérieure à la crise. La jeune république autrichienne a pourtant connu au cours des premières années de son existence des heures dramatiques. Après la formation, dès janvier 1918, de conseils d'ouvriers et de soldats et la fondation, en novembre, du parti communiste, une vive agitation s'est emparée du pays. Elle a pris une ampleur toute particulière au printemps 1919, au moment de la proclamation des deux Républiques des conseils – en Hongrie et en Bavière – et elle a atteint son point le plus chaud au début du mois de juin.

L'échec de Bela Kun et la restauration de l'ordre traditionnel à Budapest ont entraîné une rapide retombée de la fièvre révolutionnaire, mais les problèmes politiques se sont trouvés relayés par de graves difficultés économiques (inflation, déroute monétaire, menace de famine à Vienne au cours de l'hiver 1919-1920).

C'est dans ces circonstances angoissantes que l'Autriche se dote, en 1920, d'une constitution inspirée de celle de la Suisse et qui fait du berceau de l'empire des Habsbourg une république démocratique et fédérale. Devenu chancelier en mai 1922, Mgr Ignaz Seipel, qui va rester au pouvoir jusqu'en 1929, gouverne en respectant les règles formelles du parlementarisme et parvient avec l'aide de la SDN à sauver l'Autriche de la faillite. Il s'appuie pour cela sur le parti chrétien-social dont l'assise électorale se situe dans les régions alpestres, traditionnellement conservatrices et cléricales, tandis que le parti social-démocrate, qui se trouve écarté du pouvoir, est surtout puissant à Vienne. Mgr Seipel rêve en fait de faire de l'Autriche un modèle d'État chrétien traditionaliste, fondé sur les principes d'autorité et de collaboration des classes. A l'« austro-bolchevisme » de la social-démocratie et à la « pseudo-démocratie parlementaire », il oppose l'idée d'un État corporatiste catholique, dominé par le bloc bourgeois. Mais il n'a pas assez la trempe d'un dictateur pour imposer ses idées par la force. Le durcissement du régime ne se fera que progressivement et c'est seulement au début des années 30 que l'on aboutira à ce que certains historiens considèrent comme un État « clérico-fasciste ».

En attendant, les initiatives réactionnaires viennent d'ailleurs. Dès le début des années 20 l'Autriche est le théâtre de l'affrontement qui oppose les milices privées de gauche et de droite. Du côté socialiste le Schutzbund, qui tire son origine du service d'ordre mis sur pied en 1920 par le conseil ouvrier central, et du côté des partis conservateurs et réactionnaires plusieurs groupements armés dont les principaux sont les Heimatwehren (milices patriotiques) les Bürgergarden (gardes civiques) et surtout les Heimwehren (défenseurs du foyer). Ces bandes armées, sortes de corps francs composés en majorité d'anciens officiers, de petits propriétaires, de fonctionnaires et de membres des professions libérales, se sont donné pour tâche de lutter à la fois contre les ennemis de l'extérieur, qui se pressent aux frontières du nouvel État, et d'engager la bataille contre les « ennemis de l'intérieur », adversaires de la propriété, de l'ordre et de la tradition, c'est-à-dire contre les communistes et les socialistes.

A l'origine, la Heimwehr est donc essentiellement un mouvement nationaliste et conservateur et c'est ce qui incline Mgr Seipel à tenter de la transformer en une milice du parti chrétien-social. Dès 1921, elle reçoit les subsides de la grande industrie (l'Association des industriels engage ses adhérents à verser 1 % de la masse salariale aux Heimwehren) et des armes qui lui sont fournies par l'armée ou qu'elle s'est elle-même procurées à la suite de coups de main contre les entrepôts d'État. Forte de ces atouts et dirigée par des hommes énergiques, Stiedle, Pfrimer, l'ex-capitaine allemand Waldemar Pabst, elle participe à de nombreuses actions contre les militants socialistes et syndicalistes et surtout elle dirige la répression contre les organisations ouvrières après la journée sanglante du 15 juillet 1927. La foule ayant incendié le Palais de Justice de Vienne, le préfet de police Schober avait donné l'ordre d'ouvrir le feu, provoquant la mort de 90 personnes et faisant un millier de blessés. Au lendemain de ces événements sanglants qui sont à l'origine de l'évolution autoritaire du régime, la Heimwehr tend à se politiser davantage. Elle multiplie les manifestations et les défilés – généralement précédés d'une messe en plein air, ce qui souligne bien le côté catholique du mouvement et le distingue fondamentalement du premier fascisme italien – et elle joue le rôle de force d'appoint dans la lutte contre les grévistes. Ainsi en Styrie, les Heimwehren mobilisent 20 000 hommes armés de fusils et de mitrailleuses et adressent un ultimatum au gouvernement du Land qu'ils menacent d'une marche sur Graz si la grève ne cesse pas immédiatement.

A cette date la Heimwehr n'est encore qu'une milice réactionnaire qui va cependant se trouver peu à peu gagnée par les idées fascistes. A l'origine de cette évolution, il y a le conseil donné par le comte Bethlen à Mussolini, lors de l'entrevue qui réunit à Milan les deux hommes d'État en avril 1928. Bethlen encourage en effet le Duce à fournir des armes et surtout de l'argent aux Heimwehren. Des négociations sont engagées et quelques mois plus tard les nationalistes autrichiens reçoivent par l'intermédiaire des Hongrois une somme de 1 620 000 lires qui a été mise à leur disposition par les services italiens. En échange de quoi le gouvernement de Rome exigeait une déclaration solennelle des dirigeants de la Heimwehr sur l'abandon des prétentions autrichiennes dans le Sud-Tyrol, ce qui provoqua pas mal de remous au sein de l'organisation nationaliste. Dès lors les Heimwehren s'engagent nettement sur la voie du fascisme, ajoutant à leur programme antimarxiste des slogans antiparlementaires et coiffant le tout d'une phraséologie vaguement socialisante. Cette évolution trouve sa formulation concrète dans le serment prononcé à Korneuburg le 18 mai 1930 par plusieurs centaines de délégués de la Heimwehr réunis en congrès. Déclaration de guerre ouverte à la démocratie libérale, dans laquelle on peut lire : « Nous voulons l'État populaire des Heimwehren... Nous voulons nous emparer du pouvoir de l'État et rénover l'État et l'économie pour le bien du peuple tout entier... Nous rejetons le parlementarisme démocratique occidental et l'État des partis... Nous luttons contre la décomposition de notre peuple par l'idéologie marxiste de lutte des classes et par la configuration libéraliste de l'économie. »

Incontestablement, nous sommes ici en présence de thèses fascistes; mais d'un fascisme adapté à l'Autriche, pays encore essentiellement agraire. A « Vienne la Rouge », industrialisée et socialiste, la Heimwehr oppose son idéal socio-économique, « une économie enracinée dans la terre et conforme à l'intérêt général ». Le successeur de Mgr Seipel, le chancelier Schober, sent bien le danger que fait courir à la démocratie libérale l'action des Heimwehren et il tente en 1930 de les désarmer. Mais il ne peut y parvenir et sa tentative avortée n'aboutit qu'à précipiter sa propre chute et à renforcer les positions de la Heimwehr dont le prince de Stahremberg va prendre la direction au début des années 30.

De tous les pays de l'Europe centrale et orientale, la Tchécoslovaquie est le seul qui puisse se prévaloir d'une structure économiquement moderne et qui, de ce fait, soit en mesure d'asseoir ses institutions démocratiques sur des bases sociologiques solides. Le fascisme thécoslovaque n'est donc pas né comme en Autriche de la radicalisation de groupes paramilitaires, plus ou moins soutenus par le parti au pouvoir, mais plutôt d'une opposition au régime instauré en 1919 et plus encore au caractère plurinational de l'État tchécoslovaque.

C'est en effet dans les zones où des groupes ethniques traditionnellement rivaux se trouvent en contact qu'il trouve un terrain favorable à son essor. En Bohême, nous l'avons vu, il existait antérieurement à la guerre, dans les régions de peuplement germanique, un parti ouvrier allemand dont l'idéologie et la base sociale préfigurent directement le mouvement nazi. C'est de cette formation que naît au lendemain de la guerre un parti national-socialiste des Allemands des Sudètes. Refusant l'État tchécoslovaque, il reprend les thèses antislaves et antisémites de son prédécesseur, mais ne rencontre jusqu'au début des années 30 qu'une audience extrêmement limitée. Il en est de même de son rival, le parti fasciste tchèque que dirigent des hommes comme Cerwinka, Stribrny et surtout Gajda, ancien chef d'état-major général, limogé par suite de ses positions réactionnaires. Son action est davantage dirigée contre les Allemands que contre la démocratie parlementaire tchécoslovaque et contre les organisations ouvrières, du moins au début. Il s'en prend notamment aux magasins tenus à Prague par des Allemands et aux cinémas qui programment des films allemands, mais son activité est surtout tournée vers le terrorisme individuel. Quant à son anticapitalisme, il est lui-même teinté de racisme et de xénophobie. Cerwinka déclare par exemple en mai 1926 que les usines nationales « doivent passer des mains allemandes et juives dans les mains des Tchèques ».

Peu à peu cependant les thèmes antibolcheviques et antiparlementaires font leur apparition, mais lorsqu'il commence à s'en prendre violemment à Bénès, le parti fasciste tchèque met encore en avant la question allemande, reprochant au chef du gouvernement de permettre aux Allemands de participer au pouvoir.

Il existe enfin des tendances fascisantes en Slovaquie, qui se manifestent dans les rangs du parti du peuple slovaque de Andrej Hlinka, sans que l'on puisse parler d'un véritable parti fasciste. Là encore domine en effet l'opposition aux Tchèques et elle est d'autant plus vive qu'elle revêt de surcroît un aspect religieux. Cependant l'état de sous-développement économique dans lequel se trouve la Slovaquie, pays rural pauvre, par rapport aux riches régions de l'Ouest, va donner au parti de Hlinka une orientation anticapitaliste qui s'accentuera avec la crise. Dès la fin de la décennie 1920 il existe au sein du parti du peuple une aile d'extrême droite dirigée par Bela Tuka et qui adopte des mots d'ordre plus spécifiquement fascistes. En règle générale, il faut remarquer que, sauf chez les Sudètes, les mouvements fascistes et nationaux-socialistes ne trouveront qu'une clientèle réduite, le peuple tchécoslovaque voyant dans ces mouvements un péril pour son existence et pour son unité et non un moyen de cimenter celle-ci. La crise venue, il s'orientera plutôt vers la gauche.

Jusqu'en 1929, la Yougoslavie n'est que très faiblement atteinte par les tendances proprement fascistes. Il faut dire que, compte tenu de la tension qui existe alors entre Belgrade et Rome, tout mouvement qui aurait pris Mussolini pour modèle aurait eu des chances bien faibles d'obtenir le moindre succès. Il existe pourtant, comme en Tchécoslovaquie, un problème de minorités et notamment une question croate qui se pose de façon très aiguë, mais pour l'instant les oppositions ethniques revêtent le caractère traditionnel d'un heurt des nationalismes.

Il faut attendre la fin de la période pour voir se constituer, sous l'impulsion de l'avocat Ante Pavelić, un mouvement extrémiste croate, celui des Oustachis, qui d'ailleurs ressemble davantage aux sociétés secrètes de l'avant-guerre (comme la Main noire) qu'à un parti fasciste. Il va cependant mener contre le gouvernement de Belgrade une action offensive et terroriste qui finit par provoquer une véritable crise politique et qui est, de ce fait, à l'origine du coup de force royal de 1929. Jusqu'à cette date, le régime parlementaire institué par la Constitution de Vidovdan fonctionne tant bien que mal et sans qu'aucun parti ne songe vraiment à le remplacer par une dictature militaire.

Les choses sont un peu différentes en Bulgarie, pays vaincu et surtout pays riverain de la mer Noire, en contact avec la Russie des soviets, ce qui le rend plus perméable aux infiltrations bolcheviques. De fait il existe dès le lendemain de la guerre un danger communiste qui se concrétise lors des élections de 1919 par un succès de l'extrême gauche aux dépens du parti militaire. Cependant la principale formation reste le parti agrarien d'Alexandre Stambulijski, qui accède au pouvoir et utilise les milices armées de son parti, la Garde orange, pour briser la résistance communiste. Là s'arrête la ressemblance avec le fascisme. Le parti agrarien est en effet une formation traditionnelle, s'appuyant essentiellement sur la paysannerie dont il favorise les intérêts au détriment de ceux de la bourgeoisie urbaine. C'est même son caractère conservateur et relativement modéré qui lui vaut de se faire attaquer par des mouvements beaucoup plus radicaux et en particulier par l'IMRO, la puissante organisation terroriste macédonienne.

En 1923 un putsch est organisé, avec le soutien tacite de la monarchie, par les groupes représentant la bourgeoisie urbaine et par les formations paramilitaires de l'IMRO et de l'Union des officiers. Le parti agrarien est écarté du pouvoir, mais le gouvernement qui lui succède ne peut être qualifié de fasciste en dépit de la répression qui s'abat sur le pays. Le pluralisme politique reste en effet en vigueur et, fait encore plus significatif, le parti communiste continue d'être toléré. Des mouvements de caractère fasciste commencent toutrefois à se développer. La Rodna Saschtita (Défense patriotique), fondée en 1923 et dirigée par le général Schkoinoff, rassemble sur des slogans antibolcheviques et antisémites un petit nombre d'adhérents qui adoptent la chemise noire et le salut romain. Elle est cependant plus réactionnaire et nationaliste que proprement fasciste. La Nationale Zadruga Fascisti du docteur Alexander Staliyski l'est davantage, mais elle présente un caractère moins spécifique et imite plus servilement le modèle italien.

En Roumanie, la Constitution adoptée en 1923 a institué un régime semi-parlementaire qui n'existe en fait que sur le papier, car le roi qui peut à sa guise dissoudre la Chambre et renvoyer le ministère fausse les règles du jeu et détient en fait la réalité du pouvoir. Le suffrage universel a bien été institué, mais les élections s'opèrent en général dans une atmosphère de violences et de pressions telle que là encore la démocratie reste purement formelle. Il n'y a rien de très nouveau dans tout cela et, sous le manteau du libéralisme politique, la Roumanie demeure un État autoritaire et conservateur dont la forme doit davantage aux traditions paternalistes du XIXe siècle qu'au fascisme. Or, il se pose un certain nombre de problèmes dont le nombre et la gravité semblent trop importants à certains Roumains pour qu'ils puissent être résolus dans le cadre de l'État oligarchique maintenu en place par la nouvelle Constitution. Problème social tout d'abord, qui se pose moins au niveau de la classe ouvrière, peu nombreuse et vite réduite au silence après la brève agitation de 1919-1920, qu'à celui de la petite paysannerie misérable et illettrée. La répression de 1921 et le vote d'une loi agraire distribuant aux paysans pauvres une partie des terres des grands domaines fonciers ont fait reculer la menace d'une insurrection populaire, mais la crainte des communistes reste vive, et ceci d'autant plus que la frontière russe est toute proche. Autres problèmes préoccupants pour le nationalisme roumain, la présence de minorités ethniques importantes sur le territoire acquis en 1919 et l'existence d'une forte communauté juive. Bien que les israélites n'aient en fait représenté que 5 % de la population totale du royaume, ils jouaient depuis le XIXe siècle dans la vie économique et intellectuelle du pays un rôle considérable. Ils constituaient en effet une fraction très importante de la bourgeoisie roumaine, détenaient la plus grande partie des entreprises industrielles et commerciales, contrôlaient les banques, la presse, en partie les professions libérales, et envoyaient à l'université une proportion de leurs fils beaucoup plus grande que les autres couches de la classe dirigeante. De là était né, bien avant la guerre de 1914, un courant antisémite puissant, pouvant déboucher sur des pogroms et se traduisant sur le plan idéologique par l'élaboration d'un nationalisme racial. Le principal représentant de cette tendance fut, dès 1901, un professeur d'économie politique de l'université de Iassy, A. C. Cuza, fondateur avec l'historien Iorga en 1909 d'un mouvement nationaliste, le parti national démocratique. Défenseur de la paysannerie roumaine, victime selon lui des juifs usuriers, Cuza préconisait une solution radicale, l'expulsion de tous les étrangers, au premier rang desquels il plaçait bien entendu les israélites. De ses *a priori* antisémites, il déduisait ensuite un anticapitalisme farouche et une haine non moins vive pour le idéaux de la bourgeoisie – libéralisme et démocratie – considérés comme des produits de la culture judaïque. Le salut de la Roumanie, Cuza ne le voit que dans la petite paysannerie et c'est pourquoi son parti, auquel il donne comme emblème le svastika, milite en faveur d'une réforme agraire radicale et de l'attribution des droits civiques au petit peuple des campagnes.

La révolution bolchevique, interprétée comme le triomphe en Russie d'un complot juif, et l'octroi par la Constitution de 1923 de l'égalité des droits politiques à tous les habitants du royaume donnèrent à l'antisémitisme et au nationalisme roumains une nouvelle impulsion. C'est le moment où Cuza fonde avec un petit groupe de professeurs de l'université de Iassy, parmi lesquels l'un de ses anciens disciples, Ion Zelea Codreanu, la Ligue de la défense chrétienne et nationale qui adopte elle aussi la croix gammée et milite pour l'exclusion des juifs de l'armée et de l'administration. Bientôt cette organisation absorbe les petits groupes d'étudiants et de professeurs fascistes qui s'étaient constitués après l'avènement de Mussolini, en particulier le Fascio national roumain, fondé à Bucarest sur un programme antisémite et anticapitaliste. Mais le mouvement dirigé par Cuza conserve, tant au niveau de l'idéologie que dans les méthodes d'action et dans l'organisation qui reste très lâche, un caractère traditionaliste dont l'aile extrémiste du mouvement dénonce avec Corneliu Zelea Codreanu, le fils du cofondateur de la Ligue, l'inefficacité et le peu d'influence exercée auprès des électeurs. En 1926 elle n'a en effet obtenu que 5 % des voix et lors des consultations suivantes de 2 à 3 % des suffrages.

Le jeune Codreanu (il est né en 1899) a lui aussi été étudiant à Iassy où il a suivi les cours de Cuza. En 1919, alors que l'on s'attend en Roumanie à une poussée bolchevique comparable à celle qui déferle alors sur la Hongrie, il fonde avec quelques-uns de ses amis un petit groupe de combat destiné à prendre le maquis en cas de victoire des révolutionnaires et à lutter à la fois contre les bolcheviks et contre leurs « alliés de l'intérieur judéo-communistes ». Le danger passé, il ne désarme pas mais décide de diriger ses coups contre le « judéo-libéralisme » responsable à ses yeux de favoriser la décomposition de l'État roumain. Il s'en prend en particulier aux étudiants juifs contre lesquels il organise des expéditions punitives, les chassant des hôtels et des clubs, aux organes de la presse libérale dont il détruit les installations et les presses, aux journalistes de l'opposition auxquels il reproche d'avoir publié des articles insultants pour la monarchie. Il organise également des manifestations, notamment après la promulgation de la nouvelle constitution, et à cette occasion il multiplie les provocations et les violences dans les quartiers juifs.

En 1922, Codreanu a fondé à Iassy l'Association des étudiants chrétiens dont l'idéal politique est une alliance de la jeunesse intellectuelle et de la paysannerie. Mais à partir de 1923 son action s'oriente principalement vers le terrorisme. Il est alors arrêté et jugé une première fois pour avoir préparé, avec quelques-uns de ses camarades, un vaste complot destiné à liquider physiquement les principaux dirigeants juifs et plusieurs ministres, coupables aux yeux des conjurés de complicité avec le judaïsme. Il en profite, comme Hitler après le putsch de la brasserie, pour exposer devant ses juges les raisons de son combat et il est acquitté. L'année suivante, il est de nouveau appelé à comparaître devant la justice, cette fois pour le meurtre, en plein tribunal, du préfet de police. Codreanu réédite son plaidoyer politique devant un jury dont les membres arborent le svastika et qui prononcent son acquittement à l'unanimité. L'attitude des magistrats et des jurés montre bien l'influence que pouvait avoir à cette époque, sur l'administration et sur l'opinion roumaines, le nationalisme activiste de Codreanu junior. Cependant, la violence de ses méthodes n'avait pas que des admirateurs. Elle est en tout cas à l'origine de la rupture avec Cuza, prélude à la fondation de la Légion.

C'est en juin 1927 que Codreanu, qui avait mûrement réfléchi en prison sur la nécessité de créer en marge de la Ligue de Cuza un mouvement plus radical et plus discipliné, fonde son propre mouvement, la Légion de l'archange saint Michel, sans doute le plus original et le plus mystique des mouvements fascisants de l'entre-deux-guerres. Peut-on d'ailleurs parler de fascisme pour qualifier, surtout à ses débuts, l'entreprise de ces « croisés » venus d'un autre siècle ? Il manque à la Légion de Codreanu, pour être assimilée au premier fascisme, une base sociologique comportant tous les éléments de la petite bourgeoisie, de même qu'une idéologie de contestation de l'ordre libéral. Ce qui domine au contraire dans ses rangs, c'est l'esprit conservateur, ou mieux la volonté de restaurer la société traditionnelle en prenant appui sur une foi chrétienne renouvelée. Le fondement de la Légion est donc essentiellement religieux et c'est ce caractère qui distingue le plus le mouvement fondé par Codreanu de ceux que dirigent Mussolini et Hitler, même si par la suite il se rapproche des deux pôles du fascisme européen.

Avec les pays de l'Europe de l'Est – pays baltes, Pologne, Finlande –, nous entrons dans une zone dont la plus grande partie était comprise avant la guerre dans les frontières de l'empire des tsars. Aussi la pression bolchevique y a-t-elle été particulièrement vigoureuse, entraînant en retour une vive réaction.

La Lituanie, qui avait servi de champ de bataille, entre 1918 et 1920, aux Polonais, aux Allemands et aux Russes, semble s'engager au début des années 20 dans une voie progressiste. Elle procède en effet à une réforme agraire qui liquide le grande propriété et se donne en 1922 une constitution d'inspiration démocratique. Cependant les progrès électoraux de la gauche ne tardent pas à inquiéter la classe dirigeante traditionnelle ainsi que la masse des petits propriétaires, qui a trouvé son expression politique dans le parti démocrate chrétien. Ce sont eux qui, en décembre 1926, soutiennent, avec l'appui du chef de l'État Smetona, le putsch militaire qui porte au pouvoir l'ancien professeur d'histoire Woldemaras. Ce dernier n'instaure pas à proprement parler un régime fasciste, comme l'a proclamé alors le Komintern. La dictature militaire qu'il met en place correspond plutôt à un régime d'état de siège qu'explique la menace permanente que font peser sur les frontières de la Lituanie les deux grands pays voisins : la Pologne, qui a en 1920 occupé la capitale historique, Wilno, et la Russie des soviets. En 1929 Smetona met d'ailleurs fin à cette période dictatoriale. Il chasse Woldemaras du pouvoir et rétablit au moins formellement le régime parlementaire en prenant appui sur la droite conservatrice. Jusqu'à la guerre, la Lituanie se trouve ainsi soumise à un pouvoir semi-autoritaire.

La Lettonie connaît une évolution assez semblable. Réforme agraire très poussée au début qui met fin à la domination des barons baltes et qui est l'œuvre d'une intelligentsia orientée vers la France et vers les idéaux démocratiques. Puis établissement d'un régime parlementaire qui ne trouve pas une base socio-économique suffisante pour se maintenir durablement et qui débouche sur une période de grande instabilité ministérielle à laquelle Karlis Ulmanis, ancien dirigeant de coopératives rurales puis chef de l'Union paysanne, mettra fin en 1934 par un coup d'État. En attendant, il se développe dans le pays des mouvements d'extrême droite, à la fois antisémites, antimarxistes et hostiles aux Allemands, qui prendront à la fin de la période un caractère nettement fascisant.

En Finlande, l'offensive révolutionnaire a été particulièrement menaçante en 1917-1918. Les « blancs » n'ont réussi à triompher de leurs adversaires qu'avec l'aide des Allemands et en constituant une « garde civique » commandée par le général Mannerheim. La guerre civile achevée, celle-ci n'avait pas été dissoute. Elle demeure en 1920 le fer de lance de la contre-révolution, mais les groupes sociaux qui la composent – fils de grands propriétaires, membres des professions libérales, représentants de la paysannerie moyenne – se rattachent davantage aux idéaux traditionalistes qu'à ceux du premier fascisme, radical et contestataire. En dépit de ces débuts difficiles et de la menace persistante qui pèse sur ses frontières, la Finlande se donne en 1919 une constitution qui instaure une république parlementaire et qui s'inspire à la fois du modèle français et de l'exemple américain. Cependant, la gauche demeure très forte. Elle emporte 40 % des voix et 80 députés sur 200 aux élections de 1922. Aussi le régime amorce-t-il à partir de cette date un virage dans le sens autoritaire, qui lui vaudra d'être interprété par les communistes comme dérivant vers le fascisme, mais qui demeure en fait dans les limites d'un strict conservatisme. Sans doute le PC est-il officiellement interdit, mais cela ne l'empêche pas de se reconstituer sous d'autres étiquettes. Quant au parti social-démocrate, il constitue jusqu'à la crise la formation politique la plus nombreuse et fournira même pendant quelque temps le chef du gouvernement. Toutefois c'est le parti agrarien qui domine pendant cette période de la vie politique finlandaise et les objectifs qu'il poursuit n'ont rien de fascistes. A partir de 1920 sont adoptées des dispositions qui, sans léser les anciens propriétaires, font accéder une centaine de milliers de fermiers à la propriété du sol, avec l'aide de l'État.

Le fascisme finlandais reste donc pendant toute cette période un phénomène marginal qui ne touche tout au plus que quelques milliers de personnes. Compte tenu de la situation initiale et de la persistance d'une menace soviétique directe, il prend d'entrée de jeu un caractère farouchement anticommuniste et il le conservera pendant toute la période. La parenté avec le cas roumain est certaine. Même priorité donnée à la lutte contre le bolchevisme, mêmes composantes sociales à base paysanne et importance semblable de l'élément religieux (comme en Roumanie, on trouve des prêtres dans les mouvements fascistes finlandais). La différence essentielle, et elle n'est pas mince, concerne l'antisémitisme qui joue un rôle à peu près négligeable dans le fascisme finnois.

Jusqu'en 1929, on ne compte que quelques groupes disséminés et peu nombreux. Le plus important – il rassemble de 2 000 à 3 000 membres en 1922 –, le plus proche également des idéaux du fascisme est la Société carélienne académique (AKS). Il recrute principalement ses troupes en milieu étudiant, accessoirement parmi les « blancs » et se donne pour objectif la lutte contre les communistes, la constitution d'une « Grande Finlande » regroupant toutes les populations finnoises et la mise en place d'un régime musclé. On trouve également des tendances fascisantes dans la Ligue de défense finlandaise de Svinhuf-vud et Mannerheim, et aussi dans la Société Finlande-Estonie-Litua-nie-Lettonie (SELL) aux effectifs d'ailleurs squelettiques. Il faut attendre 1929 et les débuts de la crise pour qu'un regroupement s'opère parmi ces groupuscules et pour que se constitue un fascisme spécifiquement finlandais.

La Pologne présente incontestablement le cas le plus original. Apparemment les conditions initiales sont les mêmes qu'en Roumanie. Le pays a des frontières communes avec le jeune État soviétique et englobe sur son territoire des groupes nationaux perçus comme allogènes, parmi lesquels une communauté juive nombreuse et dotée d'une forte cohésion. Sa population est à dominante rurale (les deux tiers des Polonais sont des paysans), ce qui implique une influence très forte de la noblesse terrienne, grande et petite (en Pologne dans certains villages tout le monde est noble) et un vif attachement à l'Église et à son clergé. En outre, la lutte menée pendant quatre ans contre les bolcheviks a comme en Finlande orientée une partie des masses (notamment rurales) vers un anticommunisme farouche. Or, la Pologne connaît jusqu'à la fin des années 20 une évolution très différente de celle de la Roumanie et de la Finlande. Ceci, elle le doit en grande partie à la personnalité très forte et aux origines socialistes du « sauveur » de 1918 et de 1920, le maréchal Jósef Pilsudski.

Les événements de 1919-1920 auraient pu faire de Pilsudski un dictateur tout-puissant et de fait celui-ci va cumuler pendant quelque temps les fonctions de chef de l'État et de commandant en chef de l'armée. Mais lorsqu'il se retire en 1922, le régime parlementaire qui a été établi par la constitution de mars 1921 a commencé à fonctionner dans des conditions à peu près normales. Il avait été instauré, conformément aux vœux de la droite, majoritaire et hostile à Pilsudski dont elle redoutait l'autoritarisme gauchisant, un système politique à la française, avec deux chambres élues au suffrage universel et un président désigné par le Parlement. La gauche, qui était consciente de la

1. *Appel au « peuple autrichien »
(tract de la Heimwehr).*

2. *Corneliu Codreanu au milieu
de ses partisans.*

3. *Visite à Varsovie du ministre des
Affaires étrangères hongrois
Gömbös (à droite). Au centre, le
maréchal Pilsudski, devenu à cette
date (1930) le chef d'une classique
dictature conservatrice.*

nécessité d'établir un exécutif fort, seul capable d'imposer à la classe dirigeante traditionnelle de profondes réformes de structure (dès 1920 une loi agraire vigoureuse avait entamé l'expropriation des grands domaines) avait soutenu Pilsudski dans sa tentative pour instaurer un régime présidentiel comportant une seule chambre, l'élection au suffrage universel du chef de l'État et l'attribution à celui-ci du commandement suprême de l'armée en temps de guerre. Telles sont les positions des forces politiques lorsque, après la réunion de la première Diète en novembre 1922, Pilsudski annonce à la surprise générale qu'il n'accepte pas la présidence de la République. Dès lors et pendant deux ans et demi la Pologne connaît une période de grande instabilité ministérielle. Aucun des trois grands partis en effet – les nationaux-démocrates à droite, les socialistes à gauche, et au centre les populistes de Witos qui se partagent eux-mêmes en deux tendances soutenant chacune l'un des deux autres partis – ne détient la majorité au Parlement. Il en résulte une succession de majorités de coalition, extrêmement instables et qui peuvent porter simultanément un socialiste comme Narutowicz à la présidence de la République et des centristes ou des hommes de droite à la tête du gouvernement.

A partir de 1923 la Pologne entre ainsi dans une crise politique que viennent aggraver les difficultés économiques (chute de la monnaie) et sociales (grèves sanglantes de Cracovie et application trop lente de la réforme agraire). Il en résulte une poussée des forces d'extrême droite qui commence d'ailleurs, dès la fin de 1922, avec l'assassinat par un écrivain nationaliste du président Narutowicz et qui se traduit, à partir de 1925, par une véritable menace de coup de force réactionnaire. La désignation du général Malczewski, adversaire déclaré de Pilsudski, au ministère de la Guerre (mai 1926) semble confirmer ces craintes et c'est dans une large mesure pour empêcher une dictature de la droite que Pilsudski se décide à prendre le pouvoir.

Le 12 mai 1926 le maréchal prend la tête de trois régiments fidèles, partis du camp militaire proche de sa résidence, et entame une marche sur Varsovie qui, après trois jours de combats, le rend maître de la capitale. Il n'y a là rien de commun avec la Marche sur Rome. Des deux côtés, les protagonistes sont des militaires qui se livrent effectivement bataille et les quelques civils qui prennent part au putsch n'appartiennent pas à des mouvements politiques organisés. Mais il ne s'agit pas non plus d'un simple pronunciamento militaire ne reposant sur aucune base sociale et politique. Au lendemain du putsch, la gauche (populistes, radicaux, socialistes et même communistes) a pris nettement parti en faveur de Pilsudski qu'elle prie de former un « gouvernement des ouvriers et des paysans ». Ce que le maréchal refuse, comme il décline une nouvelle fois l'offre qui lui est faite de devenir président de la République. Il se contente du poste de ministre de la Guerre et de celui d'inspecteur général de l'armée, ce qui suffit d'ailleurs à lui assurer la maîtrise du pouvoir. En même temps, il veille au maintien des forces légales en faisant réviser la constitution dans le sens d'un renforcement de l'exécutif et en obtenant les pleins pouvoirs pour le gouvernement pendant toute la durée de la législature.

De 1926 à 1929, le régime instauré par Pilsudski peut être comparé à certains égards à la dictature mussolinienne, non dans sa forme définitive mais telle qu'elle a fonctionné en Italie jusqu'à l'adoption des lois fascistissimes. En effet si le pluralisme subsiste et si les journaux de l'opposition sont tolérés, les formations politiques et les organes de presse hostiles au pouvoir ne sont autorisés à manifester leur désaccord que dans certaines limites. La Diète est étroitement surveillée et peut être ajournée pour indocilité. Mais les différences sont très sensibles. En premier lieu le régime ne sera à aucun moment totalitaire. Il n'y a ni parti unique, ni enrégimentement des masses, ni recours à la terreur psychologique, ni emprise totale de l'État sur la vie économique et sociale. D'autre part, la base sociologique sur laquelle s'appuie Pilsudski au début est plus populaire que celle du fascisme. Ce qui n'empêche pas le régime d'évoluer assez vite vers des positions beaucoup plus conservatrices et de se transformer, à partir de 1929, en un régime autoritaire de droite assez proche de ceux qui sont alors installés dans la plupart des pays de l'Europe centrale et orientale. Autrement dit, nous avons jusqu'à cette date une solution politique que l'on pourrait qualifier de semi-fascisme de gauche, quelque chose qui à maints égards s'apparente au futur péronisme, puis évolution rapide vers une formule autoritaire traditionnelle. Et c'est peut-être cette parenté des premières années avec certains traits spécifiques du fascisme qui explique que jusqu'à la crise les mouvements fascistes n'aient eu aucune prise en Pologne.

Les pays méditerranéens

L'aire méditerranéenne ne présente pas, Italie exclue, de différences fondamentales dans ses structures socio-économiques avec l'Europe centrale et orientale. Les régimes autoritaires qui s'y installent entre 1920 et 1930 répondent donc davantage aux conditions de la réaction classique qu'au fascisme proprement dit, dont nous avons essayé de montrer qu'il impliquait dans un premier temps la radicalisation d'une classe moyenne en voie de prolétarisation et dans une seconde étape l'appui massif des grands intérêts privés, ceci pour arriver dans une troisième phase à une restructuration de la société de masses. Restructuration qui s'avère plus ou moins inutile dans les pays où les cadres traditionnels de la société ont été peu affectés par l'évolution récente. Si nous abordons cependant ici le problème des dictatures militaires méditerranéennes c'est d'une part qu'elles ont été interprétées en leur temps comme des variantes du fascisme et qu'il importe de faire brièvement le point sur la question. C'est aussi parce qu'au cours de la période suivante sont apparus dans ces pays des mouvements d'inspiration véritablement fasciste et qu'il n'est pas inutile de nous demander sur quel terrain ils se sont développés.

Il faut également tenir compte de la volonté d'imitation qui a fréquemment motivé les auteurs de coups d'État militaires. Même lorsque les conditions nationales ne permettent pas l'établissement d'un véritable régime fasciste, le pouvoir d'attraction exercé par l'Italie mussolinienne au cours des années 20 est tel que certains candidats à la dictature se réclament ouvertement de son exemple. Tel est le cas de Primo de Rivera en Espagne. Celui-ci ne déclare-t-il pas à Mussolini, lors d'une visite à Rome en novembre 1923, que l'exemple du Duce « fut la préparation de l'ambiance, l'électrification de l'atmosphère », et il ajoute qu'il « reste aujourd'hui le guide de l'Espagne dans la voie de la reconstruction, du progrès et de l'ordre ». Or, ni les conditions de son accession au pouvoir, ni la nature du régime qu'il instaure ne font du dictateur de l'Espagne un chef d'État fasciste. L'Espagne, si elle reste au début des années 20 un pays essentiellement rural, a connu depuis la fin du XIXᵉ siècle un début d'industrialisation qui a déterminé la naissance d'un prolétariat urbain, peu nombreux mais concentré et très agressif. A la différence de ce qui s'est passé dans la plupart des autres pays en voie d'industrialisation, la classe ouvrière espagnole a été toutefois relativement peu affectée par les idées marxistes. Elle a au contraire subi très fortement l'influence de Bakounine et des anarcho-syndicalistes. Au lendemain de la guerre, dont l'Espagne a peu subi les conséquences directes – différence fondamentale avec l'Italie – il y a bien une agitation ouvrière, qui peut prendre les formes très violentes de la grève insurrectionnelle et de l'attentat individuel, mais il n'y a pas une véritable menace révolutionnaire, ni surtout un réel danger communiste. Les problèmes qui se posent au gouvernement espagnol sont tout autres puisqu'ils concernent au premier chef les difficultés militaires au Maroc et l'agitation séparatiste en Catalogne.

C'est pour régler ces deux questions et aussi pour donner à l'Espagne un peu plus de poids dans la vie internationale que le général Miguel Primo de Rivera décide en septembre 1923 de mettre fin au régime parlementaire et d'instaurer, avec l'appui du roi Alphonse XIII, un régime d'exception dirigé par les militaires. Rien de comparable donc dans ce putsch classique, mené depuis Barcelone dont Primo de Rivera était le gouverneur militaire, par les comman-

4. *Le général Primo de Rivera. La dictature qu'il avait instaurée en Espagne en 1923 n'a pas survécu à la défection des milieux d'affaires.*

dants des principales garnisons, avec la façon dont les masses petites-bourgeoises, mobilisées par le squadrisme, ont pris le pouvoir en Italie. Cela ne veut pas dire que Primo de Rivera n'ait obtenu aucun soutien de la part des civils. Le gouvernement était au courant de ses intentions et l'oligarchie dirigeante laissa faire, l'initiative du général rebelle lui permettant d'en finir avec le régime parlementaire sans violer sa propre légalité. Il reste que le pronunciamiento s'est opéré sans participation effective d'aucune formation politique.

Le régime devait évidemment porter la trace de ses origines. Mis en place par les militaires, qui garderont le pouvoir pendant deux ans avant de le transmettre en 1926 à un ministère civil qu'ils continueront de contrôler, il représente en fait la dictature de la classe dirigeante traditionnelle. De là découlent ses aspects paternalistes, ses liens étroits avec l'Église et son incapacité à résoudre les problèmes sociaux. Il ne procède en effet à aucune réforme d'envergure, notamment sur le plan agraire où la question se posait pourtant de façon très aiguë. Les références au fascisme italien sont donc de pure forme. Elles trahissent chez Primo de Rivera une volonté d'efficacité qui lui paraît inhérente au système mussolinien et dont il aimerait utiliser la force mobilisatrice sans porter atteinte aux structures traditionnelles de la société espagnole. Ainsi s'explique sa tentative, complètement avortée, pour fonder un parti unique lié au pouvoir, l'Union patriotique, et pour étendre à l'ensemble de l'Espagne le système des *somatenes*, cette garde civique composée de volontaires et destinée à assurer le maintien de l'ordre en Catalogne. C'est dans une perspective analogue qu'il cherche à s'assurer le soutien de la classe ouvrière en faisant du socialiste Largo Caballero un conseiller d'État et qu'il entreprend à grands frais une politique d'équipement routier qui vise à la fois à résorber le chômage et à accroître le prestige de son régime.

Toutes ces mesures présentent cependant dans la conjoncture espagnole un caractère parfaitement artificiel. Elles vont néanmoins suffire, avec l'orientation dirigiste de l'économie, à priver le dictateur du soutien des classes dirigeantes et à provoquer en 1930 la chute d'un régime qui, à la différence de son homologue italien, ne dispose ni du consensus plus ou moins passif des masses, ni surtout de l'appui armé d'un grand parti organisé militairement.

Le Portugal connaît en 1925-1926 une situation assez comparable à celle de l'Espagne de 1923, avec peut-être une agitation ouvrière plus dangereuse et des difficultés économiques (monnaie au bord de la faillite, mévente des produits agricoles) plus graves. C'est en tout cas pour « rétablir l'ordre social » menacé que le général Gomes da Costa dirige, en mai 1926, un putsch militaire qui aboutit à l'établissement d'une dictature réactionnaire tout aussi dépourvue de soutien populaire que celle de Rivera en Espagne et moins soucieuse que celle-ci de se donner une façade fasciste. Les hommes politiques qui se trouvent derrière les généraux rebelles se réclament moins en effet du modèle italien que du mouvement ultra-traditionaliste de l'intégralisme lusitanien. Ce courant monarchiste et antiparlementaire, dont la doctrine s'était diffusée à partir de 1914 dans la revue *A Naçào Portuguesa*, prônait le retour à une monarchie traditionnelle, la défense de la famille et de son patrimoine, ainsi qu'une organisation corporative de l'économie et de la société. Autrement dit, une idéologie qui devait infiniment plus aux théories maurrassiennes qu'à l'activisme des faisceaux. Elle exerce son influence très largement sur les deux hommes qui, à partir de 1928, vont présider à la mise en place de l'Estado Novo, corporatiste et traditionaliste, le général Oscar Carmona, chef de l'État jusqu'à sa mort en 1951, et le docteur Oliveira Salazar.

En Grèce, où la République a été proclamée en 1923 après l'abdication du roi Constantin, la dictature militaire instaurée en janvier 1926 par le général Pangalos, déjà président du Conseil depuis juin 1925, ne présente aucun des traits du fascisme. Purement réactionnaire et reposant sur une base sociale extrêmement exiguë, elle sera d'ailleurs renversée quelques mois plus tard.

Bien qu'elle déborde très largement du champ européen, la Turquie de Mustapha Kemal mérite une attention particulière. Elle représente en effet, et ceci dès le début des années 20, la première tentative faite

5. Mustapha Kemal au cours de manœuvres dans la région de Trakiyln.

par un pays non industrialisé pour briser les cadres semi-féodaux pouvant entraver son développement économique – à la différence du Japon du Meiji qui prend au contraire ces cadres pour base de sa révolution industrielle – et pour se débarrasser de l'emprise des impérialismes étrangers. Cela, par la voie d'un régime quasi dictatorial reposant sur l'alliance de la bourgeoisie nationale et des classes populaires. S'il emprunte au fascisme certains de ses traits – la remise en cause de l'ordre traditionnel (ce qui le distingue de la plupart des dictatures militaires de l'époque), le parti unique, l'intervention croissante de l'État dans la vie économique – il en diffère par nombre de caractères et il annonce plutôt les régimes qui vont fleurir dans le Tiers Monde à la faveur de la décolonisation, à commencer par le nassérisme. La base sociologique du kemalisme est en effet différente de celle du fascisme et ses adversaires principaux se situent plutôt à droite, du côté des défenseurs de l'ancien régime.

L'outil de la prise du pouvoir est cependant le même que dans les pays où un putsch militaire a été suivi du renforcement des structures traditionnelles (Hongrie, Portugal). Il s'agit de l'armée, ou plus exactement de la fraction de l'armée qui sert de refuge et d'instrument de promotion aux fils de la bourgeoisie. Le père de Mustapha Kemal, Ali Riza, a été lui-même officier mais il est devenu ensuite commerçant et la plupart des hommes qui se groupent autour du futur Ataturk en 1919-1920 ont une origine semblable. Leur opposition à l'ancienne classe dirigeante et au sultan qui en est le représentant trouvant sa justification idéologique et sa vertu mobilisatrice dans un nationalisme farouche. Leur action est d'ailleurs autant dirigée contre les ennemis de l'extérieur, Grecs et Britanniques, que contre les forces déclinantes de l'ancien régime.

Devenu maître du pouvoir et président de la nouvelle République, Mustapha Kemal donne à son régime un caractère semi-dictatorial qui n'est pas, répétons-le, sans évoquer certains aspects du fascisme. Son parti, le parti républicain du peuple, est la seule formation politique autorisée et les six principes qui déterminent son action – républicanisme, nationalisme, populisme, étatisme, laïcisme et esprit révolutionnaire – ne sont pas très éloignés du programme mussolinien. Mais les différences sont considérables. Il y a dans le kemalisme une volonté de transformer en profondeur les structures sociales qui n'est pas de pure forme. Le régime a procédé à de très importantes distributions de terres et à de nombreuses nationalisations (anciennes entreprises étrangères, chemins de fer, une partie du secteur bancaire, etc.). Il a surtout fait porter son effort sur la liquidation de l'ancienne Turquie, débarrassant l'enseignement, la justice, le droit civil, des influences religieuses et s'efforçant de fonder une société moderne. On ne peut pour autant parler de socialisme. Le kemalisme a en fin de compte renforcé la puissance de la bourgeoisie nationale et celle du capitalisme naissant. Il n'a pas pu, ou pas voulu, éliminer la grande propriété foncière dont une partie des représentants s'était par opportunisme ralliée au régime. En ce sens il n'y a pas de différence fondamentale avec le bilan social du fascisme. Il reste que le « despotisme éclairé » de Mustapha Kemal a incontestablement reposé sur des assises populaires plus larges que celles du régime mussolinien et n'a pas eu besoin, comme ce dernier, d'enrégimenter les masses dans des formations paramilitaires qui n'auraient d'ailleurs pas répondu à sa vocation foncièrement pacifique.

Tentations fascistes

en Europe de l'Ouest

Comme les pays de l'Europe centrale, orientale et méditerranéenne, dont les structures demeurent largement tributaires des anciens modes de production, les démocraties de l'Europe de l'Ouest n'ont connu pendant les années 20 qu'un fascisme d'importation, peu dangereux pour leurs institutions, mais ceci pour des raisons diamétralement opposées.

Dans ces pays en effet, la longue pratique de la démocratie libérale, l'intégration déjà ancienne des masses à la vie politique, l'existence de vastes mouvements progressistes (le radicalisme français, le travaillisme britannique) liés aux classes moyennes ont en général suffi à amortir les effets de la crise de l'après-guerre. En associant la petite bourgeoisie et une partie des classes populaires à la direction des affaires, en leur communiquant son idéologie par l'intermédiaire de l'école et des divers moyens de culture et d'information, la classe dirigeante a pu limiter la contagion révolutionnaire et n'a pas eu besoin du fascisme pour sauvegarder ses intérêts. Il reste que la guerre et les difficultés économiques et sociales qui suivent celle-ci ont renforcé les tendances antilibérales et anticapitalistes de certaines catégories déjà menacées depuis la fin du XIXᵉ siècle par l'évolution de l'économie. L'anticommunisme leur a donné une nouvelle vigueur mais sans les modifier fondamentalement. Parmi ces tendances, certaines, très rares encore, ont pris le visage du fascisme, les autres conservant leur physionomie traditionnelle tout en subissant peu à peu l'attraction du fascisme et en imitant parfois ses méthodes.

Il en est ainsi du fascisme français. Nous avons vu en étudiant les préfascismes qu'il existait en France depuis les premières années du XXᵉ siècle deux courants de ce type. L'un de tradition « jacobine » et plébiscitaire représenté par Barrès et par les partisans attardés d'une solution césarienne (bonapartisme, boulangisme). L'autre d'inspiration monarchisme et traditionaliste, incarnée par Maurras et par l'Action française. Ni l'un ni l'autre ne débouchent directement au lendemain de la guerre sur un véritable mouvement fasciste de masse. L'Action Française reste fondamentalement attachée à l'idée d'une restauration de l'ordre ancien et repousse en bloc tous les acquis de la Révolution française, alors que le fascisme les assume en partie. Quant aux ligues, René Rémond a bien montré à quel point elles se rattachent aux traditions du nationalisme français. « S'imaginer voir dans les ligues un fascisme français, écrit-il, c'est prendre un épouvantail au sérieux : elles n'ont emprunté que le décor du fascisme, revêtant ses oripeaux, mais dépouillant son esprit. Le mouvement des ligues n'est que le dernier avatar du vieux fond bonapartiste, césarien, autoritaire, plébiscitaire, le nationalisme revu au goût du jour et dont les imitateurs n'ont fait que recrépir la façade d'un badigeon de fascisme à la romaine » (*La Droite en France*, p. 215).

Le fascisme ne sort donc tout armé ni du courant ultraciste aspirant à la restauration de l'ancienne France, ni de la droite césarienne et populiste. Du moins le fascisme première manière : celui des faisceaux anarchisants issus de l'union du futurisme et du syndicalisme révolutionnaire. Le fascisme à l'état pur, si l'on veut, avec sa volonté de destruction de l'ordre ancien et ses velléités socialisantes. La France n'ayant pas traversé, au lendemain de la guerre, une crise aussi grave que celle qui sévit de l'autre côté des Alpes, a en quelque sorte sauté l'étape du fascisme des déclassés. De surcroît, les masses y étant mieux intégrées que dans la péninsule, les éléments mobiles, clientèle potentielle du premier fascisme, y étaient infiniment moins nombreux. Si bien que le fascisme français, s'il a existé au cours des années 20, a tout de suite pris la forme réactionnaire du second fascisme, et c'est ce qui rend difficile la distinction avec les formes traditionnelles du nationalisme. Il faut attendre la crise des années 30 pour qu'avec les bouleversements qu'elle entraîne dans la société française, apparaisse, à côté de simples imitations, un fascisme de masse, recrutant ses troupes parmi les déclassés et offrant à ceux-ci des thèmes de combat « révolutionnaires ».

De toutes les ligues, l'Action française est sans aucun doute celle qui, par ses objectifs et par son esprit, est la plus éloignée du fascisme. Il faut toutefois remarquer que, de l'instant où s'est opérée en son sein une tentative de synthèse entre les postulats du nationalisme et la pensée proudhonienne, elle a pu donner naissance à des courants susceptibles d'évoluer vers le fascisme, à condition de rompre bien sûr avec le traditionalisme maurrassien. C'est en ce sens qu'elle a joué à maints égards le rôle de matrice du fascisme français, nombre de dirigeants et de théoriciens se réclamant de cette famille idéologique ayant été formés politiquement dans ses rangs, ce qui est le cas d'un Valois, d'un Brasillach ou d'un Deloncle.

Fondateur du premier mouvement français affichant sa parenté avec le fascisme mussolinien, Georges Valois est précisément issu de la tribu maurrassienne. Au moment où il se décide à créer son propre parti, il est membre du comité directeur de l'AF et dirige dans l'organe monarchiste la page économique. Ses origines et son itinéraire politique sont très représentatifs de la clientèle du premier fascisme. Ouvrier du livre, appartenant par conséquent à l'aristocratie ouvrière des vieux métiers, il milite au début du siècle dans les rangs de l'anarcho-syndicalisme avant d'entrer en 1906 à la ligue d'Action française. Il y contribuera beaucoup à l'introduction des idées proudhoniennes dans la doctrine de Maurras (il fonde et dirige le cercle Proudhon où les intellectuels de l'AF côtoient quelques syndicalistes), en même temps qu'il s'imprègne lui-même de la pensée sorélienne. Il y a donc chez Valois, dès cette époque, le désir de fondre dans une même doctrine l'apport du nationalisme et celui du syndicalisme révolutionnaire, ces deux composantes majeures du premier fascisme, et Zeev Sternhell a raison de voir en lui un précurseur de l'idéologie des faisceaux. Pourtant, jusqu'à la guerre, il reste fidèle à l'orthodoxie maurrassienne et son « socialisme » national ne s'écarte pas fondamentalement du conservatisme social de La Tour du Pin et de Drumont. C'est au lendemain du conflit mondial qu'il prend conscience du décalage qui existe entre le traditionalisme des thèses sociales de l'AF et les aspirations profondes des masses sur lesquelles le marxisme exerce plus que jamais son attraction. Le fascisme, qui commence à faire parler de lui de l'autre côté des Alpes, lui paraît être une solution possible, le seul moyen peut-être d'empêcher les classes populaires de rejoindre les rangs communistes. Mais il ne s'agit pas seulement d'une attitude tactique. La doctrine des *fasci* et les larges emprunts qu'elle fait dans sa version première aux thèses de l'anarcho-syndicalisme répondent assez bien aux questions que Valois se pose depuis une quinzaine d'années et auxquelles la doctrine sociale de l'AF n'a pas donné une véritable réponse.

Sans rompre avec Maurras, l'animateur des cercles Proudhon se lance à partir de 1920 dans des entreprises qui trahissent un souci de plus en plus évident de prendre ses distances envers le mouvement monarchiste : création en mars 1930 de la Confédération de l'intelligence et de la production françaises, dont l'objectif est d'organiser la production sur une base corporative; deux ans plus tard préparation des « Etats généraux de la production française »; enfin, en février 1925, fondation du journal *Le Nouveau Siècle*. Au début le comité directeur de l'AF soutient ces initiatives, mais bientôt des dissensions se font jour. Valois reproche aux dirigeants monarchistes leur conservatisme ainsi que les compromis électoralistes avec les hommes du Bloc national. Maurras et les bailleurs de fonds de son mouvement s'inquiètent des aspects populistes et contestataires de son programme. Valois rêve en effet d'une nouvelle élite, issue du peuple et de la fraternité des tranchées, et il sent bien que cette « élite de remplacement » ne peut en fin de compte que s'opposer à l'ancienne, y compris à cette élite bourgeoise dans laquelle Maurras voit pour sa part le moteur de la restauration nationale.

Les réticences des dirigeants de l'AF et l'opposition de plus en plus ouverte des industriels qui lui avaient au début apporté leur concours (Eugène Mathon, président du Comité de la laine, l'Union des industriels de la région de Nantes, sans doute également le Comité des forges) vont obliger Valois à choisir entre la voie conservatrice, représentée par ses amis politiques, et un socialisme national inspiré de l'exemple italien. Il finit par opter pour la seconde solution et imprime à partir de l'été 1925 au *Nouveau Siècle* une orientation fascisante qui tranche nettement avec la ligne de l'Action française. Il est soutenu financièrement dans cette entreprise par quelques-uns des riches commanditaires du journal maurrassien, le « pétrolier » Serge André, le banquier Jean Beurrier, le parfumeur Coty et le marchand de cognac Hennessy (E. Weber, *L'Action française*, p. 240-241). Ce qui a pour effet de tarir une partie des ressources de l'organe monarchiste et de précipiter la rupture entre Valois et Maurras.

En avril 1925, Georges Valois a fondé les Légions, avec la participation de Marcel Bucard. Elles se recrutent exclusivement parmi les anciens combattants et fondent leur action sur les sentiments antiparlementaires et antiploutocratiques de nombreux rescapés de la guerre, particulièrement de ceux qui, comme en Italie et en Allemagne (mais à une échelle infiniment moindre), ont connu une réinsertion difficile dans la société de l'après-guerre. Le 11 novembre 1925 naît le premier parti fasciste français, le Faisceau, dont le nom, emprunté au lexique politique italien (il traduit littéralement le mot *fascio* qui correspond davantage chez nous à « ligue »), dit bien la volonté de rattachement au modèle mussolinien. Un mois plus tôt Valois a quitté l'AF et en décembre son *Nouveau Siècle* devient quotidien. Au même moment est créé le Faisceau universitaire, destiné à recruter ses troupes parmi les étudiants du Quartier Latin, dans un milieu fortement structuré par le mouvement des Camelots du Roy. Soucieux de maintenir leurs positions au sein de la jeunesse intellectuelle, ces derniers sabotent d'ailleurs la première réunion des étudiants « fascistes », consommant la rupture entre les deux organisations.

Le Faisceau aura une existence éphémère. Dès 1926 il perd l'appui financier de François Coty et connaît de graves difficultés de trésorerie et de recrutement. La stabilisation réalisée sous l'égide de Poincaré lui enlève en effet une partie de sa clientèle virtuelle. En 1928 le mouvement disparaît. Son échec s'explique largement par le fait qu'il s'est engagé sur les voies aventureuses et turbulentes du premier fascisme au moment du retour au calme. Certes, le Faisceau s'est constitué à l'heure où la politique du Cartel dressait contre celui-ci une partie de la classe moyenne, mais l'alerte, on le sait, a été de courte durée et la crise politique est vite retombée après le retour au pouvoir de Poincaré. Dans la France de 1919-1920, en proie aux grèves révolutionnaires, il aurait peut-être rencontré une audience plus large et surtout n'aurait pas manqué d'appuis financiers. Quatre ans plus tard, l'action de ses chemises bleues et la virulence anticapitaliste de son programme ne peuvent plus qu'indisposer les grands intérêts et effrayer les petits bourgeois.

En rompant avec l'AF, Valois a en effet renoué avec ses origines anarcho-syndicalistes et c'est dans cette voie qu'il oriente le Faisceau. C'est également ce qui fait l'originalité de sa tentative car, même au lendemain de la fondation des *fasci*, il ne semble pas que Mussolini ait pris autant au sérieux que le leader du fascisme français les thèmes développés par l'aile anarchisante de son mouvement. A la limite, c'est un point sur lequel on peut également être d'accord avec Sternhell, on peut considérer que le fascisme de Valois est plus *pur,* plus authentiquement fasciste que celui du futur Duce, probablement parce que, plus groupusculaire que son homologue italien, il a moins que lui à se soucier de concilier les contraires. D'ailleurs le dirigeant du Faisceau ne tarde pas à reprocher au pouvoir fasciste ses compromissions avec la droite et son alignement sur des positions ultra-conservatrices. Lui-même cherche à échapper à l'extrémisme de droite. Il entre en contact avec des militants communistes (quelques-uns rejoindront même ses rangs) et envisage l'unité d'action avec l'extrême gauche, ce qui lui vaut de perdre ses derniers appuis financiers. Mais, répétons-le, le temps est passé où ce fascisme première manière aurait pu avoir quelque impact sur l'opinion française. Au printemps 1928, Valois ne peut que constater son échec. Le Faisceau se dissout et avec lui sans doute le seul mouvement fasciste spécifiquement français, en dépit de toutes les références au modèle italien. Valois revient alors à ses premières amours anarcho-syndicalistes. Résistant de la première heure, il mourra en déportation à Bergen-Belsen en 1945.

A côté de ce fascisme authentique mais très minoritaire, les ligues n'empruntent au modèle italien que ses aspects extérieurs. D'entrée de jeu, elles se situent au second niveau du fascisme, celui des « politiques », celui de la réaction pure et simple, cherchant seulement à récupérer dans un sens conservateur les tendances fascisantes de leur clientèle petite-bourgeoise. Elles doivent en effet leur succès relatif à l'exploitation de thèmes qui ont fait en partie celui du fascisme italien : l'opposition de l'esprit ancien combattant au carriérisme des politiciens, l'antiparlementarisme, l'anticommunisme, etc. Mais elles se gardent bien d'entrer en guerre contre le capitalisme, et elles peuvent d'autant moins le faire qu'elles reçoivent l'appui financier de certains milieux d'affaires.

Jusqu'à la veille de la crise, le seul mouvement qui ait en ce sens joué un rôle important est celui des Jeunesses patriotes. La filiation avec la tradition ligueuse de la bourgeoisie parisienne ne fait aucun doute. Les JP, fondées en 1924 par Pierre Taittinger, député de Paris et rédacteur en chef de *La Liberté,* ne sont en fait jusqu'en 1926 qu'une organisation autonome filiale de la vieille Ligue des patriotes, alors en plein renouveau sous la présidence du général de Castelnau. A l'origine de la fondation des JP il n'y a pas une menace révolutionnaire précise, mais simplement la victoire du Cartel des gauches aux élections du printemps 1924. Et c'est contre la politique du Cartel que la nouvelle ligue exerce son action, se faisant remarquer notamment lors du transfert au Panthéon des cendres de Jaurès. Son programme très vague n'a rien de proprement fasciste. On se contente de slogans tapageurs dirigés contre le communisme et contre le parlementarisme, et d'une profession de foi nationaliste et autoritaire. Mais il n'est pas question de révolution antibourgeoise. En d'autres termes, les objectifs des Jeunesses patriotes se confondent avec ceux des formations de droite pour qui elles assurent volontiers le service d'ordre lors des réunions électorales. Et c'est cette vocation de milice des partis nationaux qui explique les emprunts au modèle fasciste : l'organisation en groupes mobiles d'une cinquantaine d'hommes, revêtus de l'imperméable bleu et coiffés du béret basque. Sans doute les JP participeront-elles à des engagements violents contre les communistes, en particulier en février 1925, rue Damrémont, lors d'une manifestation anticolonialiste contemporaine de la guerre du Rif, mais cela ne suffit pas à voir dans ces équipes d'anciens combattants et de jeunes bourgeois assoiffés d'aventure l'équivalent des SA et des squadristes.

En dehors de la France, les mouvements fascistes ne représentent en général, jusqu'à la fin des années 20, que de pâles imitations du modèle italien et ne jouent dans la vie politique du pays qui leur a donné naissance qu'un rôle tout à fait marginal. A côté des groupuscules dont il a été question au début de ce chapitre, on peut encore citer l'Organisation de combat fasciste fondée à Stockholm en 1926 et qui deviendra trois ans plus tard le parti populaire national-socialiste suédois, quelques groupes fascistes néerlandais qui font leur apparition en 1923, dans une certaine mesure le mouvement suisse dit de la Défense de la Croix, et surtout les fascistes wallons rassemblés dans quelques groupuscules très virulents : le Faisceau belge, l'Action nationale et la Légion nationale belge du général Graff. Mais la prospérité économique qui règne alors dans la plupart des pays industriels et la relative stabilité politique et sociale qui accompagne celle-ci se prêtent mal au développement de grandes formations fascisantes. C'est seulement avec la grande dépression des années 30 que se trouveront réunies dans ce pays de tradition démocratique quelques-unes des conditions du fascisme.

6. *Bulletin d'adhésion*
au Faisceau de
Georges Valois.

IX

Victoire de l'hitlérisme en Allemagne

La crise, qui après avoir frappé les États-Unis à l'automne 1929 s'étend au cours des deux années suivantes à l'ensemble du monde capitaliste, n'a pas de précédent dans l'histoire du monde contemporain. De surcroît, elle n'est postérieure que d'une décennie à la guerre la plus meurtrière, la plus coûteuse, la plus inhumaine qu'il ait été donné à l'homme de subir. Les plaies qui ont ensanglanté l'Europe et les fissures qui sont apparues dans le vieil édifice des nations industrielles ont à peine eu le temps d'être masquées lorsque éclate le krach de Wall Street, prélude à l'asphyxie des deux tiers de la planète.

Aussi les conséquences sociales, politiques, morales, culturelles de la « grande dépression » ont-elles été immenses. A commencer par les plus tragiquement concrètes. La misère dans laquelle se trouvent plongées des populations entières (pas seulement les pauvres : l'Amérique connaît ses clochards en col blanc, l'Europe ses industriels ruinés et ses bourgeois humiliés). Le chômage, qui au plus fort de la crise frappe 13 millions de personnes aux États-Unis (un actif sur 4), 6 millions en Allemagne, 2 millions au Royaume-Uni. Le désarroi enfin d'une société, hier prospère et conquérante, et qui paraît à bout de souffle.

Pour beaucoup, la crise marque ainsi le début d'un naufrage : celui du capitalisme libéral et des formes d'organisation politique qui s'y rattachent. Avec une dizaine d'années de décalage, les faits semblent donner raison aux thèses catastrophistes de la IIIe Internationale. Il en résulte partout une offensive renouvelée contre l'idéologie sécurisante et optimiste de la prospérité bourgeoise. Le credo libéral, la foi dans le progrès continu des sociétés humaines, l'aspiration à la démocratie universelle font figure de mythes dérisoires à l'heure où l'Occident s'interroge sur ses chances de survie.

Cette remise en question de l'héritage positiviste et libéral profite aux deux systèmes de pensée qui offrent aux masses dans l'immédiat de résoudre leurs problèmes les plus urgents et à moyen terme d'opérer une restructuration complète de la société. Nombre d'ouvriers et d'employés qui avaient jusqu'alors été peu attirés par le communisme vont lui apporter leurs voix et parfois militer dans ses rangs. En même temps, rejoue le réflexe anticapitaliste et antimarxiste qui avait au lendemain de la guerre incliné une partie des classes moyennes à adhérer au premier fascisme. Les années heureuses de la prospérité n'ont pas duré assez longtemps en effet pour permettre à celles-ci de reconstituer leur assise matérielle et leur prestige social. Frappées de plein fouet par une nouvelle vague de déclassement, elles s'en prennent tout naturellement aux gouvernements qui n'ont pas su éviter le désastre économique et aux structures de l'État libéral bourgeois qui paraissent incapables de rétablir la prospérité. Toutefois, si cette critique de l'ordre (ou du désordre) social existant débouche sur la contestation du capitalisme, au moins dans sa forme monopolistique, cela ne veut pas dire que les représentants de la petite bourgeoisie soient prêts à accepter les solutions proposées par les marxistes. Ils sont trop attachés à la propriété individuelle, ils ont subi trop fortement l'imprégnation idéologique de la classe dominante pour adopter une voie aussi éloignée de leurs idéaux traditionnels. C'est donc encore une fois le radicalisme de droite qui va bénéficier de leurs suffrages. Comme au lendemain immédiat de la guerre, le fascisme se nourrit du désarroi des classes moyennes.

A partir de là, le mécanisme qui du premier fascisme conduit au second ne peut manquer de se reproduire. Par crainte d'une nouvelle flambée révolutionnaire, de grands industriels, des agrariens, des représentants du monde des affaires apportent leur soutien et leurs fonds aux mouvements fascistes, acceptant de renoncer pour un temps à leurs prérogatives politiques si telle doit être la rançon du sauvetage de leurs entreprises. Ils choisissent le fascisme par souci de barrer la route au communisme et parce qu'un État fort, pratiquant une politique étrangère dynamique, leur paraît de nature à régler leurs problèmes de débouchés. Dans un pays comme l'Allemagne, où l'immense armée des chômeurs va être partiellement récupérée par le NSDAP, accentuant le caractère de masse de ce mouvement, et où l'absence de réflexes démocratiques ne permettra pas à la gauche de s'unir, cette situation débouche directement sur l'avènement d'un second régime fasciste. Ailleurs, elle se traduit tantôt par le sauvetage et le renforcement des structures traditionnelles (Europe de l'Est et du Sud-Est, péninsule ibérique), tantôt, comme en France, par un sursaut des forces populaires, mobilisées autour des institutions et des idéaux de la démocratie. Dans un cas comme dans l'autre, elle s'accompagne d'un essor des mouvements fascistes et fascisants qui est l'une des caractéristiques majeures de la décennie 1930. Et cette fois, c'est aux dimensions de la planète que se développe la seconde vague du fascisme.

L'Allemagne

en état de choc

De tous les pays européens, l'Allemagne est avec l'Autriche celui qui a le plus fortement ressenti les effets de la crise. Certes elle a réussi, grâce aux énergiques mesures déflationnistes adoptées par le cabinet Brüning, à sauver sa monnaie, évitant au mark de connaître une décomposition aussi catastrophique que celle de 1923. De même le système bancaire, très durement secoué par les retraits massifs de capitaux étrangers (américains, mais aussi britanniques et français) et nationaux (deux milliards de Reichsmarks ont été retirés des banques et des caisses d'épargne en juin-juillet 1931), a pu échapper au pire après la faillite de la Danat Bank (13 juillet), l'une des quatre plus importantes institutions de crédit du Reich, et là encore l'intervention de l'État a été décisive. Pour éviter la panique, le gouvernement a décidé en effet la fermeture immédiate de toutes les banques et caisses d'épargne : elles rouvriront quelques semaines plus tard, mais avec des restrictions sévères apportées aux retraits de fonds. Il a garanti les avoirs de la Danat Bank, établi un contrôle général des changes et instauré une véritable mainmise de l'État sur les institutions de crédit par de fortes prises de participation. Ce qui, dans un pays où le capital bancaire et le capital industriel sont étroitement associés, assure aux pouvoirs publics le contrôle d'une partie importante de l'industrie.

Toutefois les pratiques déflationnistes des gouvernements Brüning et von Papen - baisse du traitement des fonctionnaires, réduction des allocations de chômage et des prestations sociales, annulation des conventions collectives, augmentation des impôts indirects, etc. - n'ont pas eu que des effets salutaires. En maintenant le mark à un taux élevé et en diminuant les ressources des ménages, elles ont accéléré l'effondrement du commerce extérieur - déjà très atteint par le retour au protectionnisme -, réduit encore les possibilités d'absorption du marché national et entraîné finalement une chute catastrophique de la production industrielle. En trois ans, la production de charbon est tombée de 163 à 104 millions de tonnes, celle d'acier de 16 à 5,8 millions de tonnes. L'industrie mécanique a enregistré une baisse de 40 %. Tandis que de nombreuses usines devaient se contenter de tourner à 50 % de leur capacité productive et que la plupart des sociétés réduisaient sensiblement leurs dividendes, le nombre des faillites a crû dans des proportions inquiétantes (de 10 à 12 000 par an). En même temps, la baisse des prix agricoles frappait durement les grands propriétaires de l'Est qui s'étaient endettés pour moderniser

1. Le cabinet von Papen. Assis, de gauche à droite von Braun, von Gayl, von Papen, von Neurath. Debout, de gauche à droite : Guertner, Warmbold, von Schleicher.

leurs exploitations et ont dû souvent hypothéquer leurs domaines. Enfin la diminution des recettes et le gonflement des charges de l'État ont creusé dangereusement le déficit budgétaire.

La crise de 1930-1932 a sur la société allemande des effets à peu près identiques à celle de 1923, à cette différence près que ceux qui ont un revenu fixe et un emploi sont relativement privilégiés car les salaires se maintiennent au-dessus du niveau des prix. Maigre consolation face à la montée du chômage qui touche 600 000 travailleurs en 1928, 3 700 000 fin 1930 et plus de 6 millions au début de 1932 (chiffre sans doute sous-évalué). A quoi il faut ajouter les quelques millions de chômeurs partiels qui ne perçoivent plus que des salaires réduits de moitié. Au total, c'est plus de 50 % de la population allemande qui se trouve frappée par une crise de l'emploi dont les principales victimes sont les ouvriers, les jeunes et les cadres. Dans ce pays qui, quelques années plus tôt, a traversé la plus grande crise inflationniste de l'histoire, la récession plonge les masses dans un climat de profond désarroi moral – que traduit, entre autres indicateurs, la montée en flèche du nombre des suicides – sur lequel vont jouer Hitler et les nationaux-socialistes.

La crise et les frustrations qu'elle a produites ont globalement profité aux partis extrémistes. Avec 4,5 millions de voix (plus de 13 %

1. *Adolf Hitler. Miniature anonyme.*

2. *Hermann Göring, élu en 1932 président du Reichstag, vient saluer les députés représentés par des animaux. Caricature de la revue* Kladderatsch.

3. *Discours du Führer à Dortmund (1933).*

4. *Affiche de propagande nazie faisant allusion aux discours radio-diffusés de Hitler : « Toute l'Allemagne écoute le Führer » (1934).*

5. *Défilé des « chemises brunes » à Berlin pour célébrer la victoire électorale des nazis en 1932. Extrait de La domenica del corriere.*

6. *Illustration d'un livre pour les enfants invitant les juifs à quitter le Reich (1934).*

5

6

7. *Affiches nazies de 1936 représentant des « types purs d'homme et de femme aryens ».*

8. *Adolf Hitler. Peinture allégorique d'Hubert Lanzinger. TDR.*

des suffrages exprimés) et 77 élus au Reichstag, les communistes figurent parmi les grands bénéficiaires des élections de septembre 1930 et probablement ce succès est-il pour beaucoup dans la psychose contre-révolutionnaire qui gagne à cette date une fraction importante de la population allemande, inquiète de la proximité d'une nouvelle offensive prolétarienne. Mais surtout ce sont les nazis qui ont tiré profit de la situation économique et sociale. Aux élections parlementaires de 1928, ils n'avaient pas réussi à atteindre la barre des 3 %, obtenant leurs meilleurs scores en Bavière, en Franconie et dans les régions agricoles du Schleswig-Holstein. Deux ans plus tard, avec plus de 18 % des suffrages et 107 députés (au lieu de 12), le NSDAP est devenu la seconde formation politique du Reich après la social-démocratie et son influence s'étend désormais à tous les Länder. De 27 000 en 1925, l'effectif du parti est passé cinq ans plus tard à plus de 200 000 adhérents, recrutés principalement dans les divers secteurs de la classe moyenne – employés (24 % du total), petits patrons (19 %), paysans (13 %), fonctionnaires (près de 8 %) – et parmi les jeunes (68 % des personnes inscrites en 1930 ont moins de 40 ans). La population ouvrière, comme la classe dirigeante traditionnelle, est certes sous-représentée (26 % des inscrits alors que les ouvriers forment plus de 43 % du total des actifs) : elle occupe néanmoins une place importante dans les rangs du parti hitlérien, davantage il est vrai au niveau des « troupes » que parmi les cadres du parti.

L'électorat national-socialiste comprend également une majorité de représentants de la petite bourgeoisie citadine et rurale. Petits fermiers et petits propriétaires exploitants frappés par la chute des exportations agricoles et en révolte ouverte contre le pouvoir depuis 1928. Employés de commerce dont le revenu n'est guère supérieur à celui des manœuvres et que le chômage touche tout particulièrement. Petits industriels, artisans, petits commerçants qui perçoivent leur situation comme extrêmement précaire, entre un secteur monopolistique dont la crise a encore renforcé le degré de concentration et une classe ouvrière nombreuse, consciente et fortement structurée par des partis et des syndicats puissants. Cadres industriels et commerciaux privés de leur emploi et menacés de prolétarisation. Enfin fonctionnaires, retraités et rentiers de rang modeste que la dépression des années 30 a moins durement atteint que celle de l'immédiat après-guerre, mais qui redoutent une nouvelle offensive prolétarienne et raisonnent en termes de maintien de l'ordre et de sauvegarde de leur prestige social. Les partis qui jusqu'alors avaient recueilli les voix de ces diverses fractions de la classe moyenne – essentiellement les formations centristes, de tendance libérale – vont, à l'exception du *Zentrum* (Centre catholique), qui conserve ses positions, perdre entre 1928 et 1932 près de 80 % de leurs électeurs, alors que pour les partis conservateurs (DVP, DNVP) la chute ne dépasse pas 40 %. Et ce sont les nazis qui, pour l'essentiel, drainent cette passe d'électeurs déçus, dont au demeurant l'adhésion au régime de Weimar n'avait jamais été très enthousiaste.

A cette base de masse, très classique, du premier fascisme, s'ajoutent au fur et à mesure que la crise gagne en intensité des électeurs appartenant au monde prolétaire. Si, dans leur très grande majorité, les travailleurs sont restés fidèles aux partis de gauche – SPD et KPD n'ont perdu jusqu'en 1932 que 10 % de leur électorat –, la crise a beaucoup affaibli les syndicats. Pouvant difficilement recourir à la grève en présence d'une armée de chômeurs, financièrement ruinés par les secours versés aux travailleurs licenciés, ils ont perdu à la veille de l'avènement du nazisme beaucoup de leur influence et commencent à subir la concurrence du NSBO (Nationalsozialistische Betriebzellenorganisation) de Gregor Strasser. Le NSDAP en profite pour étendre sa propagande au monde ouvrier et le discours démagogique de son chef n'est pas sans éveiller d'échos de ce côté, notamment parmi les chômeurs et le million de marginaux qui n'ont pas de profession déterminée ou ne bénéficient d'aucune indemnité de chômage. Pour les représentants de ce *Lumpenproletariat* dont les voix passent d'un extrême politique à l'autre, les organisations nazies offrent un refuge provisoire contre la misère et un semblant de considération lié à la peur qu'elles inspirent. Aussi est-ce dans ses rangs que la SA recrute désormais une partie importante de ses effectifs.

Ultimes renforts, le parti nazi bénéficie électoralement du soutien que lui apportent de forts contingents de jeunes, dont l'avenir paraît bouché et qui voient dans l'hitlérisme un remède à leur désespoir en même temps qu'un moyen d'assouvir leur soif d'action, des patriotes sincères humiliés par la défaite et à qui Hitler promet de rendre à l'Allemagne sa « place au soleil », enfin – à partir de 1932 et pour des raisons qui restent peu explicites – l'électorat féminin, jusqu'alors plutôt enclin à voter pour les partis du centre et la droite conservatrice.

Donc un électorat et une base militante dont les gros bataillons appartiennent, comme en Italie, à la petite bourgeoisie traditionnelle et aux nouvelles couches intermédiaires, renforcées avec la crise par des éléments prolétariens et des marginaux. A cette clientèle hétéroclite, Hitler promet à peu près tout et son contraire : le retour à l'ordre et la révolution, la fin de la lutte des classes et la défense de la propriété, le sauvetage du capitalisme et sa disparition, la restauration du passé et l'édification d'une grande puissance industrielle moderne, la dignité reconnue au plus humble (pourvu qu'il soit « de sang allemand ») et le respect de la hiérarchie, etc. Si ce programme « attrape-tout » a connu un tel succès à partir de 1930, c'est moins par ce qu'il propose concrètement que par ce qu'il déclare vouloir détruire : le régime honni de Weimar, jugé responsable de tous les maux dont souffre l'Allemagne, le *Diktat* de Versailles, péché originel de la République, le marxisme, qu'il soit révolutionnaire ou réformiste, de toute façon étranger à la nation allemande, enfin le « pouvoir juif » dont l'évocation fournit une clé d'explication globale aux disciples du Führer.

Il reste à évoquer, si cette expression a un sens, l'attitude du « grand capital ». A-t-il été l'instigateur du nazisme ? Nous avons vu que non, pas plus qu'il ne l'a été du fascisme italien. A-t-il voulu se servir d'Hitler et de son parti pour installer durablement une dictature totalitaire, mieux adaptée que la démocratie à ses visées monopolistiques et impérialistes ? Vraisemblablement pas. Si tel avait été son choix initial, il n'aurait pas attendu la crise pour alimenter massivement les caisses du NSDAP. Et encore ne le fait-il que tardivement. Jusqu'en 1932, la plupart des spécialistes sont aujourd'hui d'accord sur ce point, les subsides versés par les industriels et les représentants de la haute finance se répartissent entre les formations politiques non marxistes : le DDP, le Centre catholique, le DVP que subventionnent principalement les grandes sociétés chimiques et électriques, et les nationaux allemands auxquels n'est pas ménagé l'appui de l'industrie lourde, surtout depuis qu'Hugenberg en assume la présidence. Le parti nazi reçoit également des fonds, mais dans une proportion moindre et avec le souci de canaliser son action, d'émousser ses tendances extrémistes et anticapitalistes, plutôt que de le porter au pouvoir. « Dans l'ensemble, nous dit l'historien américain Henry A. Turner Jr., l'argent des grandes affaires fut dans d'énormes proportions dirigé contre les nazis » (« Big business and the Rise of Hitler », *American Historical Review,* oct. 1969, p. 66).

Il est vrai qu'à cette date le grand patronat allemand n'a pas trop à se plaindre de la manière dont Brüning affronte les premières manifestations de la crise. La République de Weimar certes n'emporte pas son adhésion enthousiaste, mais la cohabitation prolongée avec elle paraît désormais possible. En somme, ce dont se préoccupe prioritairement le monde des affaires, c'est de conserver la haute main sur un État qui tient maintenant les leviers de l'économie et c'est la raison pour laquelle il arrose généreusement les formations qui ont à charge de le faire fonctionner. Les choses vont changer dans le courant de l'année 1932, alors que le pays s'enfonce dans la crise et que se précise, sinon la menace d'une révolution, du moins – avec la collusion Schleicher/syndicats/gauche nazie – celle d'une radicalisation gauchisante du régime. C'est à ce moment, et à ce moment seulement, que s'opère l'alliance du nazisme et de larges secteurs du monde des affaires. L'argent du *big business* irrigue les caisses du NSDAP et l'idée d'une combinaison Hitler - von Papen fait son chemin dans les esprits des décideurs économiques. Avec la même arrière-pensée que, dix ans plus tôt, avaient nourri leurs homologues italiens à l'égard du fascisme. A savoir que l'on pourrait manœuvrer Hitler et les siens, instaurer pendant quelque temps un régime suffisamment musclé pour que soit écarté le spectre de la révolution et jugulée la crise, puis renvoyer le Führer du NSDAP à ses fantasmes. Il ne s'agissait pas, redisons-le, d'établir durablement une dictature totalitaire mais d'utiliser tactiquement et temporairement le nazisme pour restaurer un État fort. La « nuance » si l'on veut ne change rien au résultat final. Pas plus qu'elle ne gomme la responsabilité des anciennes élites dans l'avènement du IIIe Reich. Au moins a-t-elle le mérite d'en préciser les intentions.

De la crise sociale
à la crise du régime

Les difficultés économiques et sociales dans lesquelles se débat la République de Weimar auraient exigé un gouvernement énergique, vigoureusement soutenu par la majorité de la nation. Or le régime instauré en 1919 n'a jamais réussi à se rallier la population et à donner au pays une véritable cohésion. A preuve, les 27 partis qui se disputent en 1928 les suffrages des électeurs, la plupart représentant des intérêts particuliers à peine élargis à l'échelle de la région et l'incapacité des grandes formations parlementaires à devenir des pôles d'attraction pour les masses. A ce peu d'attrait pour la démocratie vont s'ajouter dès le début de la crise les erreurs tactiques commises par les partis qui forment les quatre piliers du régime : les socialistes (SPD), le parti démocrate (PPD), le Centre catholique (Zentrum) et le parti populiste (DVP).

Avec les premières manifestations de la crise, le gouvernement de grande coalition ne résiste pas aux divergences qui opposent les quatre partenaires sur les questions sociales. Voulant appliquer une politique d'austérité que les socialistes désapprouvent, les partis bourgeois se prêtent à la manœuvre qui, en mars 1930, aboutit à l'élimination de la SPD. Après la démission de Müller, exigée par l'entourage ultra-conservateur du président Hindenburg, les cabinets Brüning et von Papen – orientés de plus en plus manifestement à droite – doivent renoncer à rassembler sur leurs programmes une majorité parlementaire. Autrement dit, l'Allemagne se transforme, sans modifier officiellement ses institutions, par le seul jeu de l'article 48, en un système présidentiel dans lequel les gouvernements ne se maintiennent au pouvoir que par la volonté du chef de l'État. En faisant appel à une base plus large, von Schleicher tentera bien en fin de course de redresser un peu cette situation, mais il échouera, victime des intrigues de la camarilla présidentielle. Conséquence de cette évolution : l'élimination de fait du Reichstag a renforcé les sentiments antiparlementaires de l'opinion, légitimés par ceux qui étaient censés incarner le régime de Weimar.

Le comportement incertain des socialistes n'offre guère de planche de salut aux défenseurs de la démocratie. Pour éviter une aggravation de la crise et un glissement accéléré vers le présidentialisme, le SPD soutient de ses votes les cabinets antiparlementaires de Brüning. Cette « politique de tolérance » en faveur d'un gouvernement dont l'action consiste à faire supporter le poids de la crise par les plus déshérités déroute profondément les masses et ébranle leur confiance dans le parti socialiste. Les conséquences en sont d'autant plus graves que le SPD aurait pu constituer une solution de rechange à l'incapacité manifeste des gouvernements bourgeois. Réformiste, très attaché à la légalité, il pouvait attirer en effet une fraction importante des classes moyennes, désireuses d'un changement mais viscéralement rebelles à la révolution. La responsabilité des grands partis de Weimar – comme celle de leurs homologues italiens au début des années 20 – est donc incontestable. En ce sens, on peut parler d'un « suicide » de la démocratie allemande.

Quant au parti communiste, il profite manifestement de la radicalisation de la vie politique, obtenant aux élections de 1932 près de 17 % des suffrages. Mais son attitude sectaire, calquée sur celle du Komintern, accroît singulièrement le désarroi des masses. D'autant plus que, dans son opposition inconditionnelle au SPD – les « social-fascistes » – il n'hésite pas à contracter épisodiquement des alliances contre nature, par exemple avec la droite la plus réactionnaire (DNVP et NSDAP) pour obtenir en août 1931 la dissolution du Landtag prussien. Ce déchirement des deux frères ennemis entraîne celui de la classe ouvrière, qui représente alors près de la moitié de la population allemande, et ruine toute possibilité d'opposer une force cohérente à la montée de l'hitlérisme.

L'extrême droite, qui comprend maintenant deux grandes formations concurrentes, les « nationaux-allemands » d'Hugenberg et le NSDAP, va profiter du vide politique créé par la maladresse des autres partis. Faisant appel à un nationalisme irrationnel (*völkisch*) auquel les masses allemandes sont particulièrement sensibles en temps de crise, elle propose un changement radical, mais non révolutionnaire, des structures politiques et se présente comme l'opposition nationale à un régime qui n'a pas su résoudre les problèmes du pays. Dans ce jeu à deux, le parti d'Hugenberg reste plus élitaire que le

NSDAP, plus manifestement lié aux grands intérêts privés. Aussi, tout en bénéficiant de soutiens financiers plus importants, est-il en nombre d'adhérents et d'électeurs très en retrait sur le mouvement hitlérien. « La propagande national-socialiste, écrit l'historien anglais F. L. Carsten, diffère uniquement en intensité, pas dans le principe, de celle des nationalistes » (*The Rise of Fascism,* Londres, 1967, p. 134). Si la première l'emporte sur la seconde à l'heure où la dépression se creuse, c'est parce que la situation matérielle et morale de l'Allemagne a atteint le point où elle appelle la solution la plus radicale.

Deux phénomènes se conjuguent pour expliquer la montée de l'hitlérisme : son impact sur les masses et l'appui que lui apportent dans le courant de l'année 1932 des groupes restreints mais influents qui jusqu'alors avaient plutôt boudé le national-socialisme. A eux seuls, en effet, les succès électoraux du NSDAP n'auraient pas suffi à lui ouvrir les chemins du pouvoir. En juillet 1932, il ne rassemble encore que 37,4 % des suffrages et, en novembre de la même année, le score retombe même aux alentours de 33 %. Avec moins de 40 % des voix, Hitler a donc certainement atteint les limites sociologiques de son électorat. Mais le fait d'être parvenu en si peu de temps à jouer un rôle politique d'une telle importance lui assure le soutien d'une large fraction de la classe dirigeante, reconnaissante au Führer d'avoir su canaliser l'énergie des masses en une période difficile, et consciente que rien ne peut désormais se faire sans lui. Et c'est cette alliance tactique entre l'élite traditionnelle et les masses gagnées au nazisme qui va rendre possible l'arrivée au pouvoir du NSDAP.

La misère et les frustrations subies depuis une quinzaine d'années ont amené le peuple allemand, principalement les classes moyennes, au point précis d'irrationalité, voire d'hystérie collective, où l'idéologie et le style du parti nazi peuvent avoir sur lui le plus d'impact. Les thèmes de combat développés par Hitler restent simplificateurs à l'extrême. Il promet aux Allemands la fin de leurs souffrances, la revanche de Versailles, l'avènement d'un IIIe Reich de gloire et de puissance. Pas de révolution, au sens que les marxistes donnent à ce terme, mais une Allemagne nouvelle, dynamique, où les jeunes auront leur mot à dire et où l'action primera les bavardages parlementaires, une véritable communauté nationale offrant à chacun un refuge contre l'angoisse des temps modernes. Plus de morcellement de la société en classes antagonistes, mais un État auquel il appartiendra de rassembler les énergies autour d'un idéal et d'un effort communs. L'affirmation enfin que, malgré la médiocrité de leur situation présente, les Allemands sont supérieurs aux autres peuples et que, sous l'égide d'Adolf Hitler, ils sont promis à un destin qui les vengera de toutes les humiliations vécues. Pourtant, c'est autant l'opposition viscérale au régime de Weimar que l'attente d'une société nouvelle répondant à leurs espoirs qui a incliné de nombreux Allemands à donner leur voix au NSDAP. Comme le remarque Ernst Nolte (*Le National-socialisme,* Paris, Julliard, 1970, p. 165), « un processus très anonyme, très diversifié et très obscur » a poussé les masses vers le mouvement nazi. Rien de rationnel dans cette vague de fond, aucune analyse claire de la situation économique et sociale. Ne trouvant pas en lui-même les forces nécessaires pour sortir de l'impasse, le peuple allemand s'en remet magiquement à un sauveur.

On peut admettre cependant que la marée brune aurait pu être endiguée – le NSDAP ne perd-il pas 2 millions de voix entre juillet et novembre 1932 ? – si les classes dirigeantes ne s'étaient pas faites, consciemment ou inconsciemment, les complices d'Hitler. Indirectement d'abord, par les erreurs commises dans la direction politique du pays; en sous-estimant, d'autre part, la détermination des dirigeants nazis. Ainsi Groener, ministre de la Guerre dans le dernier cabinet Brüning, et qui essaiera pourtant d'imposer la dissolution des SA et des SS – ce qui lui vaut d'être limogé –, déclare-t-il en janvier 1932 aux chefs de la Reichswehr qu'Hitler « ne veut que le mieux » pour l'Allemagne et qu'il n'est pas réellement dangereux. Mais plus que ces erreurs d'appréciation, c'est le soutien direct apporté au Führer par les industriels et les milieux d'affaires qui a fait pencher la balance de son côté. Constatant la radicalisation de la vie politique, il leur apparaît qu'Hitler – après sa rupture en 1930 avec Otto Strasser et la « gauche nazie » – est l'homme à soutenir contre le danger révolutionnaire.

Dès 1929, s'est esquissé à l'occasion de la campagne contre le plan Young un rapprochement entre les deux principales formations de l'extrême droite nationaliste. L'alliance avec les nationaux-allemands présente pour Hitler divers avantages. Elle apporte en effet au NSDAP un vernis de respectabilité qui, jusqu'alors, lui avait fait défaut et elle permet au dirigeant nazi de renouer avec la haute bourgeoisie des liens qui s'étaient fortement distendus depuis le putsch de Munich. De plus, Hugenberg est à la tête d'un empire de presse dont dépendent des centaines de petites feuilles provinciales. Grâce à elles, la propagande hitlérienne dispose du jour au lendemain d'une audience décuplée, à condition de modérer son agressivité envers le capital.

A ce moment, l'attitude des industriels à l'égard du nazisme est loin, nous l'avons vu, d'être unanimement favorable. Des hommes comme Thyssen et Kirdorf entretiennent, depuis 1928, des relations suivies avec Hitler et se retrouvent à ses côtés dans toutes les actions qu'il entreprend avec Hugenberg (Comité contre le plan Young, Front de Harzburg). D'autres – c'est le cas de Krupp et de la majorité des « barons » de l'industrie lourde – se montrent réservés jusqu'aux toutes dernières semaines de 1931. Le Reichsverband der Deutschen

Industrie (Ligue nationale de l'industrie allemande) a une attitude
louvoyante au cours des deux dernières années de la République.
D'abord très favorable à Brüning et à von Papen, il leur retire son
appui dès que les mesures prises par le chancelier paraissent contrarier
les intérêts immédiats de la grande industrie (politique déflationniste
de Brüning, protectionnisme douanier de Papen). Von Schleicher, le
« général socialiste », s'attire, dès les premiers jours de son mandat, la
haine des industriels.

Le grand tournant se situe au début de 1932. Le 26 janvier, le
banquier von Schröder, mécène de longue date du NSDAP, organise à
Düsseldorf une rencontre entre le dirigeant nazi et environ 300 représentants du monde industriel. La partie n'est pas jouée au départ, car
beaucoup n'ont jamais eu le moindre contact avec Hitler et se montrent plutôt méfiants à son égard. Or, en deux heures, le Führer
emporte l'adhésion enthousiaste de la majorité de l'assistance. Sur le
conseil de Thyssen et de Schacht, il a troqué la chemise brune contre
le complet bleu marine et le discours qu'il prononce est un modèle
d'habileté, à la fois rassurant pour le patronat, dont l'autorité sera non
seulement maintenue mais renforcée par un gouvernement national-
socialiste, et prometteur d'un avenir grandiose. Les diatribes contre le
pacifisme et l'hommage rendu à l'armée ne peuvent laisser planer
aucun doute dans l'esprit de ses auditeurs : la politique des nazis sera
une politique de réarmement et d'autarcie, ce qui ne peut déplaire aux
producteurs de charbon et d'acier auxquels il s'adresse. Pour conclure,
après avoir fustigé l'égalitarisme et la démocratie, Hitler brosse un
tableau en noir et blanc du présent et du futur de l'Allemagne :
« Aujourd'hui, nous nous trouvons au tournant du destin allemand. Si
l'évolution actuelle se poursuit, l'Allemagne sombrera forcément un
jour ou l'autre dans le chaos du bolchevisme, mais si cette évolution
est brisée, notre peuple sera pris dans une discipline de fer. » Il est
ovationné.

Une seconde rencontre entre Hitler et une quarantaine de représentants de la grande industrie, réunis dans le cadre du « cercle Keppler » (Wilhelm Keppler est un petit baron ruiné par la crise : membre
du NSDAP depuis 1928, il cherche à regrouper autour du parti nazi
des industriels et des hommes d'affaires), a lieu le 18 mai 1932 et
confirme le rapprochement entre le national-socialisme et le patronat.
Hitler renouvelle et précise les promesses faites en janvier à Düsseldorf. Dès qu'il sera chancelier, il s'emploiera à « assurer la vitalité de
l'économie et à vaincre le chômage »; et comme, en même temps, il
parle du renforcement de l'armée et de la position de l'Allemagne
dans le monde, tout le monde comprend qu'il a en tête de faire sortir
l'économie allemande de l'ornière en pratiquant une active politique
de réarmement.

Le premier trimestre 1932 marque ainsi un ralliement massif, sinon général (les modérés comme Krupp sont encore un peu réticents), du grand patronat industriel à une solution politique dont les principaux bénéficiaires seraient les nazis. Ce passage du premier au second fascisme, amorcé une première fois en 1922 et accepté par Hitler qui pense lui aussi pouvoir manœuvrer ses partenaires, constitue une étape décisive dans la conquête du pouvoir par le NSDAP. Lors des élections de juillet, qui consacrent sa position dominante sur l'échiquier politique (14 millions de voix et 230 sièges sur 607), celui-ci a largement profité des subsides de la grande industrie. Et lorsqu'en novembre de la même année l'échec de l'expérience Papen ouvre la voie à des solutions plus radicales, c'est un homme ayant toute la confiance des milieux d'affaires, le docteur Schacht, qui se tourne vers le vieux maréchal Hindenburg pour lui conseiller d'appeler Hitler à la chancellerie. La lettre qu'il adresse à cette occasion au président du Reich est contresignée par quelques-uns des plus grands noms de l'industrie allemande : Thyssen, Kirdorf, Bosch, Siemens, Haniel, etc.

L'agonie
de la République

Le dernier acte du drame se joue entre plusieurs personnages qui ont en commun une hostilité profonde à l'égard du régime de Weimar : à commencer par celui qui est censé en incarner la légitimité. Hindenburg a sans doute fait effort de loyalisme envers la République durant les premières années de son mandat. Mais, l'âge aidant, et les pressions de son entourage se faisant de plus en plus fortes, il ne cache plus ses sentiments antidémocratiques. En mars 1930, c'est sous l'influence de ses plus proches collaborateurs – son fils Oskar, les généraux Groener et von Schleicher, le secrétaire d'État von Meissner – qu'il a comploté le renvoi du SPD Müller et son remplacement par Brüning, engageant le régime dans la voie dangereuse du présidentialisme.

Chancelier jusqu'en mai 1932, Heinrich Brüning contribue également à la paralysie des institutions. Certes, il ne fait pas directement le jeu des nazis. En avril 1932, il tentera même de les priver de leur principal instrument d'intimidation en prononçant la dissolution de la SA et des SS : mesure qui provoque la protestation conjuguée de l'extrême droite et de certains dirigeants de la Reichswehr. Mais, en même temps, il accepte de voir le jeu parlementaire faussé par l'usage abusif de l'article 48 et de ne devoir sa survie politique qu'au bon vouloir de la camarilla présidentielle. A partir de l'automne 1931, Brüning fait véritablement figure d'homme du président. C'est Hindenburg qui le reconduit dans ses fonctions après la rupture avec la droite modérée et le retrait des populistes. C'est lui également qui impose la présence dans le nouveau cabinet du général Groener (cumulant les portefeuilles de l'Intérieur et de la Reichswehr) et du dirigeant de l'IG Farben, Warmbold, nommé aux Finances. Lui encore qui, sous l'influence de Schleicher, oblige Brüning à renvoyer Groener, responsable des mesures prises contre les formations paramilitaires nazies et qui, après cette tentative avortée de mise au pas du national-socialisme, maintient à bout de bras son chancelier isolé et déconsidéré. Jusqu'au moment où ses projets de bolchevisme agraire (il s'agissait en fait du partage des grands domaines hypothéqués et déficitaires) ayant été dénoncés par Oskar von Hindenburg, le président du Reich décide de substituer au gouvernement Brüning un « cabinet de barons » dirigé par von Papen.

Dans l'intervalle, l'extrême droite aura marqué deux points importants. Le premier est la constitution du « front de Harzburg ». L'initiative en revient à Hugenberg, pour qui le maintien de Brüning au pouvoir après la démission des populistes a été ressenti comme un défi aux partis nationaux. Contre ce cabinet présidentiel n'ayant aucun soutien dans le pays, l'ancien directeur des usines Krupp réunit à Harzburg fin 1931 toute l'opposition antirépublicaine qui peut ainsi compter ses forces et mesurer son degré de cohésion. Autour des députés nationaux-allemands, on trouve les hommes du Stahlhelm dirigés par le pharmacien Seldte et son adjoint Dürsterberg, Hitler et ses SA, les gros agrariens du Reichslandbund, des associations patriotiques avec à leur tête une brochette d'amiraux et de généraux (von Seeckt, von der Goltz, von Lüttwitz), deux des fils de Guillaume II dont le Kronprinz, des hommes d'affaires également groupés autour de Schacht et de Thyssen. Cette coalition établit un « programme de Harzburg » qui exige notamment le renvoi de Brüning et de nouvelles élections générales. Mais surtout, elle démontre au chef de l'État qu'il doit désormais tenir compte de la très forte mobilisation unitaire des nationalistes.

Second point marqué, cette fois, par Hitler agissant en son nom propre, le score réalisé par le chef du NSDAP aux présidentielles d'avril 1932. Certes, celui-ci a un peu présumé de ses forces en refusant la proposition de Brüning qui lui offrait son poste en échange de la prorogation pour deux ans du mandat présidentiel (il s'agissait en effet d'une modification constitutionnelle exigeant les deux tiers des voix au Parlement, donc l'acquiescement des nazis). Il a dû affronter non seulement Hindenburg, derrière lequel se sont regroupés tous les partis attachés à la République, mais aussi le communiste

Prinz August Wilhelm von Preußen

2. *Carte postale représentant August Wilhelm de Hohenzollern, quatrième enfant de l'empereur Guillaume II, dédicacée et signée (la signature est précédée de la mention* Heil Hitler!*) [1935].*

Thaelmann et le dirigeant du Stahlhelm, Dürsterberg. Néanmoins, en mettant le vieux maréchal en ballottage et en obtenant au second tour 13,4 millions de voix – contre 19 millions au président sortant –, il a fait la preuve de son influence auprès des masses. Victorieux de la droite traditionnelle, le nazisme peut se poser en héritier de la République.

L'homme qui remplace Brüning en juin 1932 – Franz von Papen, comme lui représentant du Zentrum mais d'une tendance beaucoup plus conservatrice – est un partisan déclaré d'un régime autoritaire, présidentiel, à base corporatiste et aristocratique. Il n'a pas une grande sympathie pour Hitler mais, un peu à la manière d'un Giolitti en Italie, il croit que le NSDAP peut être domestiqué et qu'il est lui-même de taille à mener à bien cette entreprise de récupération. Son projet ne consiste pas seulement à intégrer le parti nazi au *Reichs-block* constitué autour d'Hindenburg, mais à rassembler autour de celui-ci une vaste coalition des forces conservatrices et ultra-nationa-listes. Pour cela, il multiplie les gages donnés à l'extrême droite : dissolution du Reichstag, levée de l'interdiction des SA, annonce d'une réduction des prestations sociales et d'un plan de lutte contre la crise favorable à la grande industrie, déposition avec l'aide de l'armée du gouvernement social-démocrate de Prusse. Néanmoins, c'est en direction du NSDAP que les avances du chancelier vont le plus loin. Après les élections de juillet, qui marquent l'apogée de la formation nazie, von Papen propose à Hitler le poste de vice-chancelier du Reich, ce que refuse le leader national-socialiste. Pour prix de sa collaboration, il exige le poste de chancelier pour lui-même et, pour ses amis, les ministères de l'Intérieur et de la Défense, autrement dit les clés du pouvoir. Or, ni le maréchal-président, ni sa camarilla de hobereaux ne sont encore mûrs pour passer contrat avec un homme qu'ils considèrent comme un parvenu et dont ils n'ont pas oublié qu'il a été le principal adversaire d'Hindenburg lors des présidentielles d'avril 1932.

La première tentative d'intégration se solde donc par un échec qui met Papen dans une position difficile. Le pays, soumis à la terreur des SA, est au bord de la guerre civile. Les grèves se multiplient. Au Reichstag, dont Göring a été élu président, le chancelier ne peut disposer que d'une quarantaine de voix, ce qui le rend plus dépendant que jamais du chef de l'État. Pour sortir de l'impasse, il n'a guère d'autre choix que celui d'un nouvelle disssolution.

Pour contraindre Hitler à se montrer plus coopératif, Papen compte sur la lassitude des électeurs et sur une relative décélération de la crise. Le calcul n'est pas totalement faux. Aux élections de novembre 1932, les nazis perdent 2 millions de voix et une quarantaine de sièges; mais la droite classique qui appuie le chancelier sortant n'en gagne qu'une vingtaine, tandis que le Zentrum se maintient et que les communistes enregistrent une nette progression. Papen n'a donc réussi ni à domestiquer les nazis, ni à les marginaliser politiquement. Il peut encore se maintenir si la confiance du président du Reich lui demeure acquise. Aussi évoque-t-il auprès de celui-ci des projets de réforme constitutionnelle instaurant un État fort, prélude peut-être à une restauration des Hohenzollern. Agé, fatigué, devenu profondément hostile à la République, Hindenburg ne serait pas opposé à une solution de cet ordre, mais l'influence et les ambitions de Papen se heurtent à celles d'un représentant éminent de la camarilla, le général von Schleicher. Ayant averti le président que la Reichswehr ne pourrait assurer l'ordre au cas où nazis et communistes réagiraient par la force aux projets du chancelier, Schleicher réussit à convaincre Hindenburg qu'il est l'homme de la situation et c'est à lui qu'en décembre 1932 le chef de l'État fait appel pour constituer le gouvernement de la dernière chance.

On s'interroge aujourd'hui encore sur la nature du régime qu'aurait pu instaurer von Schleicher si son expérience avait réussi. Un « fascisme de gauche », un peu comparable à la dictature de Pilsudski en Pologne, du moins dans sa forme originale, ou à celle de Perón en Argentine ? Un régime corporatiste musclé, comme celui de Salazar au Portugal, fondant son pouvoir et sa légitimité sur l'appui des forces les plus traditionnelles mais en utilisant un discours et des méthodes d'encadrement de la population inspirés du modèle fasciste ? Ou simplement une dictature militaire classique, temporairement masquée par une phraséologie socialisante ? Autant de formules qui ont pu prendre, à tel ou tel moment, dans des pays non industrialisés ou peu industrialisés, mais qui pouvaient difficilement mordre sur une société comprenant une bourgeoisie industrielle et financière puissante, des classes moyennes fortement représentées et différenciées et un prolétariat ouvrier nombreux et organisé. Ce qu'a essayé de faire Schleicher, pendant son bref séjour à la chancellerie, c'est un peu du fascisme sans les fascistes, voire contre les fascistes. Ce qui impliquait à la fois qu'il détachât des grandes formations de masse de quoi constituer sa propre clientèle et qu'il affaiblît suffisamment Hitler pour l'éliminer sans trop de heurts. Or, sur ces deux points, il va complètement échouer.

Échec tout d'abord du côté des nazis. Schleicher tente de briser leur unité en soutenant, contre Hitler, l'aile gauchiste du parti et en offrant à son leader, Gregor Strasser, un poste dans son ministère. Le 8 décembre, celui-ci démissionne avec fracas du NSDAP, ouvrant dans les rangs de la formation hitlérienne une crise qui aurait pu être grave, car Strasser est le dirigeant nazi le plus populaire après le Führer et sa démagogie verbale n'est pas sans rencontrer d'écho auprès des chômeurs et autres clients potentiels du mouvement national-socialiste. Néanmoins, avec l'aide de Goebbels et de Göring, Hitler fait front et parvient à isoler son adversaire. Contrairement aux espérances de Schleicher, la cohésion du parti sort plutôt renforcée de l'aventure.

Insuccès également de la manœuvre visant à rallier au nouveau gouvernement une partie de la gauche. Pour parvenir à ce résultat, le chancelier avait adopté une série de mesures favorables aux principales victimes de la crise et d'orientation nettement anticapitaliste : annulation des réductions de salaires décidées par Papen, rétablissement de certaines conventions collectives, affectation à la colonisation agricole de 300 000 hectares de grandes propriétés en faillite, élaboration de plans destinés à combattre le chômage, etc. A la différence de la gauche polonaise en 1926, qui a soutenu Pilsudski pour éviter une réaction beaucoup plus brutale des forces ultra-conservatrices, le SPD et les syndicats allemands n'ont pas su saisir cette chance de barrer la route à l'hitlérisme. Ainsi, sur le conseil des dirigeants sociaux-démocrates, le secrétaire des syndicats, Leipart, va-t-il refuser toute collaboration avec la chancellerie, laissant celle-ci sans aucun appui au moment où les milieux d'affaires et les nazis vont engager contre Schleicher une contre-offensive décisive.

La dernière séquence est marquée par le rôle prépondérant de Papen. Dès son arrivée à la chancellerie, von Schleicher a tenté d'éloigner ce concurrent ambitieux en lui faisant attribuer un poste d'ambassadeur. Mais, là encore, il n'a pas réussi à imposer ses vues face à un homme qui a conservé la confiance d'Hindenburg et que soutient le monde des affaires. Dans la coulisse, l'ancien chancelier tire maintenant les ficelles au profit du NSDAP et de son chef, qu'il pense toujours pouvoir manipuler mais dont il admet désormais qu'il doit être placé à la tête du gouvernement. Se noue ainsi, dans les tout derniers jours de 1933, une alliance tactique entre le mouvement hitlérien et les deux principales fractions de la classe dirigeante traditionnelle : les agrariens, dont Hindenburg et son entourage incarnent largement les vues et les intérêts, et les milieux industriels, désormais majoritairement acquis à l'idée d'un gouvernement dirigé par Hitler. Le bon score réalisé par les communistes aux élections de novembre, les grèves, la politique socialisante de Schleicher ont achevé de faire basculer les grands intérêts privés du côté du national-socialisme. Von Papen jouant, dans la circonstance, le rôle d'agent de liaison, par ambition personnelle sans doute et par rancune envers son rival, mais aussi parce qu'il croit le moment venu de faire prévaloir une solution autoritaire durable.

Le 4 janvier 1933, Papen rencontre le Führer du NSDAP dans la demeure du banquier Schröder à Cologne. Les deux hommes se mettent d'accord pour former un gouvernement de coalition d'extrême droite incluant les nationaux-socialistes et les nationaux-allemands d'Hugenberg. Tous apaisements ont été donnés par Hitler aux représentants de la grande industrie, en échange de quoi ceux-ci ont accepté de renflouer les caisses du NSDAP et de payer ses dettes (10 millions de marks fin 1932). Au cours des semaines suivantes, le plan obtient l'adhésion des militaires, en la personne de von Blomberg, chef de la Reichswehr, et des agrariens. Le monde des junkers y voit, en effet, un moyen non seulement de revenir sur les mesures, au demeurant timides, imposées par Schleicher, mais également d'échapper au scandale de l'Osthilfe, ce « Panama des hobereaux de Prusse orientale » (A. François-Poncet), mis en lumière sans ménagements par le chancelier en place et dans lequel se trouve impliqué le propre fils du président du Reich.

Reste à convaincre le chef de l'État. Tandis qu'Hitler s'installe au Kaiserhof, à Berlin, où il commence ses consultations, et que les SA tiennent la rue, les nouveaux amis du leader national-socialiste entreprennent le siège du vieux maréchal. Pour Hindenburg, Hitler reste le « caporal autrichien », un parvenu qu'il méprise mais dont la cama-

3. *« Le maréchal et le caporal combattent avec nous pour la paix et l'égalité des droits » (affiche de 1933).*

rilla – von Papen, Meissner, Oldenburg-Januschau – lui explique qu'il est le seul à pouvoir écarter le « danger bolchevik ». Il finit par céder, obligeant von Schleicher à donner sa démission le 28 janvier 1933. Deux jours plus tard, Hitler devient chancelier du Reich et prête serment sur la Constitution dont il entreprend, dès le lendemain, la destruction systématique.

Comme en Italie dix ans plus tôt, les responsables de l'avènement d'un nationalisme totalitaire en Allemagne sont nombreux et inégalement impliqués dans le processus de destruction de la démocratie. Avec un degré supplémentaire dans la responsabilité, ou dans l'aveuglement, qui tient précisément à l'existence du précédent italien. Que la bourgeoisie italienne ait pu croire en 1921-1922 qu'elle pouvait canaliser et domestiquer le fascisme peut, à la rigueur, se comprendre. Que les classes moyennes aient vu dans l'expérience mussolinienne une troisième voie possible entre le capitalisme et la révolution, on peut également l'admettre. De même, on peut imputer les erreurs de la gauche à l'inexpérience, à l'incapacité somme toute compréhensible des dirigeants socialistes et communistes d'interpréter, à chaud, un phénomène politique nouveau. Ce qui est plus difficilement concevable, c'est que les principaux acteurs du drame allemand n'aient tiré aucune leçon de ce qui s'était passé en Italie depuis le début de la décennie 1920. Ou qu'ils en aient tiré des leçons erronées, estimant contre toute évidence que le fascisme était récupérable, ou qu'il représentait l'antichambre de la révolution.

Quoi qu'il en soit, il y a en Allemagne un partage et une hiérarchie des responsabilités. Il y a d'abord celle des électeurs nazis qui votent moins, il est vrai, « pour » un système et un programme que « contre » un régime qu'ils jugent responsable de leur malheur. Incontestablement, ce sont les masses allemandes, et en tout premier lieu les représentants des classes moyennes, qui ont fait du NSDAP le parti le plus fort de l'Allemagne en crise. Sans que ce raz de marée ait inéluctablement conduit à la conquête du pouvoir par les nazis. Même au point le plus haut de la vague national-socialiste, en juillet 1932, l'ensemble des voix des anciens partis de Weimar reste légèrement supérieur au score du NSDAP et, quatre mois plus tard, la décrue paraît amorcée. Il y a donc eu une forte poussée fasciste mais, répétons-le, au moins d'un point de vue électoral, il n'y a pas eu d'évolution irréversible vers le nazisme. Si, au moment où il recule sur ce terrain, le mouvement hitlérien se voit porté à la direction du pays, c'est, directement ou indirectement, parce que le jeu des autres acteurs favorise son ascension.

Responsabilité indirecte, mais certaine, des partis de gauche qui, par leur attitude hésitante (politique de tolérance du SPD à l'égard de Brüning et de Papen) et par leur aveuglement idéologique et stratégique (hostilité de l'Internationale communiste envers les « social-fas-cistes »), ont divisé la classe ouvrière et les démocrates et empêché la naissance d'une opposition homogène. Responsabilité directe et com-plice d'une fraction importante de la grande bourgeoisie et de la noblesse terrienne, dont l'alliance avec le NSDAP a porté Hitler au pouvoir. Sans le soutien de nombreux industriels et hommes d'affaires – les Thyssen, Schröder, Kirdorf dans un premier temps, puis les cercles moins engagés au départ de la grande industrie rhénane que l'habileté d'Hitler a su se rallier dans le courant de l'année 1932 –, sans la sympathie des junkers de l'Est et de militaires comme von Blomberg et von Stülpnagel, le NSDAP n'aurait eu que des chances limitées d'accéder aux responsabilités suprêmes.

Comme en Italie en 1922, c'est bien l'alliance – tactique certes, conflictuelle et, dans l'esprit de ses promoteurs, provisoire, mais réelle – entre le monde des possédants et les dirigeants d'un parti de masse largement issu des classes moyennes qui crée l'événement et porte aux leviers de commande un démagogue dont l'action immédiate va consister à transformer un simple régime d'état de siège en une dictature totalitaire durable.

De la dictature légale
au totalitarisme (1933-1934)

Minoritaires dans le gouvernement constitué le 30 janvier 1933 (outre le poste de chancelier, ils détiennent deux ministères, l'Air et l'Intérieur, respectivement attribués à Göring et au docteur Frick), les nazis s'appliquent dans un premier temps à rassurer les forces tradi-tionnelles et à donner à leurs alliés l'illusion d'un proche retour à l'ancien régime. Dans cette perspective, Hitler a abandonné à la droite classique la plupart des grandes charges ministérielles. Papen est vice-chancelier. Von Neurath et von Schwerin-Krosigk, autres rescapés du « cabinet des barons », détiennent les portefeuilles des Affaires étran-gères et des Finances. Hugenberg est à l'Économie et Seldte, dirigeant du Stahlhelm, au Travail. Enfin, von Blomberg est ministre de la Reichswehr. Plaçant son cabinet sous le signe du « redressement natio-nal », multipliant les professions de foi légalistes et les références au christianisme, le chef du NSDAP se présente comme l'homme qui va réconcilier la tradition historique du Reich impérial et les jeunes forces de la nouvelle Allemagne.

4. Hitler, chancelier du Reich et Göring, ministre de l'Air, en janvier 1933.

Symbolique de cette attitude est la Journée du redressement national que fait célébrer le chancelier le 21 mars 1933, jour de l'inauguration du nouveau Reichstag. Dans l'église de la garnison de Potsdam, haut lieu du militarisme prussien, où se trouve le tombeau de Frédéric II, Hitler en jaquette s'incline respectueusement devant le président du Reich en grand uniforme, après avoir prononcé un discours dans lequel il remercie Hindenburg d'avoir permis l'union « entre les symboles de notre ancienne grandeur et de notre nouvelle puissance ». Assistent à la cérémonie tous les chefs de la Reichswehr en grande tenue, les ministres, les députés nazis en chemise brune, les nationaux-allemands et les parlementaires du Zentrum. Un fauteuil vide a été réservé au Kaiser, mais le Kronprinz le représente à la cérémonie.

Pendant qu'il berce ainsi ses alliés de l'illusion d'une restauration impériale, Hitler prépare soigneusement l'élimination de ses adversaires et l'avènement de sa dictature personnelle. Il lui faudra dix-huit mois environ pour parvenir à ses fins, là où il avait fallu quatre ans à Mussolini.

Les premières mesures, directement inspirées par le chancelier, sont prises sous la forme de décrets présidentiels et ont, par conséquent, la caution du chef de l'État. La dissolution du Reichstag (1er février) neutralise l'opposition parlementaire pendant les semaines décisives de l'installation du nouveau gouvernement. La restriction de la liberté d'expression (4 février) réduit les moyens d'action des autres partis. L'alignement forcé de la Prusse (6 février) permet la mainmise du NSDAP sur le plus important des Länder allemands. Enfin le décret « pour la protection du peuple et de l'État » (28 février), qu'Hitler dicte à Hindenburg au lendemain de l'incendie du Reichstag, offre à la dictature nazie une première base légale. On sait que l'attentat contre le siège du parlement allemand avait été commis par un jeune chômeur d'origine néerlandaise, van der Lubbe, qui avait appartenu au parti communiste et souffrait de troubles mentaux. Bien que toute la lumière ne soit pas encore faite aujourd'hui sur cette affaire (la plupart des témoins ayant « disparu » au cours des premières années du régime), il est à peu près acquis que le pyromane était manipulé par les nazis - les hommes de Göring auraient laissé van der Lubbe allumer un petit feu dans le palais du Reichstag tandis qu'eux-mêmes inondaient les sous-sols d'essence - et qu'il y a eu provocation de leur part. En tout cas, l'attentat venait à point nommé pour décapiter l'opposition et offrir à Hitler le pouvoir d'éliminer ses ennemis. Tandis que les libertés individuelles étaient suspendues, l'article 2 du décret autorisait le chancelier à user des pleins pouvoirs dans les Länder en cas de nécessité et l'article 3 punissait de mort la haute trahison, le sabotage et l'atteinte à l'ordre public. Le parti communiste était interdit et 4 000 militants d'extrême gauche étaient arrêtés, parmi lesquels de nombreux socialistes. Tout cela, un mois seulement après la prise du pouvoir.

Peu importe, dans ces conditions, que les élections du 5 mars – pourtant soigneusement préparées par Goebbels et massivement financées par la grande industrie – n'apportent pas au NSDAP la majorité escomptée mais seulement 44 % des suffrages et 288 députés. Non éliminés de la compétition électorale malgré le climat de terreur qu'ont fait régner les SA pendant la campagne (le Zentrum a gagné 200 000 voix, le SPD s'est maintenu et conserve 120 sièges au Reichstag, les communistes ont encore 81 représentants), mais privés de moyen d'expression et toujours animés d'un souci légaliste, parfaitement illusoire, les partis n'ont plus la force de s'opposer à l'acte qui permet leur propre élimination. Le 23 mars 1933, un vote du Reichstag accorde au chancelier les pleins pouvoirs pour quatre ans; ceci grâce aux députés du Zentrum qui, sensibles à la promesse d'un concordat, ont mêlé leurs voix à celles des nazis et des nationaux-allemands. Cette abdication du Parlement fournit à Hitler la base « légale » de la dictature qu'il va exercer pendant les douze années d'existence du IIIe Reich. Les mesures législatives ultérieures – alignement de tous les Länder dont les pouvoirs souverains sont transférés au Reich, loi du 7 avril 1933 sur la revalorisation de la fonction publique, instauration du parti unique, etc. – ne feront que parachever l'édifice totalitaire. Fort des pleins pouvoirs qui lui ont été confiés dans des formes constitutionnelles, le chef du NSDAP peut désormais passer au stade ultime de la « mise au pas » (*Gleichschaltung*). Au cours des quatorze mois qui suivent l'Acte d'habilitation du 23 mars, il élimine ou neutralise ses ennemis et ses partenaires douteux.

Les grandes organisations politiques sont les premières victimes de la capitulation du 23 mars. Le parti communiste, virtuellement hors la loi depuis le 28 février, est définitivement brisé dans le courant du mois de mai. Le SPD, dont quelques-uns des leaders se trouvent déjà en exil à Prague, est officiellement dissous le 22 juin, après avoir été déclaré par Frick « ennemi du peuple et de l'État ». Les partis bourgeois connaissent un destin identique. Presque tous se sabordent pour éviter l'interdiction. Les 4 et 5 juillet, les deux derniers partis existants, le Centre bavarois et le Zentrum, disparaissent, vraisemblablement sur ordre du Vatican, transmis par Mgr Kaas. C'est le prix payé par le Saint-Siège pour la signature du concordat qu'il est en train de négocier avec l'Allemagne nazie. Quant au DNVP, partenaire du NSDAP dans la coalition gouvernementale, il a, lui aussi, décidé de se dissoudre le 27 juin, après que ses locaux eurent été occupés par les nazis dans les principales villes du Reich. La loi sur l'instauration d'un parti unique (14 juillet) sanctionne définitivement la disparition du régime pluraliste.

De la dictature légale au totalitarisme (1933-1934)

Les alliés du Führer, anciens partenaires du Front de Harzburg ou personnalités ralliées à la fin de 1932, sont rapidement réduits au silence ou au simple rôle d'exécutants. Au fil des mois, certains se retirent, dégoûtés, comme Hugenberg ou, au contraire, c'est le cas de Papen, se font de plus en plus les complices conscients du national-socialisme. Le seul dont Hitler tolère une très relative autonomie est le maréchal Hindenburg car son prestige personnel demeure considérable, notamment auprès des chefs de la Reichswehr. Aussi attend-il la mort de celui-ci, le 2 août 1934, pour s'arroger officiellement les fonctions de président du Reich. A partir de cette date, il concentre entre ses mains tous les pouvoirs autrefois détenus par le chancelier, le président et le Reichstag. Comme il est en même temps chef des forces armées, c'est bien un maître absolu qui se trouve désormais à la tête du IIIe Reich.

Auparavant, le régime et le parti ont traversé une crise dont ils sont sortis renforcés, un peu comme le PNF et le pouvoir mussolinien après l'affaire Matteotti. Les premiers mois de 1934 ont en effet été marqués par de nouvelles difficultés économiques et sociales (recul des exportations, effritement des réserves de la Reichsbank, baisse des salaires, persistance du chômage) qui ont mécontenté salariés et milieux d'affaires et nourri de nouvelles oppositions. Celle de la bourgeoisie, d'abord, qu'inquiètent le caractère aveugle de la répression et les débordements des milices hitlériennes. Le 17 juin, parlant devant les étudiants de Marburg, von Papen demande l'établissement d'« un ordre social solide fondé sur une justice impartiale ». Goebbels en interdit la publication, mais l'ancien chancelier en fait circuler le texte dans les milieux de l'armée et de la grande industrie. Celle de l'aile gauche du parti qui a conservé des contacts avec von Schleicher. Celle surtout des SA dont le chef, Ernst Röhm, rentré en 1930 de son exil en Amérique latine, proclame la nécessité de pousser le plus loin possible la « révolution national-socialiste ». Souvent issus des couches populaires, les SA jugent la Reichswehr trop conservatrice et voudraient l'absorber dans une grande armée dominée par les « combattants en chemise brune » et convertie aux principes de l'Ordre nouveau.

Le règlement de comptes a lieu dans les tout premiers jours de l'été. Pris entre l'aile gauchisante de son parti et les forces conservatrices, soutenues par les généraux et par Hindenburg, Hitler a eu tôt fait de choisir. Dans la nuit du 29 au 30 juin 1934, il s'est rendu à Munich et a lancé les SS de Himmler contre l'état-major des SA, réuni à Wissee. Ceux qui ne sont pas massacrés sur place sont arrêtés, comme Röhm lui-même qui sera exécuté le lendemain dans sa prison. A Berlin, Göring et Himmler dirigent la répression, laquelle frappe également les organisateurs du « complot de gauche » (Gregor Strasser et von

Schleicher), des représentants de l'opposition conservatrice (le Dr Klausener, chef de l'Action catholique, et de proches collaborateurs de Papen), ainsi que de vieux adversaires d'Hitler, comme von Kahr qui avait, en 1923, fait échouer le putsch de la brasserie. Au total, plusieurs centaines d'opposants sont ainsi liquidés au cours de la « nuit des longs couteaux » qui soulève l'Europe d'horreur, mais dans laquelle les milieux conservateurs veulent surtout voir le coup d'arrêt porté par Hitler aux partisans de la révolution brune. Le 2 juillet, Hindenburg félicite le chancelier et Göring de leur « esprit de décision » et von Blomberg exprime sa satisfaction dans un ordre du jour à l'armée. La façon expéditive dont le Reichsführer a réglé la crise de l'été 1934 marque bien sa rupture avec le premier fascisme et sa volonté de resserrer l'alliance avec les classes dirigeantes traditionnelles, tout en signifiant à celles-ci les intentions hégémoniques du nazisme.

Parmi les adversaires extérieurs du parti, plusieurs forces pouvaient théoriquement contrecarrer les desseins totalitaires du Führer. En premier lieu la classe ouvrière qui représente en 1933 plus de 43 % de la population allemande. La tiédeur avec laquelle les travailleurs accueillent dans les ateliers et les usines les syndicats du NSDAP indique qu'ils ne se sont pas laissé prendre au cours des mois décisifs à la supercherie nazie. Mais privés de leurs organisations de lutte, déroutés par la division de la gauche et bientôt encadrés par le Front du travail (l'Arbeitsfront, qui réunit ouvriers et patrons comme les corporations fascistes), ils sont incapables de former une opposition homogène et finissent pour la plupart par adhérer au consensus de masse du régime.

Les communautés religieuses auraient pu constituer un autre pôle de résistance. Or, elles se laissent rapidement neutraliser. L'Église catholique pratique, pendant les premières années du régime, une politique de collaboration qui répond à la fois aux sentiments prochrétiens affichés par le Führer, au nationalisme conservateur et antiweimarien des masses catholiques (et protestantes) et aux conseils donnés par le Vatican à la hiérarchie allemande au moment où Rome et Berlin négocient le Concordat que le cardinal Pacelli, le futur pape Pie XII, signera en juillet 1933. Du côté protestant, les choses ne se présentent pas d'une manière aussi simple car il n'existe ni confession unique ni autorité suprême. Il y aura bien, et ceci avant même que le national-socialisme n'accède au pouvoir, un mouvement pronazi – les « Chrétiens allemands » dont le principal dirigeant est le pasteur Joachim Hossenfelder – qui trouvera une large audience dans les communautés protestantes à partir de 1933. Mais l'on rencontre également, dès les premiers mois du régime, un puissant mouvement de résistance, la Bekennende Kirche (Église confessante), qui draine de nombreuses

5. Ernst Röhm, chef de la S.A., passant de troupes en revue

6. Le 10 mai 1933, Berlin, des étudiants nazi brûlent sur la place a l'Université des livre jugés « anti-allemands »

7. Vue de l'intérieu de la mosquée de Berli pendant la cérémonie qu marque la fin d ramadan (1934

adhésions au fil des années et dont les chefs (le pasteur Niemöller par exemple) connaîtront souvent les camps de concentration ou la liquidation pure et simple.

Reste l'intelligentsia allemande dont l'action aurait pu également servir de ciment à la résistance pendant la période d'instauration de la dictature. Or elle n'est ni assez homogène ni en osmose suffisante avec la majorité de la population pour tenir tête bien longtemps à la terreur nazie. D'abord il y a tous ceux qui, depuis le début des années 20, se sont ralliés à une solution autoritaire et qui tout naturellement ont accueilli favorablement le régime hitlérien. Certains, comme Jünger et von Salomon, vont par la suite prendre leurs distances à l'égard de l'hitlérisme, mais ils ne forment qu'une minorité dans la légion des intellectuels et universitaires ultra-nationalistes. Quant aux autres, écrivains, artistes, savants, hommes de théâtre ou de cinéma – figurent parmi eux les plus grands noms de la culture allemande – qui ont fait la gloire intellectuelle du régime précédent, le discrédit dont ils souffrent auprès d'une fraction importante des masses allemandes tient précisément au péché originel d'avoir lié leur sort et leur génie à la jeune démocratie weimarienne. Souvent de religion juive ou d'obédience marxiste, ils subissent les effets de la poussée antisémite et anticommuniste ou plus généralement ceux de l'anti-intellectualisme ambiant. Néanmoins, dès l'arrivée d'Hitler à la chancellerie, le NSDAP tente de neutraliser l'opposition intellectuelle, de la pousser à abandonner la lutte. En mai 1933 les premiers autodafés, d'abord dirigés en priorité contre les auteurs juifs ou marxistes, font leur apparition, soigneusement orchestrés par les services de propagande du parti. La loi sur les fonctionnaires (7 avril 1933) permet d'éloigner des chaires et des laboratoires tous ceux qui pourraient protester contre l'alignement totalitaire. Il en résulte aussitôt un exode massif des cerveaux. Choisissent ainsi la voie de l'exil Thomas Mann, Bertolt Brecht, Paul Klee, les architectes du Bauhaus, Einstein, Hertz et beaucoup d'autres. D'autres, moins célèbres ou moins chanceux, sont acheminés vers les premiers camps de concentration.

Il aura ainsi fallu moins de dix-huit mois à Hitler pour éliminer ses adversaires – dans le parti et hors du parti – et pour mener à bien l'entreprise de « mise au pas » du peuple allemand, programmée par le national-socialisme et symbolisée par la formule : « Ein Volk, ein Reich, ein Führer » (un peuple, un État, un chef). Mise au pas, alignement ou coordination, peu importe le terme par lequel on traduit le *Gleichschaltung* allemand. Pour expliquer la soumission à la discipline de fer instaurée par le nazisme, il ne suffit pas d'évoquer la coercition, la terreur et la propagande directe. Ces éléments ont évidemment joué très fortement. Ils ne fournissent pourtant qu'une explication partielle aux 90 % de « oui » lors du plébiscite du 19 août

1934 (ratifiant l'établissement de la dictature) ou à l'extraordinaire enthousiasme populaire dont rendent compte les images de Leni Riefenstahl, filmant l'arrivée d'Hitler à Nuremberg en 1934 (*Le Triomphe de la volonté*). Ce qui frappe en Allemagne, c'est la rapidité avec laquelle le consensus s'est mis en place et le degré de totalitarisme auquel est parvenu le régime après seulement une année et demie d'existence. Ici la comparaison s'impose avec l'Italie. Mussolini a mis quatre ou cinq fois plus de temps pour parvenir au même stade de contrôle de la société et encore le fascisme italien demeure-t-il en retrait sur son homologue allemand en matière de totalitarisme. Outre la férocité des méthodes répressives qui, répétons-le, est indéniable et sans commune mesure avec les procédés – au demeurant très brutaux – en vigueur dans la péninsule, deux faits peuvent expliquer la rapidité du processus d'« alignement ».

Le premier réside dans la stratégie hitlérienne d'instauration de la dictature. Pendant les premiers mois de son règne, le Führer a en effet navigué avec une extrême habileté entre les deux pôles apparemment opposés de la « révolution nationale » et de la « politique de légalité ». Avec beaucoup de pertinence, Karl D. Bracher constate qu'en Allemagne les forces qui empêchent la réussite de la démocratie sont celles qui rendent également impossible la victoire du coup d'État (*op. cit.*, p. 211). Le chef du NSDAP en a fait l'expérience en 1923. Très fortement soutenu au départ par les milieux traditionalistes, il a été lâché par eux dès qu'il a quitté le terrain de la constitutionnalité. De ce légalisme des élites, il a su tirer une leçon pour l'avenir. Dans le fameux « serment » prêté en 1930, au moment où les membres de son parti sont accusés de se livrer à une propagande illégale auprès des hommes de la Reichswehr, le Führer résume clairement son attitude à l'égard de la Constitution. Celle-ci, déclare-t-il en substance, « détermine seulement le terrain du combat, non le but de la lutte ». Les mois qui précèdent la mise au pas sont entièrement dominés par la volonté du dirigeant nazi de fournir un paravent de légalité à des actes qui bafouent tous les principes de la démocratie. On ne peut pas l'accuser de violer ouvertement la Constitution. Simplement, le Führer exploite toutes les possibilités offertes par les textes, notamment le fameux article 48, déjà largement utilisé par ses prédécesseurs, qui permet le renforcement de l'exécutif en temps de crise. Ce maintien des apparences légales a probablement été décisif dans un pays où l'attachement aux autorités établies est particulièrement vigoureux. Il a singulièrement favorisé le ralliement de l'opinion allemande à l'ordre nouveau, et plus particulièrement celui des dépositaires de la puissance d'État : bureaucratie, magistrature et armée.

En même temps Hitler a continûment recours, pendant les dix-huit premiers mois de son règne, à l'idéologie de la « révolution nationale » héritée du front de Harzburg et de sa mythologie passéiste. Bien que maître de la situation, il a la prudence de ne pas heurter de front les milieux réactionnaires qui l'ont porté au pouvoir, multipliant, nous l'avons vu, les professions de foi chrétienne et les gestes symboliques de son respect pour l'« ancienne grandeur » du Reich impérial. Cela ne l'empêche pas d'user à doses variables de moyens plus expéditifs de captation des masses – l'intimidation, la propagande à outrance, le « bourrage de crânes », la terreur physique et psychologique –, mais les principaux efforts visent à cette date à gagner la confiance des milieux dirigeants plutôt qu'à impressionner les foules.

Cela dit – et sans tomber dans la thèse de la prédestination –, il est vraisemblable que la façade légaliste et conservatrice du régime n'aurait pas suffi à faire taire certaines oppositions s'il n'y avait pas eu en Allemagne un terrain favorable, héritage d'un passé historique plus ou moins enraciné dans le temps long. Une tendance, modelée par les siècles, à faire prévaloir les solutions autoritaires, pas nécessairement le national-socialisme, mais des formules de gouvernement et d'encadrement de la société étrangères à la république et à la démocratie. Dans cette perspective, il faut s'arrêter un instant sur le rôle joué dans l'installation de la dictature par les deux grandes forces porteuses de la tradition : la haute administration et l'institution militaire.

Sous la République de Weimar, la loyauté des fonctionnaires envers l'État, qu'ils étaient censés représenter, a été des plus douteuses. Les titulaires des plus hautes charges avaient pour la plupart appartenu à l'administration impériale et s'ils ont continué à servir l'ordre républicain, c'est plus par devoir que par conviction. Traditionnellement aristocratique et élitaire, le corps des hauts fonctionnaires s'accommode mal des pratiques de la démocratie et l'on conçoit qu'il se montre favorable au renforcement de l'autorité publique, tel qu'il se dessine à partir de 1930. Certes la bureaucratie allemande est trop nostalgique de l'ancien régime, trop attachée à la hiérarchie pour ne pas être choquée par certains aspects du nazisme. Mais l'avènement d'Hitler lui paraît être une garantie contre le retour à l'« indiscipline » démocratique, en même temps qu'un rempart contre le contrôle de l'administration par le Parlement. Aussi le gros des fonctionnaires ne proteste-t-il pas contre les mesures prises par le gouvernement national-socialiste, même lorsqu'elles se trouvent à la limite de la légalité. Dans un pays comme l'Allemagne où ceux qui incarnent l'ordre établi sont alors l'objet d'un véritable culte, ce silence plus ou moins complice des autorités administratives a joué un rôle considérable.

Il en est de même de l'armée. Son adhésion à la République n'a jamais été très enthousiaste et les réactions de ses chefs au moment où elle était menacée – lors du putsch de Kapp en 1920 ou pendant la crise politique de 1923 – sont pleines d'ambiguïtés. Pourtant la Reichswehr reste longtemps méfiante envers le chef du NSDAP dans lequel elle voit un parvenu aux idées aberrantes. Sans doute la hiérarchie militaire est-elle favorable à une solution autoritaire dont elle ne peut que bénéficier. Mais ses sympathies vont en tout premier lieu aux vrais conservateurs, aux nationaux-allemands, aux petits groupes de la « révolution conservatrice », et surtout à Hindenburg qui incarne à ses yeux la permanence du Reich traditionnel. Néanmoins, au cours des derniers mois de la République, elle tend à se rapprocher des nationaux-socialistes, sensible aux promesses de réarmement qui ont été clairement faites par le Führer et à l'évolution du chef de l'État et de sa camarilla de hobereaux militaristes. La décision d'Hindenburg de confier le pouvoir au chef du NSDAP emporte sa propre adhésion à la solution Hitler et la liquidation des SA son ralliement durable au nouveau régime, concrétisé par le serment personnel que les membres de la Reichswehr prêtent au Führer en août 1934.

A cette date la mise au pas se trouve à peu près achevée. Hitler a rallié à son pouvoir la majorité des représentants de l'élite traditionnelle : milieux industriels et financiers, agrariens, bureaucratie, chefs militaires, églises, université. Il a éliminé ses adversaires politiques, y compris dans son propre parti, et ôté toute possibilité d'expression aux opposants éventuels. La concentration de tous les pouvoirs entre ses mains a été approuvée après la mort d'Hindenburg par près de 90 % du corps électoral. Maître absolu du nouveau Reich, il a désormais les mains libres pour fonder l'État totalitaire et racial devant assurer aux Allemands la domination sur les autres peuples.

X

L'État totalitaire fasciste

La distance est grande entre les mouvements fascistes en quête du pouvoir et les régimes auxquels ils donnent naissance après l'avènement de la dictature. C'est ce hiatus qui rend si malaisée toute interprétation globale du phénomène et impossibles des comparaisons qui ne tiendraient pas compte des *étapes* du processus de fascisation.

Là où il détient durablement les leviers de commande de l'État, le fascisme-régime a tendance à renier plus ou moins complètement ses objectifs et ses thèmes de mobilisation originels, ceux qui ont permis au fascisme-mouvement de rassembler autour de lui une clientèle composite de petits bourgeois, d'anciens combattants et de déclassés. Mais en même temps il ne se comporte pas en simple courroie de transmission des groupes sociaux qui ont assuré sa victoire et cru pouvoir le domestiquer : le monde des affaires, la bourgeoisie industrielle et les agrariens. Cette autonomie, au moins relative, du fascisme lui confère une dynamique qui se manifeste, à des degrés divers, dans tous les domaines : économique, social, politique, administratif, culturel, idéologique. C'est là une première différence fondamentale avec d'autres formes de régime d'exception – pouvoir militaire, État national-corporatiste ou dictature monarchique – qui triomphent au même moment dans le reste du monde et dont les liens avec les classes traditionnellement dominantes sont plus étroits et plus contraignants. L'autre caractère spécifique du fascisme au pouvoir réside dans sa conception totalitaire, laquelle vise à une restructuration complète du corps social, à une mobilisation permanente des énergies et à la création d'un homme nouveau.

Le cadre

institutionnel

L'Europe de l'entre-deux-guerres n'a connu que deux régimes spécifiquement *fascistes* : celui qui a triomphé en Italie après la Marche sur Rome et celui que le chef du NSDAP a imposé à l'Allemagne à partir de 1933. Cela ne signifie pas qu'il y ait identité totale entre l'un et l'autre. Simplement les points de ressemblance l'emportent, semble-t-il, sur les particularités.

Sans doute Hitler et Mussolini cherchent-ils aussi longtemps que possible à préserver les apparences de la légalité. Leur venue au pouvoir s'opère dans le cadre tracé par des constitutions démocratiques et ils exercent leur autorité en vertu d'une délégation parlementaire en bonne et due forme. Sans doute aussi cette façade légaliste dissimule-t-elle mal dans les deux cas le caractère fondamentalement dictatorial et autocratique du fascisme. En Italie toutefois, la liquidation de l'héritage libéral-démocratique est moins rapide et moins complète qu'en Allemagne où les changements « révolutionnaires » apportés par le nazisme tendent à transformer radicalement les structures de l'État et la conception du droit constitutionnel.

Mussolini a mis plus de cinq ans en effet pour imposer définitivement sa dictature personnelle. Et encore sa position demeure-t-elle contestable sur le plan de la stricte légalité. La loi du 24 décembre 1925, qui confère au Duce les fonctions de chef du gouvernement, premier ministre et secrétaire d'État, lui permet de concentrer entre ses mains la totalité du pouvoir exécutif. Désormais il n'est plus responsable que devant le roi. La loi du 31 janvier 1926 complète le coup d'État constitutionnel en reconnaissant au gouvernement, autrement dit à Mussolini lui-même, le droit de légiférer sans en référer à la Chambre. Celle-ci, déjà affaiblie par l'expulsion des membres de l'Aventin et les mesures prises contre l'opposition à la suite de l'adoption des lois fascistissimes, devient rapidement un simple organe d'enregistrement sans pouvoir politique réel.

La loi électorale adoptée en 1928 consacre la neutralisation du Parlement. Désormais les candidats à la députation sont choisis par le Grand Conseil du fascisme sur une liste de mille noms dressée par les corporations et les associations culturelles. Leur candidature est ensuite soumise en bloc au corps électoral qui, à défaut d'une solution de rechange, ne peut qu'accepter ce plébiscite déguisé. En janvier 1939, dans le contexte du raidissement totalitaire voulu par Mussolini, cette assemblée-croupion, toujours prête à ratifier par acclamations les décisions qu'on lui présente, vote sa propre dissolution. Elle est remplacée par une Chambre des faisceaux et des corporations dont les membres sont les dirigeants des corporations fascistes et dont le rôle demeure purement consultatif. Le Sénat, toujours recruté par désignation royale, se contente d'accepter les honneurs que lui prodigue le régime et ne constitue à aucun moment un danger pour Mussolini.

L'administration locale subit également une transformation dont la loi du 25 juillet 1928 définit nettement l'esprit. « Il est bien naturel, déclare-t-on, que dans l'actuelle période historique, au cours de laquelle existe dans le pays une seule force directrice, représentée par la révolution fasciste, les membres de l'administration provinciale soient nommés par le gouvernement. » Il s'agit donc de faire disparaître toute forme d'autonomie locale, tout organe électif au profit de représentants nommés par l'exécutif et responsables devant lui seul. Ainsi se trouvent éliminés tous les membres élus des assemblées administratives provinciales. Les préfets et les sous-préfets, nommés par le ministre de l'Intérieur et recrutés parmi les fascistes sûrs, détiennent seuls l'autorité dans les provinces et l'exercent parfois à la manière des proconsuls romains, comme le célèbre préfet Morì, un ancien policier que Mussolini charge en 1924 de débarrasser la Sicile de la Mafia et qui parviendra en partie à ses fins au prix d'une répression féroce. Ces représentants du pouvoir central sont assistés d'une assemblée comprenant des personnes désignées par le ministre de l'Intérieur et, « conformément au nouvel esprit juridique », deux représentants du parti. Quant à la commune, elle est administrée par un *podestà* lui aussi nommé par le gouvernement.

Seul maître de l'exécutif, légiférant à sa guise, contrôlant l'ensemble de l'administration, disposant du droit de grâce usurpé au monarque, Mussolini paraît détenir un pouvoir illimité, et ceci d'autant plus que s'organise bientôt un véritable culte autour de la personne du chef charismatique. Dès le début de son règne, mais avec une certaine mesure, Mussolini a laissé se développer autour de lui une publicité qui tend à le présenter aux Italiens comme une homme d'exception, voire comme un surhomme. Il est « l'homme qui fait arriver les trains à l'heure », le bourreau de travail qui consacre toutes ses heures à l'Italie, « l'homme qui ne dort jamais » (la lumière reste allumée la nuit dans son bureau). Son goût, réel mais très amplifié et savamment orchestré, pour le sport et sa santé même (le régime qu'il suit en raison de son ulcère à l'estomac devient un signe d'ascétisme) sont exploités par une imagerie omniprésente, souvent naïve, franchement ridicule avec le recul du temps. A partir de 1927, lorsque les oppositions sont supprimées, les choses prennent un caractère quasi religieux. Le secrétaire du PNF, Turati, organise une propagande qui fait de Mussolini un être transcendant, à demi-divin, un véritable oracle dont l'infaillibilité est résumée dans la formule : *Mussolini ha sempre ragione* (Mussolini a toujours raison) placardée sur tous les murs ou encore dans ces quelques lignes extraites de *La Stampa* : « Notre pensée va vers celui qui sait tout et qui voit tout, vers celui qui lit les yeux fermés dans les cœurs humains. »

Peu à peu s'instaure donc en faveur de Mussolini un statut de monarque absolu. Or, il existe toujours un roi d'Italie, Victor-Emmanuel III, dont le maintien constitue la seule faille dans la position du Duce. Le premier fascisme et Mussolini lui-même étaient républicains, mais la nécessité d'obtenir le soutien de l'armée et d'une partie de l'establishment – restés profondément royalistes – ont empêché le Duce de s'attaquer ouvertement à la monarchie et aux pouvoirs constitutionnels théoriquement détenus par celle-ci. Ainsi demeure-t-il pendant toute la période responsable devant le souverain qui peut en principe – en vertu du Statut de 1848 – le révoquer à tout moment. Jusqu'à la guerre d'Éthiopie, Mussolini paraît s'être assez médiocrement soucié de la présence de Victor-Emmanuel. Il n'éprouve aucune sympathie pour le personnage et se contente de l'informer régulièrement, mais après coup, des décisions prises. C'est seulement à partir de 1936 que son attitude change. Parmi les raisons qui le poussent alors à radicaliser le fascisme, il y a le sentiment que le temps n'est plus de son côté et que, dans sa forme du moment, le régime survivrait difficilement à sa propre disparition. Outre qu'il engage alors l'Italie dans une « révolution culturelle » (De Felice) sur laquelle nous reviendrons, le Duce franchit un degré de plus dans la compétition avec la monarchie en se faisant octroyer en 1938, conjointement avec le souverain, la charge de premier maréchal de l'Empire. Jalon initial d'une évolution qui aurait pu conduire le fascisme à opter pour la République, ce qu'il fera d'ailleurs à la fin de la guerre, mais dans un contexte tout différent. En attendant, c'est Victor-Emmanuel qui, en juillet 1943, estimant que le régime a toute chance d'entraîner la monarchie dans sa chute, lâchera le fascisme et son chef pour tenter de sauver la dynastie.

Il en va tout différemment du national-socialisme. Non seulement parce que la mise au pas imposée par le Führer a été plus rapide et plus complète, mais surtout parce qu'il y a entre le pouvoir qu'il instaure et celui que détient Mussolini plus qu'une différence de degré. Hitler exerce en effet des pouvoirs illimités à partir du moment où il cumule les fonctions de chancelier et de chef de l'État depuis le coup d'État constitutionnel d'août 1934. Il hérite du titre de chef suprême des armées, détenu par l'ancien président du Reich et jouit d'une inamovibilité de fait, légalement couverte par les textes constitutionnels, dès lors qu'après la neutralisation du Parlement seul le chef de l'État aurait pu le révoquer de ses fonctions. Le Reichstag continue de siéger (alors que le Reichsrat, représentant les Länder, a été dissous en février 1934) mais, depuis le vote des pleins pouvoirs et l'instauration du parti unique, il est pratiquement réduit à l'impuissance. Sa fonction consiste uniquement à voter par acclamations les décisions du Führer, à écouter ses discours et à ratifier la prolongation de l'Acte d'habilitation (1937 et 1941). En 1943, Hitler ne jugera même plus nécessaire de faire appel à lui pour cette formalité et reconduira lui-même les pleins pouvoirs qui lui ont été conférés. Cette évolution trouve sa couverture juridique dans la définition que donnera du nouveau Reichstag le juriste nazi Ernst Rudolf Huber. Il n'est, déclare-t-il, « ni organe législatif ni organe de contrôle du gouvernement », mais seulement « une institution dont la fonction consiste à exprimer la concordance entre le Führer et la nation ».

1. *Des fleurs pour le Führer. Cette photographie de propagande date de 1936.*

La dictature personnelle d'Adolf Hitler reçoit enfin une consécration juridique que ne possède pas son homologue mussolinienne. Institutionnalisée dès 1934, la notion de *Reichsführer* se trouve en effet complétée au cours des années suivantes par les travaux de la nouvelle école juridique allemande – les Ernst R. Huber, Otto Koellreuthner, Karl Schmitt, etc. – pour laquelle le Führer n'est pas seulement le premier représentant de l'État, le père de la nation. Il est *le* peuple, il est *la* nation. Lui seul est l'expression de la volonté générale. « Le Führer ne parle et n'agit pas seulement pour le peuple ou à sa place mais en tant que peuple » (Gottfried Neesse). Sa volonté seule crée le droit ou peut modifier les lois existantes. Son pouvoir est « global et polyvalent... exclusif et illimité » (E. R. Huber). Entre le Führer et le peuple allemand, il existe une concordance mystique qui fait que toute opposition au premier doit être considérée comme un crime de haute trahison envers la nation. La pratique des plébiscites concrétise ce lien sur le plan institutionnel.

Une telle concentration des pouvoirs en une seule personne suppose l'élimination de toute autonomie aux échelons inférieurs. Hitler est bien entouré d'une sorte de cabinet formé par ses plus proches collaborateurs, mais aucune discussion, aucune opposition ne sont possibles au sein de cette équipe. Les hauts dignitaires nazis sont de simples exécutants de la volonté du Führer. La loi sur la reconstitution du Reich (janvier 1934) transfère les droits souverains des Länder au pouvoir central qui nomme directement tous ses représentants locaux. Ceux-ci ont le statut de « Führer », ce qui signifie qu'ils possèdent une autorité absolue à l'égard de leurs supérieurs hiérarchiques. Le IIIᵉ Reich n'est plus régi par les structures administratives traditionnelles mais par le *Führerprinzip*.

Le rôle du parti unique – PNF et NSDAP – est dans les deux cas celui d'une courroie de transmission. Il lui revient également d'encadrer la population dans un réseau serré d'organisations de toute sorte et de contrôler ou de doubler l'administration. En Italie, il occupe incontestablement une place plus importante qu'en Allemagne où il est vrai la SS tend à se substituer à lui comme « élite » dès le milieu des années 30. Il n'est pas nécessaire d'appartenir au NSDAP pour exercer une fonction, même importante, dans le IIIe Reich, alors qu'en Italie fonctionnaires, magistrats, professeurs, officiers, se trouvent pratiquement contraints d'y adhérer (le fasciste qui vient à être expulsé du PNF doit être mis au ban de la vie publique précise l'article 20 des statuts de 1932). Dans les deux pays, le parti restera jusqu'à la fin un organisme plutôt fermé, soit parce que les dirigeants ne tiennent pas tellement à partager les bénéfices que comporte l'appartenance au parti unique, soit que l'on ait cherché à conserver au mouvement sa vocation élitiste. Simplement, celle-ci est plus nettement affirmée en Italie, où le PNF a en quelque sorte reçu mission de s'intégrer tous les cadres de la nation.

Il ne faudrait pas de cette fascisation de l'appareil administratif, destinée à fournir des exécutants dociles et sûrs au régime, conclure à celle de l'État mussolinien, car c'est un peu le contraire qui se produit, surtout à partir de 1936. Renzo De Felice a montré [*Mussolini il Duce*. II. *Lo stato totalitario (1936-1940)*, Torino, Einaudi, 1981], et son apport est ici essentiel, que ce qui constitue la spécificité du totalitarisme italien c'est une politisation à outrance de la société civile allant de pair avec une dépolitisation croissante de l'État. Différence fondamentale avec les totalitarismes hitlérien et stalinien qui tendent, le premier à nier l'État ou du moins à le subordonner étroitement au parti, le second à le considérer comme une structure contingente destinée à disparaître, le fascisme italien s'identifie très précisément à l'État et lui donne pour fin d'absorber le parti et d'en assumer toutes les fonctions. Dans l'attente de ce dépérissement du parti unique, le Duce aurait volontiers gouverné avec un cabinet de directeurs généraux de l'administration, tant étaient grands son pessimisme sur la nature de l'homme et sa confiance désenchantée en l'opportunisme de la démocratie. S'il n'a pas été aussi loin, c'est parce qu'il a dû tenir compte du poids de certains hiérarques, peu disposés à céder la place aux technocrates, et qu'il a lui-même placés au centre de la structure étatique en instituant en 1928 le Grand Conseil du fascisme.

Situation inversée en Allemagne où le parti contrôle l'État, ou plutôt s'identifie à lui en la personne du Führer, sans chercher véritablement à pénétrer l'administration, préférant superposer à celle-ci ses propres organismes. Dans leur majorité, les hauts fonctionnaires restent à l'écart du NSDAP. Sans doute Hitler tient-il les grands corps de l'État par d'autres moyens : l'armée par le serment de fidélité prêté le 2 août 1934 (« Je jure d'obéir inconditionnellement au Führer du Reich et du peuple allemand, Adolf Hitler, commandant suprême de la Wehrmacht, et d'être prêt, comme un soldat courageux, à risquer ma vie à tout instant pour tenir ce serment »), l'administration et les tribunaux par la loi sur les fonctionnaires et par un réseau étendu de surveillance. Mais il existe à tous les niveaux une concurrence, non exempte de frictions, entre les organes traditionnels du Reich et ceux du parti. Par exemple, si l'ancien Auswärtiges Amt de von Neurath demeure en principe l'unique responsable de la politique étrangère allemande, on trouve au sein du parti le « bureau Ribbentrop », également compétent en la matière, certaines initiatives diplomatiques relevant par ailleurs du ministère de la Propagande (Goebbels) et du « bureau Rosenberg » (minorités nationales). Autre exemple significatif, celui de la Justice. Parallèlement aux organes judiciaires de l'État (police, tribunaux), se développent ceux du parti, la Gestapo, la SS et les tribunaux spéciaux qui dépendent du NSDAP et prononcent les condamnations aux camps de concentration. Vers 1937-1938, une certaine unité commence à se faire jour. Ribbentrop devient officiellement ministre des Affaires étrangères. Un peu plus tôt Himmler a réalisé l'union de la police et de la SS. Mais contrairement à ce qui se passe en Italie, cette évolution aboutit moins à la nazification de l'appareil administratif qu'à l'étatisation des organes du parti.

Économie
et société

Il y a dans le discours fasciste et national-socialiste une obsession constamment et bruyamment affichée de remodeler le corps social et de transformer radicalement, non seulement les rapports entre les classes, mais encore l'homme lui-même, en tant que produit d'une histoire et d'une culture dont les fascismes répudient l'héritage. Programme « révolutionnaire » si l'on veut, dans la mesure où le fascisme condamne et combat, au moins verbalement, ce qui le précède : l'idéologie, le modèle politique et l'hégémonie culturelle de la bourgeoisie libérale. Pour aboutir, si l'on en croit la phraséologie mussolinienne et hitlérienne, à une société sans classes, fondée sur la coopération des divers groupes sociaux fondus dans un projet commun, à la création d'un homme nouveau, ayant rompu ses attaches avec le monde bourgeois pour renouer avec les vertus de l'ancienne Rome ou du Reich millénaire.

Or, la réalité est bien différente. S'agissant du capitalisme, on constate en effet que si le premier fascisme en dénonce les méfaits avec véhémence, le second fascisme, celui qui après la grande peur des possédants part à l'assaut du pouvoir, et surtout le troisième fascisme, promoteur de l'État totalitaire, lui sont étroitement associés. Il ne fait aucun doute que, loin d'être détruit par le fascisme comme le laissaient augurer le premier programme des faisceaux (1919), ou celui du

NSDAP (1920), le capitalisme italien et allemand a trouvé en lui un défenseur qui a su le sauver de la révolution et de la faillite, avant de le renforcer dans ses structures et dans ses moyens d'action. Ce qui globalement s'est accompagné d'une consolidation de la puissance économique et des privilèges de l'ancienne classe dirigeante, avec comme contrepartie l'abdication, vécue d'ailleurs comme éminement provisoire, de son pouvoir politique. Il y a donc une contradiction fondamentale entre les buts affichés du fascisme et la réalité de son action dans tous les domaines qui touchent à la restructuration de la société italienne et allemande.

Au chapitre de l'économie, le premier fascisme avait réclamé la nationalisation des entreprises monopolistiques, des mesures radicales contre la spéculation financière, la participation des travailleurs aux bénéfices et aux décisions de l'entreprise, etc. Or, au moment de la prise du pouvoir, les dirigeants fascistes sont pour la plupart fort loin de ces revendications initiales. Le programme adopté par le PNF en 1921 prévoit explicitement le maintien de la propriété privée et prône le retour de l'État manchestérien. C'est qu'entre-temps Mussolini a obtenu l'appui des grands intérêts privés, ce qui l'incline à modérer, sinon à renier complètement, le caractère gauchisant du premier problème des *fasci*. En Allemagne, la doctrine économique du NSDAP évolue dans le même sens, bien qu'aucune prise de position précise ne permette d'évaluer le chemin parcouru. Simplement quelques affirmations vagues : l'intérêt général devra primer l'intérêt particulier, l'économique s'effacer devant le politique, etc. Il n'y a cependant aucun doute sur le fait que, bien avant le 30 janvier 1933, Hitler a entièrement renoncé à ses velléités anticapitalistes.

A première vue, l'intervention croissante de l'État dans la vie économique paraît toutefois remettre en question les principes mêmes du libéralisme. En Italie, après un court intermède libéral (1922-1926) qui a stimulé la production industrielle, le dirigisme commence à gagner du terrain. La stabilisation de la lire à un taux de prestige ne tarde pas en effet à développer ses conséquences fâcheuses. Le volume des exportations se rétrécit au moment précis où les mesures destinées à freiner la consommation intérieure produisent leurs premiers effets. Il en résulte une diminution rapide de la production industrielle, l'affaissement des prix agricoles et l'accroissement du chômage : ceci en pleine période de reprise économique mondiale. Cette situation impose à l'Italie de choisir entre l'abandon de sa politique monétaire et une réduction sensible de ses importations. Mussolini opte pour la seconde voie et engage ainsi son pays sur la voie de l'autarcie.

L'année 1925 marque le point de départ des grandes batailles économiques, lesquelles doivent contribuer à développer des secteurs jusqu'alors incapables de satisfaire la demande intérieure. La première et la plus importante est la bataille du blé. Elle obtient des résultats spectaculaires : les rendements augmentent de 50 % et la production passe en huit ans de 50 à 80 millions de quintaux, ce qui permet de répondre aux besoins nationaux. En revanche le bilan est loin d'être aussi brillant pour les autres cultures vivrières (betterave, maïs, seigle), de même que pour la viande, produites dans des conditions antiéconomiques. En même temps, un effort considérable est fourni pour gagner à la culture des terres jusqu'alors improductives. La campagne dite de « bonification intégrale » permet non seulement de gagner par assèchement ou par irrigation des millions d'hectares de terres cultivées, mais également d'installer des colons dans les régions ainsi valorisées (basse vallée du Pô, littoral tyrrhénien et adriatique et surtout marais Pontins) et de résorber ainsi une (faible) partie du trop-plein démographique.

En même temps que l'Italie tout entière se trouve engagée dans ces grandes batailles économiques, bruyamment orchestrées par une propagande usant de tous les moyens modernes de mobilisation des esprits (affiches, photos, bandes d'actualité cinématographiques, radio, etc.), la tendance au dirigisme s'accentue dans le secteur industriel. En juillet 1928, l'interventionniste Mosconi remplace à la direction de l'économie Giuseppe Volpi, un homme d'affaires de stricte obédience libérale que Mussolini avait placé au ministère du Trésor trois ans plus tôt. Mosconi lance aussitôt un programme de grands travaux, destinés en principe à résorber le chômage, mais qui obéissent en même temps à des préoccupations stratégiques ou à des soucis de prestige : électrification d'une partie du réseau ferroviaire, travaux d'urbanisme et de mise en valeur du passé (on dégage le Colisée et le forum de Trajan à Rome), surtout mise en place du premier réseau autoroutier européen.

Tout ceci dans un cadre qui, apparemment, demeure celui du capitalisme libéral. La forme privée des entreprises n'est pas remise en cause, mais déjà c'est l'État qui donne les impulsions essentielles, fixant les priorités et favorisant par ses commandes tel ou tel secteur, freinant ou stimulant l'activité économique suivant les impératifs de sa politique monétaire. En 1930, un pas supplémentaire est accompli dans la voie du dirigisme avec la création du Conseil national des corporations dont le rôle sera de coordonner les rapports économiques entre les différentes catégories de producteurs et de régler les relations entre salariés et employeurs. Désormais, l'État fasciste détient la courroie de transmission qui doit lui permettre de donner à l'économie italienne les orientations qu'il estime souhaitables. Or, les choix définis par Mussolini ont un caractère politique. Tout doit être subordonné à la construction d'une Italie forte, peuplée, capable de se suffire à elle-même, avant d'obéir à son « destin impérial ».

Cette évolution se trouve accélérée par la crise mondiale. Affronté à de sérieuses difficultés financières, le gouvernement fasciste n'avait le choix qu'entre deux solutions classiques : déflation ou dévaluation. En 1936, Mussolini devra finalement se résoudre à adopter la seconde voie, en dévaluant la lire de 41 %, mais trop tard pour que cette mesure, d'ailleurs insuffisante, puisse à elle seule relancer l'économie italienne. En attendant, il renforce les mesures déflationnistes adoptées dans le cadre de la bataille de la lire et qui, pesant sur les catégories sociales les plus déshéritées, ont les faveurs des milieux d'affaires, bien qu'elles aient rapidement des conséquences funestes sur les possibilités d'absorption du marché intérieur.

Mais les mesures d'orthodoxie financière ne suffisant pas à redresser le courant et Mussolini voulant à tout prix maintenir la lire au niveau fixé en 1927, l'économie italienne voit se renforcer les tendances autarciques esquissées au cours des années 1925-1927. On voit souvent dans l'autarcie un choix exclusivement politique destiné à préparer un pays à la guerre, dès lors que l'on juge celle-ci inévitable. En réalité, il ne faut pas prendre les effets pour les causes. En Italie comme en Allemagne, l'autarcie n'a pas visé, au début du moins, à la mobilisation économique préventive du pays. Elle a été dictée aux dirigeants par les circonstances; dans le IIIe Reich par la pénurie de capitaux et l'impossibilité de recourir à une inflation déclarée, en Italie par la volonté de poursuivre à n'importe quel prix la politique de prestige

2. *Affiche de 1928 appelant les Italiens à gagner la « bataille du blé ».*

3. *Mussolini donnant le premier coup de pioche pour les travaux de rénovation de Rome en 1934.*

monétaire. C'est après que la logique du système nourrit une politique extérieure expansionniste et agressive.

Pour commencer, l'Italie se ferme au monde extérieur, instituant des droits de douane prohibitifs sur tous les produits jugés non vitaux et un rigoureux contrôle des changes. Le pays se trouvant ainsi isolé du marché mondial, le gouvernement fasciste peut, dans un second temps, renforcer son emprise sur l'économie. Il faut cependant être prudent dans l'interprétation de ce phénomène. Il ne s'agit en aucune façon de socialisation. C'est à la demande des milieux d'affaires que le gouvernement italien a finalement décidé la création d'instituts financés par l'État et destinés soit à se substituer aux banques pour la distribution du crédit (Istituto mobiliare italiano), soit à leur fournir les liquidités nécessaires à la reprise de leurs activités (Istituto per la ricostruzione industriale ou IRI). Peu à peu, l'IRI va toutefois être amené à racheter, pour sauver les entreprises en difficulté, un nombre suffisant d'actions industrielles et bancaires pour que, malgré lui, son contrôle se trouve établi sur de nombreuses sociétés. Et pour gérer cet énorme portefeuille d'actions, il va créer toute une série de holdings d'État : Finsider pour l'acier, Finmare pour les sociétés de navigation, Fincantieri pour les chantiers navals, etc. En même temps, l'État pousse à la concentration des entreprises, soutenant de façon systématique les groupes les plus puissants, favorisant les fusions et soumettant au sein des consortiums les petites entreprises aux grandes.

L'alliance du fascisme et des grands intérêts économiques ne se trouve donc pas démentie par le renforcement des tendances autarciques et interventionnistes, bien au contraire. A la limite, l'IRI n'est pas autre chose que le trait d'union entre le fascisme et la grande industrie. Par lui sans doute, l'État intervient largement dans la vie économique, mais c'est bien souvent pour aider le capitalisme, et par lui, d'autre part, s'exerce l'influence des principaux groupes industriels et financiers sur la politique économique du gouvernement.

Après le déclenchement de la guerre d'Éthiopie et la mise en quarantaine de l'Italie par le régime des sanctions, la politique d'autarcie change de signification. Liée jusqu'alors à la volonté de maintenir à tout prix une monnaie forte, elle prend à partir de 1936 un caractère nettement agressif. Sous l'impulsion de la commission suprême pour l'autarcie, l'Italie accomplit un effort considérable pour satisfaire une partie de ses besoins en carburants, en lignite, en minerais, pour accroître sa production d'acier et pour développer des industries nouvelles (cellulose, textiles artificiels). Ceci à n'importe quel prix et dans un but clairement affiché de préparation à la guerre. De cette logique belligène, les milieux d'affaires ne sont pas directement responsables. Incontestablement, ils ont en majorité profité du fascisme. Ils ont même, pendant les dix premières années du régime, pesé fortement sur ses orientations économiques. Après 1936, avec le raidissement totalitaire que Mussolini fait subir à l'Italie, leur rôle diminue au profit des – ou *du* – décideurs politiques et c'est largement contre leur gré que le Duce s'engage dans la voie de l'affrontement armé.

Ce sont également les circonstances, plus que la doctrine, qui vont imposer à l'économie allemande un dirigisme strict. En effet, les promoteurs de la nouvelle politique économique (Schacht), autant que les industriels et les hommes d'affaires, sont des partisans de l'économie libérale, et plus personne ne songe, parmi les dirigeants nazis – une fois Gregor Strasser éliminé – à appliquer le programme gauchissant de 1920. Ce sont également les nécessités de la reconstruction économique qui motivent les premiers choix autarciques. Lourdement endettée et disposant de faibles réserves monétaires, l'Allemagne ne peut ni procéder à une dévaluation qui augmenterait encore le poids de ses dettes, ni recourir comme les États-Unis du New Deal à une politique d'inflation contrôlée, car les événements de 1923 ont laissé des cicatrices profondes et la moindre tension inflationniste risquerait de provoquer la panique. Elle ne peut pas davantage compter sur le crédit extérieur. Aussi lui faut-il tenter de redémarrer son économie en limitant au maximum les sorties d'or et de devises.

Placé par Hitler à la tête de la Reichsbank et du ministère de l'Économie, le docteur Schacht s'applique d'abord, comme en 1924, à opérer le redressement financier du pays en utilisant le cadre dirigiste que le cabinet Brüning avait mis en place bien avant l'arrivée au pouvoir du national-socialisme. Il renforce le contrôle des changes pour arrêter l'hémorragie de capitaux et imagine, pour ne pas recourir ouvertement à l'inflation, un système de traites garanties par l'État, avec lesquelles les industriels paient leurs fournisseurs et qui seront honorées après la reprise. Le caractère privé du système bancaire se trouve certes rétabli dès décembre 1933, mais l'État continue de le surveiller étroitement. Dans le secteur industriel, l'intervention se fait d'abord dans le contexte de la lutte contre la crise. Les grands travaux (autoroutes, chemins de fer, défrichement, reboisement) et les commandes d'armement concourent fortement au recul du chômage, mais ils placent en même temps l'industrie dans l'étroite dépendance du régime. En février 1934 la création de sept puissantes associations patronales, dirigées par un Führer nommé par le ministre de l'Économie, couronne l'édifice dirigiste. Leur rôle consiste à coordonner dans les principales branches d'activité (industrie, commerce, banque, énergie, assurances, transport, sécurité) les plans de production élaborés par le gouvernement et à faire pénétrer l'esprit national-socialiste dans les entreprises.

L'intervention des pouvoirs publics s'opère également à l'échelon régional, toutes les entreprises se trouvant regroupées sous l'égide d'une chambre économique dirigée par un curateur du travail, lui aussi nommé par le pouvoir central. Le régime possède ainsi la courroie de transmission qui lui permet de contrôler toute l'activité économique du pays. A quoi s'ajoutent un système très strict d'orientation des prix et une surveillance sévère du commerce extérieur.

En 1936, il s'avère que le premier plan – très souple – qui avait été élaboré par Schacht n'a entraîné qu'une reprise partielle de l'économie allemande. La dévaluation du dollar a fortement gêné le commerce extérieur et la compression des salaires a freiné les capacités d'absorption du marché national. Aussi Hitler décide-t-il de confier la responsabilité du second plan de quatre ans à Göring et de l'orienter vers la préparation de la guerre. Autrement dit, l'autarcie devient à partir de 1936 non plus la condition d'un redressement économique harmonieux visant à réinsérer progressivement l'Allemagne dans les circuits mondiaux, mais l'instrument d'un réarmement à outrance dans la perspective d'une guerre-éclair (*Blitzkrieg*). L'Allemagne doit pouvoir se suffire à elle-même. Pour cela, on développe l'agriculture par une politique de bonification, en luttant contre l'exode rural et le morcellement des terres (création de domaines inaliénables, les *Erbhöfe*). On s'attache en même temps à accroître la production industrielle et à limiter les importations. Les progrès des industries chimiques permettent de fabriquer des produits de remplacement (essence et caoutchouc synthétiques, textiles artificiels, etc). Enfin, on cherche à réduire les sorties de devises en poursuivant les pratiques inaugurées par le Dr. Schacht : marks bloqués et accords de clearing.

Le dirigisme adopté par les régimes fascistes a donc plutôt tendance à renforcer les structures du capitalisme. L'élimination des organisations ouvrières classiques et l'intégration des travailleurs dans les syndicats fascistes libèrent les patrons des revendications salariales. Les commandes de l'État permettent à de nombreuses industries de produire sans se soucier des coûts, et ceci d'autant plus qu'en régime autarcique la concurrence étrangère est très fortement réduite. Les tendances monopolistiques se trouvent renforcées. On a vu qu'en Italie le nombre des fusions avait augmenté avec la crise et que la politique du régime tendait à confier la direction de tout un secteur à l'entreprise la plus puissante. En Allemagne plusieurs textes législatifs ont nettement favorisé les konzerns. Ainsi la loi du 5 juillet 1934 interdit la formation de sociétés anonymes d'un capital inférieur à 500 000 marks. Un décret du 1er avril 1939 supprime même les petites entreprises dont le chiffre d'affaires n'atteint pas le minimum fixé par les autorités. Par cette cartellisation quasi obligatoire, des secteurs entiers bénéficient désormais de prix monopolistiques. Enfin, l'État prend à sa charge l'exploitation et la gestion de secteurs industriels indispensables mais peu rentables. Le meilleur exemple en est la création des Hermann Göring-Werke. Ces organismes exploitent en Allemagne des mines de fer abandonnées par l'industrie privée en raison de leur trop grande profondeur et de leur médiocre rentabilité. En Italie, c'est par le truchement de l'IRI et de ses filiales que s'opère le sauvetage d'entreprises devenues déficitaires et dont le financement est mis à la charge de la collectivité. Les secteurs secourus conservent dans l'ensemble leur caractère capitaliste. Simplement l'État s'est chargé de les débarrasser des risques et des inconvénients que comportait l'économie libérale. Sans doute le grand capital a-t-il payé ces avantages d'une évidente restriction de ses pouvoirs de décision, y compris dans le domaine économique. Il reste que, globalement, il est sorti renforcé de son alliance avec le fascisme.

Malgré ses prétentions révolutionnaires, continûment et bruyamment réaffirmées, on ne peut pas dire que le fascisme ait beaucoup modifié les structures de la société italienne et allemande. Sans doute les mesures d'encadrement totalitaire ont-elles touché de la même manière tous les secteurs de la population, ce qui a constitué un inconstestable facteur d'uniformisation. On a multiplié d'autre part, notamment en Allemagne, les manifestations égalitaires, par exemple l'institution d'une journée de travail national, ou encore l'obligation faite à tous les Allemands – riches ou pauvres – de se contenter une fois par semaine d'un plat unique, la potée. Mais ces gestes de propagande n'ont pas empêché les inégalités sociales de survivre à la « révolution fasciste » et parfois de se renforcer.

L'alliance de la haute bourgeoisie et de la grande propriété foncière qui a porté le fascisme au pouvoir a en même temps estompé les limites qui séparaient ces deux fractions de la classe dirigeante. En ce sens il y a eu une certaine homogénéisation. On peut dire d'autre part que l'élite traditionnelle a perdu, de son plein gré, une partie de son prestige et de son pouvoir politique, comme prix du maintien de ses prérogatives économiques et sociales. Les hauts cadres de l'armée et de l'administration se trouvent étroitememt soumis au régime. Nombre de fonctionnaires, de magistrats, de diplomates, de notables locaux, appartenant à l'establishment traditionnel, ont dû céder la place aux hommes nouveaux, aux anciens du squadrisme ou à la vieille garde nazie, jugés plus sûrs, plus conformes aux idéaux du régime. Il y a là, de la part des dirigeants fascistes, souvent d'extraction modeste, une volonté de revanche sociale et de mise au pas qui ne fait pas de doute. Mais en même temps le fascisme a comblé d'honneurs les anciennes élites tout en renforçant, nous venons de le voir, leur puissance économique.

Les classes moyennes avaient placé de grands espoirs dans le fascisme qui semblait être l'expression de leurs aspirations. Dans l'en-

semble elles ont très inégalement profité de l'ordre nouveau. Matériel-
lement, elles ont même en général été perdantes. En favorisant la
constitution de puissants groupes industriels, en accélérant le processus de concentration capitaliste, les régimes fascistes pratiquent une
politique économique qui va à l'encontre de leurs intérêts. En Allemagne, les petites et moyennes entreprises se voient menacées de
dissolution autoritaire en faveur des trusts. En Italie, la politique
menée par le régime lèse gravement le petit commerce et la petite
production. Deux faits doivent cependant être soulignés.

Tout d'abord, comme l'a bien montré N. Poulantzas (*Fascisme et
dictature, op. cit.*), l'établissement du capitalisme monopoliste dans
une formation sociale donnée s'accompagne en général d'une contre-
tendance au maintien d'un faible secteur de petite production et de
petit commerce. « Les grands monopoles masquent ainsi, par la référence aux prix de la petite production et du petit commerce, les
surprofits qu'ils réalisent. » Ce qui explique que le fascisme et le
nazisme aient pu imposer aux grands intérêts une série de compromis
en faveur de la petite bourgeoisie et que de ce fait il se soit maintenu
pendant toute la période un secteur artisanal relativement important.
Il ne s'agit cependant que d'un correctif à la tendance générale qui est
à l'expropriation partielle de la petite bourgeoisie et à la contraction
de son pouvoir d'achat.

D'où la nécessité de fournir aux classes moyennes économiquement
lésées des compensations de tous ordres. La politique de grandeur et
de prestige menée par les régimes fascistes s'inscrit dans cette perspective. Mais surtout le fascisme et le nazisme offrent à la petite bourgeoisie une possibilité de promotion sociale par le biais du parti et des
organisations qui en dépendent. A tous les niveaux – local, régional,
national – ce sont, nous l'avons vu, des représentants des classes
moyennes qui constituent les cadres du PNF, du NSDAP et de leurs
organismes annexes. La petite bourgeoisie trouve dans cette situation
des avantages divers. Avantages de prestige, les responsables fascistes
jouant localement un rôle de nouveaux notables qui comble leur
appétit de puissance et leur permet de compenser la médiocrité de leur
situation matérielle. Mais aussi avantages économiques. Des responsabilités, même mineures, dans le parti, permettent en effet d'obtenir de
fructueuses rentes de situation (appartements de fonction, en Italie
concession de débits de sel et de tabac, etc.) ou de faire carrière dans
l'Administration.

Cette promotion de la petite et moyenne bourgeoisie présente incontestablement un aspect révolutionnaire dans la mesure où elle aboutit
effectivement à la mise en place d'une élite de remplacement. Mais ce
phénomène de mutation est lui-même remis en question par le fait que
nombre de dirigeants fascistes et nazis s'insèrent dans les rangs de

l'establishment traditionnel et contribuent ainsi à estomper les frictions entre l'ancienne et la nouvelle élite. Des hommes d'extraction petite-bourgeoise, comme Grandi et Farinacci en Italie, Himmler et Goebbels en Allemagne, accèdent à des milieux qui leur auraient été fermés sous l'ancien régime social. Avec les années, la conscience sociale de cette nouvelle élite se rapproche de celle de l'ancienne classe dirigeante et peut donner lieu en fin de course à une véritable alliance visant à défendre des intérêts devenus communs. C'est ce qui s'est passé en 1943 en Italie, où les milieux d'affaires et l'entourage du roi ont entraîné quelques-uns des dignitaires du régime dans leur opposition à Mussolini.

La paysannerie a dans l'ensemble médiocrement profité des régimes fascistes, au demeurant très enclins à exalter le mythe de la terre et les vertus paysannes. En Allemagne, le slogan du *Blut und Boden* (le sang et la terre) reste l'un des points forts de l'idéologie nazie. Sous l'impulsion de Walter Darré quelques réformes sont entreprises mais elles ne modifient pas radicalement les structures agraires. L'effort principal porte sur la consolidation de la moyenne propriété, l'État subventionnant les exploitations héréditaires (*Erbhöfe*) et leur garantissant l'écoulement de leur production. En contrepartie de quoi les bénéficiaires doivent se soumettre à un contrôle sévère des pouvoirs publics. On se préoccupe également, sans grand succès, de diminuer les dettes de la paysannerie. Globalement, ce sont les junkers qui, ayant réussi à saboter les plans de limitation des grands domaines, vont le plus profiter de la politique agraire du régime, celle-ci ne parvenant ni à freiner l'exode rural, ni à stabiliser les revenus agricoles. De même en Italie, on peut dire que la paysannerie, notamment la paysannerie pauvre et la masse des *braccianti*, des journaliers, représente la grande vaincue du régime fasciste. Ici également, les rares mesures qui sont prises en faveur des ruraux – notamment la loi Serpieri qui, en 1934, permet de morceler certains latifundia, ou la distribution de 60 000 hectares de terres assainies dans les marais Pontins – le sont au profit de la paysannerie moyenne. Par ailleurs, reprenant à son compte une politique qui a été depuis la création du royaume d'Italie celle de l'État libéral, le fascisme fait supporter par les campagnes le poids de l'industrialisation, écrasant les petites exploitations sous le fardeau d'une fiscalité excessive et favorisant systématiquement les agrariens, qui bénéficient des subsides de l'État, d'importantes exonérations fiscales et d'une politique douanière conforme à leurs intérêts. Quant aux ouvriers agricoles, ils sont franchement sacrifiés, leur salaire baissant de près de moitié pendant la période fasciste.

Les ouvriers ont dans leur ensemble été mieux traités par le régime. Certes, la destruction de leurs organisations traditionnelles et l'abolition du droit de grève les privent de leurs armes les plus sûres. De surcroît, les corporations italiennes, dont la fonction est définie par l'article 6 de la Charte du travail de 1927, et le Deutsche Arbeitsfront (Front allemand du travail), fondé en 1934 dans le but de représenter à égalité les délégués ouvriers et patronaux, ont eu tôt fait de montrer leur vrai visage : celui d'un instrument utilisé par le patronat pour tuer dans l'œuf les revendications des travailleurs. La stagnation du revenu ouvrier dans les deux pays (alors que les profits ont fortement augmenté) indique que le but a été atteint. Cela dit, cherchant à obtenir un consensus aussi large que possible, le fascisme et le national-socialisme ne pouvaient se désintéresser du sort de la classe ouvrière ni contredire trop ouvertement l'ouvriérisme du discours officiel. Aussi se sont-ils efforcés de compenser partiellement la pression exercée sur les salaires par des satisfactions et avantages divers : certains parfaitement illusoires comme la politique de prestige extérieur ou la mythologie impérialiste de la terre promise (celle-ci fonctionnant d'ailleurs assez bien au moment de la guerre d'Éthiopie), d'autres plus tangibles : plein emploi en Allemagne, législation sociale en Italie, vacances et loisirs organisés dans les deux pays, etc.

Ainsi, la situation sociale de l'Italie et de l'Allemagne à la veille de la guerre laisse songeur quant à la nature d'une révolution fasciste ou nationale-socialiste qui ne paraît pas avoir beaucoup dépassé le niveau des intentions et du verbe. En renforçant l'assiette économique de la bourgeoisie et des agrariens aux dépens des classes moyennes, en ne concédant à la classe ouvrière que des avantages restreints et en faisant supporter aux plus pauvres des ruraux le poids de l'essor industriel, le fascisme n'a fait que reprendre en l'amplifiant la politique des gouvernements libéraux qui l'ont précédé. Bien que possédant une plus grande marge d'autonomie à l'égard des forces sociales qui l'ont porté au pouvoir, il ne se distingue pas non plus fondamentalement des autres formes d'exception du régime capitaliste. Autrement dit, la politique qu'il pratique n'aboutit en fin de compte qu'au renforcement des oligarchies qui ont favorisé son avènement.

Les instruments
du totalitarisme

En revanche, ce qui distingue fondamentalement les régimes fascistes des autres formes de dictature instaurées dans le cadre du système capitaliste, c'est leur caractère totalitaire, c'est-à-dire leur aspiration à contrôler le corps social dans sa globalité et à couler tous les individus dans un même moule producteur de l'homme nouveau.

Dans cette perspective, il s'agit, en premier lieu, d'améliorer quantitativement et qualitativement la « race ». En Italie, le régime s'efforce de restreindre l'émigration et de stimuler la natalité. En Allemagne, les nazis livrent un combat identique pour le maintien d'une forte vitalité démographique. Or, les résultats sont sur ce point assez décevants. Tout au plus parvient-on à freiner la baisse des naissances constatée au même moment dans les autres pays européens industrialisés. Cette politique nataliste s'accompagne d'efforts considérables pour accroître la vigueur et la santé des populations. Le sport joue à cet égard un rôle de tout premier plan, à la fois instrument d'intégration des masses – auxquelles il offre des compensations de prestige (s'agissant du sport-spectacle) et des opportunités de promotion individuelle – et outil destiné à forger les générations nouvelles et à les préparer aux affrontements de l'avenir. En Italie, par exemple, ce sont les sports les plus représentatifs des valeurs militaires, ou dont on estime qu'ils ont une aptitude particulière à développer les vertus guerrières de la race qui sont l'objet des soins les plus constants du régime. Ce sont également ceux, escrime, boxe, équitation, aviation sportive et en général tous les sports mécaniques, qui, avec le football, donneront à celui-ci ses principaux titres de gloire.

Le sport est également à l'honneur en Allemagne. Les Jeux de Berlin consacrent à cet égard en 1936 la suprématie olympique du IIIe Reich, vainqueur officieux de la compétition avec 89 médailles contre 66 aux États-Unis, l'Italie fasciste venant en troisième position. Mais ici, le souci de développer les qualités physiques et morales de la race se double d'une préoccupation majeure qui tient à la conservation de sa pureté. De là découle une législation raciale essentiellement dirigée contre les juifs, que les dirigeants nazis accusent de détruire la substance et la cohésion de la nation allemande par leur « intellectualisme », leur « internationalisme » et leur « individualisme ». Les lois de Nuremberg (1935) leur interdisent non seulement de contracter mariage avec des Allemands mais d'avoir avec eux des relations sexuelles (considérées comme « crime contre la race »). De là procèdent également les mesures dites de « protection de la race », encourageant la natalité au profit des « vrais aryens » et aussi les mesures eugénistes, justifiées par les « travaux » de biologistes et d'anthropologues dévoués au régime et qui ouvrent la voie au génocide : stérilisation d'individus soi-disant « tarés », élimination de malades incurables, de vieillards impotents, de personnes souffrant de troubles mentaux, etc.

L'Italie s'est engagée plus tardivement, et surtout beaucoup moins loin, dans la voie du racisme. Jusqu'en 1938, l'antisémitisme y était un phénomène à peu près inexistant. Au même titre que les autres Italiens, les israélites, d'ailleurs peu nombreux (44 000 personnes), avaient participé au fascisme et à l'antifascisme. Mussolini lui-même s'était, jusqu'en 1936, désolidarisé en ce domaine du national-socialisme et avait ironisé sur le concept de la race nordique. C'est seulement avec l'Axe Rome-Berlin et les débuts de la « révolution culturelle » fasciste que le régime prend un virage ouvertement raciste. Le Duce et certains milieux de l'extrémisme fasciste, admirateurs de l'efficacité hitlérienne, se montrent à leur tour attirés par l'aspect pseudo-scientifique du racisme, lequel donne à la doctrine nazie une cohérence qui, estiment-ils, fait défaut à son homologue italienne. Le *Manifeste de défense de la race*, publié alors sous l'égide du ministère de la Culture populaire par un groupe de professeurs d'université, spécialistes de zoologie, d'anthropologie, de pathologie, etc., affirme l'existence d'une hiérarchie des races. Le peuple italien, pour sa part, constitue l'un des rameaux de la race aryenne – race éminemment supérieure – et il est temps pour lui de se déclarer franchement raciste et de se protéger de tout risque de contamination, émanant notamment de la communauté juive. A partir de là va se développer au cours des dernières années du régime une législation raciste que le Duce, pour échapper au reproche d'imitation servile du nazisme, présente comme le complément de la politique démographique qu'il poursuit depuis 1927. Rigoureuse dans sa lettre, elle n'aura guère le temps d'être appliquée et surtout elle se heurte d'entrée de jeu à une résistance générale venant non seulement de la masse des citoyens mais de nombreux fonctionnaires ayant à charge de la faire respecter.

Ces masses plus nombreuses, physiquement et moralement « bonifiées » par la pratique des exercices du corps, protégées de toute contamination étrangère au génie de la race par une politique de stricte discrimination, il importe de les mobiliser au service du projet totalitaire fasciste, de leur inspirer le goût du combat et de la discipline militaire, de les remodeler à l'image d'un homme nouveau en rupture avec les idéaux de l'élite traditionnelle. La propagande, la fascisation de la culture, l'éducation de la jeunesse, l'enrégimentement de la population dans les organisations dépendant du parti unique, l'élaboration d'un « style fasciste » sont les principaux outils de cette mainmise sur les esprits et sur les consciences.

La mobilisation idéologique s'opère tout d'abord par le truchement d'une propagande omniprésente et bientôt obsessionnelle. En Italie, un ministère de la Presse et de la Propagande, confié à Dino Alfieri et remplacé en 1937 par le ministère de la Culture populaire (baptisé par dérision *Minculpop*), est chargé de veiller au conformisme des journaux et au filtrage des informations. Radio, actualités cinématographiques (*cinegiornale*), affiches géantes diffusent les mots d'ordre du régime, tandis que de gigantesques parades sont organisées dans les grandes villes de la péninsule et notamment à Rome où le Duce s'adresse à la foule du haut du balcon du Palais de Venise, dialoguant avec elle sur le modèle inauguré par D'Annunzio à Fiume, multipliant les formules choc et les attitudes théâtrales. La propagande pénètre en même temps tous les aspects de la vie intellectuelle sans parvenir, dans la plupart des cas, à créer une culture fasciste originale. Le ralliement au fascisme d'une partie importante de l'intelligentsia italienne, le culte de la personnalité du Duce, l'abandon par le fascisme de ses idéaux originels au profit de ceux de la tradition intellectuelle bourgeoise concourent à la propagation d'un conformisme culturel que favorise également l'insertion des écrivains et des artistes dans des structures contrôlées par le pouvoir : corporation spécialisée, Institut national fasciste de la culture, confié en 1925 au philosophe officiel du régime, Giovanni Gentile, Conseil national de la recherche, Académie d'Italie fondée en 1929 pour concurrencer la prestigieuse Accademia dei Lincei. Des prix, des médailles, des distinctions et avantages de toutes sortes sont institués pour récompenser les réalisations pouvant le mieux assurer la gloire du régime. Il en résulte une sclérose de la culture officielle, particulièrement manifeste dans les arts plastiques, avec pour contrepartie la résistance passive qu'opposent à l'entreprise totalitaire du régime nombre d'intellectuels non ralliés au fascisme et parfois en conflit ouvert avec lui, tel le philosophe libéral Benedetto Croce. C'est dans leurs rangs que la littérature italienne recrute les meilleurs de ses représentants : un Pavese, un Vittorini, un Moravia, etc.

En Allemagne, l'entreprise de conditionnement des esprits a été poussée beaucoup plus loin encore. Sous les auspices de Goebbels, la propagande utilise tous les moyens pour imposer la vérité officielle et fanatiser les esprits, depuis les grands vecteurs traditionnels (livre, presse) jusqu'aux gigantesques parades de Nuremberg en passant par les médias modernes d'information : l'affiche, la radio, le cinéma qui, comme les journaux et l'édition, sont étroitement surveillés. La Chambre de la culture nationale (Reichskulturkammer), créée dès septembre 1933, et la police veillent à l'interdiction de tout ce qui n'est pas dans la stricte ligne du régime. Les bibliothèques sont expurgées et des milliers d'ouvrages sont brûlés dans d'immenses autodafés. Aussi, si des hommes comme le philosophe Heidegger et le musicien Richard Strauss se rallient dans un premier temps au régime, les plus illustres représentants de la culture allemande prennent, nous l'avons vu, le chemin de l'exil ou se réfugient dans un silence réprobateur. Résultat, la vie intellectuelle et artistique du Reich, foisonnante d'inventions et d'œuvres originales à l'époque de la République de Weimar, connaît un dessèchement rapide. A l'exception peut-être du cinéma qui produit, à côté d'œuvres de circonstance d'une très grande platitude et de comédies aseptisées, somme toute assez proches du modèle hollywoodien (comme les « téléphones blancs » italiens), des films d'une haute valeur technique et parfois d'une incontestable beauté formelle. Tel le film de Leni Riefenstahl, la cinéaste préférée du Führer, sur les Jeux olympiques de Berlin en 1936 (*Les Dieux du stade*).

Parce qu'il se veut phénomène de longue durée – « Hitler parle du Reich pour mille ans » –, le fascisme place l'encadrement et la formation idéologique de la jeunesse parmi ses priorités absolues. A partir de l'âge de huit ans, les enfants et les adolescents sont enrégimentés dans des organisations paramilitaires – Opera nazionale Balilla en Italie, Jungvolk et Hitlerjugend en Allemagne – destinées à donner aux jeunes le goût de la vie en commun, à leur enseigner l'obéissance et les vertus guerrières, à les élever dans le culte du chef charismatique et sur le modèle de l'homme nouveau. En Italie, la participation aux mouvements de jeunesse est en principe facultative mais ceux qui désirent poursuivre des études peuvent difficilement échapper à leur emprise. Ils regroupent d'ailleurs plus de 5 millions de jeunes à la veille de la guerre, dont 100 000 affiliés aux Groupes universitaires fascistes (GUF). Dans le Reich, ils sont obligatoires depuis 1936 et poussent beaucoup plus loin l'entreprise de fanatisation et de déshumanisation des générations nouvelles. « Je veux une jeunesse brutale, déclare le Führer, impérieuse, impavide et cruelle. Elle doit supporter la souffrance. Il ne doit y avoir en elle rien de faible ni de tendre. Le fauve libre et magnifique doit à nouveau briller dans ses yeux. Forte et belle : voilà comme je veux ma jeunesse » (H. Rauschning, *Conversations avec Hitler*).

L'école et l'université obéissent aux mêmes impératifs. En Italie la fascisation est forte dans l'enseignement primaire (les instituteurs font la classe en chemise noire) et dans le supérieur, où les cadres issus de la haute bourgeoisie sont souvent favorables au régime : astreints en 1931 à prêter un serment de fidélité, 13 professeurs seulement sur 1 250 refuseront de le faire. Elle est beaucoup plus superficielle dans le second degré, du moins jusqu'en 1938. A cette date, la Charte de l'école et la réforme scolaire instaurée sous les auspices de Giuseppe Bottai se donnent pour objectif de substituer à un système éducatif demeuré élitiste dans ses procédures de sélection et humaniste dans son esprit, une école d'inspiration plus jacobine (quoique très respectueuse de la hiérarchie), plus populaire, porteuse des valeurs incarnées par l'homme nouveau et apte à transmettre aux jeunes générations la langue, les pratiques sociales et la culture du fascisme. Ceci dans le but clairement exprimé de les soustraire aux influences reproductrices de l'Église et de la famille. Le temps a manqué au fascisme pour réaliser ces objectifs.

En Allemagne au contraire les changements sont, à tous les niveaux,

4. *L'équipe allemande défilant dans le stade olympique, lors de la cérémonie d'inauguration des Jeux de Berlin en 1936.*

5. *L'« aryanité » menacée par la « lèpre juive » : affiche antisémite italienne.*

6. *Les jeunesses hitlériennes.*

profonds et rapides. Le pouvoir national-socialiste procède à une stricte épuration du personnel, fait réviser les manuels scolaires et exerce sur les professeurs et sur les élèves un contrôle rigoureux. Dans le secondaire, certaines matières sont marginalisées au profit de disciplines considérées comme représentatives de l'ordre nouveau : langue maternelle, histoire et géographie « corrigées », biologie, éducation physique. En même temps sont créées des écoles d'un type nouveau, les *Adolf Hitler Schulen* et les établissements d'éducation nationale-politique, qui ne dépendent que du parti et sont destinées à former ses futurs cadres; leur enseignement est fondamentalement différent de celui qui est dispensé dans les écoles ordinaires. Depuis février 1933, la fonction de ministre de la Science, de l'Enseignement et des Arts est assumée par Bernhard Rust, un ancien instituteur qui avait été destitué en 1930 pour instabilité mentale et qui s'est donné pour tâche de « liquider l'école en tant qu'institution d'acrobatie intellectuelle ». Quant à l'Université – où ne peuvent enseigner que des membres des organisations nazies – elle est également soumise à une stricte orthodoxie idéologique. Des disciplines entières dépérissent ou disparaissent tandis que l'on enseigne les « mathématiques allemandes », la « physique aryenne » et que se développent les « sections de guerre » (chimie de guerre, économie de guerre, géographie de guerre, etc.).

L'encadrement des adultes – il s'agit moins ici de former que de surveiller, d'embrigader et de réprimer d'éventuelles résistances – s'opère en tout premier lieu par l'intermédiaire du parti unique. En 1940, le PNF compte 2,5 millions d'adhérents, dont la moitié appartient en même temps à la Milice, véritable garde nationale fasciste vouée au maintien de l'ordre. En le soumettant périodiquement à de vigoureuses purges, les secrétaires généraux qui se sont succédé à sa tête (Farinacci, Giuriati, Turati, Starace) ont essayé de lui conserver son caractère d'« armée de croyants » et d'aristocratie politique. Beaucoup y adhèrent toutefois par pur arrivisme, ou simplement pour conserver leur situation, ce qui est notamment le cas des fonctionnaires. D'où les plaisanteries qui sont faites sur le sigle PNF (« par nécessité familiale ») et sur la « carte du pain », la *tessera del pane,* c'est-à-dire la carte du parti. En 1934, le NSDAP compte 4,5 millions d'adhérents, inscrits pour la plupart après l'avènement du nazisme et pour des raisons à peu près analogues à celles de leurs homologues italiens.

C'est dans le cadre de leurs activités professionnelles que les Italiens et les Allemands subissent le plus fortement l'emprise des structures d'intégration mises en place par le régime. En Italie l'adhésion aux associations professionnelles (pour les membres des professions libérales) et aux syndicats fascistes (pour les travailleurs) n'est pas obligatoire. Dans les faits elle constitue toutefois une condition essentielle pour être embauché. Les mesures de contrainte sont encore une fois plus accusées dans le cas du IIIe Reich où est institué en 1935 le livret de travail, interdisant à l'ouvrier allemand de quitter l'entreprise qui l'emploie sans l'accord de son patron.

Les résultats de ces mesures d'encadrement, prolongées nous l'avons vu dans le secteur des loisirs, dépendent à la fois de la rigueur avec laquelle elles sont appliquées et de la capacité de résistance (ou d'inertie) des populations qui y sont soumises. L'Italien étant plutôt individualiste et rebelle à la discipline, il est inévitable que le système de contrôle comporte des failles. En Allemagne au contraire, où le sens du collectif et le goût de l'ordre sont plus développés, l'embrigadement des masses ne rencontre pas les mêmes résistances et Robert Ley, chef du Deutsche Arbeitsfront – qui rassemble à la fin de la période 25 millions de salariés – peut déclarer que dans le IIIe Reich « seul le sommeil est encore une affaire privée ».

Le fonctionnement de l'État totalitaire suppose enfin l'élimination de tous ceux qui risquent de mettre en péril l'ordre nouveau. Mais tandis que le fascisme italien ne combat jusqu'à la fin des années 30 que ses ennemis déclarés, le régime hitlérien s'attaque avec la même vigueur à ceux qu'il estime être ses ennemis éternels, c'est-à-dire à des individus et à des groupes qui par leur simple existence paraissent menacer la vie et la cohésion de la nation.

En Italie, à partir du moment où la dictature est définitivement établie (1926), seuls sont encore poursuivis ceux qui s'opposent ouvertement au régime. Les autres n'ont en général rien à craindre de la police politique, l'OVRA, et des juridictions d'exception, même si dans le passé ils ont appartenu à des formations antifascistes. La lutte contre les adversaires intérieurs du fascisme s'exerce surtout contre les communistes. Traqués par l'OVRA, 5 000 d'entre eux sont condamnés par le tribunal spécial. Les plus chanceux sont envoyés en résidence surveillée dans des localités perdues ou dans les îles (Lipari, Ponza) : ce sont les *confinati*. Les autres sont condamnés à de lourdes peines de prison, tel Antonio Gramsci qui ne survivra pas à sa détention. Le régime peut également poursuivre en terre étrangère ceux qui ont pris le chemin de l'exil, les *fuorusciti,* et faire abattre par ses agents, ou par des groupuscules fascistes à sa solde, ses opposants les plus dangereux. Les frères Rosselli, réfugiés en France au moment de la guerre d'Espagne, subiront ce sort en 1937, victimes d'un attentat organisé par la Cagoule. Dans l'ensemble on peut dire que le régime mussolinien pratique à partir de 1926 une répression très dure mais rarement inhumaine.

En Allemagne, la répression a pris, au contraire, dès les premières semaines de la dictature, un aspect démentiel. Le premier pas vers le terrorisme est accompli avec la loi du 29 mars 1933 qui abolit les libertés fondamentales. Par la suite, c'est la notion même de justice qui est modifiée. A partir de 1935, tout acte qui se trouve en contradiction avec les « sentiments sains du peuple » est jugé criminel. La Gestapo, la SA, dont le rôle se trouve très réduit depuis la « nuit des longs couteaux », et la SS sont les principaux instruments de la terreur. Les décisions prises par la juridiction politique (mise en arrestation « préventive », sans indication de motif, transfert dans les camps) échappent au contrôle des organes judiciaires réguliers. Un accusé acquitté par les tribunaux de l'État – c'est le cas du pasteur Niemöller en 1937 – peut ainsi être aussitôt expédié dans un camp de concentration par la juridiction du parti.

Parmi les ennemis éternels du peuple allemand, les marxistes figurent au premier rang. Les premiers camps de concentration sont créés au printemps 1933 pour accueillir les milliers de militants communistes et socialistes qui sont arrêtés au lendemain de l'incendie du Reichstag. A la fin de 1933, il y en a déjà une cinquantaine, peuplés presque exclusivement d'hommes de gauche. Pendant les six années qui suivent, un million d'Allemands seront arrêtés sans autre motif que d'être soupçonnés d'attitude hostile au régime. En 1935, la gestion des camps passe de la SA à la SS. C'est le début d'une terreur systématique qui étend peu à peu la répression à d'autres catégories de la population : criminels de droit commun, homosexuels, oisifs, etc. Tous sont victimes des mêmes sévices, qui vont du matraquage à la torture et à l'assassinat pur et simple.

Autre ennemi éternel de l'Allemagne et du nazisme soumis à la répression la plus féroce, la communauté juive. « Le » juif est présenté comme l'incarnation du Mal et devient l'objet d'une imprécation quasi permanente, utilisant toutes les ressources de la propagande écrite et audio-visuelle. Moyen commode et classique de détourner contre lui toutes les frustrations passées et présentes d'une population qui trouve ainsi un exutoire à ses rancœurs. Jusqu'en 1938, ce discours antisémite s'accompagne de mesures discriminatoires visant à éliminer les juifs du commerce, de la banque, des professions médicales et juridiques, de la fonction publique et de l'armée. Ils perdent la citoyenneté allemande et sont soumis à toutes sortes de mesures vexatoires : port de l'étoile jaune, exclusion des lieux publics fréquentés par les aryens, etc. Toutefois, il n'y a pas officiellement de répression physique à l'égard de la communauté juive, et s'il existe bien des violences exercées contre ses membres, elle sont le fait des organisations locales du parti national-socialiste.

Au contraire, à partir de 1938, il y a incontestablement un raidissement de la politique antisémite. Le point culminant en est la « nuit de cristal », un immense pogrom à l'échelle nationale qui frappe, dans la nuit du 18 au 19 novembre, l'ensemble de la communauté juive. Si le

7. *Membre du parti fasciste et très proche du groupe dirigeant, l'écrivain Curzio Malaparte est tombé en disgrâce au début des années trente et a été, comme beaucoup d'antifascistes, assigné à résidence à Lipari. « Image de ma vie de déporté, mars 1934 ». Lipari, via Garibaldi, avec mention manuscrite de Malaparte : « ma fenêtre ».*

8. *Pillage d'un magasin juif en Allemagne pendant la « nuit de cristal ».*

prétexte est politique, l'assassinat à Paris du conseiller d'ambassade von Rath par un jeune israélite allemand, les mobiles sont essentiellement d'ordre matériel. Le régime veut, par ce biais, mener à terme l'aryanisation des entreprises juives et procéder à la confiscation de tous les biens juifs dont il a besoin en vue de la guerre. Tandis que 30 000 à 40 000 israélites sont expédiés par la SS dans les camps de concentration et que le parti nazi exige de la communauté juive qu'elle verse un milliard de Reichsmarks à l'État « en réparation des dégâts causés par la juste fureur nationale », le régime offre théoriquement aux juifs de quitter l'Allemagne en y abandonnant tous leurs biens. Mais il est difficile de croire à la sincérité de cette offre car, dans le cercle de ses amis, Hitler ne cache plus qu'il envisage non pas l'expulsion mais l'extermination de la « race juive ». Le premier pas est ainsi franchi dans la voie qui va conduire le nazisme à la solution finale (*Endlösung*) : le génocide de 6 millions de personnes perpétré dans les conditions les plus atroces.

Si l'Italie de 1933 pouvait apparaître comme le modèle du fascisme au pouvoir, les années qui ont suivi ont montré que l'on pouvait aller beaucoup plus loin sur la voie tracée par le Duce. Hitler instaure en effet un régime dont le totalitarisme est nettement plus accusé que celui de son homologue italien; pas seulement parce que l'appareil répressif y est plus sévère, mais aussi et surtout parce qu'il y a en Allemagne une modification qualitative des structures politiques, économiques et sociales et parce que le groupe dirigeant dispose d'une autonomie à peu près complète par rapport aux couches sociales qui l'ont porté au pouvoir ou aidé à conquérir celui-ci. Les choses sont différentes en Italie, où c'est seulement à partir de 1936-1937 que s'amorce le véritable tournant totalitaire du régime.

La mise en sommeil des objectifs révolutionnaires du fascisme, son incapacité à faire reculer l'hégémonie culturelle des anciennes élites, les résistances opposées à la fascisation de l'école, de la culture, de la jeunesse, la fusion qui a commencé à s'opérer entre ancienne et nouvelle classe dirigeante, tout paraissait indiquer en effet, à la veille du conflit éthiopien, que le régime mussolinien avait du mal à trouver son second souffle et à se transformer en une véritable dictature totalitaire de masse. Autrement dit, que, malgré la véhémence verbale de ses dirigeants et les démonstrations tapageuses des foules qu'il manipulait, il avait de bonnes chances de glisser sur la pente du conformisme et de l'embourgeoisement.

Si l'on suit De Felice dans sa démonstration [*Mussolini il Duce.* II. *Lo stato totalitario (1936-1940), op. cit.*], c'est dans le but exclusif d'enrayer cette dérive conservatrice du régime que Mussolini engage celui-ci dans un processus de fascisation à outrance qui commence en 1936 et marque, pour l'Italie, le début du totalitarisme authentique.

Jusqu'à cette date, la dictature, instaurée en 1922 et renforcée par les lois fascistissimes de 1926, n'est que formellement et partiellement totalitaire. Sur ce point, on ne peut qu'être d'accord avec le biographe du Duce. Le régime, il est vrai, a fonctionné pendant près de quinze ans sur la base d'un double compromis. Compromis entre un bloc dirigeant éminemment composite et les masses italiennes dont le fascisme s'est appliqué à réaliser l'intégration par des moyens divers : la violence et la répression, la propagande et l'encadrement dans des organisations de toute nature dépendant du parti, des satisfactions matérielles également (le recul du chômage, une meilleure couverture sociale) ainsi que des compensations de prestige (la politique étrangère, l'expansion coloniale, l'appui donné aux communautés immigrées). Autant d'éléments qui ont permis à la dictature mussolinienne de prendre appui sur un consensus *passif* qui trouve son apogée au moment de la guerre d'Éthiopie et de la campagne contre les sanctions. Compromis, d'autre part, au sein même du bloc dirigeant, entre le parti, instrument de pouvoir et de promotion d'une nouvelle élite – composée principalement de représentants des classes moyennes –, et les forces traditionnelles que constituent l'Église, la monarchie et la bourgeoisie, auxquelles a été concédée une certaine marge d'autonomie.

Au lendemain de la proclamation de l'Empire, Mussolini fait le constat de la précarité de ces divers équilibres. Certes, aucune menace sérieuse, intérieure ou extérieure, ne pèse dans l'immédiat sur le régime. Fabriquée ou non, l'adhésion des masses au fascisme n'a jamais été aussi forte qu'au printemps 1936. L'affaire éthiopienne se trouvant réglée, rien n'empêche l'Italie de renouer le dialogue avec les démocraties, comme le souhaitent une fraction importante des élites, anciennes et nouvelles, et nombre de hiérarques fascistes. Ainsi se trouveraient réunies les conditions d'une démobilisation progressive des esprits, voire d'une libéralisation du régime, incontestablement voulue par une partie de ceux qui ont autrefois favorisé son avènement. De cette tentation du retour au passé, le Duce a clairement conscience. Il sait que le temps n'est plus de son côté et que, dans sa forme du moment, le régime survivrait difficilement à sa propre disparition. D'où la nécessité qui s'impose à lui de radicaliser le fascisme, de l'enraciner profondément et durablement dans le pays, d'imprimer à la société italienne un mouvement irréversible, interdisant aux anciennes élites et aux détenteurs du magistère spirituel la possibilité de reconquérir leurs positions perdues.

Préparer la relève de la monarchie, assurer après sa propre disparition la pérennité du fascisme, pour cela conquérir ou reconquérir tous les espaces de souveraineté que lui disputent le roi et l'Église, telles sont, depuis la fin de la guerre d'Éthiopie, les préoccupations majeures du Duce. Une véritable idée fixe qui le conduit à multiplier les assauts contre ces deux piliers de l'ordre établi, sans réussir beaucoup à les ébranler. Il sera même contraint parfois à battre en retraite, par exemple en 1938, lorsque, menacé d'excommunication par Pie XI, il devra renoncer à soumettre l'Action catholique et ses organisations de jeunesse à l'autorité de l'État.

De là résulteraient pour l'essentiel – selon De Felice qui, me semble-t-il, a trop tendance à sous-estimer le rôle incitatif du modèle hitlérien – les choix totalitaires des dernières années du fascisme ou, si l'on veut, la révolution culturelle que Mussolini tente de faire accomplir à son pays, dans le but affiché de briser l'hégémonie des anciennes élites. Des choix fondamentalement antibourgeois et qui sont censés se rattacher aux perspectives « révolutionnaires » du premier fascisme. On en connaît les aspects les plus spectaculaires et les plus grotesques : le *tu* et le *voi* substitués dans le langage quotidien à la forme de politesse de la troisième personne, le *lei*, bon pour un « peuple de laquais », les mots d'origine étrangère récente, ou présumés tels, bannis du lexique officiel parce que révélateurs des tendances cosmopolites de la bourgeoisie, les dirigeants fascistes contraints, quel que soit leur état physique, à marcher au pas de gymnastique et à subir des épreuves sportives, les défilés militaires au pas de l'oie, rebaptisé « pas romain » pour la couleur locale, etc. Au-delà de ces manifestations burlesques, et vécues comme telles par le peuple italien, il y a la volonté de rompre par la « coutume fasciste » avec le modèle « négatif » incarné par les anciennes élites et de lui substituer celui de l'homme nouveau, « dynamique et viril », porteur des espoirs millénaristes du fascisme en une race régénérée capable de donner à l'Italie sa « place au soleil ». La politique raciale, adoptée à cette date par le fascisme, et la mise au pas intellectuelle et morale de la jeunesse s'inscrivent dans cette perspective.

9. *Le Duce défilant au « pas romain » en 1938.*

De ces prémisses, de ce refus de la culture et de l'ordre bourgeois, de cette volonté d'enraciner le fascisme dans un cadre social, national et racial qui reste largement à construire découlent les choix de la politique étrangère. L'alliance avec l'Allemagne et avec le Japon est une alliance de nature, contractée avec des peuples jeunes, dynamiques, dotés d'une forte vitalité démographique, racialement supérieurs aux autres et promis, comme le peuple italien, à une destinée planétaire. Politique intérieure et politique étrangère vont ainsi de pair, les doctrinaires et les décideurs fascistes mêlant dans un même mépris et promettant à un avenir semblable les démocraties décadentes, rongées par le virus hédoniste, et les anciennes élites italiennes, suspectes de sympathies pour l'Angleterre et pour la France.

Que l'alignement tendanciel des deux pays sur un modèle totalitaire unique, qui serait celui du *fascisme intégral*, soit le résultat de choix parallèles et autonomes opérés par les deux dictateurs, ou l'imitation par le maître des apports décisifs du disciple, ne change pas grand-chose à ceci que le raidissement du fascisme après 1936 ne suffit pas à faire de la dictature mussolinienne l'équivalent du totalitarisme allemand. Peut-être, en fin de compte, parce que la notion centrale de l'ordre nouveau demeure en Italie celle de l'État transcendant, ce qui garantit un minimum de légalité dont le Duce lui-même doit tenir compte, alors qu'en Allemagne le Führer incarne à lui seul le droit et s'identifie totalement à la nation. De cette conception mystique du pouvoir découle l'ultime conséquence du fascisme allemand : le système de terreur et d'extermination, tel qu'il va se manifester au cours de la guerre avec la montée de l'État SS.

10. *Pie XI et Mussolini en 1932 : gravure extraite de la* Domenica del Corriere.

XI

La tentation fasciste des années 30 dans les démocraties européennes

Vers une internationale

fasciste ?

Pendant de nombreuses années Mussolini a répété que le fascisme, phénomène spécifiquement italien, n'était pas un article d'exportation. Cela ne l'a pas empêché d'encourager la formation de *fasci* parmi les communautés d'émigrés italiens à l'étranger. Le but étant de s'opposer à la propagande menée hors de la péninsule par les *fuorusciti,* les antifascistes en exil, particulièrement nombreux dans des pays comme la France – Paris est la capitale de l'antifascisme –, la Grande-Bretagne et la Suisse. Cette action reste cependant très discrète et surtout elle se limite en général à cette époque aux milieux de l'émigration italienne.

Peu à peu cependant, le Duce est appelé à s'intéresser à des mouvements qui, tout en se réclamant des idéaux du fascisme, ne sont pas nés des initiatives italiennes mais simplement du désir d'imiter un modèle efficace. Bientôt il apportera même son soutien à des organisations qui, si elles ne sont pas à proprement parler fascistes, présentent des ressemblances avec son mouvement et en tout cas sont susceptibles de favoriser ses desseins diplomatiques. C'est le cas, par exemple, des Heimwehren autrichiens dont on a la certitude qu'ils ont été, dès 1928, financés par les services italiens (F. Kreissler, *L'Autriche de 1918 à 1938,* Paris, PUF, 1971). Mais il ne s'agit encore que d'actions isolées qui ne s'insèrent pas dans un plan d'ensemble.

Tout change avec la crise. La prolifération en Europe et dans le reste du monde de mouvements se réclamant ouvertement du fascisme ne peut laisser Mussolini indifférent. N'est-elle pas une justification après coup de son action ? Elle flatte en tout cas assurément sa mégalomanie et surtout elle ne tarde pas à modifier son attitude à l'égard des aspects internationaux du fascisme. Rédigeant pour l'*Encyclopédie italienne* l'article se rapportant à la doctrine fasciste, le Duce écrit : « Si chaque siècle a sa doctrine, il apparaît par mille indices que celle du nôtre est le fascisme. » Et, le 25 octobre 1932, il proclame à Milan devant une foule enthousiaste : « Dans dix ans, on peut le dire sans se poser en prophète, la carte de l'Europe aura été modifiée... Dans dix ans l'Europe sera fasciste ou fascisée! » donnant ainsi le coup d'envoi d'une campagne pour l'universalité du fascisme.

Plusieurs années avant cette spectaculaire conversion du Duce à l'idée d'un fascisme universel dont la Troisième Rome serait l'épicentre, de petits groupes de fascistes purs et durs s'étaient engagés dans cette voie, cherchant dans l'élargissement du fascisme à l'Europe une sorte de nouvelle frontière, en tout cas un contrepoids à l'embourgeoisement du régime et à la banalisation de ses objectifs. L'un d'entre eux avait donné naissance en 1928 à la revue *Antieuropa*, dont le titre avait été choisi pour manifester l'hostilité des fondateurs entre la « vieille Europe » du libéralisme et du capitalisme. Son directeur, Asvero Gravelli, était un squadriste de la première heure. Membre du premier *fascio* milanais, il avait participé à l'expédition de Fiume et à de nombreuses actions punitives contre les socialistes, parmi lesquelles la fameuse mise à sac des locaux de l'*Avanti!* le 15 avril 1919 (M. A. Ledeen, *L'Internationale fasciste,* Bari, Laterza, 1973, p. 106 *sqq.*). Il était ensuite devenu l'un des dirigeants de l'Opera nazionale Balilla et s'était consacré, comme journaliste, à la mobilisation des jeunes, fondant coup sur coup deux revues : *Giovinezza* et *Giovane Italia.* C'est dire que Gravelli était à l'écoute de la jeunesse fasciste et qu'il a pu de bonne heure mesurer l'impact qu'avait sur les jeunes l'idée d'une révolution fasciste débordant les frontières de la péninsule et apportant au régime son second souffle.

Un homme comme Gravelli n'a donc pas attendu le feu vert du régime pour parler d'internationale fasciste. Fin 1930, il publie dans sa revue *Antieuropa* un article précisément intitulé « Verso l'Internazionale fascista », dans lequel il expose les idées du petit groupe qu'il anime :

« *Antieuropa* – précise-t-il – est l'avant-garde du fascisme européen. Son but est de regrouper les meilleurs éléments en Europe, d'incarner les expériences du fascisme, de nourrir l'esprit révolutionnaire fasciste, d'établir la dévotion à la cause de la dictature européenne...

« ... La conquête du pouvoir en Italie n'a été que le début d'une action européenne » (*Antieuropa,* novembre-décembre 1930).

Propos assez peu orthodoxes à l'heure de la normalisation intérieure et à un moment où le régime cherche plutôt à offrir à ses partenaires européens l'image de la respectabilité. Mais propos qui éveillent incontestablement un écho favorable parmi les jeunes et dans les rangs des ex-squadristes que déçoit la dérive conservatrice du régime. N'oublions pas qu'en Italie le premier fascisme ne disparaît ni avec la fondation du PNF, ni avec l'arrivée au pouvoir de Mussolini, ni avec l'installation définitive de la dictature en 1926-1927. Il demeure continûment une réalité sous-jacente du régime, tolérée par celui-ci et périodiquement manipulée par lui quand son discours ou son action peuvent aider l'équipe dirigeante à atteindre ses propres objectifs. C'est ce qui s'est produit à la fin de 1932, lorsque Mussolini s'est aperçu que les idées de Gravelli pouvaient servir à conforter sa position, en Italie et hors d'Italie.

Le discours du Duce à Milan coïncide, à quelques jours près, avec la sortie du premier numéro de la revue *Ottobre*. Le titre a été choisi pour commémorer le dixième anniversaire de la Marche sur Rome et le sous-titre, *Rivista del fascismo universale,* dit clairement le projet du fondateur, lequel n'est autre que Gravelli. Succès immédiat, fortement aidé, semble-t-il, par les subsides gouvernementaux : seize mois après sa création, *Ottobre* devient quotidien et, dans l'intervalle, la revue de Gravelli a accueilli dans ses colonnes les signatures de très nombreux écrivains philofascistes européens, unanimes à considérer que le modèle italien représentait la réponse la mieux adaptée à la crise qui secouait l'Occident. C'est également à la fin de 1932, reprenant le titre de son premier article sur le sujet, « Vers l'Internationale fasciste », que le directeur d'*Ottobre* publie un recueil de ses articles parus au cours des deux années précédentes. « Ou la vieille Europe ou la jeune Europe, écrit-il. Nous signons un nouveau pacte de fraternité européenne et nous rejetons les vieilles idées... Le fascisme est le fossoyeur de la vieille Europe. Voici que surgissent les forces de l'Internationale fasciste. » Ou encore : « C'est notre temps, le temps du panfascisme. Aucune force humaine ne pourra arrêter les foules en marche avant qu'elles n'aient rejoint le but. »

Voilà donc une initiative un peu marginale au départ, que le pouvoir fait sienne au moment où elle lui paraît devoir accroître son prestige et soutenir ses choix de politique étrangère. En novembre 1932, Mussolini réunit à Rome, sous les auspices de l'Académie d'Italie, un « colloque Volta » destiné à célébrer la postérité scientifique du grand physicien italien. Göring, Schacht et Rosenberg y côtoient le romancier autrichien Stefan Zweig, les Français Gaxotte et Daniel Halévy, le Roumain Manoilesco et beaucoup d'autres figures de la droite intellectuelle européenne. On y parle au moins autant de politique que de physique, de l'Europe en crise menacée par le communisme russe et par le matérialisme anglo-saxon que des gloires scientifiques du passé, et nombreux sont ceux qui évoquent l'idée d'une renaissance spirituelle de l'Europe sous l'égide de la Troisième Rome (E. Santarelli, *Storia del movimento e del regime fascista*, Rome, 1967, vol. II, p. 140-142). Le Duce peut ainsi mesurer l'impact de son régime auprès d'une fraction importante de l'intelligentsia conservatrice et réactionnaire du vieux continent.

On comprend que dans ces conditions l'avènement du national-socialisme, survenu quelques semaines plus tard, ait été salué avec enthousiasme en Italie. Mussolini et la presse fasciste y voient une victoire des idées qu'ils n'ont cessé depuis dix ans de jeter à la face du monde. Et, pourtant, le Duce se montre vite inquiet. Sans doute les manifestations de sympathie entre les deux États totalitaires vont-elles se multiplier en 1933 et en 1934 : groupes de jeunes fascistes chaleureusement accueillis en Allemagne, honneurs rendus au congrès de Nuremberg (septembre 1933) au vice-président du PNF et au ministre Bottai, réception de Göring à Rome, etc. En fait, ces manifestations cordiales dissimulent mal une relative froideur de Mussolini à l'égard du nazisme hitlérien. Froideur qui tient sans doute à la doctrine raciale des nazis, l'idée de la supériorité des nordiques ne pouvant qu'irriter les Italiens (elle avait d'ailleurs été sévèrement critiquée par la revue *Ottobre*), mais qui s'explique surtout par les craintes d'une expansion allemande dans la zone danubienne et par le souci de limiter le pouvoir d'attraction du national-socialisme.

C'est dans une large mesure cette dernière motivation qui incite Mussolini, à la fin de 1934, à jeter les bases d'un organisme de coordination entre les mouvements qui se réclament du modèle italien. Depuis la tentative de putsch nazi en Autriche (juillet 1934), les relations sont devenues franchement mauvaises avec Berlin et le Duce en profite pour affirmer sa position de leader du fascisme européen. Il dispose pour cela de plusieurs instruments de propagande d'une grande efficacité. En Italie même, le ministère de la Culture populaire (Minculpop), héritier du bureau de presse (Ufficio stampa) du chef du gouvernement, dont Ciano – lui-même acquis à l'idée d'une internationale fasciste et très populaire auprès de la jeune génération fasciste – prend la tête en 1934. C'est à partir de cet organisme, et aussi dans une moindre mesure du ministère des Affaires étrangères, que les fonds destinés aux mouvements fascistes européens, à la presse italophile et aux hommes politiques favorables à Mussolini sont ventilés dans les pays désignés par le Duce (voir sur cette question la thèse de Max Gallo et le résumé qu'il en donne dans son ouvrage, *La cinquième colonne, 1930-1940*, Paris, Plon, 1970). Sur place sont installés des agents entièrement dévoués au régime et de hauts fonctionnaires au fait des techniques de la guerre psychologique : Dino Grandi, ambassadeur à Londres, Landini, consul à l'ambassade d'Italie à Paris, etc.

Parallèlement à ces services officiels de propagande, on trouve dans la plupart des grandes villes du monde les Comitati d'azione par l'Universalità di Roma (CAUR), qui dépendent d'un organisme central dont le siège se trouve dans la capitale italienne, l'Istituto per l'Universalità di Roma. Sur ce réseau d'associations culturelles, bâti sur le modèle de l'Alliance française, règne un curieux personnage, le général Coselschi, un vétéran de la Grande Guerre, ami de D'Annunzio et ancien des légions fiumaines. En 1919, il a fondé l'Association nationale des volontaires de guerre, puis il a adhéré au fascisme qui a fait de lui un conseiller national de la Chambre des faisceaux et un lieutenant général de la Milice. En juin 1933, au moment où le Duce décide de créer les CAUR, il prend la tête de cette organisation.

Officiellement, Coselschi, qui passe la majeure partie de son temps en déplacements dans les capitales européennes, visite les sections de son Institut et encourage les initiatives des dirigeants locaux. En réalité, il prend des contacts avec nombre d'hommes politiques, de journalistes, d'hommes d'affaires dont les sympathies pour le régime des faisceaux sont connues et il assure une liaison discrète avec les mouvements d'obédience fasciste. En décembre 1934, c'est lui qui anime le congrès international tenu en Suisse, à Montreux, par les représentants de ces organisations. Pendant deux jours, des conversations ont lieu entre les leaders du fascisme européen (le franciste Bucard pour la France, le phalangiste Jimenez Caballero, le général O'Duffy pour les chemises bleues irlandaises, Arnold Meyer pour le Front noir hollandais, Quisling pour le Nasjonal Samling norvégien : en tout, treize pays étaient représentés en plus de l'Italie). Coselschi les rassure quant aux intentions de son pays – celui-ci n'a pas l'intention d'exercer une quelconque hégémonie sur les mouvements nationaux – et précise que les CAUR sont ouverts à tous ceux qui « sont spirituellement orientés vers les principes d'un renouvellement politique, économique et social fondé sur le concept de la hiérarchie de l'État et sur le principe de la collaboration des classes ». A l'issue de cette réunion discrète, les délégués décident de mettre sur pied une commission permanente du fascisme universel ou, si l'on préfère, une Internationale fasciste.

Au cours des semaines qui suivent, le projet prend corps. Fin janvier 1935, quelques-uns des congressistes de Montreux se trouvent à nouveau rassemblés autour de Coselschi, à Paris cette fois. L'idée de la commission permanente est reprise mais il n'est pas créé de véritable organisation internationale. Jusqu'au début de l'été 1935 il est encore question à plusieurs reprises, toujours de façon feutrée d'ailleurs, de l'Internationale fasciste. Et puis, brusquement, le silence se fait sur cet organisme fantôme. Non pas que la commission permanente soit entrée dans la clandestinité. Simplement elle a cessé de vivre et ceci pour deux raisons majeures. D'abord, parce que les mobiles qui avaient incliné le Duce à organiser autour de lui le fascisme international se trouvent dépassés par l'évolution de la situation extérieure : la rupture du front de Stresa, la guerre d'Éthiopie, puis l'intervention en Espagne l'amènent à se rapprocher d'Hitler et, dans cette perspective, il n'a aucun intérêt à poursuivre une entreprise qui peut lui aliéner les sympathies allemandes. Ensuite parce que Ciano juge pour sa part peu sérieuse l'initiative de Coselschi et ne tarde pas à lui couper les vivres. Le gendre de Mussolini a été poussé dans cette voie par un rapport très critique que lui a fourni, en 1935, son ancien maître d'école, le docteur Carlo Lozzi, concernant le congrès de Montreux. Pour Lozzi, les délégués du fascisme européen présents au colloque du lac Léman n'avaient pour la plupart aucune représentativité, y compris dans leur propre mouvement; « ils n'avaient pas le moindre intérêt à participer à une grande œuvre d'endoctrinement fasciste et s'intéressaient seulement aux lires italiennes » (M. A. Ledeen, *L'Internazionale fascista, op. cit.,* p. 166). Dans le même sens a pesé l'attitude de Gravelli, véritable initiateur de la campagne pour le fascisme universel et que Coselschi avait éliminé des organes directeurs des CAUR. Le directeur d'*Ottobre* a lui aussi dénoncé, dans sa revue, le peu de consistance de l'organisation mise sur pied à Montreux et à Paris. Lâchée par le pouvoir fasciste, celle-ci devait disparaître dans le courant de l'année 1936.

Les liens qui se sont établis entre les mouvements fascistes nationaux et les services italiens ne sont pas pour autant rompus, bien au contraire. Les rapports que nous possédons pour la période 1935-1936 et qui émanent soit des archives du Minculpop, soit de celles des ministères de l'Intérieur français et britannique, sont unanimes sur ce point. Rome finance les disciples étrangers du Duce. A Londres, Grandi verse régulièrement des fonds à sir Oswald Mosley, le fondateur de la British Union of Fascists. A Paris, le consul Landini distribue des subsides aux néo-socialistes de Déat et Marquet et surtout aux francistes de Marcel Bucard. En Autriche, les Heimwehren continuent d'émarger au budget des services italiens de propagande et en Espagne José Antonio Primo de Rivera est également appointé de façon régulière.

Simplement le but a changé. Il ne s'agit plus pour le chef d'État italien de maintenir dans son allégeance, par le biais du comité permanent, des mouvements susceptibles d'être attirés dans l'orbite hitlérienne. Par leur orientation fondamentalement antisémite, des partis tels que celui du Norvégien Quisling ou du Roumain Codreanu sont appelés à s'aligner un jour ou l'autre sur les positions de l'Allemagne national-socialiste. Le Duce n'y peut rien et il le sait. Mais, surtout, ses préoccupations majeures sont ailleurs. L'été 1935 coïncide avec la préparation de l'attaque contre l'Éthiopie. Mussolini a eu beau multiplier les précautions diplomatiques (notamment du côté de Pierre Laval), il pressent des résistances sérieuses dans le camp des démocraties et des défenseurs de la morale internationale. Aussi songe-t-il à entretenir dans ces pays un parti italien comprenant, outre les petits noyaux de fascistes convaincus, des politiciens et des hommes de presse disposés à défendre, une fois la crise déclenchée, des positions italophiles.

Il est d'ailleurs très vraisemblable que la campagne en faveur de l'universalité du fascisme – si elle répond par ailleurs à l'attente de quelques intellectuels et d'une partie de la jeunesse – a eu pour but essentiel, vue du côté du pouvoir, de préparer le terrain. Mussolini veut bien apparaître aux yeux de l'opinion internationale comme le pape du fascisme mondial. Cela le flatte incontestablement, mais surtout cela sert ses desseins politiques en élargissant son audience à l'étranger. De là à songer à faire triompher le fascisme dans les autres pays, et notamment en Angleterre et en France, il y a un pas qu'il n'a nulle envie, semble-t-il, de franchir. Le fascisme reste un nationalisme, la justification idéologique d'une politique agressive et conquérante. En tant que tel il n'a aucun intérêt à favoriser chez les grands voisins de l'Italie l'avènement d'un régime fort, capable de rassembler et de stimuler les énergies nationales et par conséquent de s'opposer à ses objectifs. Tout au plus peut-il souhaiter, dans une perspective diamétralement opposée, que de petits groupes à sa dévotion entretiennent chez ses adversaires une agitation génératrice d'instabilité et de désordre.

Tel est pour les dirigeants de la politique romaine le sens des subventions accordées aux fascismes nationaux. L'action résolument provocatrice des francistes de Marcel Bucard en 1934-1935, plus tard celle du CSAR de Deloncle, lequel jouera en outre le rôle d'exécuteur des basses œuvres du fascisme (par exemple en assassinant en 1937 les frères Rosselli pour le compte des services italiens), s'inscrivent dans ce contexte. Il en est de même en Grande-Bretagne pour les Black Shirts de Mosley. Il reste que dans certains pays, trop faibles pour mener une grande politique extérieure, et dès lors susceptibles de devenir des satellites de l'Italie, l'éventualité d'un putsch fasciste a pu être sérieusement envisagée à Rome. Le soutien très important accordé à la Phalange, puis l'aide militaire à Franco, répondent à ce dessein.

Quoi qu'il en soit, et quelles que soient ses motivations réelles, la campagne menée en 1934-1935 a eu pour effet de stimuler dans les pays de démocratie libérale l'essor des mouvements d'inspiration fasciste.

Le cas français

La France doit à l'équilibre de ses structures économiques et à la solidité du franc Poincaré d'être moins profondément touchée par la crise que les autres pays capitalistes et surtout de l'être plus tard. Mais les déficiences du parlementarisme y sont telles que les difficultés économiques et sociales qui commencent à se manifester au début de 1932 y débouchent sur une véritable crise du régime.

C'est dans ce contexte que se manifeste dès le début des années 30 une nouvelle poussée d'agitation ligueuse, sommairement et globalement qualifiée de « fasciste » par la gauche, ce qui est un moyen commode de faire jouer contre elle le vieux réflexe républicain, mais ce qui ne correspond que très partiellement à la vérité.

Il y a eu sans aucun doute un fascisme français, et celui-ci ne revêt pas toujours la forme de ses homologues italien et allemand. Mais il n'est que l'un des visages adoptés par le nationalisme antiparlementaire et pas nécessairement le plus caractéristique, ni celui qui a connu le plus de succès. Sans doute peut-on se demander si, dans une situation comparable à celle de l'Italie en 1920 ou de l'Allemagne en 1932, la droite nationaliste n'aurait pas fini par s'aligner sur les formations « fascistoïdes », parce que les plus dynamiques et les plus aptes à encadrer les masses, comme l'ont fait en Italie les nationalistes de D'Annunzio et en Allemagne les Casques d'acier d'Hugenberg. Mais ce ne peut être qu'une hypothèse que ne confirme même pas l'évolution ultérieure de ces mouvements sous l'occupation allemande et le régime de Vichy. De toute façon, la France n'a pas connu au cours de la décennie 1930 une situation de détresse comparable à celle de ses deux grandes voisines. La simplification politique qui caractérise ce type de situation n'a donc pas eu le temps de s'opérer et c'est ce qui permet au nationalisme antiparlementaire français de conserver toute sa diversité.

Parmi les mouvements abusivement qualifiés de fascistes, il y a d'abord ceux qui, sous une étiquette aussi apolitique que possible, s'efforcent de regrouper les mécontents du régime. Le mécontentement pouvant avoir des motifs patriotiques, ce qui est le cas de la puissante Union nationale des combattants, ou simplement matériels, comme ceux de ces poujadistes avant la lettre qui viennent alors grossir les rangs de la Fédération des contribuables, forte de plusieurs centaines de milliers d'adhérents en 1934, au moment où elle appelle à manifester avec les ligues et les anciens combattants contre la « république des voleurs ». Il ne faut cependant pas négliger le rôle qu'ont pu jouer ces mouvements, et notamment le second, dans la mobilisation des masses petites-bourgeoises sur des thèmes antiparlementaires et anticapitalistes. Ils ont incontestablement une fonction de relais dont bénéficiera par la suite le fascisme de masse du PPF. Mais ils ne sont pas *le* fascisme. S'agissant par exemple des anciens combattants, Antoine Prost a raison de faire remarquer que leur discours antiparlementaire ne traduit pas un « programme fasciste », mais constitue tout au plus un discours rhétorique tributaire de « l'air du temps » (A. Prost, *Les anciens combattants et la société française,* 1914-1939, vol. 3, *Mentalités et idéologies,* Paris, Presses de la FNSP, 1977).

Il en est ainsi également de l'Action française dont on a déjà souligné le rôle de matrice du fascisme de droite. La ligue maurrassienne demeure, au cours de cette période, rigoureusement fidèle à ses idéaux traditionalistes. Elle n'est en aucune manière une formation fasciste ou parafasciste, mais elle continue de fournir aux mouvements d'inspiration fascisante des cadres qui, après avoir longtemps et profondément subi son attraction, se sont détachés d'elle et de son élitisme conservateur. A la même famille appartient dans une certaine mesure le mouvement animé par l'agitateur rural Henri Dorgères. Les comités de défense paysanne qu'il organise à partir de 1925, notamment dans l'Ouest de la France, se réclament davantage des idéaux corporatistes et traditionalistes de l'ancienne France que de la révolution des faisceaux. Les piliers sur lesquels ils entendent reconstruire la société française, la famille, le respect des hiérarchies, la corporation, la petite propriété rurale sont ceux sur lesquels s'appuiera le régime paternaliste de Vichy : ils n'ont rien de spécifiquement fasciste. Cela n'empêchera pas Dorgères de donner à la chouannerie antirépublicaine que constitue son Front paysan des méthodes et des signes extérieurs – ses troupes portent la chemise verte – empruntés au fascisme.

Même remarque en ce qui concerne les ligues, dont René Rémond a définitivement démontré qu'elles n'avaient pas grand-chose de commun, en dehors de la gestuelle paramilitaire et d'un discours volontiers contestataire, avec le fascisme (R. Rémond, *Les droites en France,* Paris, Aubier, 1982, p. 195 *sq.*). A commencer par la plus importante d'entre elles, celle des Croix-de-Feu, fondée en 1928 pour regrouper les anciens combattants décorés pour faits de guerre et que préside à partir de 1931 le lieutenant-colonel de La Rocque. Les débuts sont modestes (15 000 adhérents en 1930) mais la crise et le prestige personnel de La Rocque donnent au mouvement une impulsion soudaine. A la veille du 6 février les Croix-de-Feu et les groupes qui en dépendent (briscards, volontaires nationaux, etc.) représentent un effectif de près de 100 000 adhérents. Leurs troupes de choc, les « dispos », sont organisées militairement en « mains » (petits groupes de 5 hommes) et en « divisions » mobilisables à tout moment.

Là s'arrête la ressemblance avec les escouades fascistes. L'idéologie, très floue, reste dans la tradition nationaliste et antiparlementaire de l'avant-guerre, avec comme élément nouveau un anticommunisme qui ne diffère pas de celui des autres formations de droite. S'ils s'en prennent aux éléments corrompus de la classe dirigeante, les partisans du colonel de La Rocque ne remettent en cause ni l'ordre bourgeois, ni les fondements économiques du système. Ils recrutent d'ailleurs leurs troupes non seulement dans la classe moyenne – cette catégorie sociale fournit effectivement le gros des effectifs – mais aussi dans la bourgeoisie aisée des beaux quartiers. Il est à cet égard significatif qu'à l'apogée du PSF – le parti social français qui, après la dissolution des ligues par le gouvernement Blum en 1936, remplace les Croix-de-Feu – les plus gros comités locaux de Paris se situent dans le 16e et dans le 17e arrondissement. Beaucoup plus qu'au fascisme, l'idéologie des Croix-de-Feu et du PSF fait songer à un christianisme social patriotique. Les références constantes aux gloires nationales (Jeanne d'Arc, Péguy, plus tard Mermoz, lui-même membre du mouvement), la foi chrétienne militante de son chef et de beaucoup de ses membres, l'action sociale très paternaliste de l'organisation (dispensaires, ventes de charité, colonies de vacances, etc.), ses préoccupations sportives (Société de préparation et d'éducation sportives, aéro-clubs Jean Mermoz) venant s'ajouter au culte de l'armée et à une certaine mystique de l'aventure font à bien des égards du mouvement Croix-de-Feu le prolongement politique de l'esprit des organisations de la jeunesse catholique de l'entre-deux-guerres, et particulièrement du scoutisme.

Deux faits viennent encore confirmer la thèse du caractère non fasciste des Croix-de-Feu. D'une part, les liens qui semblent les attacher à certains dirigeants de la droite libérale. En 1937, lors du procès La Rocque - Pozzo di Borgo, l'ancien président du Conseil Tardieu qui est entendu comme témoin affirme que les Croix-de-Feu ont régulièrement émargé aux fonds secrets, sous son ministère comme pendant celui de Laval. Il ne peut évidemment apporter aucune preuve mais il est indéniable qu'à plusieurs reprises l'action des partisans du colonel de La Rocque s'est exercée dans un sens très favorable au gouvernement en place, qu'il s'agisse de la manifestation en faveur de Laval, à son retour des États-Unis en 1931, ou de l'attitude des Croix-de-Feu lors du grand débat sur les ligues en 1935. Quant à la modération des hommes de La Rocque lors de la journée du 6 février, elle peut également être interprétée dans ce sens. D'autre part, la dissolution des ligues en 1936 ne transforme pas les Croix-de-Feu en une association clandestine et subversive. Elle donne au contraire naissance avec le PSF à un grand parti de masse (600 000 adhérents en septembre 1936, peut-être 800 000 deux ans plus tard), fédérateur des droites mais résolument conservateur. Nous sommes loin du fascisme.

Il reste que les Croix-de-Feu ont pu un moment séduire des aventuriers de la politique en quête d'une clientèle ou des hommes d'affaires intéressés par son anticommunisme. Tel le riche parfumeur François Coty, propriétaire du *Figaro* et fondateur de *L'Ami du peuple* qui, après avoir apporté son soutien financier à l'AF et au Faisceau de Georges Valois, a largement contribué au lancement du mouvement et favorisé l'accès du colonel de La Rocque à la direction de la ligue (ayant démissionné de l'armée en 1929, ce dernier était entré à la Compagnie générale d'électricité d'Ernest Mercier sur recommandation d'un autre industriel : Azaria). C'est lui encore qui subventionne le mouvement de la Solidarité française qui fait son apparition au début de 1933 et que dirige un ancien commandant des troupes coloniales, Jean Renaud. Avec ce mouvement, qui prétend rassembler 300 000 adhérents en 1934 mais n'a sans doute jamais eu plus de 10 000 militants actifs, et avec l'action personnelle de Coty, on entre de plain-pied dans le fascisme français. Un fascisme sans doctrine ni cadres d'ailleurs, une cohorte prétorienne plutôt, recrutée dans les éléments marginaux du prolétariat et parmi les chômeurs pour appuyer les grands desseins du parfumeur millionnaire. Dans son journal, *L'Ami du Peuple,* celui-ci s'applique à développer quelques thèmes simplificateurs susceptibles de lui attirer les sympathies des classes moyennes, voire celles des masses désorientées : l'anticommunisme sans doute, mais aussi un anticapitalisme soigneusement dirigé contre la « finance internationale », la défense des « petites gens » contre les « gros », l'antiparlementarisme, la haine des « métèques », etc. Propos de démagogue appelés à faire école jusqu'à nos jours mais qui ne sont pas sans rappeler ceux de Mussolini et d'Hitler à leurs débuts. Tout cela, Solidarité française comprise, ne résistera pas à la ruine du parfumeur et à la disparition de la ligue en 1936.

Plus proche du modèle mussolinien, on trouve les francistes de Marcel Bucard. Ce fils d'un boucher de Saint-Clair-sur-Epte a déjà derrière lui une longue carrière d'agitateur d'extrême droite lorsqu'il dépose en septembre 1933 les statuts du parti franciste. En 1914, il est sur le point d'être ordonné prêtre lorsque éclate le premier conflit mondial. A 19 ans, le jeune Bucard s'engage volontaire et se couvre de gloire. Deux fois décoré, trois fois cité, dix fois blessé, il est capitaine en 1918. L'armistice fait de lui un nostalgique de l'aventure guerrière et un déclassé incapable de renouer avec sa vocation d'adolescent. Son fanatisme mystique, il va le mettre au service des milices privées qu'il organise et dont il recrute les membres parmi ses anciens compagnons de combat. En 1924, il suit Georges Valois au Faisceau et se trouve bientôt à la tête des Légions, ces troupes de choc du premier fascisme français. Il se fait également journaliste et collabore notamment à *La Victoire,* le journal de Gustave Hervé. En 1928, c'est la rupture avec

1. *Le chef des « francistes », Marcel Bucard, décorant l'un des membres de son état-major (1934).*

Valois. Celui-ci reproche à la fois à Bucard sa moralité douteuse, ses gros besoins d'argent, qui coûtent cher au mouvement, et ses liens avec Coty dont il représente l'antenne au sein du Faisceau. Au début des années 30 on le retrouve à *L'Ami du Peuple*. Comme le Mussolini de 1919, il est en quête d'une clientèle politique mais, à la différence de son modèle italien, il songe aussi à s'assurer des revenus confortables. Il lance alors l'idée d'un comité pour l'érection d'un monument au cardinal Mercier et il en devient le secrétaire général; ce qui lui permet de recueillir des fonds qui, détournés de leur destination initiale, vont servir en 1933 à fonder le parti franciste. Bucard a déjà de grandes ambitions. Il veut devenir le Mussolini français, copie les poses avantageuses du Duce et se fait donner par ses fidèles le titre de « chef ».

Son mouvement ne rassemble que quelques milliers d'adhérents, recrutés comme ceux de Solidarité française dans les éléments déclassés de la petite bourgeoisie et dans certaines couches du prolétariat. Mais Bucard organise militairement ses troupes, les dotant de chemises bleues, du béret et du baudrier de cuir fauve, et il multiplie les démonstrations de force : défilés, exercices de tir, camps d'été, etc. Rien d'original dans le discours qui vitupère simultanément le « système capitaliste et la démocratie des jouisseurs », le « système collectiviste des négateurs de la nation », etc. Tout au plus la volonté d'associer dans un même culte, comme le feront plus tard les hommes du PPF, Jeanne d'Arc et les communards, mais l'alliance du nationalisme et spontanéisme anarchisant n'est-elle pas l'un des traits majeurs du premier fascisme ? Pour le reste, Bucard se contente de prôner le rapprochement avec l'Allemagne hitlérienne et surtout l'amitié italienne. Ce qu'explique très largement l'affluence dans les caisses du parti de fonds de provenance étrangère. L'examen des archives du Minculpop ne laisse aucun doute sur le fait qu'en 1934 et 1935 Mussolini et Ciano n'ont pas ménagé leurs efforts dans ce sens. Bucard touche, pour ses besoins personnels, 10 000 lires par mois et son mouvement 50 000 lires versées mensuellement par le sous-secrétariat à la presse et à la propagande. Après 1936, le parti franciste ayant lui aussi été dissous, les fonds italiens se font plus rares, mais ils se trouvent alors relayés par des subsides d'origine allemande. Quant aux milieux économiques français, ils semblent avoir boudé le francisme, le trouvant sans doute trop ouvertement aligné sur ses modèles étrangers.

C'est également l'imitation servile du fascisme mussolinien qui explique la faible audience du parti de Bucard. Il s'y ajoute au début la concurrence exercée par un autre mouvement fasciste, celui qu'animent Henry Coston et l'équipe de *La Libre Parole,* la vieille feuille antisémite fondée par Drumont. En 1933, Bucard ne fait pas encore, en effet, profession d'antisémitisme. C'est seulement à partir de 1936 qu'il s'oriente dans cette voie, au moment où, d'ailleurs, il se rapproche de l'hitlérisme. Ce qu'a été le francisme dans la vie politique française ? Fort peu de chose, assurément. Son idéologie, sa clientèle, ses méthodes sont sans doute celles du premier fascisme. Mais d'un fascisme d'importation, maladroitement greffé sur un corps social rebelle aux traitements externes. Jusqu'à sa dissolution en 1936, puis sous la forme à peine modifiée des « amis des francistes », le parti de Bucard restera ce que ses bailleurs de fonds étrangers avaient souhaité qu'il fût : un groupuscule au service des dictatures. Quant au parti socialiste national de France, dont le nom marque explicitement le souci d'allégeance à l'égard du modèle hitlérien, et à la Milice socialiste nationale de Gustave Hervé, de même tendance, ils ne parviendront pas à rassembler plus de quelques centaines de militants actifs.

Au chapitre des épiphénomènes politiques, il faut encore citer le Comité secret d'action révolutionnaire, le CSAR, fondé à l'époque du Front populaire par un ancien militant de l'Action française, le polytechnicien Eugène Deloncle. Ce sont d'ailleurs les dirigeants de l'AF qui donneront à cette organisation terroriste son surnom de « Cagoule ». Société secrète dont les membres, soigneusement sélectionnés et astreints à un serment d'affiliation, sont en relation étroite avec certains milieux militaires et patronaux, le CSAR s'est donné comme objectif la prise du pouvoir au moyen d'un putsch préparé par des groupes de combat clandestins qui quadrillent le territoire et disposent d'armes modernes. Les liens avec les services secrets étrangers sont étroits. En 1937, la Cagoule, on l'a vu, dépêche ses tueurs en Normandie pour faire assassiner les frères Rosselli, leaders de l'antifascisme italien en exil, ceci sur l'initiative de Ciano et avec l'accord du Duce qui ont promis en échange de livrer des armes au mouvement de Deloncle. Cela ne suffit pas toutefois à faire des cagoulards d'authentiques fascistes. Les chefs, dont certains appartiennent au « monde des châteaux », les mots d'ordre, les buts restent dans la tradition de l'extrême droite classique. Quant aux attentats à la bombe contre les sièges de la Confédération générale du patronat français et de l'Union des industries métallurgiques – en septembre 1937 –, ce sont de pures provocations qui n'ont rien à voir avec une quelconque volonté d'action contre le capitalisme.

La contagion du fascisme ne s'exerce pas seulement sur les hommes de droite en quête d'une doctrine cohérente et d'une méthode d'action efficace. Elle modifie également le comportement d'authentiques représentants de la gauche marxiste et non marxiste. Tel est le cas des néo-socialistes qui se rassemblent, à partir de 1933, autour de Marcel Déat et d'Adrien Marquet. Influencé par les idées du Belge Henri de Man – théoricien du « planisme » –, Déat se fait, au sein de la SFIO, le défenseur d'un socialisme autoritaire et national prenant appui sur les classes moyennes, ce qui lui vaut d'être exclu du parti, avec Marquet et Montagnon. Le parti socialiste de France qu'ils fondent en novembre 1933 n'est pas à proprement parler un mouvement fasciste. Déat adhère, pour sa part, au Comité de vigilance des intellectuels antifascistes (il est agrégé de philosophie) et occupe en 1936, dans le cabinet Sarrault, le poste de ministre de l'Air. Mais cela n'empêche pas le mouvement qu'il dirige de recevoir, consciemment ou non, l'aide des services italiens ni Déat d'évoluer, à partir de 1937, vers des positions de plus en plus proches du national-socialisme de gauche (celui de Strasser). A ce courant fasciste de gauche se rattache également, dans une certaine mesure, le frontisme de Gaston Bergery. Non, certes, dans sa version initiale, puisqu'il s'agit d'un mouvement destiné à opposer un front commun à la menace du fascisme, mais tel qu'il apparaît à la veille de la guerre, c'est-à-dire résolument anticommuniste et anticapitaliste.

Tous ces mouvements fascistes et fascisants, de droite ou de gauche, ont en commun la minceur de leurs effectifs et l'étroitesse de leur base sociologique. Il en va tout différemment du seul grand parti fasciste de masse qui se soit jamais développé en France : le parti populaire français (PPF) de Jacques Doriot. Il est pourtant celui qui doit le plus aux circonstances et à la personnalité de son chef.

Celui-ci est né en 1898 dans une famille très modeste. Doriot est le seul des leaders fascistes qui soit, à proprement parler, d'origine prolétarienne. Son père est fils de paysan et exerce son métier de forgeron dans un atelier de réparation de machines agricoles. Lui-même travaille d'abord dans une crémerie, puis vient s'installer dans la région parisienne, à Saint-Denis, où il est employé comme manœuvre aux usines Sohier. De là il passe à la fabrique de moteurs Aster, puis aux fonderies de la Fournaise où il acquiert une qualification d'ouvrier métallurgiste. A 18 ans, en pleine guerre, Doriot s'inscrit au parti socialiste dans une section, celle de Saint-Denis, qui a déjà rompu avec l'esprit de l'Union sacrée et qui soutient la minorité pacifiste de la SFIO. Le jeune Doriot subit là une double influence :

2. Doriot, chef du PPF, s'adressant à la foule marseillaise le 27 juillet 1936.

celle des « zimmerwaldiens » (du nom du congrès tenu à Zimmerwald, en Suisse, en 1915), qui va le conduire, après le congrès de Tours, à suivre les partisans de l'adhésion à la IIIe Internationale, c'est-à-dire à devenir communiste; celle, d'autre part, des syndicalistes révolutionnaires, nombreux à Saint-Denis et dont la fréquentation développe en lui un penchant naturel au spontanéisme et à l'action directe. Mobilisé en 1917, Doriot combat bravement en Lorraine, puis est affecté en 1919 à l'armée d'Orient, ce qui le conduit à assister à la révolution de Béla Kun et au coup de main de D'Annunzio à Fiume. Il est démobilisé au printemps 1920. Quelques mois plus tard, c'est la scission de Tours. Doriot, qui a repris son métier de « métallo », se rallie à la tendance majoritaire. Dès lors, il connaît au sein du jeune parti communiste une rapide ascension. En 1922, il est secrétaire des Jeunesses internationales et siège, comme représentant de cette organisation, à la présidence de l'exécutif du Komintern. Deux ans plus tard, il est membre du Comité central et dirigeant des Jeunesses communistes de France. Il a 26 ans et, depuis mai 1924, il est député du 4ᵉ secteur.

Doriot est alors l'étoile montante du parti, en même temps que « l'enfant chéri » de l'Internationale. C'est un orateur remarquable, un meneur d'hommes et un tribun. Ses discours et ses articles contre l'intervention française dans la Ruhr et contre la guerre du Rif lui valent une immense popularité parmi les communistes, et aussi quelques mois de prison qui ajoutent encore à son prestige. Et pourtant, les rapports entre le jeune député communiste et la direction du parti ne tardent pas à se tendre. L'individualisme et l'arrivisme de Doriot, son goût du beau geste et de l'action directe le disposent assez peu à subir sans réagir la discipline du parti et ses brusques changements d'orientation. Aussi, lorsqu'en 1928 le PC adopte, conformément aux directives de l'Internationale, la tactique « classe contre classe », ce qui implique le refus de l'unité d'action avec le social-fascisme, Doriot engage avec les autres dirigeants du PCF, et notamment avec Thorez, une polémique qui va durer plus de cinq ans. Il préconise en effet l'alliance avec le parti socialiste, seul moyen, estime-t-il, de barrer la route au fascisme. Devenu en 1931 maire de Saint-Denis, il applique cette tactique dans sa circonscription et il tente, après le 6 février, de la faire adopter par les instances supérieures du parti. Mais à cette date, le Komintern n'a pas encore modifié sa stratégie d'ensemble à l'égard du fascisme international. C'est seulement au milieu de 1934 qu'est donné par Moscou le feu vert pour la constitution d'un front commun contre le fascisme.

Dans l'intervalle, le conflit a éclaté entre la direction du PCF et le maire de Saint-Denis. Dès le 12 février 1934, Doriot a constitué dans son fief de la banlieue nord un comité d'action dans lequel on trouve deux socialistes et deux représentants de la CGT. C'est faire peu de cas de la discipline du parti. Le Comité central réagit aussitôt, sans oser toutefois exclure immédiatement le rebelle. Il attend pour cela la décision de l'Internationale, laquelle n'interviendra qu'au début du mois de juin. A cette date, le comité exécutif du Komintern abandonne Doriot au « bras séculier » et, le 27 juin, le Comité central prononce l'exclusion.

La naissance du PPF ressemble beaucoup à celle du mouvement fasciste italien. A son origine, il y a également la rencontre d'un homme et d'une situation. L'homme, c'est Jacques Doriot. Comme le Mussolini de 1919, il se retrouve, après son exclusion, à la tête d'une petite clientèle politique d'activistes de gauche, parmi lesquels on rencontre d'anciens communistes ou oppositionnels au PC, tels Barbé (exclu en 1934 à la suite de l'affaire Barbé-Célor), Paul Marion, ancien rédacteur à *L'Humanité,* Victor Arrighi, ancien directeur de la Banque ouvrière et paysanne, etc. Quelles sont alors les motivations du maire de Saint-Denis ? Sans doute la volonté de faire prévaloir ses thèses sur l'unité d'action. Mais le PC ayant lui-même pris le virage en juillet, son initiative est vite noyée dans la grande vague de fond qui annonce 1936. Or, Doriot est avant tout, comme Mussolini, un aventurier de la politique et un ambitieux. La montée du Front populaire semble annoncer un proche avènement de la gauche au moment où lui-même se retrouve isolé, coupé des forces politiques candidates au pouvoir. Bien plus, le parti communiste paraît devoir tirer le plus grand profit des élections prochaines et cela, Doriot le supporte mal. Ses démêlés avec les dirigeants du PC ont éveillé chez lui – tout comme pour Mussolini la rupture avec le PSI – une hostilité très vive à l'égard de son ancien parti. D'où l'idée de prendre appui sur une nouvelle force politique, capable peut-être de s'insérer dans le courant unitaire et de drainer sur des slogans révolutionnaires une partie de la clientèle du PCF. Aussi songe-t-il d'abord au petit parti d'unité prolétarienne fondé en 1930 par d'anciens oppositionnels communistes, dont Frossard, et, de fait, le parti « pupiste » l'appuie lors de la campagne pour les élections cantonales de 1935. Mais son impact sur les masses n'est pas assez fort. Doriot envisage donc de créer une nouvelle formation politique.

Dès l'été 1934, des contacts ont été pris entre le petit groupe de Saint-Denis, composé d'anciens communistes, et quelques dissidents des grandes formations nationalistes : Claude Jeantet, qui avait dirigé le groupe des étudiants de l'AF, Jean-Marie Aimot, venu de *L'Ami du Peuple* de Coty, et surtout une petite équipe d'ex-Croix-de-Feu groupés autour de Pierre Pucheu et de Robert Loustau. A ces activistes politiques se mêlent quelques journalistes et écrivains, tels Bertrand de Jouvenel et Pierre Drieu La Rochelle, que fascine la personnalité de Doriot et qui voient en lui le guide potentiel d'un authentique fascisme français. On retrouve donc aux origines du PPF les deux courants dont la fusion caractérise le premier fascisme, celui de l'extrême gauche révolutionnaire et celui du nationalisme antiparlementaire. Mais, à la différence de ce qui s'est passé en Italie – et cette différence est essentielle –, le fascisme de Doriot ne se développe pas, dans un premier temps, à l'abri des influences du monde des affaires. Il est, au contraire, immédiatement pris en charge par les représentants de grands intérêts privés, ce qui l'apparente davantage au second fascisme et ce qui fait de lui, dans le contexte politique français, quelque chose d'infiniment plus artificiel que ne l'a été, au cours des dix-huit mois qui ont suivi sa fondation, le mouvement fondé par Mussolini. Si l'on suit en effet les conclusions de Dieter Wolf (*Doriot, du communisme à la collaboration*, Paris, Fayard, 1969), qui a mené sur cette affaire une enquête minutieuse, Doriot se trouve dès la fin de 1935 en relation, par l'intermédiaire de Claude Popelin, avec des représentants du monde économique en quête d'un meneur d'hommes capable de prendre la tête d'un mouvement anticommuniste dirigé contre le Front populaire. Les principaux sont Pierre Pucheu, pour le Comptoir sidérurgique, Paul Baudouin, directeur de la Banque d'Indochine, et Gabriel Leroy-Ladurie, directeur général de la banque Worms. Il semble bien que, dès cette époque, l'intervention d'un noyau important de grands intérêts privés ait été suffisante pour débarrasser Doriot et ses amis d'une partie au moins de leurs soucis financiers. Par la suite, le PPF recevra le soutien financier de nombreuses banques parisiennes (Rivaud, Verne, Rothschild, Dreyfus, Lazard, BNCI, Banque d'Indochine), des Aciéries de l'Est, de firmes automobiles et alimentaires, de plusieurs associations patronales et d'organisations telles que l'Union militaire française et l'Union coloniale. Sans oublier les fonds généreusement accordés par Ciano, notamment lors de l'achat par le parti du quotidien *La Liberté.*

C'est dans ce contexte que naît à Saint-Denis, fin juin 1936, le parti populaire français. Le succès est immédiat... Selon l'organe du PPF, *L'Émancipation nationale,* il y a déjà plus de 30 000 adhérents fin juillet, 100 000 en octobre. Il y en aura 200 000 en septembre 1937 et près de 300 000 au début de 1938. Bien entendu ces chiffres sont gonflés. Dieter Wolf, qui s'en tient avec raison aux chiffres fournis par le premier caissier du parti, indique qu'il n'y a jamais eu plus de 50 000 à 60 000 cotisants et que, sur cet effectif, le nombre des véritables militants ne dépasse pas 15 000, ce que confirme le spécialiste français du PPF, Jean-Paul Brunet (« Doriot, du communisme au fascisme », *L'Histoire,* n° 21, mars 1979, p. 22-29).

S'agissant de l'origine des adhérents du PPF, deux faits essentiels doivent être mentionnés. D'une part leur âge. Le parti de Doriot est un mouvement de jeunes. En 1938, la moyenne d'âge se situe à 34 ans et le nombre des anciens combattants ne dépasse pas 20 %, ce qui constitue une différence fondamentale avec le PSF de La Rocque. D'autre part, leur extraction sociale. L'élément ouvrier domine, même s'il faut accueillir avec la plus grande prudence les indications données en ce sens par la presse du PPF. Lors du premier congrès national du parti en novembre 1936, on dénombre 422 ouvriers et paysans sur un total de 740 délégués, soit 57 %, l'autre groupe important appartenant aux diverses fractions des classes moyennes. En réalité, l'afflux d'anciens communistes ayant rejoint au PPF leur ex-leader (35 000 ou 40 000 selon la presse doriotiste, mais là encore le chiffre est exagéré) explique cette prédominance de l'élément prolétarien, de même que les adhésions de nombreux chômeurs en plein désarroi politique et l'absorption d'éléments marginaux appartenant au Lumpenproletariat, voire purement et simplement à la pègre (tels les nervis marseillais groupés autour de Simon Sabiani et de son parti d'action socialiste passé en bloc au PPF dès juillet 1936). Mais, en dépit de ce caractère plébéien, le PPF mordra peu sur la masse ouvrière et éprouvera les plus grandes difficultés à prendre pied dans les entreprises, comme l'auraient souhaité les bailleurs de fonds de Doriot.

Fasciste, le parti de Doriot l'a été assurément, même si son fascisme est en partie télécommandé par certaines fractions de la classe capitaliste. Il l'est dans son comportement – cérémonial, drapeau, insigne, salut romain, méthodes violentes, etc. – comme il l'est dans son idéologie. Mais à cet égard, il s'agit non moins sûrement d'un fascisme seconde manière, déjà dépouillé de ses aspects les plus révolutionnaires. Ce qui domine en effet c'est l'anticommuniste et l'antiparlementarisme. Sans doute Doriot ne manque-t-il pas de fustiger le capitalisme et de réprouver ses excès, mais le programme économique et social du parti – élaboré par Robert Loustau – ne s'aventure pas très loin dans la voie du national-socialisme. Il n'envisage à aucun moment d'étatiser les entreprises, ni de porter atteinte à la propriété et au libre profit, dans la mesure où ce dernier reste dans des limites morales. Les fondements mêmes du capitalisme se trouvant ainsi épargnés, il ne reste plus que les voie étroites du réformisme corporatiste. Doriot y ajoute celles, plus originales, d'un technocratisme visant à la gestion rationnelle des entreprises (ce que le PPF condamne c'est l'anonymat du grand capital) et associant patrons et travailleurs, tant au niveau des responsabilités que de la répartition des bénéfices. Quant aux institutions dont Doriot rêve pour la France, ce sont celles d'un État « populaire » et décentralisé, reposant sur la famille, la commune et la région, ce qui n'est pas sans rapport avec les vues maurrassiennes. Déjà, par ce biais, le PPF revêt un caractère traditionaliste, voire réactionnaire, qui va peu à peu s'accentuer au fil des ans. En associant le culte de Jeanne d'Arc à celui des communards, Doriot ne renouait-il pas avec la tradition barrésienne ?

A partir de 1937, il se rend compte que l'anticléricalisme de son mouvement lui ôte toute possibilité de mordre sérieusement sur la clientèle bourgeoise et il amorce en ce sens un virage retentissant en direction des catholiques. De même le PPF qui, au début, n'a rien de raciste s'oriente à partir de 1938 vers des positions résolument antisémites. Cette évolution s'explique par le désir qu'a Doriot de rallier autour de lui toutes les forces anticommunistes. C'est dans cette perspective qu'il tente en 1937 de prendre la tête d'un Front de la liberté englobant son parti, celui de La Rocque et les autres formations de la droite nationale. La tentative n'aboutira pas mais elle aura pour effet d'accentuer les tendances « bourgeoises » du PPF et de lui enlever de ce fait son originalité en même temps qu'une partie de son audience. Dès cette époque, le mouvement de Doriot se trouve en crise. Son alignement sur les positions allemandes au moment de Munich (Bertrand de Jouvenel, Marion, Arrighi, Drieu La Rochelle quittent alors le parti) et l'effritement de la coalition de Front populaire, qui éloigne le danger communiste et incite les grands intérêts à se montrer moins prodigues de leurs fonds, lui portent les coups décisifs. A la veille de la guerre, le parti de Doriot est à la dérive.

Il reste à évoquer, à côté du fascisme des partis, celui des intellectuels. Il y a au sein de l'intelligentsia française des années 30, et en particulier parmi les jeunes, un « phénomène d'imprégnation fasciste » (R. Girardet, « Notes sur l'esprit d'un fascisme français, 1934-1940 », *Revue française de science politique,* juillet-septembre 1955) qui est à la fois volonté de renouvellement, refus du monde bourgeois, de son conformisme frileux, de ses « commodités », de ses préoccupations matérialistes et de son idéologie rassurante et asexuée. Cet « esprit des années 30 », bien étudié par Jean Touchard et par J.-L. Loubet del Bayle (*Les non-conformistes des années 30,* Paris, Seuil, 1969), a soufflé avec une égale intensité sur l'ensemble du paysage politique français, nourrissant à gauche la contestation néosocialiste et le mouvement radical des « jeunes turcs », au centre l'anti-matérialisme de la revue *Esprit* et, à droite, une cohorte de jeunes écrivains qui, de près ou de loin, ont subi l'influence de la pensée maurrassienne, qu'il s'agisse d'Henri Massis ou de Thierry Maulnier, de Jean de Fabrègues ou de Jean-Pierre Maxence, de beaucoup d'autres encore qui pendant un temps plus ou moins long ont évolué dans l'orbite de l'Action française. Dans la plupart des cas, cependant, il ne s'agit, chez les représentants de cette nouvelle droite, que d'un fascisme tendanciel qui doit davantage à la tradition antipositiviste et antibourgeoise de l'avant-guerre, disons au préfascisme français, qu'à l'influence italienne ou allemande. Surtout, il aboutit rarement à un engagement total et moins encore à l'élaboration d'une doctrine. Tout au plus peut-on parler d'une sensibilité fasciste, laquelle peut parfaitement s'accommoder de l'adhésion à une formation politique classique.

Quelques-uns ont toutefois voulu aller plus loin dans la recherche d'un fascisme pur. C'est, en premier lieu, le cas de Drieu La Rochelle. Pour ce fils de bourgeois monarchistes, élevé dans une atmosphère ouatée et en quelque sorte « libéré » par une guerre qui le révèle à lui-même, le fascisme est d'abord une révolte contre sa classe et contre sa famille, un nihilisme antibourgeois. Ce que Drieu hérite de son milieu, c'est un nationalisme à vif et qui ira d'ailleurs en s'atténuant au fur et à mesure que croît son admiration pour le style de vie fasciste et que s'affirme son adhésion à l'européanisme hitlérien. Pour le reste, la rupture est totale avec les valeurs traditionnelles de la bourgeoisie française, avec ses modes de vivre et de penser, avec son intellectualisme décadent. De là est né le socialisme de Drieu. Un socialisme qui ne vise pas à l'amélioration du sort matériel des classes laborieuses, ce qui ne peut en fin de compte qu'aboutir à leur embourgeoisement et à leur décadence, mais qui est volonté de développer chez tous les hommes les forces physiques et morales qui constituent leur véritable dignité; ce que ni le capitalisme anonyme et égoïste, ni le matérialisme marxiste ne sont en mesure de leur apporter. Par réaction d'autre part contre la décadence bourgeoise – transposition ou sublimation d'un véritable dégoût de soi-même, d'une inaptitude durable à vivre avec son époque que Dominique Desanti a su admirablement mettre en lumière (*Drieu La Rochelle ou le séducteur mystifié,* Paris, Flammarion, 1978) – Drieu développe une idéologie vitaliste qui fait de la vie en commun, du sport, du culte de la force et de la virilité les éléments rédempteurs d'une société corrompue par la civilisation moderne et l'ultime chance de porter remède au déclin français. En somme, le fascisme de Drieu est avant tout un effort pour changer l'homme, pour régénérer son esprit et son corps, bien plus qu'une idéologie politique. « La définition la plus profonde du fascisme, écrit-il, c'est celle-ci : c'est le mouvement politique qui va le plus franchement, le plus radicalement dans le sens de la grande révolution des mœurs, dans le sens de la restauration du corps – santé, dignité, plénitude, héroïsme – dans le sens de la défense de l'homme contre la grande ville et contre la machine » (*Chronique politique, 1934-1942*). De là découle un itinéraire qui va conduire ce dandy oisif, hanté par l'idée de sa propre décomposition, à l'admiration, assumée jusqu'au suicide, du racisme hitlérien et de la barbarie régénératrice véhiculée par le grand homme blond aux yeux bleus. « J'aime trop la force, écrira-t-il en janvier 1942 dans la NRF, j'ai trop admiré son déploiement dans mon pays à ses belles époques et trop désespérément souhaité sa renaissance pour ne pas la saluer là où elle est et tâcher d'en ramener sur les miens les avantages dont nous ne sûmes plus nous faire les initiateurs. »

3. *Un intellectuel fasciste : Pierre Drieu La Rochelle en 1934. Parlant de Doriot qu'il admire, Drieu écrit dans l'Émancipation nationale, organe du PPF : « Doriot est grand, gros et fort; il sue beaucoup! Il a des lunettes, ce qui est regrettable, mais quand il les retire, on voit qu'il sait regarder. Il a beaucoup de cheveux, il est au milieu d'une substance abondante et forte. Il a de la santé. »*

Ce romantisme fasciste est aussi celui de la petite équipe qui, venue de l'Action française, s'est regroupée autour de l'hebdomadaire *Je suis partout* et de son rédacteur en chef Robert Brasillach : Pierre Gaxotte, Maurice Bardèche, Pierre-Antoine Cousteau, Lucien Rebatet, Georges Blond, Alain Laubreaux, etc. Chez Brasillach, on retrouve les idées et les sentiments chers à Drieu : une vision lyrique de la nation purifiée et régénérée débouchant inévitablement sur le racisme, l'amour de la force et de la jeunesse, l'adhésion aux postulats du national-socialisme, l'oubli de soi dans la ferveur du groupe. Et aussi un attachement viscéral à un passé idéalisé et poétisé qui n'est pas seulement

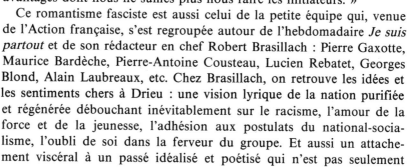

celui de la France, mais déjà celui d'un européanisme occidental conçu comme un refuge des valeurs spirituelles face aux deux géants matérialistes que sont la Russie et l'Amérique anglo-saxonne. Toute l'évolution du fascisme intellectuel français pendant la guerre se trouve dans cette prise de conscience.

Tous les ingrédients qui composent le mélange dont sont sortis tout armés le fascisme italien et le national-socialisme hitlérien sont donc présents dans la France des années 30 et Zeev Sternhell a incontestablement raison lorsqu'il écrit, étudiant le fascisme français :

« Les mouvements fascistes – tous les mouvements fascistes – participent d'une même généalogie : une révolte contre la démocratie libérale et la société bourgeoise, un refus absolu d'accepter les conclusions inhérentes à la vision du monde, à l'explication des phénomènes sociaux et des relations humaines de tous les systèmes de pensée dits « matérialistes ». La poussée du fascisme apparaît comme une des excroissances de la crise du marxisme et de la crise du libéralisme, comme une des conséquences des énormes difficultés que rencontrent aussi bien le marxisme que la démocratie libérale, face aux réalités du XXᵉ siècle. C'est bien là l'essence du fascisme qui, précisément, puise sa force de son universalité, de son caractère de produit d'une crise de civilisation » (*Ni droite ni gauche. L'idéologie fasciste en France*, Paris, Seuil, 1983, p. 41).

Rendons cette justice à l'auteur de *Ni droite ni gauche*, très fortement critiqué par une majorité d'historiens français, d'avoir mis en relief cette « généalogie » et d'avoir montré que, loin d'avoir été une importation étrangère ou une imitation vague du modèle italien, le fascisme français représentait un « courant autonome et autochtone ». Ce n'est pas sur ce point que porte le désaccord mais sur deux ou trois propositions plus discutables et à dire vrai essentielles :

– En premier lieu, le postulat de l'antériorité du fascisme français sur ses homologues européens et le rôle de matrice qu'aurait joué par rapport à ceux-ci un phénomène dont Sternhell nous dit qu'il « se rapproche le plus du type idéal, de « l'idée » du fascisme au sens platonicien du terme » (*op. cit.,* p. 40). Ce qui, d'une part, exigerait que soit défini avec précision ce que l'on entend par fascisme, indépendamment des seules références idéologiques, et révèle d'autre part une ignorance certaine de la longue maturation du fascisme italien, lui aussi déjà fortement structuré à la charnière du XIXᵉ et du XXᵉ siècle;

– L'accent mis sur la composante de gauche du fascisme – anarcho-syndicalisme d'inspiration sorélienne, révision radicale du marxisme ou néo-jacobinisme puisant à ces deux sources – comme si elle représentait à elle seule tout le fascisme. Alors que le premier fascisme lui-même est déjà le produit d'une fusion entre cette tendance révolutionnaire et les options ultra-réactionnaires du nationalisme, lesquelles occupent dès la seconde phase du fascisme une position hégémonique qui ne cesse de s'affirmer après la prise du pouvoir. En réduisant le phénomène fasciste aux choix idéologiques originels d'une partie de ses protagonistes, Sternhell touche peut-être du doigt ce qu'il appelle « l'idée de fascisme au sens platonicien du terme », mais à ce compte son analyse ne peut s'appliquer qu'à une frange d'intellectuels promis au statut d'épiphénomène culturel à partir du moment où le fascisme prend une véritable dimension politique ;

– Troisième point sur lequel on ne peut que se montrer réservé : en faisant de la révision du marxisme et de la critique de gauche de la démocratie libérale les antécédents directs du fascisme, l'historien israélien se laisse entraîner sur la pente dangereuse de la généralisation et de la « prédestination ». La dérive collaborationniste et pro-hitlérienne d'un Déat ou d'un Lagardelle, l'évolution d'un Bergery ou d'un Jouvenel sont déjà contenues dans les propositions de renouvellement du socialisme et de la démocratie qu'ils formulent au début des années 30. C'est faire bon marché d'itinéraires qui, à partir de prémisses identiques, ont conduit nombre de révisionnistes et de non-conformistes sur des voies diamétralement opposées. Après tout, y a-t-il une différence fondamentale entre la critique que font du marxisme et de la social-démocratie l'antifasciste Carlo Rosselli et le néosocialiste Marcel Déat avec lequel le leader de Giustizia e Libertà entretient d'ailleurs une correspondance suivie ? La volonté de régénération politique, la recherche d'une troisième voie, le souci d'intégrer les classes moyennes aux projets de reconstruction de la démocratie comptent parmi les traits majeurs du paysage politique des années 30. Le fascisme – ou ce que l'on imagine être le fascisme – représente l'une des voies choisies, pas la seule, ni sans doute la plus fréquentée.

Sachons gré, cela dit, à l'auteur de *Ni droite ni gauche* et à divers historiens anglais et américains (Stuart J. Woolf, Robert J. Soucy, Eugen Weber, Gilbert D. Allardyce, etc.), d'avoir amené leurs homologues français à admettre – ce qui n'était pas tout à fait évident pour nombre d'entre eux il y a seulement une dizaine d'années – qu'il existait une variante hexagonale du fascisme et que celle-ci n'était ni absolument marginale ni de pure facture étrangère. Fascisme de gauche et fascisme de droite, fascisme intellectuel ou populaire, fascisme de masse ou de groupuscules, toutes les formes adoptées depuis son origine par ce phénomène complexe ont eu leur place dans notre pays, sans jamais réussir à s'y imposer, y compris pendant la période tourmentée de la guerre et de l'occupation allemande. Ceci pour des raisons diverses et aujourd'hui universellement reconnues :

– L'absence d'une « situation de détresse » comparable à celle de l'Italie de l'après-guerre ou de l'Allemagne au moment de la crise. La France n'a connu ni la menace révolutionnaire de l'été 1920, ni les six millions de chômeurs engendrés par l'effondrement de l'économie allemande;

– L'appartenance au camp des nantis et des puissances « satis-faites », alors que là où il a finalement triomphé le fascisme s'est nourri des frustrations de toutes sortes provoquées par les traités. Comme le Royaume-Uni, avec lequel elle partage la suprématie colo-niale, la France de l'entre-deux-guerres n'a aucune revendication terri-toriale à faire triompher. Or, comme l'écrit Michel Winock, « le fascisme porte en lui l'impérialisme. Il porte en lui la guerre, comme moyen de gouvernement, comme éthique collective, comme mythe national. La nation fasciste, c'est la nation militarisée. Les escouades françaises n'étaient guère destinées à la guerre, comme les squadristes, les sections d'assaut ou les phalangistes. La France n'avait plus de conquêtes à faire depuis 1918; le fascisme avait beau se déclarer nationaliste, il était pacifiste, du moins face à l'Allemagne d'où venait le danger. Ce n'est pas là la moindre de ses contradictions » (« Le fascisme en France », *L'Histoire,* n° 28, novembre 1980, p. 49);

– L'adhésion de la majorité de la nation à un système de valeurs et à des institutions que l'on souhaite rendre plus efficaces mais que peu de Français aspirent à détruire, y compris à droite, y compris chez les partisans d'une solution autoritaire, lesquels inclinent plutôt vers La Rocque que vers Doriot. Là où le fascisme et le nazisme ont pu compter sur le ralliement massif de classes moyennes que la démocra-tie libérale n'avait pas su conquérir, ces catégories sociales se parta-gent en France entre une droite conservatrice puissante, ralliée depuis un bon demi-siècle à la République parlementaire et une gauche radicale qui, incarnant la tradition républicaine, conserve après la guerre une bonne partie de son audience;

– Ajoutons à cela que le « danger fasciste » s'est manifesté en France plus tard qu'en Italie et en Allemagne et que les forces qui se sont opposées à lui ont bénéficié à la fois de l'expérience des autres et du changement de stratégie opéré par la IIIe Internationale.

Les autres États

démocratiques

Jusqu'à la crise, le fascisme a trouvé dans les pays démocratiques de l'Europe de l'Ouest et du Nord une audience extrêmement restreinte. Sans jamais devenir un phénomène de masse, il connaît dès le début des années 30 un succès qui est lié bien sûr à la crise du régime libéral parlementaire mais qui s'explique aussi par l'attraction personnelle exercée par certains de ses leaders.

Le cas britannique est à cet égard le plus caractéristique. Jusqu'en 1932, il existe bien en Grande-Bretagne des groupuscules qui se proclament fascistes mais qui ne sont en fait que de classiques mouvements d'extrême droite visant au maintien de l'Empire et à l'exaltation de la race britannique. Ce sont les British Fascists, fondés en 1923 par Miss Rotha Lintorn-Orman et devenus depuis un groupe paisible d'anciens officiers, très lié au parti tory, la Fascist League et les British National Fascists qui de la même façon recrutent leurs maigres effectifs dans l'aile aisée de la classe moyenne et parmi les jeunes gens de la haute société, ainsi que l'Imperial Fascist League d'Arnold Spencer Leese. Ce dernier groupement, qui a été fondé en 1929 et ne compte que quelques centaines de membres, est le seul à présenter un caractère authentiquement fasciste. Non dans son aspect extérieur, qui reste celui d'un mouvement de droite, mais dans son idéologie qui s'apparente au national-socialisme allemand, Leese préconisant l'alliance des « nations nordiques » contre les autres pays et allant jusqu'à proposer en 1935 une solution du « problème juif » qui n'est pas sans rapport avec celle que choisiront les nazis.

La crise qui atteint la Grande-Bretagne au cours de l'été 1931 donne sa chance au seul véritable parti fasciste que le pays ait connu : celui de sir Oswald Mosley. Né en 1896, Mosley n'a en principe rien de commun avec les leaders plébéiens du fascisme européen. Son père était baronnet et lui-même a reçu l'éducation traditionnelle des jeunes gens de la *upper class.* A 21 ans, il est député conservateur et semble promis à un bel avenir dans le parti tory. En fait, dès 1924, il rompt avec ses amis politiques à qui il reproche leur traditionalisme étroit et il adhère au parti travailliste. Mais le Labour Party ne tarde pas à le décevoir à son tour. Il ne le trouve pas assez « moderniste » ni assez radical et c'est pourquoi il milite au sein du groupe le plus gauchisant de la formation travailliste, l'Independent Labour Party. A cette époque, Mosley n'est encore qu'un réformiste de gauche qui prône l'intervention de l'État dans la lutte contre la crise et la remise en route de l'économie par une politique d'accroissement du pouvoir d'achat. Programme qui ne s'éloigne guère, on le voit, de celui de Keynes, mais qui débouche chez Mosley sur la volonté de donner à l'exécutif les moyens d'imposer des solutions dirigistes. En 1931, il publie en ce sens son *Mosley Manifest,* dans lequel il préconise la formation d'un super-gouvernement comprenant cinq ministres sans portefeuille disposant des pleins pouvoirs pour s'attaquer en « dictateurs » à la crise économique. Ce qui consomme la rupture avec le Labour et le conduit à fonder en 1932 l'éphémère New Party.

Un voyage à Rome au début de 1932 joue le rôle de révélateur. Mosley trouve dans le fascisme la solution politique qu'il recherche pour mettre en œuvre son programme économique et social. En octobre 1932 il fonde avec ses amis du New Party et avec les rescapés des groupuscules fascistes la British Union of Fascists. A peu près en même temps, il publie *The Greater Britain,* le livre dans lequel il développe ses idées majeures : l'autarcie impériale, la priorité donnée aux investissements nationaux, le remplacement du vieux « gang » parlementaire par un État corporatiste et autoritaire, etc. Sur ces thèmes, auxquels viennent s'ajouter celui de l'anticommunisme et par la suite celui du racisme antisémite, Mosley rassemble dès 1933 des foules importantes à l'Albert Hall de Londres ou au théâtre Olympia, dans des meetings dont le rituel – bannières déployées, salut romain, chants, slogans scandés – rappelle à bien des égards celui de Nuremberg. Le service d'ordre est assuré par une véritable garde prétorienne de Chemises noires dont une partie au moins est appointée par le mouvement et constitue l'élite activiste de la BUF. Les violences exercées par ces groupes de combat les feront très tôt assimiler aux SA nazis. Une partie d'entre eux est d'ailleurs constamment sur le pied de guerre et attend au quartier général du mouvement, la Black House de Chelsea, les camions blindés qui emporteront vers tel ou tel point chaud de la capitale les Black Shirts dc Mosley. A côté de ce service d'ordre musclé, le parti peut compter sur plusieurs milliers de membres payant cotisation (de 5 000 à 10 000) et sur peut-être une centaine de milliers de sympathisants.

La composition sociologique de la BUF est caractéristique du premier fascisme. On y trouve essentiellement des membres de la petite bourgeoisie, des ouvriers – généralement des chômeurs –, venus souvent de l'Independent Labour Party alors en pleine décomposition, et aussi beaucoup de marginaux, « sous-prolétaires » et nervis de l'East End, toujours en quête d'un peu d'argent à gagner et de violence « légale ». L'audience de la BUF ne dépasse guère les limites de la capitale. C'est à Londres, et tout particulièrement dans les quartiers populaires de l'Est, que les Chemises noires de Mosley se manifestent le plus volontiers, organisant des défilés et s'en prenant aux magasins israélites, non sans rencontrer d'ailleurs une vive résistance. Après 1935, le parti de Mosley, qui a pendant un certain temps reçu le soutien de certains milieux économiques et obtenu des encouragements d'intellectuels comme George Bernard Shaw ou de membres de la classe dirigeante, tel lord Rothermere qui publie dans le *Daily Mail,* en janvier 1934, un article très favorable à la BUF (« Hurrah to Black Shirts ! »), connaît un déclin rapide. Celui-ci s'explique par les excès même du mouvement, par son antisémitisme virulent et par l'alignement de plus en plus manifeste de Mosley sur le modèle hitlérien. Mais aussi par des facteurs proprement britanniques : l'absence d'un véritable danger « rouge » en Grande-Bretagne et le fait que, depuis 1931, le Royaume-Uni se trouve gouverné par un cabinet conservateur disposant d'une forte assise parlementaire. Autrement dit, le consensus autour des valeurs et des institutions libérales joue ici le même rôle que, dans la France des années 30, l'adhésion à la République parlementaire. A la veille de la guerre, Mosley ne dirige plus qu'une organisation squelettique et parfaitement impopulaire.

En Belgique, la concurrence entre les divers groupements fascistes se trouve accentuée par le caractère plurinational de l'État, au point qu'elle peut déboucher sur une hostilité ouverte. Du côté flamand, deux mouvements ont joué un rôle important. En premier lieu, le Verdinaso (Verbond van Dietsche Nationaal-Solidaristen : Union des nationaux-solidaristes thiois), fondé en 1931 par Joris Van Severen, un ardent nationaliste flamand, député du Front-Partij, jusqu'alors beaucoup plus attiré par les idées maurrassiennes que par une formule de type fasciste. Au début, le mouvement de Van Severen conserve un caractère strictement traditionaliste et artistocratique. Il répugne aux actions de masse, à la violence et il se prononce en faveur d'un État hiérarchisé et corporatiste. Il est en même temps résolument « flamingant » et tout à fait hostile à l'union avec la Wallonie. Mais, dès 1934, s'opère une évolution radicale. Le Verdinaso adopte les aspects extérieurs et les méthodes du fascisme. Il compte alors, parmi ses 15 000 adhérents, 5 000 Chemises vertes qui saluent à la romaine l'étendard du parti (charrue avec roue dentée et épée) et son *Leider* Van Severen, organisent meetings et défilés et engagent la lutte contre les mouvements de gauche. Surtout, les slogans nationalistes flamands sont complètement abandonnés et remplacés par une intense propagande en faveur de la création d'un État « Grand belge », englobant, outre le pays flamand et la Wallonie, les Pays-Bas et la Flandre française. D'où la rupture de Van Severen avec les séparatistes flamands, ce qui ne l'empêchera pas d'être arrêté au moment de la débâcle de 1940, remis à la Sûreté française avec 77 autres suspects (des espions allemands, vrais ou faux, mais aussi des rexistes et des communistes) et fusillé à Abbeville, sans doute par erreur.

Van Severen s'était, en effet, montré constamment hostile aux nazis allemands, ce qui n'était pas le cas de l'autre formation fasciste flamande, le VNV (Vlaams Nationaal Verbond : Union nationaliste flamande), fondée en avril 1933 par l'ancien instituteur Staf De Clercq. Favorable à la création d'un État populaire « dietsch » excluant la Wallonie, adoptant lui aussi le salut fasciste, le culte du chef, les défilés sous la bannière portant le signe delta (symbole des trois grands estuaires flamands), le VNV va, à partir de 1936, se trouver de plus en plus poussé vers l'orbite allemande par son aile pronazie. Il reçoit d'ailleurs des subsides de l'ambassade du Reich et il est fort probable que son Leider, De Clercq, a travaillé pour l'Abwehr. De toute façon, au moment de la guerre, il exercera une intense propagande clandestine dans l'armée et fera œuvre de démoralisation, un certain nombre de ses 25 000 adhérents passant même à l'ennemi.

Les fascistes wallons se divisent également en deux groupes d'importance inégale. La Légion nationale, fondée en 1922, ne comptera pas plus de 5 000 membres, parmi lesquels un millier de Chemises bleues organisées militairement par l'avocat liégeois Paul Hoornaert. L'idéologie très floue doit autant, semble-t-il, à l'imitation des ligues nationalistes françaises et au traditionalisme corporatiste qu'au fascisme proprement dit. Quant au rexisme, il représente incontestablement le plus important des mouvements protofascistes belges, peut-être d'ailleurs parce qu'il n'est pas de stricte obédience fasciste. Son fondateur, Léon Degrelle, a, lui aussi, lorsqu'il était étudiant à Louvain, subi fortement l'influence maurrassienne. Originaire d'une famille catholique, il a été l'élève des jésuites avant de militer à l'Action catholique de la jeunesse. C'est dire que ses idées sont d'abord fortement teintées d'un traditionalisme clérical et corporatiste qui ne doit pas grand-chose à l'exemple mussolinien. Mais comme bien d'autres mouvements du même genre, celui dont il va prendre la direction ne tarde pas à évoluer. Le point de départ en est la maison d'édition Rex (allusion au Christ-Roi), fondée en 1931 par l'Action catholique et dont Degrelle devient le directeur, avant d'en faire, en 1935, le noyau d'un mouvement résolument anticommuniste et anticapitaliste. Le programme qu'il donne, en février 1936, à son parti conserve à celui-ci un caractère plus paternaliste et réactionnaire que proprement fasciste. Il réclame non la liquidation du parlement mais une sévère limitation de ses fonctions, le contrôle des banques et des entreprises capitalistes, la protection des travailleurs et des classes moyennes, le retour à la terre, la suppression des partis. Rien de révolutionnaire dans tout cela, ni de vraiment antibourgeois, mais, comme l'écrit J. Willequet, « ces appels à la propreté, ces pilules conformistes enrobées d'une dorure révolutionnaire, tout cela était bien fait pour séduire une classe moyenne désorientée » (« Les fascismes belges et la seconde guerre mondiale », *Revue d'histoire de la seconde guerre mondiale,* avril 1967).

De fait, les succès électoraux du rexisme sont rapides. En 1936, le mouvement obtient 11 % des suffrages et fait entrer 21 députés à la Chambre. Mais ils sont aussi des plus éphémères. Bien qu'il n'ait emprunté au fascisme ni ses méthodes violentes ni ses aspects para-militaires, le mouvement ne tarde pas à se trouver déconsidéré, aux yeux des masses petites-bourgeoises et rurales qui ont voté pour lui, par ses liens mal dissimulés avec les grands intérêts et avec l'Italie mussolinienne (Rex reçoit 250 000 F par mois, selon Ciano). Dès 1937, le recul est manifeste et, deux ans plus tard, lors des élections d'avril 1939, le parti de Degrelle n'obtient que 4 sièges pour moins de 4,5 % des voix. Là encore, bien sûr, comme en Angleterre, l'amélioration de la situation économique a joué un rôle important, provoquant dans les deux pays, tout comme en France d'ailleurs, un net reflux des fascismes.

Aux Pays-Bas, le fascisme se concentre, à partir de 1931, en une formation unique, celle de la Nationaal-Socialistische Beweging (NSB : Mouvement national-socialiste), constituée en décembre 1931 par deux hommes d'extraction petite-bourgeoise, l'ingénieur Anton Mussert, qui en est le leader, et l'employé administratif Van Geelkerken, son « remplaçant ». Bien que Mussert ait affirmé le caractère proprement néerlandais de son mouvement, celui-ci n'est, en fait, qu'une tiède imitation du NSDAP dont il reprend à la lettre le programme. Au début, il n'attire à lui que quelques centaines d'adhérents appartenant à une haute bourgeoisie en quête d'un « homme fort », à la noblesse, aux milieux militaires et au monde des planteurs rapatriés. Mais avec la crise, le NSB reçoit, comme partout, le renfort des classes moyennes et celui des chômeurs envers qui il multiplie les promesses démagogiques. D'où l'accroissement de ses effectifs qui passent de 1 000 membres, en janvier 1933, à 40 000 au printemps de la même année, parmi lesquels plusieurs milliers de WA (Weer-Afdelingen = troupes d'assaut), formés sur le modèle de la SA hitlérienne mais dotés d'uniformes noirs. D'où, également, l'influence de la presse du parti – l'hebdomadaire *Volk en Vaderland* titre à plusieurs centaines de milliers d'exemplaires – et les succès électoraux du mouvement (300 000 voix, soit 7,9 % du corps électoral en 1935).

Ici encore, le reflux est extrêmement rapide. Il est favorisé par la résistance des partis démocratiques et de l'Église catholique et par la fermeté du gouvernement, qui défend aux fonctionnaires d'adhérer au NSB et interdit les défilés en uniforme. L'influence exercée sur le parti par Rost Van Tonningen, leader de l'aile populaire du mouvement, connu pour ses relations personnelles avec les nazis allemands (particulièrement avec Himmler), achève de discréditer le parti de Mussert, qui n'obtient que 4,2 % des voix (au lieu des 15 % attendus) aux élections de 1937 et cesse, à partir de cette date, de représenter une force quelconque dans la vie politique néerlandaise.

Au Danemark et en Suède, le fascisme ne rencontre qu'une audience extrêmement limitée, et ceci pour deux raisons. D'une part, la solidité des institutions parlementaires et l'influence dominante, dans ces deux pays, des jeunes partis sociaux-démocrates; d'autre part, l'alignement immédiat et absolu des formations fascistes suédoises et danoises sur le modèle nazi. En Suède, se constitue, en 1929, un parti populaire national-socialiste qui adopte à peu de choses près le programme du NSDAP et l'uniforme des SA. Sa faiblesse se trouve encore accentuée par la rivalité de ses deux leaders, Sven Lindholm et Birger Furugord. Au Danemark, l'imitation est encore plus poussée.

Le parti national-socialiste danois, fondé en 1930 par le capitaine Lembcke, puis dirigé, à partir de 1933, par le médecin Clausen, se donne en effet un programme qui reproduit littéralement une partie des 25 points du programme nazi, un hymne qui reprend presque mot pour mot les paroles du *Horst Wessel Lied* et un service d'ordre (le SA : Storm Adfelinger) dont l'uniforme et le comportement sont entièrement calqués sur les premières troupes de choc d'Hitler. Heurtée dans ses sentiments patriotiques par ce démarquage servile du modèle étranger, la population danoise va se montrer particulièrement rebelle à la propagande des nationaux-socialistes. Aux élections de 1935, ceux-ci n'obtiennent aucun siège.

Le cas de la Norvège est plus intéressant. Non que l'impact du mouvement dirigé par Quisling y soit beaucoup plus fort que celui des autres partis nationaux-socialistes scandinaves (la Nasjonal Samling n'obtient que 27 847 suffrages aux élections de 1933 et 26 576 en 1936), mais, d'une part, les effectifs du mouvement sont loin d'être négligeables (de 25 000 à 30 000 membres à la veille de la guerre), et, d'autre part, la personnalité de son leader éclipse largement celle des autres dirigeants du fascisme nordique.

Abraham Vidkun Quisling est né en 1887 à Fyresdal, dans un canton rural extrêmement arriéré de la Norvège. Son père est pasteur; le jeune Quisling a donc subi une double influence : celle d'une nature rude et sauvage à laquelle il restera toute sa vie fanatiquement attaché; celle, d'autre part, d'un milieu familial austère et traditionaliste. Telles seront les composantes d'un romantisme politique tourné vers le passé, d'une passion sans bornes pour « le sang et la terre » qui, à son origine, n'est pas teintée de racisme mais qui va évoluer au fur et à mesure que le chef du fascisme norvégien subira l'influence du national-socialisme allemand. L'itinéraire idéologique de Quisling est d'ailleurs assez complexe. Au début il n'est encore qu'un réactionnaire qui voit dans la civilisation urbaine la cause de la décadence des sociétés modernes et qui n'attend de salut pour son peuple que du retour à la nature et du travail de la terre. Peu à peu, cependant, son souci de pureté et ses sentiments antibourgeois le conduisent à s'intéresser à des formes plus modernes de remise en cause du libéralisme. Attaché militaire à Saint-Pétersbourg en 1918, puis collaborateur de l'explorateur Nansen dans les missions de secours que ce dernier organise en URSS, il est un moment attiré par le communisme, un peu à la manière des nationaux-bolchevistes allemands. C'est le côté purificateur et antibourgeois du communisme qui séduit cet officier de carrière, pas pour très longtemps d'ailleurs. L'individualisme farouche qui caractérise la pensée de Quisling s'accommode mal du collectivisme marxiste. Son respect de la hiérarchie, des valeurs traditionnelles ne peut guère, d'autre part, accepter les aspects destructeurs et révolution-

4. *Sir Oswald Mosley, chef de la British Union of Fascists, à son arrivée à un meeting du parti, à Bristol, le 30 mars 1934.*

5. *Les « Chemises bleues » irlandaises (novembre 1933).*

6. *Anton Mussert et Van Geelkerken au cours d'une réunion du mouvement fasciste néerlandais NSB à La Haye.*

naires du premier bolchevisme. Le fascisme lui paraît plus apte à concilier son « romantisme » et sa volonté de renouvellement politique.

C'est donc vers un idéal « corporatiste », antiparlementaire et anti-socialiste qu'il évolue, tout en militant au sein du parti paysan dont il est l'un des représentants au Parlement. Ministre de la Guerre en 1932, il échoue dans sa tentative pour dresser contre le parti ouvrier un front uni des partis conservateurs. Dès lors il va rompre avec les formations traditionnelles pour constituer son propre parti. En 1933 est fondée la Nasjonal Samling (Union nationale) qui entretient, par l'intermédiaire du théoricien du mouvement, le Dr. All – qui réside la plupart du temps en Suède ou en Allemagne –, des liens étroits avec le IIIe Reich. Sous cette influence, Quisling donne à son national-socia-lisme une tonalité franchement raciste et antisémite, exaltant la pureté de la race norvégienne et exhortant ses compatriotes à se débarrasser du « capitalisme judéo-anglais ».

En même temps le parti de Quisling, qui a adopté les signes extérieurs du fascisme – uniforme, milices armées, un emblème : la « croix d'Olaf » –, réclame la fondation d'un État autoritaire et corporatiste, capable d'éliminer le marxisme, les partis et la lutte des classes et de rendre à la Norvège sa grandeur par le retour aux sources de la civilisation nordique. Mais le fort enracinement des traditions libérales du pays et le caractère suspect des liens qui unissent la Nasjonal Samling aux nazis allemands ne permettent pas au mouve-ment de Quisling de se développer, du moins jusqu'à la guerre.

En Irlande, le fascisme a pour leader l'ancien chef de la police O'Duffy, destitué par De Valera en février 1933. Celui-ci dirige d'a-bord une formation de tendance réactionnaire, l'Army Comrades As-sociation, qui a un moment joué le rôle de service d'ordre du parti modéré Cumann nan Gaedheal. Sous l'impulsion d'O'Duffy cette organisation se transforme à partir de 1933 en un mouvement fasciste connu sous le nom de Blue Shirts. Les difficultés économiques dues à la guerre des tarifs livrée contre le Royaume-Uni constituent une chance pour les fascistes irlandais, mais ceux-ci trouvent en face d'eux la puissante et dynamique IRA qui leur dispute la rue avec succès et un gouvernement énergique qui finit par déclarer illégales les Che-mises bleues d'O'Duffy. Privé de clientèle, ce dernier ne peut qu'en-traîner en 1936 quelques centaines des siens en Espagne où ils combat-tront aux côtés des franquistes.

La Suisse a connu pendant la période de l'entre-deux-guerres une véritable prolifération de mouvements d'extrême droite. Mais tous sont loin d'être fascistes. A l'origine de ce phénomène, il y a la réaction du fond « vieux suisse » aux récentes transformations de la vie écono-mique et sociale. Le recul des activités traditionnelles au profit de la jeune industrie, la poussée urbaine, l'essor du capitalisme et du socialisme sont ressentis dans les milieux tournés vers le passé – le vieux patriciat urbain, la paysannerie, la petite bourgeoisie – comme autant de menaces contre les bases mêmes de la société helvétique. La guerre a, d'autre part, détruit certains équilibres fondamentaux entre la droite et la gauche, entre la Suisse française et la Suisse allemande, entre les différentes fractions de la classe dirigeante. Un fait surtout a servi de révélateur à la crise helvétique. C'est la grève nationale de novembre 1918, lancée par les socialistes et qui apparaît aux yeux de nombreux conservateurs comme le signe avant-coureur de l'éclatement de la Confédération. La radicalisation de la social-démocratie et la naissance d'un petit parti communiste en 1921 accentuent le processus.

Aussi voit-on se développer dès le début des années 20 des mouvements dont l'objectif numéro un est le retour aux sources de la tradition helvétique et qui répudient les tendances modernistes que contiennent le socialisme et le libéralisme. Le mouvement Ordre et Tradition prend son essor en 1919 en pays vaudois. Regroupant essentiellement des intellectuels et de petits agriculteurs, il s'oriente vers des positions qui s'apparentent à celles du maurrassisme. Le Schweitzer Heimatwehr trouve également une audience dans les régions agricoles et auprès de la petite bourgeoisie urbaine. Ses thèses s'éloignent peu de celles du traditionalisme chrétien (corporatisme, hostilité aux juifs et à la franc-maçonnerie) du moins au début, car, à partir de 1930, le mouvement prend davantage un caractère fasciste, cherchant à imiter le modèle italien, tout comme la Guardia de Luigi Rossi. Jusqu'à la crise, on peut dire cependant que ce qui domine c'est l'aspect conservateur et corporatiste de ces formations.

Cette situation se modifie à partir du moment où la dépression mondiale atteint la Suisse (1931), touchant plus particulièrement les catégories sociales liées aux formes traditionnelles de l'activité économique. L'absence d'un réel danger « rouge » explique que les mouvements qui se constituent alors n'entretiennent que des liens assez lâches avec les grands intérêts, ce qui leur permet de conserver leur caractère original, qu'il s'agisse du fascisme première manière ou du traditionalisme pur et simple. On a parlé, pour la période qui va de 1933 à 1936, d'un « printemps des fronts » et de fait on compte alors un nombre important de mouvements qui peuvent être classés en deux groupes bien distincts.

Il y a d'abord ceux qui se réclament principalement des traditions nationales et s'apparentent en fait au conservatisme radical. A ce premier groupe se rattachent des formations comme la ligue Aufgebot (Mobilisation), de tendance chrétienne et corporatiste, le Front catholique de même tendance mais avec une nuance plus « fasciste », voire national-socialiste, le mouvement Neue Schweiz, qui milite pour l'artisanat, pour la petite entreprise et pour la sauvegarde de la famille mais qui, à partir de 1935, devient nettement antiparlementaire et antidémocrate, le Bund für Volk und Heimat (Ligue pour le peuple et la patrie), fondé en mai 1933 en liaison avec la haute finance, le Eidgenössische Front, dont les sympathies pour le IIIe Reich sont connues, le Schweizerische Bauernheimat (Patrie paysanne suisse), etc. A noter que, comme en France, ces ligues peuvent pour des raisons d'efficacité adopter les signes extérieurs du fascisme tout en conservant leur caractère fondamentalement traditionaliste.

Le second groupe est, au contraire, assez proche du fascisme et ses liens avec le modèle mussolinien – ou hitlérien – sont infiniment plus étroits. Tel est le cas du Mouvement fasciste suisse fondé en 1934 par un grand admirateur du Duce, le colonel Fonjallaz, professeur à l'École polytechnique de Zurich, de l'Union nationale de Genève, que dirige l'écrivain Georges Oltramare, et surtout du National Front, le plus important des mouvements fascistes suisses, le plus proche aussi du national-socialisme. Ses membres, qui se recrutent essentiellement dans les classes moyennes, adoptent les méthodes des formations hitlériennes. Ils portent l'uniforme (chemise grise, cravate noire), organisent des manifestations bruyantes avec emblème (la croix suisse avec bande verticale et bras étroits), cri de guerre (*Haarus :* dehors !) et salut hitlérien, et ils professent une idéologie qui, à un vieux fond conservateur et bourgeois, joint des notions plus proprement fascistes (principe du chef, socialisme d'État, etc.). Après avoir obtenu quelques succès, notamment lors d'élections à Schaffhouse, le Front national, dont le leader le plus en vue est le Dr. Rolf Henne, se trouve déconsidéré aux yeux de l'opinion par la violence de son antisémitisme et par ses sympathies hitlériennes. Aussi va-t-il, à partir de 1936, adopter une attitude plus opportuniste et modérer son racisme et son antiparlementarisme. Le relais est alors pris par des formations franchement nazies, telle l'organisation des Confédérés nationaux-socialistes de l'architecte zurichois Fischer. Mais, à cette date, les chances de succès du fascisme ont fortement reculé. La plupart des mouvements font figure de groupuscules, lorsqu'ils n'ont pas été purement et simplement dissous.

La situation du fascisme en Tchécoslovaquie a déjà été analysée. La situation évolue peu après 1930, sauf en ce qui concerne le parti allemand des Sudètes que dirige Conrad Henlein et dont on connaît le rôle dans la genèse de la crise tchécoslovaque. Pour le reste, les formations d'extrême droite du type de celles que dirigent en Slovaquie Hlinka et Mgr Tiso présentent davantage l'aspect de mouvements réactionnaires classiques que celui des partis spécifiquement fascistes. Elles vont surtout se développer après Munich. Jusque-là la menace allemande a plutôt eu l'effet de renforcer dans le pays les forces démocratiques aux dépens des partis d'obédience fasciste ou nazie, suspects d'intelligence avec l'étranger.

Pour conclure, nous dirons que deux faits majeurs sont à considérer dans l'évolution des démocraties européennes face à la montée du fascisme des années 30. D'une part, l'éclosion de mouvements proprement fascistes, inspirés ou non des exemples italien ou allemand, ne représente que l'une des formes, la plus spectaculaire sans doute mais pas nécessairement la plus importante, de la poussée « fasciste ». A côté des phénomènes d'imitation et de la recherche dans certains pays d'une formule fasciste originale, se sont développés des courants qui, tout en restant proches de leurs origines conservatrices et traditionalistes, se sont donné, du moins en partie, le visage du fascisme. D'autre part, fascismes spécifiques et mouvements réactionnaires d'imprégnation fasciste ne connaissent qu'un succès limité dans le temps. La courbe de leurs effectifs, celle de leur audience et de leurs résultats électoraux suivent à peu près fidèlement la conjoncture économique.

Après avoir fait le plein entre 1933 et 1936, la plupart des mouvements fascistes et protofascistes déclinent rapidement en 1937 et 1938 pour se retrouver à la veille de la guerre à l'état de groupuscules squelettiques. Or, en pleine période de succès, aucun n'a su saisir sa chance. Non qu'ils aient manqué d'un Mussolini ou d'un Hitler, ou des subsides fournis par certains milieux d'affaires. Leur échec doit être recherché ailleurs : dans la solidité des traditions démocratiques, plus anciennement insérées dans la mentalité collective de la plupart des peuples de l'Europe occidentale que dans celle des Italiens ou des Allemands; dans l'existence de masses déjà fortement intégrées à la vie politique et de puissantes formations démocratiques encadrant une partie de la classe ouvrière et de larges secteurs de la classe moyenne; dans le fait aussi qu'aucun des pays dans lesquels ils se développent n'appartient au camp des vaincus ou des mécontents des traités de paix, ce qui leur enlève l'un de leurs principaux points d'appui.

XII

La seconde vague fasciste en Europe de l'Est et du Sud

L'existence d'un État fort, conservateur et anticommuniste, ne suffit pas, à partir du moment où la crise américaine atteint l'Europe, à préserver complètement de la tentation fasciste les pays dépourvus de traditions libérales et dans lesquels le régime parlementaire n'a été, au lendemain de la guerre, qu'un intermède de courte durée. Il y a à cela des raisons économiques et sociales. Il s'agit moins en effet, pour tous ceux qui adhèrent à des mouvements d'inspiration fasciste, de renforcer face à la subversion communiste un appareil d'État déjà fortement structuré et qui d'ailleurs emprunte lui-même au fascisme une partie de ses méthodes, que de constituer une force qui, tout en poursuivant des objectifs identiques, oblige la classe dirigeante traditionnelle à tenir compte des intérêts de catégories sociales particulièrement frappées par la crise : classes moyennes et paysannerie. De là résulte le caractère subversif de certains de ces mouvements et la lutte parfois très vive qu'engagent contre eux les forces conservatrices qui détiennent le pouvoir.

L'Europe centrale
et orientale

Dans les pays riverains de l'Union soviétique, les effets de la crise viennent s'ajouter à ceux de la persistance ou de l'aggravation du danger communiste. C'est la crainte d'une infiltration bolchevique qui est à l'origine des premiers mouvements fascistes, mais ce sont les difficultés économiques des années 30 qui apportent à ceux-ci le gros de leur clientèle. Il en est ainsi par exemple en Finlande, le seul pays qui, dans cette partie de l'Europe, ait conservé jusqu'à la guerre des institutions parlementaires fonctionnant normalement. Aux élections de 1929, le parti communiste a obtenu 13,5 % des voix, ce qui ne manque pas d'inquiéter aussitôt ses adversaires. Des coups de main isolés sont organisés par la garde civique contre des députés et des militants d'extrême gauche. Mais le point de départ de la grande vague réactionnaire est la manifestation des Jeunesses communistes en novembre 1929 à Lapua, une petite ville de la province d'Ostrobothnie, qui est aussi un fief blanc, ce qui donne au meeting un caractère de provocation. De fait il est immédiatement dispersé par les « blancs », et c'est au lendemain de cet engagement qu'est fondé le mouvement Lapua, le premier grand parti fasciste finlandais.

En fait, la composition sociale du mouvement, en majorité composé de paysans, et sa forte imprégnation religieuse en font davantage au début un groupement réactionnaire d'extrême droite qu'une formation strictement fasciste Son objectif numéro un reste la lutte contre les communistes et c'est pour obtenir du pouvoir des mesures énergiques contre le PC qu'il organise, sous l'impulsion de ses dirigeants – le riche propriétaire terrien Vittori Kosola, A. Leinonen, le pasteur de Lapua K. Kares, plusieurs hauts dignitaires de l'armée –, une marche sur Helsinki le 7 juillet 1930. De 12 000 à 15 000 manifestants, organisés militairement, parviennent jusqu'au Parlement, obtiennent la démission du gouvernement et imposent la désignation d'une nouvelle équipe dirigée par Svinhufvud. Celui-ci est très favorable au Lapua et il fait aussitôt voter une loi de défense de la République qui répond à ses exigences. Autrement dit, un 6 février réussi plutôt que la Marche sur Rome.

Mais déjà les chefs du fascisme finlandais veulent aller plus loin. Ils visent maintenant les sociaux-démocrates et songent à un coup d'État qui leur permettrait d'établir une dictature à l'italienne après avoir jeté bas le régime parlementaire. A partir de ce moment le mouvement Lapua prend un caractère plus nettement fasciste. Ceci apparaît, par exemple, dans les tentatives qui sont faites par certains éléments extrémistes du parti pour développer le culte du dieu finnois Hiomojamala, ceci aux dépens des tendances chrétiennes jusqu'alors dominantes dans le mouvement. Au début de 1932, le parti de Kosola lance une nouvelle offensive contre les institutions libérales, en prenant cette fois pour point de départ le village de Mäntsälä où il a dispersé un meeting socialiste. Un putsch est préparé, avec la complicité de Wallenius, ancien chef d'état-major. Mais la fermeté de Svinhufvud, devenu dans l'intervalle chef de l'État, le fait échouer. Les bandes Lapua sont dispersées et leurs chefs emprisonnés.

Toutefois le parti réapparaît quelques mois plus tard sous le nom de Mouvement populaire patriotique (IKL = Isänmaallinen Kansan Liike), avec un programme ultra-nationaliste, axé sur la lutte contre les partis marxistes et contre la minorité suédoise. Il reprend d'autre part les revendications expansionnistes de la Société académique de Carélie. Lors des élections de 1933 il obtient 14 sièges et, en 1936, il rassemble plus de 8 % des suffrages. L'IKL conserve à cette date sa base sociologique à prédominance paysanne mais les cadres du mouvement sont en majorité des intellectuels, étudiants, professeurs, et des membres du clergé. Après 1936 l'influence des fascistes finlandais décline rapidement. Le gouvernement leur interdit de parader dans les rues en uniforme (blouse noire, cravate bleue) et, en novembre 1938, le mouvement est dissous. Il est remplacé par une formation beaucoup plus directement inspirée du modèle national-socialiste : l'Organisation du peuple finnois du capitaine Kalsta, dont les membres portent la chemise brune et qui ne tardera pas à être interdite à son tour.

Dans les pays baltes, la montée des forces fascistes se heurte à la résistance de pouvoirs forts qui incarnent les intérêts de la classe dirigeante traditionnelle. Peu de changements à cet égard en Lituanie où Woldemaras et ses successeurs continuent de bien tenir en main les rouages d'un régime qui a éliminé sans difficulté les partis de gauche. En Lettonie, la crise et l'avènement d'Hitler stimulent les tendances fascisantes de la petite bourgeoisie et de la paysannerie. De nombreuses formations d'extrême droite se constituent, parmi lesquelles le mouvement des Perkonkrusts (Croix de tonnerre), fondé par Gustav Zelmin, un ancien volontaire des corps francs antibolcheviques. Il s'agit au début d'une ligue dirigée à la fois contre les influences communistes, juives et allemandes. Bientôt, cependant, le mouvement de Zelmin subit l'attraction du nazisme. Ses membres, recrutés en grande partie parmi les étudiants, portent l'uniforme (chemise grise, brassard à croix gammée) et défilent en faisant le salut hitlérien. Ils ne tardent pas à attaquer ouvertement le gouvernement, à qui ils reprochent sa trop grande mansuétude à l'égard des socialistes. L'homme fort est alors en Lettonie Karlis Ulmanis, le chef de l'Union paysanne. Inquiet des progrès du national-socialisme dans le pays et de son impact à l'intérieur du groupe ethnique allemand, celui-ci organise en mai 1934 un coup d'État qui établit en Lettonie un régime autoritaire d'où sont bannis le parti social-démocrate et les Perkonkrusts.

En Estonie, l'évolution est à peu près identique. L'Union des combattants de la liberté, qui se développe à partir de 1930 sous l'impulsion du général Larka, commence par engager la lutte sur le terrain de l'anticommunisme. Par la suite, elle donne à son programme un caractère antisémite et corporatiste et elle adopte des méthodes empruntées au fascisme (organisation paramilitaire, adoption d'un uniforme avec chemise gris-vert et brassard noir et blanc). Mais elle va bientôt se trouver prise à son propre jeu. En 1933, elle joue un rôle déterminant dans la campagne qui aboutit à l'adoption d'une nouvelle constitution destinée à renforcer les pouvoirs de l'exécutif. Elle espère en effet que, porté par le courant nationaliste, son chef, le général Larka, en sera le premier bénéficiaire en exerçant les nouvelles fonctions dévolues au chef de l'État. Mais elle est prise de vitesse par les dirigeants conservateurs, Konstantin Päts et Laidoner, qui proclament l'état d'exception et la dissolution de l'Union des combattants de la liberté.

En Pologne, le régime fort installé par Pilsudski est déjà en place depuis plusieurs années lorsque la crise atteint le pays. Il a d'ailleurs évolué depuis 1928 dans un sens très conservateur, sans que l'on puisse pour autant parler de fascisme. Il existe bien un parti gouvernemental, le Bloc non partisan de coopération avec le gouvernement que dirige un ami du maréchal, le colonel Slavek, mais il ne s'agit pas d'un parti unique. Les autres formations restent autorisées. Du moins théoriquement, car en 1930 le gouvernement décide de briser la montée des oppositions en faisant arrêter les leaders de la gauche. Certains d'entre eux sont condamnés à de courtes peines de prison, d'autres émigrent ou abandonnent la vie politique. Par ces mesures d'intimidation, Pilsudski s'assure une majorité parlementaire qui lui permet de faire adopter en 1935 une constitution autoritaire qu'il n'aura pas le temps de mettre lui-même à l'épreuve puisqu'il meurt au mois de mai de la même année.

Le « régime des colonels » qui lui succède est en fait dominé par le général Rydz-Smigly, l'homme fort de la Pologne postpilsudskienne. C'est sous son impulsion que le colonel Adam Koc organise en 1937 un nouveau parti gouvernemental, le Camp de l'Unité nationale (Oboz Zjednoczenia Narodowego ou OZN), dont le programme fondamentalement conservateur contient toutefois certaines tendances fascisantes (culte du chef, subordination des intérêts particuliers à l'intérêt suprême de l'État, etc.). Parti de masse incontestablement : selon les dirigeants de l'OZN, celui-ci aurait enregistré en une semaine 2 millions d'adhésions. Mais il s'agit moins d'adhésions spontanées, individuelles, que du ralliement en bloc d'organisations politiques et professionnelles (employés des postes, associations d'anciens officiers, etc.). D'autre part, ce sont surtout parmi les jeunes membres du parti, groupés au sein de la Jeune Pologne (Zwiazek Mlodej Polski : ZMP) par Jean Rutkowski, que se développent des tendances et des pratiques fascistes (salut romain, uniforme, défilés). De même l'influence du fascisme s'exerce sur des mouvements conservateurs tels que le Camp de la Grande Pologne de Roman Dmowski et le Camp national radical (Oboz Narodowo Radykalny : ONR), fondé en 1934 et dont l'aile extrémiste, la Falanga, prend à partir de 1935 un caractère nettement fasciste sous la double impulsion de son leader, Boleslaw, et de Rutkowski. Le programme de ce mouvement, qui ne tarde pas à être interdit, réclame une totale reconstruction économique, sociale et politique du pays, la limitation de la propriété privée et un contrôle rigoureux de l'État sur l'activité économique. Organisée militairement, la Falanga recrute essentiellement ses membres parmi les étudiants et dans la petite bourgeoisie de Varsovie. Elle se rend vite célèbre par ses brutalités envers les juifs. Mais en même temps elle attire à elle des membres de l'OZN et entretient pendant quelque temps de bons rapports avec le colonel Koc, jusqu'au moment où, suspectée de vouloir déclencher un putsch fasciste, la Falanga est lâchée par ses alliés gouvernementaux.

A la veille de la guerre, la Falanga ne représente qu'un groupuscule de 2 000 membres, tout comme le petit parti ouvrier national-socialiste qui avait été fondé en 1933 sur le modèle nazi par Josej Gralla. Dans l'ensemble, on peut affirmer que le fascisme proprement dit a peu mordu sur la société polonaise, l'OZN suffisant à capter le potentiel militant des masses et la bourgeoisie trouvant dans le régime militaire des colonels une protection suffisante contre le communisme. Au moment de la guerre, nombre de militants appartenant aux diverses fractions du fascisme polonais combattront courageusement les envahisseurs allemands et russes. Certains d'entre eux mourront dans les camps d'extermination nazis et staliniens.

De tous les pays ayant une frontière commune avec l'URSS, la Roumanie est celui qui a connu le danger fasciste le plus sérieux. C'est d'ailleurs très largement pour prendre de vitesse les partisans de Codreanu que le roi Carol, soutenu par l'oligarchie dirigeante, décide en 1938 de mettre fin au régime parlementaire et de faire approuver par le peuple une nouvelle constitution de type autoritaire.

Quels sont donc ces hommes qui, après avoir un moment fait trembler la monarchie et la classe dirigeante, finissent par entrer en lutte ouverte avec elles et par subir une très dure répression, avant de prendre leur revanche en 1940 ? On sait dans quelles conditions Codreanu avait, en 1927, fondé sa Légion de l'archange saint Michel et quel était l'état d'esprit de cette organisation antisémite et réactionnaire. Dans les années qui suivent, la Légion accentue son caractère mystique. Ses membres, qui portent la chemise verte barrée d'une croix blanche et qui gardent sur leur poitrine un sachet de cuir contenant la terre sacrée de la patrie roumaine, participent à des marches et à des chevauchées dans la campagne, animés d'une ferveur de croisés. En même temps, ils organisent des camps de travail dans lesquels les jeunes légionnaires apprennent à partager avec les paysans les rudes besognes de la terre, ce qui est une façon de manifester leur mépris pour l'univers corrompu de la ville. Ils se livrent aussi à des sévices contre les juifs et ne reculent pas devant l'attentat politique. En 1930, c'est le secrétaire d'État Angelescu qui est abattu pour avoir interdit une marche de la Légion en Bessarabie. En 1933, le président du Conseil Duca, considéré comme « l'ami des juifs », tombe à son tour sous les balles des terroristes. A chaque fois les preuves manquent et les meurtriers sont acquittés.

La seconde vague fasciste en Europe de l'Est et du Sud

A partir de 1930 un changement important s'opère. Codreanu décide en effet de fonder à côté de la Légion qui demeure l'élite de son mouvement une organisation politique plus ouverte, destinée à devenir un grand mouvement de masse. Ce sera la Garde de fer, plusieurs fois interdite à cause de ses méthodes violentes et de son agressivité à l'égard de la monarchie. En 1933, elle prend le nom de Totul pentru taras (Tout pour la patrie). L'esprit reste celui de la Légion – respect des traditions, mystique religieuse, haine de la civilisation urbaine, volonté de réarmer moralement la nation, etc. – mais avec une tonalité nettement plus fasciste. L'antisémitisme et l'antimodernisme de la

1. *Le général Cantacuzino, chef de la « Garde de fer », en visite d'inspection au camp de Predeal en Roumanie, le 17 août 1936.*

Garde aboutissent en effet à une critique violente du capitalisme. La haine du parlementarisme débouche sur une remise en question de la monarchie dans la mesure où celle-ci le tolère, comme elle tolère les juifs. Pourtant la société dont rêve Codreanu diffère beaucoup de celle que Mussolini et Hitler s'appliquent à remodeler à l'image de l'homme nouveau. Son idéal reste celui d'un christianisme social reposant sur une paysannerie respectueuse des valeurs traditionnelles et capable de débarrasser le pays de ses éléments allogènes et corrupteurs : communisme, démocratie, juifs, etc.

En frappant avec une particulière vigueur les producteurs agricoles, la crise devait accroître l'audience de Codreanu dans les campagnes.

De fait, son mouvement demeure essentiellement axé sur le monde rural. Ses aspects fascisants lui apportent toutefois, à partir de 1930, une clientèle de petits bourgeois, de fonctionnaires, de membres des professions libérales et de la « nouvelle classe moyenne ». Comme en Finlande, les étudiants, les enseignants et les prêtres y jouent un rôle considérable, particulièrement au niveau des cadres. Il faut également noter qu'il s'agit très nettement d'un mouvement de jeunes dans lequel on compte 40 % de moins de 30 ans en 1940. Codreanu a lui-même 31 ans au moment où il fonde la Garde de fer. Parmi ses lieutenants, Motza a 29 ans, Marin 27 ans et Stelescu 24 ans. Cette assise sociologique de la Garde, fondamentalement petite-bourgeoise et paysanne, explique à la fois ses orientations radicales et ses succès électoraux lors du scrutin de décembre 1937 qui donne au parti de Codreanu près de 70 sièges et en fait la troisième formation politique du pays. A noter qu'en l'absence d'un véritable mouvement ouvrier en Roumanie beaucoup de travailleurs votèrent pour le seul parti qui eût prôné des solutions radicales aux problèmes des masses. Il existe d'ailleurs, dès 1936, un corps particulier des « travailleurs légionnaires » qui, pour la seule ville de Bucarest, rassemble 8 000 membres en 1938.

La victoire de la Garde de fer aux élections de 1937, sa puissance croissante dans le pays, ses manifestations de force, le prestige que devait lui conférer l'envoi de volontaires en Espagne où deux des principaux collaborateurs de Codreanu, Motza et Marin, sont tués devant Madrid aux côtés des troupes franquistes, le succès du livre que le chef de la Légion publie sous le titre *Pentru Legionari,* la propagande faite par les leaders de la Garde en faveur d'un rapprochement avec les puissances fascistes et surtout les attaques dirigées contre la monarchie finissent par inquiéter le roi et son entourage. Ceci au moment où la communauté juive entreprend de résister aux mesures antisémites du gouvernement Goga.

Devant cette double menace le roi Carol a recours au coup de force légal. En février 1938, il renvoie le premier ministre et charge Miron Christea, patriarche de l'Église roumaine, de constituer un nouveau gouvernement. Celui-ci prononce aussitôt la dissolution des partis et met en place un régime autoritaire qui est parfois qualifié de « monarcho-fasciste », mais qui est en fait parfaitement réactionnaire et traditionaliste. Prenant appui sur la bourgeoisie nationale et sur les agrariens, le nouveau régime réprime avec une extrême rigueur le mouvement de Codreanu. Le chef de la Légion est lui-même arrêté, jeté en prison sous l'inculpation de désordres, de recel d'armes de guerre et d'intelligence avec l'étranger. En novembre 1938, il est abattu avec treize de ses compagnons, au cours d'une tentative de fuite vraisemblablement organisée par les autorités elles-mêmes. La mort de Codreanu ne devait pas suffire à briser l'élan des « hommes de l'archange ». Ceux-ci continuent de répandre dans le pays un climat de terreur auquel les hommes au pouvoir répondent par une répression accrue et aussi par une radicalisation fascisante du régime qu'ils ont instauré. Dès le début de 1940, la Garde de fer a retrouvé tout son impact sur la population roumaine et constitue une force avec laquelle la monarchie doit compter. Lorsqu'en septembre 1940 les Allemands donnent la Transylvanie du Nord à leurs alliés hongrois, le roi doit abdiquer pour laisser le pouvoir au général Antonescu, lequel établit un État nationaliste légionnaire dominé par les hommes de la Garde de fer, dirigée désormais par Horia Sima.

La Bulgarie connaît une évolution tout à fait semblable. Sans doute la Nationale Zadruga Fascisti d'Alexander Staliyski, un admirateur de Mussolini, et le parti ouvrier bulgare national-socialiste de Kuntscheff, qui ne s'embarrasse pas de nuances dans son imitation du modèle hitlérien, sont-ils loin d'obtenir une audience comparable à celle du parti de Codreanu, encore que le second ait regroupé à son apogée une vingtaine de milliers de membres. Il en est de même d'un mouvement qui, sans être spécifiquement fasciste, emprunte aux modèles italien et allemand une partie de leurs traits. Il s'agit du Mouvement national-social que dirige depuis 1931 l'ancien premier ministre, Zankoff. Ce sont pourtant les progrès réalisés par cette dernière formation, fondamentalement populiste et petite-bourgeoise, qui inclinent les milieux dirigeants à prévenir le danger d'un putsch fasciste en instaurant, avec l'approbation du roi Boris III, un régime autoritaire contrôlé par l'armée. En juin 1934, le général Georgieff dissout à cet effet partis traditionnels et mouvements d'extrême droite, établissant une dictature monarcho-militaire qui, à la différence de ce qui se passe en Roumanie et en Yougoslavie, ne sera pas suivie d'une revanche des fascistes et va permettre à la Bulgarie de conserver une relative autonomie au sein de l'Europe hitlérienne.

En Yougoslavie, c'est en 1929 que le roi Alexandre suspend le régime des partis et établit sa dictature monarchique. Là encore il s'agit d'un régime autoritaire et traditionaliste qui n'a rien à voir au début avec le fascisme, mais qui en adopte toutefois certains aspects formels lorsque, après l'assassinat du souverain à Marseille en octobre 1934 (par les oustachis, qui abattent en même temps le ministre français des Affaires étrangères, Louis Barthou), les responsabilités du pouvoir se trouvent assumées par le premier ministre, Milan Stojadinović. Celui-ci favorise la formation de mouvements de jeunesse qui portent l'uniforme (chemise verte) et s'organisent militairement. Il se plaît, d'autre part, à prendre la parole devant de vastes foules qui l'accueillent au cri de « Vodja! Vodja! », l'équivalent du « Duce! Duce! » des masses italiennes. Là s'arrête la ressemblance avec les régimes totalitaires italien et allemand.

Aussi les véritables tendances fascistes vont-elles, en Yougoslavie, se concentrer dans deux mouvements bien distincts, l'un d'obédience italienne et l'autre en relations étroites avec l'Allemagne hitlérienne. Le premier se constitue à partir de 1929 parmi les émigrés croates adversaires de l'État « franc-maçon » yougoslave et qui ont trouvé refuge en Italie. En fait, comme la plupart des organisations d'extrême droite qui fleurissent alors en Europe orientale, l'Oustacha d'Ante Pavelić présente, au moins au début de son existence, des différences fondamentales avec les purs mouvements fascistes. Il lui manque la composante socialisante et révolutionnaire qui permet de distinguer le fascisme de la simple réaction. Mais elle subit, elle aussi, la contagion du fascisme et elle la subit d'autant plus fortement que Pavelić et ses compagnons doivent tout à Mussolini : asile, armes, argent (encore que la Hongrie révisionniste finance également les oustachis). Cela ne l'empêchera pas de conserver jusqu'à la guerre son style bien particulier de société secrète terroriste et au plan de l'idéologie son caractère traditionaliste de « Compagnie de Jésus du nationalisme croate » (G. Bocca, *Storia d'Italia nelle guerra fascista*).

En 1932, l'Oustacha tente avec l'aide de l'Italie d'organiser un soulèvement qui échoue lamentablement. Deux ans plus tard, le 9 octobre 1934, elle parvient à faire assassiner à Marseille le roi Alexandre. Mussolini refuse d'extrader les coupables et continue, jusqu'en 1937, d'aider les nationalistes croates en échange de la promesse qui lui est faite par Pavelić d'abandonner la Dalmatie à l'Italie en cas de victoire des oustachis. Cependant, lorsqu'en 1937 l'Italie et la Yougoslavie signent un traité d'amitié, le Duce lâche brusquement le chef de l'Oustacha. Le gouvernement de Belgrade obtient son internement dans la péninsule ainsi que la dissolution des groupes d'oustachis dont les membres sont expédiés dans les îles Lipari. Pavelić prendra sa revanche quatre ans plus tard lorsque, après l'invasion de son pays par les Allemands, il deviendra le dictateur absolu et sanguinaire de la Croatie.

Le second mouvement est, au contraire, dominé par l'élément serbe. Il a pour chef Dimitri Ljotić, un intellectuel originaire d'une grande famille serbe, et se constitue à partir de 1935 en un parti d'inspiration nettement national-socialiste, le Zbor, farouchement raciste et pro-hitlérien. Son influence, desservie par les liens évidents de ses dirigeants avec les nazis allemands (Ljotić a des rapports étroits avec Rosenberg), restera faible jusqu'à la guerre, Stojadinović s'appliquant à réprimer son action par des arrestations préventives, la saisie de ses journaux, l'interdiction de ses meetings (au cours desquels on salue à la romaine les emblèmes porteurs de la croix Kosovo). Lors de l'occupation du pays par les Allemands en 1941, ses membres serviront d'auxiliaires à la police nazie.

La Hongrie présente un cas particulier. Non seulement du fait de la prolifération des groupes fascistes (une centaine de mouvements se réclament du national-socialisme en 1932), mais aussi parce que, de 1932 à 1936, on assiste sous l'impulsion du premier ministre Gömbös à une véritable fascisation de l'État hongrois. Celle-ci n'ira pas jusqu'à son terme, du fait de la mort de Gömbös en octobre 1936, mais elle a été suffisamment forte pour créer à la veille de la guerre un mouvement d'opinion dont bénéficie la plus importante des formations fascistes hongroises : le parti des Croix fléchées de Ferenc Szálasi.

Lorsque Gömbös devient chef du gouvernement en octobre 1932, la Hongrie se trouve soumise à un régime que le comte Bethlen avait qualifié de « démocratie basée sur le correctif corporatiste ». Entendons par là un pouvoir autoritaire traditionaliste reposant sur l'alliance de la bourgeoisie, des grands propriétaires terriens et de la gentry, cette petite noblesse qui depuis 1919 représente l'assise la plus solide de l'État magyar, en même temps qu'elle constitue l'essentiel des cadres de l'armée. Or, depuis la fin des années 20, la gentry se sent de plus en plus mal à l'aise dans la Hongrie de Bethlen. Elle reproche au premier ministre son conservatisme prudent, tant à l'intérieur, par exemple à l'égard des juifs, qu'en politique étrangère. Elle rêve d'un sursaut national qui donnerait au révisionnisme hongrois une agressivité qui lui manque et elle voit dans Julius Gömbös, lui-même militaire et ancien dirigeant de la très extrémiste Union des officiers, l'homme qui pourrait réaliser cet objectif.

Il se produit donc une dissociation du bloc au pouvoir et ceci au moment précis où la crise frappe durement le pays, provoquant outre le chômage (200 000 chômeurs en 1931, soit le tiers de la main-d'œuvre industrielle), l'effondrement des prix agricoles et une sensible réduction du pouvoir d'achat des ruraux. L'arrivée de Gömbös à la tête du gouvernement se place donc sous le double signe de la lutte contre la crise et de la volonté d'appliquer un programme révisionniste résolument offensif. Ce sont en gros les raisons qui ont poussé Hitler au pouvoir, mais en Hongrie il n'y a pas une industrie lourde qui attend son salut d'une politique d'armement. Le bloc qui soutient Gömbös est plus axé sur les couches moyennes de la population : petite noblesse, paysannerie, petite bourgeoisie, et le programme que tente de faire appliquer le premier ministre est davantage orienté vers les objectifs du premier fascisme. Antimarxiste et antilibéral, il est aussi anticapitaliste, hostile à la grande propriété terrienne et il prône la mise en place d'un État corporatiste fondé sur le principe du parti unique et de la non-distinction entre les classes. Quant au style du régime, c'est également celui du fascisme. Gömbös affectionne les grands rassemblements de masse, les défilés des milices nationalistes, les acclamations scandées de la foule. Il meurt trop tôt cependant pour réaliser cette transformation radicale de l'État hongrois qu'il avait, semble-t-il, envisagée. La fascisation se limite en fin de compte à des mesures de détail et ne survit pas à la disparition du premier ministre en octobre 1936.

La radicalisation du régime ne devait pas empêcher, bien au contraire, le développement des mouvements fascistes. Dès 1931 se constitue le parti ouvrier national-socialiste que dirige le journaliste populiste Zoltan Böszörmény. Ce mouvement, qui adopte un programme social très avancé et qui prend essentiellement appui sur les masses rurales (d'où le choix de la « croix de faux », deux faux croisées sur fond vert avec tête de mort, comme emblème du parti), attire à lui nombre d'ouvriers agricoles et d'anciens communistes. Bien que son hostilité à la grande propriété foncière se voit vite transformée en haine des juifs (beaucoup d'intendants des grands domaines étaient israélites), il reste à maints égards un parti révolutionnaire et, en 1936, il prend la tête d'une petite jacquerie rurale que Böszörmény tente de transformer en marche sur Budapest. Tentative qui est immédiatement réprimée par le gouvernement tandis que le leader des Croix de faux se réfugie en Allemagne.

En juin 1932 apparaît un autre mouvement : le parti ouvrier et paysan national-socialiste hongrois du député Zoltán Meskó. Moins révolutionnaire que son rival, mais plus directement influencé par le modèle nazi (ses partisans adoptent la chemise brune et la svastika), le parti de Meskó n'obtient qu'une audience limitée auprès des masses. La présence parmi ses dirigeants du comte Festetics, l'un des plus riches propriétaires fonciers du pays, n'inspire en effet qu'une confiance mitigée à la paysannerie quant au programme de réforme agraire du parti qui en fait se préoccupe surtout de la reconstitution d'une grande Hongrie monarchique et de la reconnaissance de la citoyenneté hongroise aux seuls Aryens. Tel qu'il est, ce mouvement apparaîtra cependant suffisamment dangereux pour qu'en 1934 Gömbös lui-même fasse interdire ses « sections d'assaut » et le port des emblèmes à croix gammée. Festetics choisit alors la croix fléchée comme insigne du national-socialisme hongrois, mais c'est un autre parti qui, en reprenant cet emblème et en fédérant en 1937 les trois mouvements fascistes, devient le véritable représentant du fascisme magyar.

C'est en 1935 que Ferenc Szálasi, un capitaine d'état-major de l'entourage de Gömbös, fonde le parti de la volonté nationale (Nemzeti Akarat Partja), lequel ne tarde pas à adopter la chemise verte et l'insigne de la croix fléchée. La mort de Gömbös et le retour au pouvoir des représentants de la Hongrie traditionaliste, soutenus par les agrariens et par le monde des affaires, lui donnent sa chance. Le parti des Croix fléchées (c'est le nom adopté en 1937) reprend en effet, en les radicalisant à l'extrême, les thèses fascisantes du premier ministre disparu. Szálasi prône à la fois une politique extérieure agressive fondée sur l'alliance avec l'Allemagne et une restructuration de l'État magyar dans le sens d'un totalitarisme anticapitaliste et antiféodal, ainsi que d'un corporatisme étatique. Peu de mouvements d'extrême droite ont eu pendant cette période un caractère aussi plébéien, aussi purement fasciste que celui des Croix fléchées. De plus en plus nettement, semble-t-il, la tendance modérée, représentée par la gentry (il y a 17 % d'officiers d'active dans le mouvement), s'efface au profit de la tendance populiste radicale de Lajos Gruber, expression politique non de la paysannerie, faiblement représentée dans le parti, mais de la petite bourgeoisie semi-prolétarisée et d'une partie de la classe ouvrière. Ainsi s'explique le caractère de masse du mouvement qui regroupe plus de 150 000 adhérents en 1938 et obtient 31 sièges aux élections de l'été 1939; et aussi les mesures répressives prises contre lui par le gouvernement. En 1938, celui-ci fait condamner Szálasi à trois ans de prison pour attentat contre l'ordre social.

L'originalité du cas autrichien réside dans la concurrence très âpre que se livrent la formation fascisante des Heimwehren, ouvertement soutenue par l'Italie, et le mouvement national-socialiste, dont les liens avec le NSDAP sont tout aussi patents, le pouvoir social-chrétien cherchant à s'appuyer sur les premiers pour résister aussi longtemps que possible à la montée du nazisme. Depuis l'émeute du 15 juillet 1927, la Heimwehr joue un rôle grandissant dans l'État autrichien. Le chancelier fédéral, Mgr Seipel, voudrait en faire la milice du parti social-chrétien, mais elle possède sa dynamique propre et réussit d'autant mieux à échapper au contrôle dù parti gouvernemental qu'elle dépend en fait d'autres bailleurs de fonds, la grande industrie représentée par la Ligue des industriels et par le puissant complexe sidérurgique Alpine Montangesellschaft, et le gouvernement de Rome avec lequel l'industriel Rintelen assure la liaison. Sous cette double influence, la Heimwehr abandonne peu à peu son caractère traditionaliste et conservateur pour adopter de plus en plus ouvertement le visage du fascisme. Elle multiplie les manifestations de force et les actes de violence avec l'appui plus ou moins déclaré du gouvernement : défilés précédés de messes en plein air, descentes provocatrices dans les quartiers populaires de Vienne, attaques des réunions social-démocrates, etc.

A partir de 1930, le mouvement se trouve dirigé par le prince Ernst Rüdiger von Stahremberg, un ancien membre des corps francs ayant participé au putsch de Munich en 1923. Ce grand propriétaire avait organisé sa propre garde prétorienne avant de devenir le chef des Heimwehren en Haute Autriche, puis l'un des représentants du parti au Parlement. Or, en 1930, il entre dans le gouvernement en qualité de

2. *Le prince Ernst von Stahremberg, chef des Heimwehren autrichiens.*

ministre de l'Intérieur, ce qui lui permet d'utiliser toutes les forces de police pour démanteler les organisations social-démocrates (notamment le Schutzbund) sous prétexte de complot contre l'ordre public. Dès cette époque la collusion entre l'État social-chrétien, qu'incarnent Mgr Seipel puis son successeur le chancelier Dollfuss, et le fascisme de la Heimwehr est patente. Plusieurs faits vont renforcer cette alliance. Tout d'abord le déclenchement brutal de la crise économique; en second lieu le renforcement de la social-démocratie aux élections de 1930 et la vigueur de la riposte ouvrière à la tentative de putsch Heimwehr en Haute Autriche qui inquiètent les milieux dirigeants et le monde des affaires. Enfin la poussée national-socialiste.

Depuis 1926 il existe officiellement en Autriche un parti national-socialiste qui est l'héritier de la formation dirigée depuis 1919 par l'avocat viennois Walter Riehl. Ses liens avec les nazis allemands sont extrêmement étroits et ses progrès très rapides à partir de 1929. Aux élections de 1930, il obtient six fois plus de voix que lors de la consultation précédente. Mais bien sûr c'est l'avènement d'Hitler qui lui donne une impulsion décisive car, désormais, l'effort de propagande nazie en Autriche prend une ampleur considérable. C'est pour parer à cette double menace, la montée à gauche des forces socialistes et les assauts menés à l'extrême droite par les nazis – qui dès 1933 multiplient les attentats à la bombe et les assassinats –, que le nouveau chancelier Dollfuss décide en 1934 d'instaurer en Autriche un régime autoritaire fondé sur l'alliance de la grande formation gouvernemen-

3. *Manifestation nationaliste à Vienne en octobre 1932. assistent le chancelier Dollfuss (qui sera assassiné par les nazis en juillet 1934), le ministre Jankonczik et des membres de la Heimwehr.*

tale, le parti chrétien-social, et de la Heimwehr. Après avoir éliminé le Parlement et écrasé à Vienne, le 12 février, la seule force qui était susceptible de s'opposer à la fascisation de l'État, le Schutzbund, il promulgue toute une série de décrets-lois destinés à bâillonner les partis et les journaux de l'opposition. Enfin, le 1er mai 1934, il inaugure une nouvelle Constitution qui fonde un État corporatiste et autoritaire inspiré des principes développés en 1931 dans l'encyclique *Quadragesimo anno* sur la restauration de l'ordre social. Quelques semaines plus tard, lorsque les nazis tentent de prendre le pouvoir à Vienne et réussissent à assassiner Dollfuss, l'alliance des chrétiens-sociaux et des Heimwehren soutenus par Mussolini permet de sauver *in extremis* le régime.

Celui-ci, que l'on qualifie souvent d'« austro-fascisme », et qui ressemble à bien des égards à celui que Franco va inaugurer en Espagne – les forces conservatrices traditionnelles utilisent au début les services d'un parti fasciste qu'elles parviennent peu à peu à domestiquer –, va tant bien que mal se maintenir jusqu'à l'Anschluss. Le successeur de Dollfuss, Schuschnigg, parvient en effet, dès 1936, à éliminer du gouvernement les leaders Heimwehren et à reprendre en main les formations paramilitaires. En octobre, le mouvement de Stahremberg est dissous sans résistance, ce qui indique bien qu'à cette époque il a perdu toute influence dans le pays. Les fascistes (Heimwehren et nazis) se trouvant alors rejetés dans l'opposition, voire dans la clandestinité, il ne reste plus du système inauguré par Dollfuss qu'une vague teinture de fascisme recouvrant un État fondamentalement réactionnaire et traditionaliste. En Autriche, comme dans la plupart des autres pays de l'Europe centrale et orientale, le bloc dirigeant (bourgeoisie-agrariens) a donc réussi à maintenir et à renforcer sa domination, d'abord en brisant les forces prolétariennes avec l'aide des mouvements fascistes, puis en absorbant ou en éliminant ceux-ci et en adoptant, pour accroître l'efficacité de son action, une partie des méthodes de gouvernement du fascisme au pouvoir. Il en est de même en Europe méditerranéenne.

Le fascisme

dans les pays méditerranéens

La lutte entre les tendances libérales, représentées surtout par la bourgeoisie marchande des ports, grande admiratrice des institutions anglaises, et la tentation autoritaire, qui est essentiellement le fait de la classe dirigeante traditionnelle, s'est traduite en Grèce, entre 1923 et

1935, par une grande instabilité politique. La rivalité entre les factions s'est tantôt portée sur le plan parlementaire, tantôt exprimée de façon plus violente par des putschs ou des tentatives de putschs. C'est pour remédier à cette situation que la monarchie fut réintroduite dans le pays en 1935. La bourgeoisie d'affaires, qui avait largement appuyé le retour du souverain, espérait bien qu'en échange celui-ci rétablirait des méthodes libérales de gouvernement. Mais la manière même dont le roi Georges II avait restauré son trône, coup d'État militaire (octobre 1935) suivi d'un plébiscite plus ou moins truqué, pesait déjà lourdement sur les orientations du nouveau régime. L'agitation sociale allait davantage encore faire glisser celui-ci vers l'autoritarisme.

C'est en effet le puissant mouvement de grèves qui se déclenche à Salonique en mai 1936 qui décide le général Métaxas, chef du gouvernement, à instaurer avec l'accord tacite du souverain une dictature militaire dont il assume personnellement jusqu'à sa mort en janvier 1941, la direction vigilante. Bien que le régime de Métaxas ait revêtu au début un caractère vaguement populiste, on ne peut à son égard parler de fascisme. Le général-dictateur aurait voulu établir un État corporatiste, mais les forces sociales sur lesquelles il s'appuyait ne l'encouragèrent pas dans cette voie et il ne tarda pas à abandonner en cette matière ses projets initiaux. Il se contenta de mettre en œuvre des réformes partielles, destinées à obtenir l'adhésion des classes populaires et à rattraper en partie le retard de la législation sociale grecque. Il fit ainsi adopter des mesures sur les assurances sociales, les indemnités de maternité et la garantie d'un salaire minimum. Par ailleurs, sa politique économique ne se distingue pas de celle des autres pays, qu'ils soient autoritaires ou démocratiques.

Métaxas engage en effet la Grèce dans la voie du réarmement et inaugure un programme de travaux publics échelonné sur dix ans et destiné à résorber le chômage. Les seuls éléments qu'il emprunte aux régimes fascistes concernent l'encadrement de la jeunesse au sein d'organisations étatiques et paramilitaires, mais ceci à un niveau très modeste et sans que l'on puisse parler d'un véritable enrégimentement. Autrement dit, on a un régime qui s'apparente tout à fait à ceux qui sont alors en place dans des pays comme la Bulgarie, la Yougoslavie et la Roumanie. La différence avec ces trois pays est qu'en Grèce l'opposition fasciste à la dictature monarchique et militaire est très faible, la tension avec l'Italie jouant à cet égard le même rôle qu'en Tchécoslovaquie la crainte d'une agression allemande. Tout au plus trouve-t-on quelques groupes ultranationalistes et antisémites, tels la Ethniké Enosis Ellados qui a son siège à Salonique, la Sidera Irini qui regroupe les partisans du général putschiste Pangalos et surtout le petit parti national-socialiste grec qui ne rassemble pas plus de 3 000 membres et dont le chef est Georg Mercouris. Ces divers mouvements, parmi lesquels seul le dernier présente un caractère authentiquement fasciste, ont conservé jusqu'à la guerre une faiblesse trop grande pour inquiéter le pouvoir en place.

Le cas du Portugal rappelle à bien des égards celui de l'Autriche autoritaire de Dollfuss et de Schuschnigg. Même tradition de pays catholique et traditionaliste, même inexpérience de la démocratie et même souci de récupérer et d'intégrer au système les tendances fascistes qui se sont développées en dehors de lui. La différence réside dans l'inexistence au Portugal d'un danger nazi, ce qui rend moins nécessaire l'alliance de l'État réactionnaire et des formations fascisantes, d'ailleurs infiniment moins puissantes que la Heimwehr autrichienne.

Depuis 1926 le Portugal vit sous le régime de la dictature militaire. Après une période de flottement et de troubles, le général Oscar de Carmona devient chef de l'État en 1928 et le restera jusqu'à sa mort en avril 1951. Théoriquement du moins, car, à partir de 1933, l'homme fort du régime est le premier ministre Antonio de Oliveira Salazar. L'établissement de la République corporatiste au Portugal s'est donc opéré en deux temps. Prise du pouvoir par les militaires en 1926 et mise en place sept ans plus tard, dans le contexte de la grande crise mondiale, qui a été déterminante semble-t-il, d'institutions corporatistes et autoritaires. Le grand tournant s'opérant entre 1928 et 1932, c'est-à-dire au moment où Salazar occupe avec les pleins pouvoirs en la matière le poste de ministre des Finances.

En effectuant en moins d'un an le sauvetage financier du pays, alors au bord de la banqueroute, Salazar conquiert en effet un prestige et une autorité qui vont lui permettre par la suite d'imposer sa volonté à la classe dirigeante. Celle-ci comprend deux grandes fractions : les agrariens qui dominent très largement l'ensemble et qui appuient sans réserve la dictature militaire, et la bourgeoisie industrielle et commerçante dont les intérêts sont très liés à ceux des milieux d'affaires britanniques, ce qui l'incline à un plus grand libéralisme. En principe, la dictature salazarienne vise au maintien et au renforcement du pouvoir des grands propriétaires, ceci au détriment du capital industriel et financier. D'où le caractère franchement réactionnaire du régime qui cherche plus à freiner le développement économique qu'à le stimuler et qui se donne pour objectif premier la restauration des valeurs traditionnelles de la société portugaise. Il y a là une première différence fondamentale avec le fascisme qui, en théorie au moins, se veut révolutionnaire et qui vise à un accroissement rapide des forces productives. La seconde réside dans le caractère non totalitaire et même, peut-on dire, antitotalitaire de l'Estado Novo. « Il faut éloigner de nous, écrit Salazar, la tendance à la formation de ce qu'on pourrait appeler l'État totalitaire. L'État qui subordonnerait tout, sans excep-

4. Photomontage du coup d'État du roi Georges II en Grèce (1935).

5. Le général Franco rencontre à Séville le numéro un portugais, Oliveira Salazar, le 19 mars 1937.

tion, à l'idée de nation ou de race par lui représentée, en morale, en droit, en politique et en économie, se présenterait comme un être omnipotent, principe et fin de lui-même, auquel devraient être assujettis toutes les manifestations individuelles ou collectives, et pourrait donner naissance à un absolutisme pire que celui auquel les régimes libéraux avaient succédé » (*Une révolution dans la paix,* Paris, 1937).

Le régime qui est institué par la Constitution de 1933 s'inspire au contraire des principes chrétiens et d'une idéologie qui doit beaucoup plus à la doctrine maurrassienne qu'à celle de Mussolini ou d'Hitler. Résolument tourné vers le passé, il se propose en quelque sorte de fixer la société portugaise dans des cadres qui la mettent à l'abri d'une évolution jugée néfaste. Tel est le sens du corporatisme qui est à la base même du nouvel État portugais et qui correspond beaucoup plus à une réalité nationale profonde qu'en Italie ou en Allemagne où les institutions corporatives ont surtout pour but de récupérer les masses ouvrières privées de leurs organisations de combat et de leur imposer une politique globalement favorable aux grands intérêts privés.

Très peu d'intentions fascistes donc dans les principes de l'Estado Novo : un nationalisme pacifique « inscrit dans l'œuvre de coopération amicale avec les autres peuples », un État autoritaire mais respectueux de l'individu, de la famille et des communautés religieuses, une jeunesse régénérée mais dont l'instruction et l'éducation restent confiées aux parents, etc. Tout cela débouche bien sûr sur un conservatisme social éminemment profitable aux grands propriétaires, et aussi, dans une certaine mesure, aux industriels qui bénéficient notamment de l'interdiction du droit de grève et de l'inexistence d'une véritable pression ouvrière sur les salaires. D'où un certain coup de fouet donné aux jeunes industries portugaises et un début de concentration capitaliste, qui n'étaient nullement dans les objectifs initiaux du régime. S'il y a des aspects fascistes dans la construction salazarienne, ils se situent peut-être à ce niveau et aussi dans certaines pratiques formelles adoptées à partir de 1936 : rassemblements de masse, création de mouvements de jeunesse groupés dans la Mocicade Portuguesa dont les membres portent la chemise verte et la veste brune et même constitution d'une milice armée anticommuniste, la Legião Portuguesa.

Quant au parti unique, l'Union nationale (União Nacional), qui avait été fondé par décret en 1932, c'est-à-dire avant l'avènement de Salazar, il diffère peu en réalité des partis gouvernementaux qui dominent à la même époque la vie politique roumaine ou bulgare. Le but est moins d'encadrer la population en créant une élite fanatiquement dévouée au chef de l'État, une organisation structurée, mobilisée en permanence et animée de sa dynamique propre, que de rassembler au moment des élections le plus de voix possible; les électeurs n'ayant d'autre choix que de voter pour l'UN ou de s'abstenir. Et encore les abstentions sont-elles, lors des référendums, comptabilisées avec les oui.

Un cas particulier :
l'Espagne de Franco

Le problème du franquisme et de ses rapports avec le véritable fascisme espagnol, celui de la Phalange, se pose apparemment dans les mêmes termes, mais dans un contexte fondamentalement différent. Le fascisme phalangiste s'est constitué pour lutter contre le puissant mouvement ouvrier qui s'est développé en Espagne à l'automne 1934, non en opposition à un pouvoir paternaliste et autoritaire comme ce fut le cas pour le Syndicalisme national portugais. Et si Franco finit lui aussi par domestiquer ses alliés fascistes, c'est après avoir largement utilisé leurs services dans la lutte contre les « rouges » et dans la mise au pas du peuple espagnol.

Est-ce à dire que la chape de plomb qui s'abat sur l'Espagne après la victoire définitive des nationalistes en 1939 n'a rien à voir avec un régime spécifiquement fasciste, tel que nous avons essayé de le définir et tel qu'il fonctionne en Italie et en Allemagne ? Franco adopte-t-il seulement, comme d'autres dictateurs à la même époque, les formes extérieures du fascisme, les défilés en uniforme, le salut romain et les grands rassemblements populaires ? Ou bien va-t-il plus loin dans la fascisation de l'État dont il restera pendant plus de trente-cinq ans le maître tout-puissant ? C'est une question à laquelle on ne peut répondre qu'après avoir analysé l'évolution des rapports entre le premier fascisme espagnol, incarné par les hommes de la Phalange, et le vainqueur de la guerre civile qui représente plutôt la classe dirigeante traditionnelle et les institutions qui en dépendent étroitement, l'Église et l'armée.

Comme le fascisme italien, la Phalange espagnole est née de la rencontre d'éléments extrémistes venus d'horizons très divers, et comme lui elle présente un caractère révolutionnaire qu'elle conservera d'ailleurs plus longtemps que les faisceaux mussoliniens. Lorsque la République est proclamée en Espagne, en avril 1931, il n'existe encore qu'un petit mouvement fasciste aux effectifs squelettiques et à l'idéologie incertaine que dirige José Maria Albina, le parti nationaliste espagnol et plus particulièrement la Légion, qui constitue les troupes de choc du mouvement. Quelques semaines plus tard commence à paraître l'hebdomadaire *La Conquista del Estado* dans lequel

Ramiro Ledesma Ramos développe des thèmes de combat qui ne sont pas sans rappeler ceux des interventionnistes de gauche en Italie et qu'il emprunte à la fois au nationalisme et à l'anarcho-syndicalisme, très répandu, on le sait, en Espagne depuis la fin du XIXe siècle.

Ramos réclame des mesures sociales d'un radicalisme extrême, en particulier l'abolition de la propriété privée, et il adopte comme emblème des quelques partisans qui se rassemblent autour de lui celui des anarcho-syndicalistes, le drapeau noir-rouge-noir sur lequel, toutefois, il fait figurer les antiques symboles des rois catholiques, le joug et les flèches. Car en même temps qu'il glorifie les régimes purs et durs, Italie fasciste et Russie des soviets, et qu'il vilipende la démocratie bourgeoise décadente, Ramos exalte la grandeur passée de l'Espagne monarchique. Cette ambiguïté, qui est celle de beaucoup de fascismes naissants, lui permet de s'allier au petit groupe catholique intégriste que dirige Onesimo Redondo, un jeune juriste de Valladolid, et de fonder avec lui, en octobre 1931, les Juntas de Ofensiva nacional sindicalista (JONS), où comme dans les premiers *fasci* italiens se retrouvent, sur un programme antimarxiste et antibourgeois, syndicalistes révolutionnaires et nationalistes mystiques. Le mouvement, qui ne cache pas ses sympathies pour Mussolini et pour Hitler, s'apparente dès lors tout à fait au premier fascisme, avec peut-être une tonalité plus révolutionnaire encore.

C'est ce mouvement, porteur d'une idéologie radicale mais sans appuis véritables, qui va fusionner en 1934 avec la Phalange. Celle-ci est née officiellement en octobre 1933. Elle rassemble alors essentiellement l'ancienne clientèle de Miguel Primo de Rivera, une clientèle très conservatrice, et c'est le fils de l'ancien dictateur, José Antonio, qui en prend la tête avec comme objectif numéro un le désir de défendre et, si possible, de restaurer l'œuvre de celui-ci.

José Antonio, qui deviendra après sa mort – il est fusillé par les républicains en novembre 1936 – le symbole même du héros fasciste, n'est encore à cette époque qu'un jeune intellectuel de 30 ans, plus à l'aise dans son cabinet de travail qu'au milieu des foules agitées. Ses idées sont alors fortement teintées d'influences conservatrices, voire réactionnaires. Cependant, il a collaboré pendant quelque temps au journal de Manuel Delgado, *El Fascio,* dont le titre indique bien l'orientation promussolinienne, et dans le discours qui marque la naissance de la Phalange, il proclame sa volonté de « lutter pour l'avènement d'un État totalitaire qui répandra ses bienfaits sur les humbles comme sur les puissants ». En fait, il s'agit surtout d'affirmations rhétoriques, qui provoquent encore les sarcasmes du Duce (dans un article du *Popolo d'Italia*) et ceux des véritables fascistes espagnols, pour qui les partisans de José Antonio ne sont que des *señoritos* (des « petits messieurs »). Pourtant, le rapprochement avec les JONS ne va

6. *José Antonio Primo de Rivera, fils de l'ancien dictateur et chef de la Phalange, s'adresse aux militants de l'organisation fasciste lors de la clôture de son deuxième congrès national en novembre 1935.*

7. *Le commandant Francisco Franco au Sahara espagnol en 1927.*

pas tarder à s'opérer sous la double influence de la poussée ouvrière et des liens qui se nouent avec les dirigeants italiens. Les archives du Minculpop montrent, en effet, que depuis le début de 1934 José Antonio Primo de Rivera est l'agent appointé numéro deux de l'ambassade italienne à Paris avec un salaire de 50 000 lires par mois.

En février 1934, la fusion a lieu et de l'union des deux mouvements naît la Falange española de las Juntas de ofensiva nacional-sindicalista dont José Antonio est proclamé *Jefe* le 4 octobre. On est alors en pleine offensive ouvrière dans les Asturies. La Phalange se range aussitôt aux côtés de l'armée pour briser l'insurrection, mais tout en gardant son autonomie et en continuant d'affirmer ses prétentions révolutionnaires. Pourtant, son programme reste bien modéré. Le fascisme qu'elle admire et dont elle se plaît à imiter le comportement extérieur (la chemise est bleue mais on défile le bras levé en scandant des slogans nationalistes) est plus celui qui règne alors en Italie et en Allemagne que le fascisme pur et dur des squadristes. Il n'est pas non plus de pure conservation. Les phalangistes réclament une réforme agraire sérieuse, l'intervention de l'État dans la vie économique et la nationalisation du crédit. C'est trop peu pour attirer à eux la classe ouvrière, voire pour conserver le soutien des nationaux-syndicalistes de gauche qui, avec Ramos, quittent le mouvement dès janvier 1935.

Un tournant s'opère d'ailleurs en 1936. Après les élections de février qui assurent la victoire du Frente Popular, la Phalange voit affluer les adhésions et se trouve engagée dans des luttes sanglantes avec l'extrême gauche. En mars, le gouvernement prononce sa dissolution. Dans le climat d'agitation et d'enthousiasme révolutionnaire qui précède l'éclatement de la guerre civile, les phalangistes n'ont plus que le choix entre deux solutions : le ralliement pur et simple à la voie réactionnaire incarnée par Franco et l'adoption d'une attitude gauchisante leur permettant de récupérer la fraction de la classe ouvrière et de la petite bourgeoisie qu'inquiètent les progrès de l'anarchisme et du communisme. Ils choisissent la seconde, tout en menant le combat dès le début de la guerre aux côtés de l'armée nationaliste.

Privée de son chef, qui est remplacé, après son exécution, par Manuel Hedilla, la Phalange tend à devenir, à la fin de 1936, une véritable force. Sans constituer à proprement parler un mouvement de masse, elle recrute de nombreux adhérents dans les régions contrôlées par les nationalistes où elle remplit des fonctions d'administration et de police. Son succès, particulièrement auprès des jeunes, s'explique par le fait que, de toutes les forces engagées derrière Franco dans la croisade contre-révolutionnaire, elle est la seule qui soit porteuse d'une idéologie cohérente, à l'exception peut-être de la Comunión tradicionalista des carlistes, dont le chef, Fal Conde, réclame une restauration immédiate de la monarchie. Franco, qui, par son milieu (la moyenne bourgeoisie catholique et traditionaliste), sa formation (il est militaire et fils de militaire), son environnement social (il a été à 34 ans le plus jeune général de l'armée espagnole), n'a rien de commun avec les marginaux que sont en général les dirigeants fascistes et avec le fascisme lui-même, ne tarde pas à comprendre tout le bénéfice qu'il peut retirer du pouvoir d'attraction de la Phalange. Représentant de l'Espagne traditionnelle, des propriétaires terriens, de la caste militaire, inconditionnellement soutenu par l'Église et finalement accepté par la bourgeoisie d'affaires qui s'inquiète des aspects réactionnaires du *Movimiento* mais craint plus encore une victoire des rouges, il va fort habilement confisquer à son profit l'idéologie phalangiste.

Dès 1936, il adopte officiellement le programme en 26 points de la Phalange, avec sa condamnation théorique de l'ordre établi et ses prétentions révolutionnaires (« Nous répudions le capitalisme. Il n'est pas tolérable que des masses énormes vivent misérablement tandis que quelques-uns jouissent de tous les luxes », etc.). Bien sûr, il ne s'agit que d'une manœuvre tactique, destinée à rallier au franquisme ceux qui, parmi les ouvriers, refusent la révolution ou craignent la répression. Et aussi à préparer la formaton du parti unique sur lequel devra s'appuyer le nouveau régime. Mais ce parti unique, Franco le veut docile et respectueux de l'ordre restauré. Pour cela, il faut tempérer le radicalisme de la Phalange en lui intégrant les éléments traditionalistes des *Requetès* carlistes. Ainsi seront récupérées et domestiquées les deux seules forces susceptibles de contester le pouvoir du général vainqueur. La fusion s'opère en avril 1937. Le beau-frère de Franco, Ramon Serrano Suñer, ministre de l'Intérieur, proclame par décret l'unification de la Phalange et de la Communion traditionaliste sous le nom de Falange española tradicionalista y de las JONS. Tandis que celle-ci passe sous le contrôle direct du Caudillo, Hedilla est déporté au Canaries. Par la suite, les phalangistes et les monarchistes récalcitrants seront éliminés. Ainsi Franco dispose-t-il, dès le printemps 1937, d'un instrument politique qu'il contrôle entièrement. Régnant sans partage sur l'armée et sur la milice nationale, il est le maître absolu de l'Espagne nationaliste et, après la victoire de ses troupes en 1939, l'égal d'Hitler et de Mussolini.

Le régime franquiste est-il pour autant un régime fasciste ? On ne peut, à cette question, que donner une réponse nuancée. Négative si l'on considère les objectifs profonds du franquisme et la nature des forces sur lesquelles il assoit son pouvoir. A cet égard, il ne fait pas de doute qu'il est avant tout un régime autoritaire, traditionaliste et réactionnaire, comparable à ceux qui, de la Pologne à la Grèce et de la Roumanie au Portugal, triomphent dans l'Europe des années 30. Pendant les quinze premières années de son règne, le but assigné par Franco est clair. En dépit de quelques formules de rhétorique destinées à séduire les phalangistes de stricte obédience, il s'agit moins de promouvoir un ordre nouveau que de faire revivre l'Espagne traditionnelle, puis de fixer la société espagnole dans sa forme restaurée. Cela implique un malthusianisme politico-économique qui favorise les grands propriétaires, la paysannerie moyenne et les petits-bourgeois aux dépens du monde des affaires et du prolétariat urbain, différence fondamentale avec l'État fasciste. Mais il y en a d'autres : le renforcement de l'influence des militaires et de celle de l'Église, appelée à jouer un rôle proprement institutionnel au sein du régime; la mise au pas du parti unique, de plus en plus réduit au rôle de courroie de transmission; l'établissement, avec la Charte du travail (mars 1938), d'un État national-corporatiste qui oppose le « syndicat vertical » à la corporation du type fasciste, à laquelle les phalangistes reprochent d'être fondée sur les syndicats de base, et qui s'inspire infiniment plus du christianisme social que de l'anarcho-syndicalisme.

Et pourtant, il y a entre le franquisme et les régimes spécifiquement fascistes que sont l'État nazi et le pouvoir mussolinien des ressemblances beaucoup plus fortes que celles qui existent entre ces derniers et les dictatures militaires classiques, teintées d'influences fascisantes, qui ont triomphé un peu partout en Europe. Même confisquée par Franco et vidée de son idéologie contestataire, la Phalange ne se réduit pas à un simple parti de gouvernement à vocation électorale. Elle constitue une formation structurée et hiérarchisée, étroitement liée au chef de l'État, et, conformément à ses statuts, « un mouvement militant inspirateur et base de l'État espagnol ». Autre principe qui rapproche le franquisme du fascisme, celui du chef, du caudillo, véritable guide charismatique, responsable seulement « devant Dieu et devant l'Histoire » des destins du peuple espagnol dont il incarne l'unité et sur lequel il règne comme un souverain absolu. Le troisième trait, plus souvent discuté, est celui du totalitarisme. On le nie généralement en arguant du fait qu'il n'y a, en Espagne, ni de véritable parti de masse, ni d'organisations de jeunesse comparables à la Hitler Jugend ou aux Balillas (le Frente de Juventudes, fondé en août 1939, a disparu au bout de quelques mois), ni, surtout, de volonté de remodeler l'homme en lui imposant un style de vie fasciste. Cela est indéniable. Mais il n'est pas moins vrai qu'il existe dans l'Espagne de 1939 des traits de totalitarisme qui vont d'ailleurs se relâcher au fil des années.

L'originalité du franquisme réside dans le fait que ce sont des institutions traditionnelles, l'enseignement et surtout l'Église, qui jouent le rôle d'instruments totalitaires en exerçant sur la formation intellectuelle et civique de la jeunesse (dans les écoles, les enfants assistent tous les matins au lever des couleurs en chantant, le bras tendu, l'hymne de la Phalange : le *Cara al sol*), sur la vie familiale et professionnelle, sur les mœurs et sur les activités quotidiennes du peuple espagnol, un contrôle de tous les instants.

Totalitarisme partiel, si l'on veut, et limité, mais qui dénote cependant une réelle différence de niveau entre la fascisation de l'État franquiste et celle, plus formelle, plus superficielle, des autres régimes d'exception mis en place par les classes dirigeantes européennes, ou acceptés par elles, pendant la période de l'entre-deux-guerres.

XIII

« Fascismes » et fascistes
hors d'Europe

La première guerre mondiale n'a pas seulement modifié l'équilibre des forces politiques et les structures économiques et sociales du vieux continent. En déplaçant les courants d'échanges internationaux, en inversant les flux de capitaux, en consacrant le rang des États-Unis comme première puissance mondiale, en faisant naître un peu partout des mouvements de contestation de l'ordre imposé par les Européens, elle a profondément retenti sur le reste du globe.

De même, la grande dépression des années 30 affecte avec la même intensité les pays non industrialisés d'Amérique latine ou d'Asie que les États-Unis où elle a pris naissance et que l'Europe, où elle détermine des tensions qui vont conduire à la guerre. Dans ces conditions, les pays extra-européens n'ont pu échapper aux conflits idéologiques qui ont secoué pendant l'entre-deux-guerres la quasi-totalité de l'aire européenne. Cela ne veut pas dire que le fascisme y ait trouvé des conditions toujours favorables. En effet, à l'exception du Japon, l'évolution politique s'inscrit dans un contexte socio-économique qui n'est plus – c'est le cas des États-Unis et des dominions britanniques –, ou qui n'est pas encore – la plupart des pays sous-développés – celui de la mutation du capitalisme concurrentiel en un capitalisme dominé par de grandes unités industrielles et financières. Il reste que, partout, la guerre, la révolution bolchevique et la crise ont déterminé des bouleversements qui, de la même façon qu'en Europe, ont fait naître des mouvements fondamentalement antilibéraux et anticommunistes.

La plupart de ces mouvements ne font que renouer avec les formes traditionnelles du radicalisme de droite. Certains se développent toutefois dans des conditions suffisamment proches de celles des mouvements européens ou subissent de leur part une influence assez forte pour qu'il y ait lieu de s'interroger sur leur appartenance à la catégorie des fascismes.

Le Japon :

entre tradition et totalitarisme

L'évolution du Japon des années 30 mérite un examen particulier. Traditionnel par nombre de ses aspects, superposant ses structures à celles d'un empire plusieurs fois millénaire et aux rouages hérités de l'ère de Meiji, le régime instauré par les militaires ultranationalistes à la faveur de la crise présente d'incontestables points de ressemblance avec les totalitarismes italien et allemand tout en conservant sa spécificité propre.

La Révolution de Meiji, qui commence en 1868 avec la restauration du pouvoir impérial, marque l'entrée du Japon dans le monde moderne. L'industrialisation – tardive mais intense et rapide comme en Allemagne –, l'ouverture du pays aux influences étrangères, l'abolition de l'antique système féodal de stratification sociale ébranlent l'harmonie multiséculaire de la société nippone et introduisent en son sein de profonds déséquilibres. Particulièrement dans les campagnes où l'essor du capitalisme ne s'est pas accompagné d'une modification en profondeur des structures agraires. Faute de véritable réforme en ce domaine, les rapports de dépendance féodale et patriarcale ont été remplacés par d'autres liens qui soumettent étroitement les fermiers aux grands propriétaires. Toutefois, à la différence de l'Italie post-unitaire, l'exploitation des ruraux par les agrariens, devenus capitalistes, et par l'État qui fait supporter aux campagnes le poids de l'industrialisation, ne provoque pas de soulèvements graves du fait de l'immobilisme et de la docilité traditionnels de la paysannerie japonaise. L'introduction de la conscription en 1873 offre une possibilité de promotion sociale aux fils de ruraux appauvris et constitue dans l'esprit de ses créateurs – dont ce n'est d'ailleurs pas la motivation essentielle – un dérivatif aux éventuelles colères paysannes. Néanmoins, il se crée un réservoir d'énergies refoulées qui prendront dans certaines fractions du monde rural (petits propriétaires, officiers subalternes issus de la paysannerie pauvre) un caractère ouvertement anticapitaliste et réactionnaire et trouveront leur expression dans le mirage d'un retour à la communauté rurale traditionnelle, telle qu'elle avait fonctionné à l'époque du Shôgounat.

L'autre grande vaincue de la restauration impériale est l'ancienne caste guerrière des samouraïs. La Révolution de Meiji les a dépouillés de leurs privilèges économiques, sociaux et politiques, et les a réduits à l'état de ce que Barrington Moore appelle un peu hardiment peut-être, mais non sans raisons, une « Lumpenaristocratie » (*Les origines sociales de la dictature et de la démocratie,* Paris, Maspero, 1969, p. 200). S'estimant lésés par le triomphe de l'État moderne et indus-

1. *Le pacte tripartite : gravure japonaise.*

triel, en même temps que dépositaires des valeurs traditionnelles du Japon ancestral, les anciens samouraïs développent de forts sentiments anticapitalistes et passéistes. Avec les éléments les plus radicaux du monde rural, ils vont constituer le noyau de l'extrémisme de droite au Japon.

En revanche, la nouvelle classe dirigeante a largement tiré profit des transformations intervenues depuis 1868. La couche des agrariens ne coïncide plus avec celle des grands seigneurs féodaux *(daïmios)* de l'époque shôgounale. Elle comprend également en effet une minorité de samouraïs enrichis et une petite légion de paysans sortis du lot. Confiant l'exploitation de leurs domaines à des fermiers, ces grands propriétaires fonciers rappellent davantage les « barons de la bière » allemands que les hobereaux de la Prusse bismarckienne. Le caractère capitaliste de leurs entreprises, outre qu'il nourrit à leur égard la haine de l'extrême droite, facilite grandement leur rapprochement avec les milieux du négoce et de l'industrie qui se constituent au même moment. Composés d'anciens *daïmios* et de représentants de la petite noblesse guerrière, d'entrepreneurs ruraux et d'aventuriers enrichis, de membres des grandes familles de négociants de l'époque Tokugawa, ces milieux se distinguent de leurs homologues d'Europe occidentale par l'absence en leur sein de traditions libérales. Ils demeurent fortement imprégnés des idées et des coutumes du monde féodal dont ils sont directement issus. Il n'y a pas au Japon, au sens occidental du terme, de véritable bourgeoisie mais plutôt une féodalité des affaires. Toutes proportions gardées, la comparaison avec l'Allemagne n'est pas de pure fiction : même absence de révolution aux origines de l'État moderne, même volonté au sommet de promouvoir la modernisation, même domination prolongée et même reconversion partielle des éléments aristocratiques, enfin même nécessité d'instaurer un régime autoritaire au moment où la situation paraît favoriser le déchaînement des forces populaires trop longtemps contenues.

Jusqu'au premier conflit mondial, le système politique instauré par la Constitution de 1889 fonctionne sans grand heurt. L'application rigoureuse du suffrage censitaire conserve au bloc dirigeant – formé par l'alliance des propriétaires fonciers et des hommes d'affaires – sa position dominante et, au sein de ce bloc, c'est la composante agrarienne et militaire qui garde la première place. A l'égard des dirigeants de l'opposition, l'oligarchie au pouvoir pratique la « politique de l'opium et du bâton » (B. Moore, *op. cit.*, p. 244) : l'amélioration des conditions matérielles, dans la mesure où elle ne lèse pas les catégories économiquement dominantes, et l'offre de postes importants dans l'administration vont de pair avec une répression policière extrêmement brutale.

La première guerre mondiale et ses lendemains ébranlent fortement cet édifice. En écartant temporairement les puissances occidentales des marchés asiatiques, le conflit a favorisé un boom économique sans précédent qui modifie la hiérarchie sociale en assurant la prédominance des milieux d'affaires sur la classe dirigeante agrarienne et militaire. Jusqu'à la grande dépression, les partis politiques liés aux trusts géants (les *zaibatsu*) – Mitsui et Mitsubishi – tiennent les premiers rôles sur la scène politique. Le « contrat de gouvernement » entre agrariens et représentants du monde des affaires semble menacé, et ceci d'autant plus qu'à la Diète les deux fractions de la classe dirigeante s'affrontent âprement sur des problèmes tels que les impôts et le prix du riz. Ce changement de direction ne modifie pas de façon radicale la politique intérieure du Japon. On constate bien quelques mesures de libéralisation, par exemple l'introduction du suffrage universel en 1925, mais les milieux d'affaires ne se rattachant à aucune tradition démocratique, le cadre général reste fondamentalement conservateur et répressif. En revanche, l'avènement des « libéraux » transforme substantiellement les options extérieures de l'Empire nippon. A l'expansion par la force, cheval de bataille des milieux agrariens et de la caste militaire qui leur est liée, les nouveaux dirigeants du Japon opposent l'expansion par la voie pacifique et la négociation.

Plus que l'évolution intérieure du régime, ce sont ses choix diplomatiques qui provoquent la renaissance des mouvements nationalistes de l'avant-guerre, se réclamant d'une idéologie agrarienne, du culte de l'empereur et d'un antioccidentalisme agressif visant à libérer l'Asie de l'influence étrangère et à étendre la puissance du Japon sur le continent. Les plus actifs sont le Kokuryukai – société du Dragon noir selon la traduction occidentale, en fait du fleuve Amour qui, au nord de la Mandchourie, est censé marquer la frontière « naturelle » de l'Empire nippon – et le Roninkai. Animées par une étroite minorité d'activistes des provinces occidentales de l'archipel et par de hauts fonctionnaires, ces sociétés patriotiques prennent le contre-pied de la politique étrangère pacifique des libéraux, indigne, estiment-elles, de la tradition guerrière de la nation. Elles revêtent un caractère semi-clandestin et ne reculent pas devant la pratique du meurtre politique.

Les bouleversements de la guerre ont fait naître d'autres formes de contestation radicale se rattachant également à l'extrémisme de droite. L'inflation a fortement touché la petite bourgeoisie citadine et la paysannerie. Or ce sont ces deux catégories sociales qui fournissent le gros bataillon des jeunes officiers, lesquels se sentent doublement menacés par l'évolution en cours. D'une part, parce que les milieux d'où ils sont issus subissent les principaux effets des mutations socio-économiques de l'après-guerre; ensuite, parce que le prestige et la place de l'armée dans la nation se trouvent entamés par l'abandon de la politique expansionniste. Leur ressentiment à l'égard de l'État moderne rejoint celui d'une fraction importante des ex-samouraïs, eux aussi victimes de la modernisation du pays.

Ces éléments déclassés constituent la base de masse de la nouvelle extrême droite dont le chef de file est Kita Ikki, auteur d'un *Projet général de reconstruction du Japon,* publié en 1919, et fondateur du Youzonsha, la plus importante société nationaliste de l'après-guerre. En fait, cette nouvelle droite radicale et ultranationaliste reprend à son compte nombre de thèmes développés depuis le commencement de l'ère de Meiji par les représentants du nationalisme traditionnel : l'autorité sacrée de l'empereur, le retour mythique à la communauté agraire, la défense de l'archétype national *(kokutai),* le rejet des valeurs individualistes et démocratiques importées d'Occident. S'y ajoute, stimulée dès la fin des années 20 par les difficultés de certaines catégories (artisans et petits entrepreneurs atteints par la concurrence des grandes firmes industrielles, paysans ruinés par l'effondrement des prix agricoles), une forte composante anticapitaliste qui vise directement les *zaibatsu* (le mot prend alors dans de nombreux secteurs de l'opinion une connotation négative, l'équivalent de « trust » dans le lexique anticapitaliste occidental) et les liens qu'ils entretiennent avec les milieux politiques dirigeants. Tout naturellement, ce refus du modèle démocratique-libéral offert par l'Occident valorise aux yeux de certains représentants de l'extrême droite japonaise des pratiques telles que les nationalisations ou la planification, jugées sur le seul critère des limitations qu'elles apportent à la toute-puissance du capital. Ainsi, l'un des dirigeants les plus actifs de ce « fascisme » japonais, le lieutenant-colonel Hashimoto, ancien attaché militaire en Turquie, apporte-t-il la même ardeur à saluer l'organisation autoritaire de l'Italie mussolinienne, l'idéologie totalitaire du NSDAP et les succès de la planification stalinienne!

Parmi les sociétés nationalistes qui s'inspirent des idées de Kita Ikki et de ses lieutenants, il faut citer le Gyochisha (Société activiste), le Kinikai (société du Drapeau impérial) et le Hakurokai (société du Loup noir). La parenté idéologique avec le premier fascisme ne fait aucun doute : même rejet du capitalisme et du marxisme, même opposition aux valeurs démocratiques et libérales, même adhésion aux notions de communauté nationale, de discipline et d'autorité. Mais les différences ne sont pas moins manifestes. Ici, l'extrémisme de droite se rattache directement à la tradition religieuse et culturelle de l'ancien Japon. Il ne doit rien à la révision du marxisme ou à l'anarcho-syndicalisme. Il ne remet en cause ni les bases de la société, ni la nature divine de l'institution impériale. Son but n'est pas de créer un homme nouveau mais bien de revenir aux vertus guerrières et aux idéaux de l'aristocratie traditionnelle. Il ne s'agit donc ni de faire la révolution, ni d'offrir aux masses rendues mobiles par le processus d'industrialisation accélérée de nouvelles structures d'encadrement, mais d'empêcher la désagrégation de l'ancienne société par une contre-révolution préventive. A quoi s'ajoute cette particularité qu'au Japon l'ultra-nationalisme se définit par opposition aux impérialismes occidentaux.

Ces antagonismes politiques et sociaux, *zaibatsu* contre caste militaire et agrarienne, milieux d'affaires détenteurs du pouvoir contre nationalistes anticapitalistes, militaires de haut rang contre jeunes officiers contestataires issus du monde rural ou de la petite bourgeoisie urbaine, gardent toutefois jusqu'à la crise un caractère relativement modéré. Il n'en est pas de même des rapports entre l'extrême gauche et les oppositions qu'elle suscite. Introduit au Japon à la fin du XIXᵉ siècle, le marxisme n'avait pas su jusqu'alors gagner les masses à sa conception du monde. Mais les difficultés de réadaptation de l'économie nippone après le boom de la guerre (chômage, flambée des prix) provoquent une radicalisation des classes populaires, tant dans les villes que dans les campagnes, et fournissent un tremplin au mouvement socialiste. Des syndicats sont créés. Une presse d'extrême gauche fait son apparition et les deux formations marxistes, parti socialiste et parti communiste – fondé en 1922 –, entreprennent une vaste campagne de propagande, ce qui ne manque pas d'inquiéter les milieux dirigeants.

Aussi est-ce sur la gauche que s'abat au cours de la décennie 1920 l'appareil répressif maintenu en place par les libéraux. En 1925, une loi interdit la propagation des « idées dangereuses ». Surtout, le bloc dirigeant utilise les mouvements nationalistes pour briser l'agitation ouvrière et paysanne. Certains de ces mouvements, comme le Dai Nippon Kokusuikai (société de l'Essence du Grand Japon) et le Dai Nippon Seigidan (Groupe de la justice du Grand Japon) sont des émanations directes des cercles industriels et agrariens qui se servent d'eux à la façon des corps francs allemands et des *squadre* mussoliniennes. En 1930, le leader du Seigidan, l'homme d'affaires Sakai Enzo, rend visite au Duce et impose à son retour le port de la chemise noire aux membres de son organisation. Il s'agit bien évidemment d'un fascisme de pure imitation mais qui suffit à la classe dirigeante pour mener la vie dure à ses adversaires de gauche et pour les éliminer à peu près complètement du champ politique.

La crise mondiale bouleverse une nouvelle fois les rapports de force entre les deux grandes fractions de la classe dirigeante. Les mesures discriminatoires prises par un grand nombre de pays à l'encontre des produits industriels japonais menacent d'asphyxie l'économie nippone. La caste militaire et agrarienne profite des difficultés des grandes firmes monopolistiques pour reprendre l'initiative sur la scène politique. L'affaire de Mandchourie, déclenchée en septembre 1931 à l'initiative exclusive des militaires, sonne le glas de l'« ère libérale ». L'empereur et le gouvernement civil ont vainement essayé de s'opposer à l'opération, ou du moins de la contrôler : ils ne peuvent guère s'opposer à une politique qui a pour elle le soutien d'une grande partie de la population, grisée par la facilité des succès remportés sur le continent (en Mandchourie, transformée en 1932 en royaume satellite du Mandchoukouo, puis en Mongolie intérieure et en Chine du Nord) et saisie d'un véritable délire nationaliste. D'ailleurs les milieux d'affaires ne tardent pas à se rallier à une politique qui ne peut que servir leurs intérêts au moment où se pose en termes aigus le problème des matières premières et des débouchés. Face à cette coalition des partisans de l'expansion par la force, le gouvernement n'a d'autre choix que de couvrir les entreprises impérialistes des militaires. Autrement dit, à l'intérieur du bloc dirigeant, on est revenu à la situation de l'avant-guerre.

Les difficultés économiques ont également touché les classes populaires, principalement la paysannerie, ruinée par le brutal effondrement du prix du riz et de la soie brute. Le marasme des campagnes a tôt fait de se répercuter sur le milieu des jeunes officiers que l'âge, l'aspiration à une plus grande mobilité des cadres et les liens avec la droite ultra-nationaliste opposent à l'establishment des hauts dignitaires de l'armée, qui envisagent ouvertement de recourir au coup d'État contre l'élite traditionnelle. De nouvelles organisations extrémistes voient le jour, au centre desquelles se trouvent le lieutenant-colonel Hashimoto, fondateur du Sakurakai (la société du Cerisier), et le général Araki, leader du Kodogikai dont la doctrine est axée sur le culte de l'empereur.

La première moitié des années 30 est marquée par la rivalité croissante entre la classe dirigeante traditionnelle, dominée par la caste militaire, et les jeunes officiers ultra-nationalistes, ces derniers incarnant ce que certains historiens japonais appellent le « fascisme par le bas », populaire et anticapitaliste, mais dont les objectifs, nous l'avons vu, sont davantage tournés vers la restauration du passé que consacrés à l'élaboration d'une société et d'une humanité nouvelles. A deux reprises, en mars et en octobre 1931, ces éléments fanatisés tentent de s'emparer du pouvoir. En février 1932, renouant avec la tradition terroriste qui s'était instaurée à la fin de l'ère Tokugawa, ils assassinent le ministre des Finances et un représentant en vue du groupe Mitsui. Le 15 mai de la même année, ils massacrent le premier ministre Inukai. En 1933 et 1934, de nouvelles conspirations sont étouffées dans l'œuf par les hommes de l'État-Major qui désavouent les théories radicales professées par les officiers putschistes, mais utilisent en même temps leurs excès pour faire pression sur le ministère et infléchir, dans le sens de leurs propres visées impérialistes, la politique gouvernementale. Néanmoins, le régime conserve jusqu'en 1936 les apparences de la démocratie, les élections qui ont lieu à cette date donnant la majorité des suffrages au parti le plus modéré, le Minseito.

C'est à la suite de ces élections que se produit l'épreuve de force entre les deux fractions de l'armée. Le 26 février 1936, un groupe de jeunes officiers extrémistes tente de s'emparer du pouvoir à Tokyo en prenant appui sur la 1re division et en éliminant physiquement quelques-uns des dirigeants politiques « modérés » : le ministre des Finances, le garde du Sceau privé, deux anciens premiers ministres, Takahashi et l'amiral Saito, le beau-frère du président du Conseil en exercice (confondu avec ce dernier, l'amiral Okada), l'un des trois principaux chefs de l'armée, etc. Pendant trois jours la capitale est en état de siège et ce n'est qu'à la suite d'une sommation personnelle de l'empereur que les conjurés déposent les armes. Tandis que s'opère une brutale reprise en main de l'armée, l'ancien ministre des Affaires étrangères, Hirota, succède à Okada à la tête d'un cabinet dominé par les militaires et d'orientation beaucoup plus réactionnaire que celui du président du Conseil assassiné. L'« incident du 26-2 » (tel est le nom que les Japonais donnent au putsch manqué des officiers ultras) marque un coup d'arrêt définitif à ce « fascisme par le bas » dont était porteuse la fraction populiste de la hiérarchie militaire. Mais il inaugure en même temps un raidissement du régime opéré par les couches dirigeantes traditionnelles. On se trouve ici devant une évolution qui n'est pas sans rappeler celle des monarcho-fascismes européens.

La classe dirigeante japonaise se rend compte en effet brusquement de la menace que constituent pour elle les extrémistes fascisants. Jusqu'alors elle avait toléré leur surenchère parce qu'elle voyait en eux un rempart contre l'extrême gauche et un appui pour l'expansion en Mandchourie. Désormais la répression s'abat sur les représentants de l'ultra-nationalisme. De nombreux dirigeants de l'extrême droite sont arrêtés et exécutés, parmi lesquels Kita Ikki, tandis que triomphe au sein de l'armée la « faction du contrôle » (*Toseiha*) et que la classe dirigeante récupère certains thèmes fascisants pour asseoir plus efficacement sa domination sur l'ensemble de la population.

La substitution de ce « fascisme par le haut » (M. Maruyama, *Thought and Behavior in Modern Japanese Politics*, Oxford, 1963) aux entreprises populistes de l'extrême droite radicale marque la première étape de l'installation du totalitarisme au Japon. Projetés au premier plan de la scène politique, les hauts dignitaires de l'armée ont repris à leur compte certains des mots d'ordre anticapitalistes du Kodoha – la fraction militaire rivale dite de la Voie impériale –, par exemple celui du contrôle de l'économie par l'État. En réalité, ils demeurent perméables à l'influence des milieux d'affaires qui profitent largement de la politique de répression anti-ouvrière et de l'expansion sur le continent. De 1930 à 1941 la production s'élève en valeur de 6 à 30 milliards de yen. L'industrie lourde rattrape et distance bientôt fortement l'industrie légère jusqu'alors fer de lance de la croissance japonaise. Sous l'impulsion des militaires se constituent de puissants cartels soutenus par les fonds publics – Nissan (minerais, électro-mécanique, automobile, chimie), Nicchitsu (chimie synthétique), Nisso (chimie), Nakajiama (aviation), etc. – sans qu'il soit toutefois porté atteinte au caractère privé des entreprises. Le Japon évolue ainsi vers une véritable économie de guerre qui trouve un premier débouché dans l'agression contre la Chine en 1937.

En avril 1938, le gouvernement du prince Konoye adopte une loi de « mobilisation générale » qui, en théorie, établit le contrôle absolu de l'État sur les activités économiques, mais ne change pas grand-chose dans les faits aux rapports que les dirigeants des *zaibatsu* entretiennent avec les détenteurs du pouvoir. L'étroite collaboration avec les militaires et avec les pouvoirs publics sert également les deux parties et rend superflues d'éventuelles nationalisations. En échange de leur bonne volonté, les milieux d'affaires obtiennent de fructueuses commandes et bénéficient des mesures qui sont adoptées en 1940 pour placer les travailleurs sous le contrôle d'un syndicat unique dépendant de l'administration. La ressemblance avec l'Italie fasciste est ici manifeste et témoigne en ce domaine du caractère limité du totalitarisme nippon.

Il en est de même à bien des égards du champ politique. Instauré en octobre 1940 sous le nom d'Association d'aide au régime impérial, le parti unique mis en place par le prince Konoye ressemble davantage à ses homologues de certains pays de l'Europe orientale et méditerranéenne qu'aux grandes formations totalitaires d'Allemagne et d'Italie. Quant à l'idéologie du régime, exposée dans une sorte de catéchisme civil à l'usage des écoliers – le *Kokutai no hongi* (Principes fondamentaux du kokutai) –, elle ne s'éloigne guère d'une vulgate traditionaliste, condamnant pêle-mêle l'individualisme, le capitalisme sauvage, l'internationalisme, le modèle occidental et exaltant les vertus ancestrales du Japon, la « volonté impériale », les principes confucéens de loyauté individuelle et de piété filiale et le code de l'honneur en vigueur chez les anciens samouraïs. Rien dans tout cela ne fait référence à l'édification d'un homme nouveau, tel que tentent de le définir au même moment les doctrinaires fascistes et nazis. Les seuls éléments qui rappellent véritablement les dictatures hitlérienne et mussolinienne concernent les fortes restrictions apportées aux libertés individuelles (abolition de la liberté d'expression, de presse et d'association, organisation d'élections à candidature officielle), la mise en place d'un appareil répressif extrêmement rigoureux (police spéciale, police militaire dans les colonies, recours à l'intimidation et à la diffamation systématique pour faire taire les opposants) et l'usage croissant d'une propagande véhiculée par les moyens modernes d'information.

Peut-on dans ces conditions parler d'un fascisme nippon ? S'agissant du fascisme par le bas dont se serait inspirée la droite ultra-nationaliste, nous avons vu que les différences l'emportaient de beaucoup sur les ressemblances. Cela est encore plus vrai du fascisme par le haut qu'auraient imposé la haute administration, l'armée et de larges fractions de la classe dirigeante. Certes, celui-ci est arrivé au pouvoir dans un contexte qui rappelle beaucoup celui de l'Allemagne confrontée aux effets de la grande dépression. Comme le national-socialisme il dispose du soutien de la caste agrarienne et d'une partie importante du monde des affaires. Comme en Italie et en Allemagne la dictature prend, quoique à un moindre degré, un caractère totalitaire et adopte des pratiques répressives et impérialistes dont bénéficient en premier lieu les représentants de l'industrie lourde. Ici toutefois s'arrêtent les ressemblances. Contrairement aux régimes fascistes européens, c'est la caste militaire – une élite traditionnelle – qui est le moteur et l'agent de ce fascisme par le haut. En ce sens le Japon se rapproche davantage des régimes autoritaires de l'Europe orientale et méditerranéenne où c'est également une fraction de l'ancienne classe dirigeante qui établit sa dictature directe pour barrer la route aux forces proprement fascistes. De la situation nippone, il découle également que l'élément fasciste ou fascisant présent dans l'institution militaire n'a pas de dynamique propre s'opposant à celle des élites traditionnelles. A bien des égards, militaires et hommes d'affaires vivent en symbiose, aucun des deux partenaires ne réussissant à prendre le pas sur l'autre. Il n'y a pas de Führer au Japon, ni de Führer-prinzip. Les hiérarchies classiques demeurent en place et l'empereur continue de servir d'emblème national et de référence à une légitimité qui remonte pratiquement à l'âge préhistorique (M. Vié, « Le Japon. Légitimité et illégitimité du pouvoir », *Dictatures et légitimité,* sous la direction de M. Duverger, Paris, PUF, 1982, p. 273-279). Pas de véritable parti unique non plus dès lors qu'il n'y a pas nécessité d'intégrer des masses rendues mobiles par la révolution industrielle. La discipline du peuple japonais, à la fois héritage de l'époque féodale et produit de la religion shintoïste, rend superflu tout système de terreur. Le caractère même du totalitarisme nippon est différent de celui pratiqué en Allemagne et en Italie. Moins idéologique, moins préoccupé de changer l'homme et de contrôler tous les actes de sa vie, il vise essentiellement à le mobiliser au service de la nation en guerre.

Plutôt que de fascisme proprement dit, on parlera donc, comme dans certains pays européens, de dictature classique ayant adopté des pratiques fascisantes. Ceci, d'une part, du fait de ressemblances indéniables entre le Japon et les pays fascistes européens dans leur évolution économique, sociale et politique; d'autre part, à la suite du rapprochement qui s'est opéré avec les pays de l'Axe au lendemain de l'avènement de la dictature. Simplement ce rapprochement n'est pas le résultat d'une concordance idéologique. Ou du moins il ne l'est que très secondairement. Ce qui en revanche a été fondamental, ce sont les choix de la politique extérieure et le heurt de l'impérialisme nippon avec ses rivaux du Pacifique : les puissances coloniales traditionnelles (France et Royaume-Uni) et les États-Unis d'Amérique.

Les nouveaux mondes

anglophones

Les États-Unis et les anciennes grandes colonies blanches de l'Empire britannique ayant accédé au statut de dominion ou d'État indépendant (Canada, Australie, Nouvelle-Zélande, Afrique du Sud) n'ont pas échappé à la contamination des fascismes européens. Tous ont connu au moins un mouvement d'extrême droite se réclamant de Mussolini ou d'Hitler. Nulle part, cependant, il n'y a eu de raz de marée fasciste, d'une part parce que la guerre n'a pas eu les mêmes effets déstabilisateurs que sur le vieux continent et, d'autre part, parce que les conditions sociales, politiques, économiques, culturelles qui ont favorisé en Europe l'avènement des dictatures totalitaires sont ici à peu près absentes.

Fortement imprégnés de traditions politico-culturelles léguées par l'ancienne métropole, les pays anglo-saxons d'outre-mer ont subi la même évolution progressive et sans à-coups que le Royaume-Uni. L'industrialisation, l'urbanisation, la mise en place d'un État moderne, l'effacement des anciennes hiérarchies et la montée des nouvelles couches n'y ont pas créé de distorsions aussi fortes que dans les pays qui ont accompli à peu près en même temps leur décollage économique. Ceci n'empêche pas qu'en temps de crise ces États aient connu, au même titre que les démocraties européennes, une contestation radicale et des formes variées de nationalisme extrémiste. Mais le poids des traditions libérales et démocratiques a été assez fort pour qu'à la différence de ce qui s'est passé en Italie ou en Allemagne les mouvements fascistes ou fascisants n'aient jamais réussi à entraîner sur la voie totalitaire une part importante de la population.

Dans la plupart des cas le fascisme est ici un produit de pure imitation. Les Chemises brunes de Chalifoux au Canada, comme la New Guard de Campbell en Australie – qui possède des ramifications en Nouvelle-Zélande et en Afrique du Sud – se rattachent à la British Union of Fascists d'Oswald Mosley, donc indirectement au fascisme italien. Les Silver Shirts (chemises d'argent) américaines, fondées au lendemain de l'avènement du nazisme, paraissent davantage tournées vers Berlin, encore que leur leader, William D. Pelley, prétende « sauver les États-Unis de la même façon que Mussolini et ses Chemises noires ont sauvé l'Italie ». Une semblable attraction du nazisme hitlérien peut être constatée pour divers groupuscules qui se constituent à la fin des années 30 en Afrique du Sud : les Grey Shirts de Louis Weichardt, les Boeranasie de Manie Maritz ou encore le South African Gentile National-Socialist Movement de Johannes Strauss von Moltke. Comme dans nombre de pays de l'Europe du Nord, ces mouvements ont tôt fait de se discréditer du fait de leur imitation trop servile du modèle étranger et des liens évidents qui les rattachent au IIIᵉ Reich.

La même chose vaut pour les mouvements d'imitation et de sympathie nés dans les communautés italo-américaines et germano-américaines des États-Unis. Dès 1923, on voit défiler les premières Chemises noires dans les rues de New York, mais leur apparition reste un phénomène marginal parmi les émigrés italiens, davantage attirés par le marxisme et le socialisme libertaire. En 1933, Fritz Kuhn fonde les Friends of New Germany, violemment antisémites. Rapidement discrédité, le mouvement se dissout et se reconstitue sous le nom de Ligue germano-américaine. Sous cette dénomination il continue de végéter jusqu'à la veille de la guerre et ne rassemble que quelques centaines ou quelques milliers de militants actifs. Un cas particulier est constitué par l'ancienne colonie allemande du Sud-Ouest africain, devenue mandat de la SDN après la guerre et administrée à ce titre par l'Afrique du Sud. Avec la montée d'Hitler une forte agitation pronazie gagne de larges secteurs de la population blanche de souche allemande, au point que pendant la guerre le général Smuts devra envoyer des troupes pour briser le mouvement. Beaucoup de jeunes gens qui, à la fin des années 30, s'étaient rassemblés autour du slogan *Ein Volk, ein Reich, ein Führer,* vont alors quitter le pays (l'actuelle Namibie) pour s'engager dans la Wehrmacht. Ils y seront rejoints par quelques dizaines d'anciens militants des Silver Shirts et de la Ligue germano-américaine.

Seules quelques petites formations groupusculaires, non directement liées aux minorités ethniques mais se réclamant ouvertement du fascisme, se démarquent dans le courant de la décennie 1930 de ces produits d'importation européenne. Ce sont le National Fascist Party, fondé en 1928 et dont les troupes se recrutent principalement parmi les membres du KKK de Georgie et de Caroline du Sud, l'American Fascist Party implanté dans le Nord-Est et dont l'activité (publication au journal *The Blackshirts* et défilés en chemise noire) reste extrêmement réduite, l'Industrial Defense Association d'E. Humper basé à

Boston et d'orientation ouvertement antisémite, le Militant Christian Patriot et l'American Anticommunist Federation of America de Leslie Fry également en liaison avec le Klan et surtout représenté sur la côte ouest. Aucune de ces organisations, farouchement racistes et anticommunistes, ne dépasse de beaucoup le millier d'adhérents.

Plus digne d'intérêt, parce que son implantation est loin d'être aussi symbolique, est l'évolution de l'extrême droite américaine – non pas fasciste mais fascisante – au cours des deux décennies qui séparent le premier du second conflit mondial. Une première vague se déclenche au début des années 20 en réaction aux bouleversements apportés par la guerre. A l'origine de ce mouvement nationaliste et ultra-réactionnaire on trouve le même mélange de frustrations et de ressentiment qui a, en Europe, fait le lit du fascisme, même si les causes n'en sont pas les mêmes. Ici la guerre semble avoir définitivement consacré la suprématie des villes sur les campagnes. Les régions rurales, cœur de la vieille Amérique, développent de ce fait une vive hostilité à l'égard du monde citadin et du capitalisme financier, synonymes pour elles de déclin moral. Cette réaction puritaine, véritable combat d'arrière-garde de l'Amérique agraire, visant à maintenir la pureté, la cohésion et la santé morale de l'élément vieil américain contre l'influence croissante de conceptions nouvelles (socialisme, cosmopolitisme, libéralisation des mœurs), étrangères ou réputées telles, se manifeste surtout dans les petites villes non ou peu industrialisées, dans le *Deep South* (les États réactionnaires du Sud) et dans certaines zones agricoles touchées par la crise, sans être absente des grandes métropoles où elle affecte une partie des couches sociales les plus déshéritées. Ses manifestations sont multiples.

La plus caractéristique, celle qui exprime le mieux la volonté de retour au passé et la défense naïve du patrimoine puritain, est le fondamentalisme. Fondé sur l'interprétation littérale du contenu de la Bible, le mouvement se développe à partir de 1920, notamment chez les baptistes et les méthodistes du Sud et des régions situées à l'ouest du Mississippi (et colonisées par les puritains). Il s'oppose aux conceptions « modernistes » du Nord-Est (dominé par les catholiques, les juifs et les « étrangers ») et va faire de la lutte contre les doctrines évolutionnistes son cheval de bataille. Soutenu par l'ancien secrétaire d'État de Wilson, William J. Bryan, qui prend la tête d'une véritable croisade visant à débarrasser les écoles publiques de l'enseignement sur l'évolution des espèces, le fondamentalisme va atteindre son apogée dans le Sud profond et dans le Sud-Ouest entre 1921 et 1925. Des livres darwinistes sont brûlés dans la vallée du Mississippi par des pasteurs méthodistes qu'encouragent des foules enthousiastes. En 1923, un professeur de l'université de Tennessee est révoqué pour avoir recommandé à ses élèves un ouvrage faisant référence à l'hypothèse de l'évolution. En 1925, l'assemblée du même État vote une loi interdisant à tout enseignant public de professer une théorie contraire à la version biblique de la création de l'homme. Après le procès de John T. Scopes – un professeur d'école secondaire de Dayton qui accepte de se laisser accuser d'avoir enseigné que l'homme descend d'une « espèce inférieure d'animaux » – qui alerte l'opinion publique et tourne à la confusion des fondamentalistes, le mouvement décline rapidement.

C'est dans le même sens d'une préservation de l'élément national protestant qu'il faut interpréter la réapparition du Ku Klux Klan à partir de 1915. A l'origine de cette résurrection, on trouve un personnage curieux, véritable symbole des aspirations et des frustrations de la *Middle Class* du vieux Sud, William J. Simmons, dit le colonel Simmons, en fait ancien commis voyageur devenu prédicateur méthodiste. D'abord limité à la région d'Atlanta (Georgie), le « Klan réincarné » va connaître un essor remarquable au lendemain de la guerre. Dirigé à partir de 1922 par un dentiste texan, le « sorcier impérial » Evans, il finira par regrouper aux environs de 1925 de 4 à 5 millions d'Américains, non seulement habitants des petites villes du Sud et de l'Ouest, mais également des grandes agglomérations du Centre et du Nord (notamment Chicago) où il sert de structure d'accueil aux déracinés et aux laissés-pour-compte de la prospérité.

Partout, le KKK nouvelle manière apparaît comme une protestation du nationalisme américain contre les influences étrangères. Rassemblés autour du slogan *Native, White, Protestant,* ses membres mènent le combat non seulement contre les Noirs, mais contre tout ce qui peut à leurs yeux menacer l'américanisme : catholicisme, judaïsme, modernisme, bolchevisme, etc. Le vêtement (robe et cagoule), le langage et le rituel imitent ceux de l'ancien Klan, de même que les méthodes terroristes : meurtres, flagellations, mutilations, enlèvements d'adversaires enduits de goudron et de plumes, à quoi s'ajoutent, à partir de 1924, des manifestations monstres dans les rues de Washington. Toutefois, au cours des années 1927-1928, une série de scandales internes va déconsidérer le Klan, lequel décline très fortement à l'approche de la crise.

Cette réaction américaniste à laquelle se rattachent, dans un climat d'obsession anticommuniste et de phobie contre-révolutionnaire, les tensions xénophobes (affaires Sacco-Vanzetti) et les mesures de limitation de l'immigration (lois des quotas de 1921 et 1924 favorisant l'élément nordique au détriment des Méditerranéens et des Slaves), ainsi que la prohibition de l'alcool imposée à l'ensemble de l'Union par le 18e amendement, se constitue dans le courant de la décennie en une force politique avec laquelle il faut compter. A la convention démocrate de 1924, elle s'incarne en un candidat, William McAdoo, qui, battu dans la course à l'investiture par le progressiste John Davis, représentant des villes, n'en manifeste pas moins la puissance du courant réactionnaire.

Malgré quelques ressemblances formelles avec le premier fascisme, cette extrême droite américaine n'a pas grand-chose de commun avec les organisations de masse qui se sont constituées autour de Mussolini et d'Hitler. Certes les méthodes du Klan rappellent, en pire, celles des *squadre* et la clientèle de McAdoo présente quelque analogie avec celle du NSDAP. Mais les objectifs et l'idéologie diffèrent radicalement de ceux du fascisme. Le fait que les champions de la réaction américaniste ne visent pas à un bouleversement des structures en place mais à leur conservation et à la restauration des valeurs traditionnelles, le fait d'autre part qu'ils puissent s'exprimer à l'intérieur de l'un des deux grands partis classiques nous inclinent davantage à voir en eux les éléments d'un groupe de pression réactionnaire qu'un mouvement comparable à celui des faisceaux.

Pendant la première moitié des années 30 les États-Unis connaissent, sur fond de crise et de désarroi moral profond, une nouvelle vague d'extrémisme de droite. Nombreux sont ceux qui prêchent alors une idéologie à la fois anticapitaliste et antimarxiste, volontiers raciste et antisémite, et qui multiplient les promesses démagogiques. Trois d'entre eux méritent une mention particulière.

Le père Coughlin d'abord, un prêtre catholique d'origine irlandaise, qui mobilise par ses sermons radiodiffusés (*The Golden Hour of the Little Flower*, « L'heure d'or de la petite fleur », une émission hebdomadaire retransmise à partir de 1930 par la NBC dans toute l'Amérique) plusieurs millions de personnes, principalement des ouvriers, des fermiers, des chômeurs, sur des mots d'ordre moralisants, patriotiques et socialisants, particulièrement hostiles aux financiers de Wall Street, aux juifs, aux rouges et aux intellectuels. Fondateur en 1937 d'un Front chrétien (Christian Front), directeur d'un journal qui tire à un million d'exemplaires, *Social Justice,* Coughlin présente cette originalité de tenir un discours mêlant aux principes du catholicisme social des éléments empruntés à la vulgate nazie (son journal publiera en 1938 les « Protocoles des sages de Sion »). En 1940, il se rapproche de ceux qui, sous la bannière du comité America First, cherchent à contrer la politique jugée par eux trop antiallemande de Roosevelt et, en novembre 1941 – quelques jours avant Pearl Harbor –, il constitue avec Philip La Follette et Lawrence Dennis l'America First Party dont la vocation avouée est de devenir un parti de masse et qui ne cache ni ses sympathies fascistes ni son antisémitisme virulent. Sur intervention personnelle de Roosevelt auprès de l'évêque de Detroit, le « prêtre radiophonique » devra mettre fin à son activité politique et interrompre la parution de son journal en 1944.

Pour Francis D. Townsend, la démagogie pure et simple tient lieu de programme politique, ce qui n'empêchera pas ce médecin sans fortune retiré en Californie et privé de pension par la crise (sa retraite était constituée en actions) de connaître à l'automne 1933 une foudroyante ascension. Le plan que Townsend propose alors à l'Amérique en crise constitue à verser à toute personne âgée de plus de 60 ans une somme de 200 dollars par mois avec obligation pour le bénéficiaire de la dépenser aussitôt afin de concourir à la relance de l'économie. Cette curieuse interprétation des idées keynésiennes devait assurer à son promoteur un succès considérable. En 1934 et 1935, les clubs Townsend regrouperont plus de 5 millions d'Américains appartenant aux diverses fractions de la *Middle Class* et aux catégories les plus âgées de la population. La clientèle se prête mal aux démonstrations de rues et aux gesticulations paramilitaires qui caractérisent un peu partout la contestation fasciste ou fascisante, mais elle peut constituer un groupe de pression électoral et servir de tremplin politique à son leader. En juin 1936 un sondage donne 10 % des voix à Townsend s'il se présente aux présidentielles contre Roosevelt, mais l'homme n'a pas l'envergure d'un chef de parti et préfère se rallier à la candidature de Lemke. La déconfiture de ce dernier entraîne son propre effacement et bientôt sa disparition de la scène politique.

Le plus redoutable de ces candidats à la dictature est sans doute Huey Long, ancien gouverneur et sénateur de la Louisiane. En janvier 1934, après avoir rompu avec Roosevelt qu'il a soutenu pendant sa campagne présidentielle, Long fonde l'organisation Share our Wealth (Partageons notre richesse) dont l'ancien secrétaire au Trésor Mellon – l'une des plus grosses fortunes des États-Unis –, qui vient d'être poursuivi pour fraude fiscale, devient le vice-président. Son programme s'apparente, en plus ambitieux, à celui de Townsend : chaque famille américaine recevra une concession rurale et un revenu annuel de 2 500 dollars. D'abord limité au Sud profond, le mouvement s'étend bientôt au Middle West et aux États riverains du Pacifique. Un an après sa fondation, Huey Long revendique 20 000 clubs et 7 millions de sympathisants. Il prépare sa campagne présidentielle et publie sans complexe un livre intitulé : *Mes premiers jours à la Maison Blanche.* Derrière sa propagande populiste et débonnaire, qui lui vaut un succès personnel considérable, se profile indéniablement une aspiration dictatoriale. Mais le 9 septembre 1935, Long est assassiné dans des circonstances étranges par le gendre d'un juge qu'il avait révoqué. Après sa disparition, son lieutenant Gerald Smith, un moment en rapports étroits avec les Silver Shirts, fonde avec le père Coughlin et le docteur Townsend l'Union for Social Justice qui présente un candidat aux élections présidentielles de 1936 : le républicain Lemke, représentant des intérêts agraires de l'Ouest. Mais la violence

2. *Manifestation national-*
socialiste au
Madison Square Garden
à New York,
le 6 octobre 1935.

3. *Première convention*
nationale de l'Union
nationale pour la justice
sociale à Cleveland (Ohio).
De gauche à droite :
le père Gerald L. K. Smith,
le père Coughlin
et le docteur
Francis D. Townsend.

de la campagne menée par l'USJ heurte fortement l'opinion américaine et le résultat est catastrophique pour l'extrême droite : 882 000 voix soit à peine plus de 2 % des suffrages essentiellement répartis entre les États du North Dakota, du Massachusetts, du Minnesota, de Rhode Island et de l'Oregon. Ce désastre électoral sonne le glas du radicalisme de droite engendré par la crise.

Les trois mouvements évoqués, en particulier celui du père Coughlin, ont incontestablement des aspects fascisants. Il leur manque toutefois le souffle « révolutionnaire » qui aurait pu les apparenter au premier fascisme, ainsi que les leviers puissants qu'ont constitué en Italie et en Allemagne le révisionnisme, la menace révolutionnaire et l'esprit ancien combattant (à l'échelle d'une génération entière). Ils ne peuvent pas davantage prendre le visage du second fascisme. Leur caractère agressivement anticapitaliste leur aliène en effet les sympathies des milieux industriels et financiers, par ailleurs étrangers à ce type de comportement politique et que la contestation de gauche ne menace pas suffisamment pour qu'ils aient besoin de recourir aux troupes de choc d'un candidat à la dictature. Comme dans les pays européens d'ancienne tradition libérale – et notamment en Grande-Bretagne –, la déroute de l'extrémisme de droite s'explique par le fait qu'aux États-Unis pratiquement toutes les couches de la population sont depuis longtemps intégrées. La radicalisation de quelques secteurs de l'opinion ne peut, dans ces conditions, être que passagère. A quoi il faut ajouter l'impact de la propagande et des réformes du New Deal rooseveltien, élaborées autour du thème de « l'homme oublié au bas de la pyramide économique » et qui ont su rendre confiance aux masses désemparées.

Parmi les variantes peu ou mal connues du fascisme dans les anciennes colonies blanches de l'Empire britannique, il faut signaler le mouvement nationaliste afrikaner en Union sud-africaine, lequel va donner naissance au début de la décennie 1930 à une organisation dont l'idéologie n'est pas sans rappeler le national-socialisme : l'Ossewa Brandwag. Son fondateur, J. F. Van Rensburg, refuse d'être considéré comme un simple imitateur du Führer : « L'Ossewa Brandwag, écrit-il, a été créée pour protéger l'âme afrikaner contre le parlementarisme... Ce n'est pas une imitation. C'est un mouvement qui a pris des noms différents dans les différents pays. En Italie cela s'appelle fascisme, en Allemagne national-socialisme, en Espagne phalangisme et en Afrique du Sud Ossewa Brandwag. » De fait le nationalisme des Afrikaanders (les descendants des colons boers néerlandais) commence à se manifester au cours des années qui précèdent le premier conflit mondial. Il est dirigé à la fois contre l'élite britannique – ce qui explique l'antiparlementarisme de l'Ossewa Brandwag – et contre les autres minorités ethniques mais surtout il se veut un rempart contre le *swarte gewaar* (le péril noir), c'est-à-dire contre la majorité indigène de couleur. Il s'agit donc avant tout d'un nationalisme raciste qui emportera d'ailleurs l'admiration de l'idéologue du NSDAP, Arthur Rosenberg.

Le racisme afrikaner s'appuie sur une interprétation très particulière de la Bible. Élargissant en effet la notion calviniste de prédestination à des populations entières, les Afrikaners se jugent avec d'autres ethnies blanches *het Volk*, « peuple élu », auquel une sorte de Messie apportera un jour la domination sur les races inférieures (noirs, juifs, etc.). La montée d'une idéologie raciste en Europe constitue donc pour eux un excellent argument et sert à justifier leur propre attitude. A côté de ce fondement racial lié au fait de colonisation, les autres éléments empruntés au fascisme ne sont que de pure forme et tendent d'ailleurs à disparaître à la veille de la guerre. L'Ossewa Brandwag, qui atteint son apogée en 1940, ne constitue pas, malgré ses 400 000 adhérents, une force politique véritable. Les Afrikaners ne réussiront à imposer leurs vues racistes qu'après le second conflit mondial lorsque, sous la direction du premier ministre Verwoerd, le National Party – qui récupère alors la majeure partie des anciens philofascistes – présidera aux destinées du pays. Avec l'Ossewa Brandwag, comme avec les autres organisations fascisantes de l'entre-deux-guerres – Ordre nouveau d'Oswald Pirow, Broederbond ou Ligue des frères et Chemises grises du pasteur d'origine allemande Weichardt –, nous nous trouvons donc en présence d'un fascisme d'emprunt qui ne retient des idéologies fascistes que ce qui sert sa revendication de domination de la caste blanche d'origine néerlandaise.

Au total on peut retenir que dans les pays anglo-saxons seuls des éléments marginaux ont pu être temporairement tentés par le fascisme. Ceci pour des raisons à la fois socio-économiques – ils ont atteint un stade de développement qui n'est plus celui dans lequel s'épanouit ordinairement le fascisme – et politico-culturelles : la démocratie à l'anglaise y est de longue date et solidement implantée. Avec les pays latino-américains, nous entrons au contraire dans un champ géographique où ni l'une ni l'autre de ces conditions ne se trouvent réalisées.

Fascisme et populisme

en Amérique latine

Dans le courant des années 30, les États latino-américains ont à affronter un faisceau de problèmes que les nations avancées du monde occidental ont depuis longtemps résolus et qui les apparente aux États à dominante agraire du Sud et de l'Est européens.

La crise mondiale révèle la faiblesse de leur économie, fondée essentiellement sur l'exportation de produits de base et souvent sur la monoculture. Dans la mesure où ces pays possèdent des matières premières vitales pour les économies industrialisées (pétrole, minerais, etc.), l'exploitation et la commercialisation de ces produits se trouve dans la majeure partie des cas entre les mains de grandes sociétés étrangères – généralement américaines – et d'une fraction de la classe dirigeante liée à celles-ci. Cette caste économiquement dominante détient la réalité du pouvoir politique auquel elle donne parfois – sous l'influence des États-Unis – une façade démocratique. Étroitement oligarchiques, les régimes latino-américains n'ont pas su réaliser l'intégration des masses déshéritées des villes et des campagnes.

Cet ensemble de problèmes économiques, sociaux et politiques crée un terrain favorable à l'éclosion de mouvements d'inspiration fasciste. La nécessité de s'engager dans le processus industriel impose en effet trois séries d'objectifs à ces États en voie de développement. Tout d'abord s'impose la mise en place d'une nouvelle élite, prête à faire passer les intérêts du pays considéré avant ceux des investisseurs étrangers. Il faut ensuite susciter une conscience nationale anti-impérialiste (ce qui signifie ici antiaméricaine) et enfin intégrer les masses par le biais de profondes réformes sociales.

Tel est le cadre dans lequel peut évoluer un « fascisme » sud-américain. Le tableau ne serait cependant pas complet si l'on n'y ajoutait deux faits essentiels. En premier lieu la tradition du caciquisme et du caudillisme héritée de la domination espagnole. Depuis la fin du XIXe siècle, le caudillisme classique – caractérisé par la domination généralement éphémère, tantôt seulement régionale, tantôt étendue à un État tout entier, d'un chef de guerre utilisant la fidélité de sa clientèle pour conquérir le pouvoir et s'y maintenir – est en déclin. Chefs de bandes comme Pancho Villa, paysans ou éleveurs de bétail comme Zapata et Obregon, seigneurs d'hacienda comme Carranza, pour ne citer que des exemples tirés de l'histoire mexicaine, les caudillos de la belle époque sont rarement des militaires de carrière et ce sont leurs légions irrégulières de desperados, d'aventuriers, de révolutionnaires de tous bords qui font d'eux des « généraux ». Le développement des armées régulières entraîne leur élimination progressive au profit des officiers de carrière. Des caciques ruraux peuvent encore utiliser leurs fidèles dans les élections pour dominer la politique locale, mais ils ne peuvent s'en servir contre une armée moderne pour s'emparer du pouvoir par la force. Dès lors, si le charisme du terme continue à être entretenu par les dictateurs latino-américains, ceux-ci sont le plus souvent des généraux de profession parvenus à la direction de l'État par un pronunciamiento classique. Tout au plus le caudillisme pur survit-il pendant l'entre-deux-guerres dans de petits États où l'armée tient lieu de police personnelle au maître du pouvoir. Tel est le cas de la République dominicaine où Rafael Leonidas Trujillo Molina, *El Benefactor,* devient dictateur tout-puissant en 1930, du Nicaragua où Anastasio Somoza joue un rôle identique à partir de 1936, de Cuba avant 1933 (Gerardo Machado y Morales) et après 1940 (Batista), dans une certaine mesure également du Guatemala de Jorge Ubico et du Salvador de Maximiliano Hernández Martinez, encore que presque dans tous les cas le caudillo soit issu des rangs de l'armée régulière.

Le second phénomène est précisément le rôle joué par l'armée dont les différentes factions constituent, un peu comme au Japon, les prolongements des forces socio-politiques qui se disputent la direction de l'État. Bien que dans le détail la réalité soit parfois plus complexe, on voit ainsi s'affronter dans de nombreux pays les milieux d'État-Major et le sommet de l'establishment militaire, en général issus de la haute bourgeoisie et politiquement liés à celle-ci et des groupes de jeunes officiers – les *tenentes* – qui se recrutent principalement dans les classes moyennes et dans la couche supérieure des classes populaires. L'idéal politique de ces jeunes officiers diffère sensiblement de celui de la caste dominante. En réaction contre les États-Unis et contre la « démocratie » corrompue, ils aspirent à l'installation d'un régime autoritaire, ou bien à la dictature ultra-conservatrice instaurée par la haute bourgeoisie et par la hiérarchie militaire, ils entendent substituer une dictature populiste susceptible de promouvoir des réformes sociales et de s'opposer à l'hégémonie de la puissance dominante et de ses alliés intérieurs. Les rivalités entre les deux fractions de l'armée occupent la scène politique latino-américaine pendant toute la période de l'entre-deux-guerres et de l'issue de cette lutte dépend fréquemment la nature des régimes mis en place. Dictatures militaires contrôlées par l'oligarchie dans les républiques bananières de l'isthme, en Uruguay avec Gabriel Terra, au Pérou avec Sanchez Cerro, au Venezuela où Juan Vicente Gómez exerce tyranniquement le pouvoir pour le plus grand profit de l'establishment pétrolier. Régimes populistes et fascisants en Bolivie avec le colonel German Busch Becerra, au Paraguay où le colonal Rafael Franco, puis le général Morínigo pratiquent avec l'appui de la fraction nationaliste de l'armée une dictature corporatiste et vaguement socialisante, plus tard enfin en Argentine. Plutôt qu'au fascisme et au national-socialisme, ces régimes qui ne connaissent ni emprise totalitaire de l'État sur la société civile, ni enrégimentement des masses dans des organisations paramilitaires et dans un parti unique, font penser au régime instauré en Turquie par Mustapha Kemal et aux dictatures « progressistes » qui vont fleurir un peu partout dans le Tiers Monde à la faveur de la décolonisation.

Quant au fascisme proprement dit, sa place paraît singulièrement réduite dans l'Amérique latine de l'entre-deux-guerres. Certes il n'y a

una política que ha...
...publica, el Partido Dominicano, que tan
Gobierno y a cuya institución colabora en mi obra de
siento orgullosamente vinculado.

Cordialmente le saluda,

Rafael L. Trujillo

4. *Rafael Trujillo,*
président (depuis 1934)
de la République dominicaine :
une très classique dictature
« bananière » de la zone
des Caraïbes. Signature
de Rafael Trujillo.

5. *Le général*
Tacho Somoza,
dictateur du Nicaragua
de 1936 à 1956.

pratiquement aucun pays latino-américain qui n'ait vu se développer un mouvement fasciste pendant cette période. Dans la plupart des cas il s'agit de groupes constitués par les membres des colonies italiennes et allemandes ou de mouvements de pure imitation. Il en est ainsi du parti fasciste argentin, des Camisas kasis en Bolivie, de l'Acção socialista brasileira au Brésil, du parti national-socialiste et du parti corporatif populaire au Chili, des Chemises vertes à Cuba et du parti fasciste péruvien. Mais aucun de ces mouvements ne parvient à s'imposer contre la réaction de la classe dirigeante – fréquemment soutenue par une dictature militaire réactionnaire –, la pression que les États-Unis exercent sur leurs clientèles latino-américaines et l'apathie des masses, notamment dans les pays où la majorité de la population est de souche indienne.

Un seul pays, le Brésil, a connu un véritable fascisme de masse. Ceci s'explique par la situation particulière que ce pays occupe au début des années 30 dans le contexte latino-américain. Son économie reposant principalement sur les exportations de café, dont le prix sur le marché mondial s'effondre littéralement à cette époque, il figure parmi les pays du monde les plus touchés par la grande dépression. Dans le prolétariat des grandes villes (Rio et São Paulo), le parti communiste, dirigé par le légendaire « chevalier de l'espérance », Luis Carlos Prestes, commence à s'implanter solidement à partir de 1930. La même année, la révolte des *tenentes* a porté au pouvoir Getulio Vargas, ancien gouverneur du Rio Grande do Sul. Mais la politique du nouveau gouvernement, d'inspiration pourtant plus populiste que les précédents, a tôt fait de décevoir les masses. Devenu maître de l'État, Vargas retarde l'application du programme de réformes proposé par la Révolution libérale et repousse la convocation de l'Assemblée constituante réclamée par les forces politiques progressistes. Outre ses graves problèmes économiques et sociaux, le Brésil se trouve donc au début de la décennie 1930 placé devant un vide politique.

C'est dans ce contexte que Plinio Salgado, un jeune journaliste et autodidacte qui a visité l'Italie deux ans plus tôt, fonde en février 1932 la Société d'études politiques (Sociedade de Estudos Políticos) dont l'audience ne dépasse guère un cercle restreint d'intellectuels de droite. Or Salgado a l'ambition de toucher une clientèle de masse. Dans ce but il publie en octobre de la même année le *Manifeste intégraliste* – dans lequel sont exposées les grandes lignes de son programme politique – et crée avec quelques amis l'Action intégraliste brésilienne (Acção integralista brasileira), le premier mouvement authentiquement fasciste de l'Amérique latine. Le fascisme de Salgado n'est pas en effet un article d'importation, encore que le modèle italien ait joué un rôle non négligeable dans l'idéologie de son promoteur. Celui-ci a, en effet, été très marqué par une tendance typiquement brésilienne du courant

6. *Les fascistes brésiliens. Au centre (portant une canne), le docteur Baroso, à sa gauche, Plinio Salgado.*

nationaliste. Vers le début du siècle des jeunes intellectuels européanisés découvrent à travers les écrits d'Euclidos da Cunha la situation de l'homme brésilien « oublié dans la brousse ». La sensibilité aux problèmes des classes populaires se trouve ainsi éveillée et elle va influencer l'évolution intellectuelle de la plupart des futurs dirigeants de l'AIB. L'autre courant de pensée dont Plinio Salgado a recueilli l'héritage est celui, plus littéraire, du « modernisme », qui s'apparente d'assez près au futurisme italien.

L'AIB, qui récupère rapidement les autres formations d'extrême droite, présente également par sa composition sociologique un visage proche de celui des partis fascistes européens. Y domine l'élément formé par les diverses fractions des classes moyennes urbaines : petits commerçants, fonctionnaires de rang subalterne, intellectuels, jeunes officiers n'ayant pas participé à la révolte de 1930, aspirant à se constituer en élite de remplacement. Peu à peu, au fur et à mesure que l'AIB s'intègre à la vie politique brésilienne, elle perd son caractère contestataire et gagne ainsi le soutien de certains secteurs de la bourgeoisie. Toutefois, dans les organes de direction du mouvement, par exemple à la Chambre des Quarante, ce sont toujours les représentants de la moyenne bourgeoisie intellectuelle qui l'emportent, tandis que les gros bataillons des adhérents se recrutent dans les classes moyennes citadines. Des classes moyennes qui, au Brésil, ne se sentent pas directement menacées, mais se trouvent au contraire en pleine ascension et cherchent à se forger un outil capable d'éliminer l'ancienne élite libérale, répondant en quelque sorte à la définition que Renzo De Felice donne – appliquée à l'Italie – des couches moyennes « émergentes ». Elles peuvent ainsi se tourner aussi bien vers la gauche que vers l'extrême droite. Enfin, comme les partis fascistes européens, l'AIB est un mouvement de jeunes : la majorité de ses adhérents ne dépasse pas la trentaine.

L'AIB se rattache également au fascisme par les motivations qui provoquent l'adhésion à l'intégralisme. Le militant est anticommuniste, sympathisant des mouvements fascistes européens et nationaliste. Ces trois mobiles fondamentaux se reflètent dans l'idéologie. Les deux concepts centraux sont l'humanisme spiritualiste d'inspiration chrétienne (ce qui rapproche davantage l'AIB de Salazar et de Primo de Rivera que de Mussolini et d'Hitler) et la foi en l'harmonie sociale. Pourtant la doctrine de Salgado est en même temps totalitaire et clairement manichéenne. Elle se veut révolutionnaire dans un sens éthique, élitaire et héroïque. Son nationalisme est « intégraliste », c'est-à-dire qu'il aspire à dépasser en un seul élan national les divergences créées par le régionalisme, la lutte des classes, l'individualisme et le cosmopolitisme. La dimension impérialiste s'exprime par le désir d'étendre la pensée intégraliste à l'ensemble du continent latino-américain.

Les ennemis à combattre sont les mêmes que ceux du fascisme européen : le libéralisme, le capital financier, le socialisme et, accessoirement, les juifs. L'accord se fait généralement entre les théoriciens de l'AIB pour affirmer quel objectif numéro un du mouvement est de fonder un État intégral, c'est-à-dire un État syndical-corporatif, nationaliste et autoritaire, disons une variante modérée de l'État totalitaire fasciste à l'européenne, laissant une plus grande autonomie à l'individu.

Si l'idéologie de Salgado se rapproche davantage de celle de Salazar que de celle de Mussolini, l'organisation de l'AIB est en revanche calquée sur le modèle fasciste. Elle reproduit fidèlement les structures du futur État intégral et l'ensemble hiérarchique allant du chef au militant de base est totalitaire et bureaucratique. Le pouvoir de Salgado, le « chef national » (O Chefe nacional), sur le parti est absolu, permanent et hyper-centralisé. L'image qu'ont de lui les militants est celle « d'un être à mi-chemin entre le chef politique et le chef religieux » (Helgio Trindade, *L'Action intégraliste brésilienne*, thèse inédite, FNSP, p. 275). Le culte que les adhérents de l'AIB vouent à leur chef est en grande partie fondé sur son incontestable habileté rhétorique. Pour la forme, Salgado est assisté de divers organes de consultation (Chambre des Quarante, Conseil suprême, Cour du Sigma), mais dans les faits c'est lui seul qui prend les décisions. Toujours calquée sur le modèle étatique, la milice s'organise à l'image de l'armée brésilienne (sections d'artillerie, du génie, etc.). A partir de 1936, elle évolue cependant vers des positions plus modérées et se transforme peu à peu en un organe d'éducation politique. La participation y est obligatoire pour tout militant âgé de 16 à 42 ans, de même que le port de l'uniforme intégraliste (chemise verte avec cercle blanc sur la manche entourant Σ, symbole du mouvement). Les femmes et les jeunes sont intégrés dans les Plinianos. Le but des organisations de jeunesse est de « rassembler, discipliner et éduquer, par l'intermédiaire de l'école active, tous les Brésiliens des deux sexes, afin de réaliser leur perfectionnement moral, civique, intellectuel et physique ». L'AIB se substitue à l'État et à l'Église dans tous les actes solennels de la vie individuelle : baptême, mariage, funérailles. Le rituel relève autant du christianisme que des antiques pratiques indiennes. La formule de salut par exemple *(Anauê)*, qui se prononce accompagnée du geste romain, est d'origine indienne.

L'AIB se situe elle-même dans la lignée des fascismes européens et plus particulièrement dans celle du modèle mussolinien. Helgio Trindade *(op. cit.,* p. 414) constate que l'intégralisme reprend du fascisme le contenu « révolutionnaire » de la doctrine, le nationalisme, la conception d'un État transcendant, la forme syndicale-corporative et le principe de la solidarité sociale. S'y ajoute une condition qui est celle de ne pas porter atteinte aux droits essentiels de la personne humaine, ce qui souligne l'orientation plus spiritualiste que vitaliste de l'idéologie intégraliste.

Bien que l'AIB soit le premier mouvement de masse du Brésil et que Salgado se présente aux élections présidentielles de 1935, ni l'un ni l'autre n'arriveront jamais au pouvoir. C'est que, depuis 1930, le gouvernement est aux mains de Getulio Vargas et des *tenentes* qui poursuivent en partie les mêmes buts que Salgado et recrutent leur clientèle dans les mêmes couches de la population. Vargas lui-même est l'homme de la bourgeoisie industrielle naissante et des éleveurs du Minas Gerais et du Rio Grande do Sul. Il représente donc la revanche de la nouvelle élite sur l'ancienne oligarchie des latifundiaires et des exportateurs de café. Dans un contexte qui est celui du passage d'une économie préindustrielle au capitalisme concurrentiel, son régime revêt des aspects bonapartistes. Sous son égide, le Brésil fera de rapides progrès vers l'industrialisation et donc vers l'indépendance nationale (participation croissante de l'État au développement économique, création d'une sidérurgie nationale, etc.). Sur le plan politique, Vargas s'emploie à neutraliser aussi bien le parti communiste de Prestes, qui tente une insurrection en 1935, que l'intégralisme de Salgado.

Ceci explique que le « gétulisme » prenne, pour garder et élargir sa clientèle, les aspects d'un « fascisme de gauche » (selon la formule se Seymour Lipset). La Constitution de 1934, qui donne le droit de vote aux femmes et instaure un système corporatiste, constitue le premier pas sur cette voie. En 1937 une prétendue insurrection communiste permet à Vargas de s'arroger tous les pouvoirs. L'Estado Novo est proclamé le 10 novembre 1937. Les partis politiques sont interdits. Les leaders de l'opposition se réfugient dans la clandestinité (Prestes) ou choisissent la voie de l'exil (Salgado qui s'installe au Portugal où il demeure jusqu'en 1945). Au nom du principe « Le vote ne remplit pas l'estomac » les élections sont abolies. Cette mesure est favorablement accueillie par la bourgeoisie urbaine car une consultation électorale aurait risqué de ramener au pouvoir l'oligarchie latifundiaire. La répression dirigée contre la gauche est extrêmement rigoureuse, ce qui n'empêche pas une partie des classes populaires, bénéficiaire d'un système d'assurances sociales jusqu'alors inexistant, d'un minimum de contractualité et de la journée de huit heures, de suivre Vargas. De plus en plus, celui-ci s'appuie d'ailleurs sur les couches déshéritées des centres urbains. Ce « virage à gauche » l'éloigne quelque peu de son ancienne clientèle et constitue l'une des raisons pour lesquelles les militaires, soutenus par l'ambassadeur des États-Unis, le renversent en 1945. Les réformes sociales de Vargas sont souvent restées au stade de l'intention et n'ont pas su résoudre le problème du prolétariat rural. Cela n'empêche pas qu'en 1945 le dictateur soit devenu l'homme le plus populaire du Brésil, et que son élimination provoque un puissant mouvement de révolte des déshérités, unis autour du cri « Queremos Getulio! » (Nous voulons Getulio!).

Le Brésil a donc connu pendant la période de l'entre-deux-guerres deux phénomènes proches du fascisme européen. L'un, le gétulisme, qui, accédant au pouvoir, prend la forme du kémalisme ou, si l'on veut, d'un fascisme de gauche, cherchant à s'appuyer sur les masses pour engager le pays sur les voies de l'industrialisation et de l'anti-impérialisme. L'autre, plus nettement fasciste, encore que, derrière la phraséologie pseudo-révolutionnaire de l'AIB, les traits qui la définissent fassent davantage songer aux mouvements réactionnaires et traditionalistes qui se développent au même moment dans des pays comme le Portugal, l'Espagne, voire la Roumanie.

Ce sont peut-être en effet les « hommes de l'Archange », la Garde de fer de Codreanu, qui sur le vieux continent se rapprochent le plus des partisans de Salgado. Et l'on sait que, les conditions évoluant, ils ont fini par devenir d'authentiques fascistes, ce qui n'a pu être le cas des militants de l'Action intégraliste, rapidement mis au pas par Vargas ou intégrés par lui au cadre de l'Estado Novo.

« *Fascistes* » *musulmans*

et Russes blancs

Quelques tendances fascisantes apparaissent au cours des années qui précèdent le second conflit mondial dans des pays islamiques placés sous la domination directe ou indirecte du Royaume-Uni et de la France. Ici les liens avec Rome et Berlin ont une triple signification. Il s'agit d'abord de jouer l'impérialisme le plus lointain contre le plus proche, les nations « prolétaires », tard venues dans le partage du monde ou dépossédées de leurs colonies par les traités, contre les grandes puissances colonisatrices : Hitler et Mussolini vont pousser avec habileté dans ce sens. En second lieu, le philofascisme est une façon de s'opposer au modèle politico-culturel imposé par le colonisateur britannique ou français sans verser dans un marxisme qui prend mal en terre musulmane. Enfin la « question palestinienne », déjà brûlante à cette époque, et la présence d'importantes communautés juives dans des pays comme la Tunisie et l'Égypte inclinent certains groupes nationalistes à se montrer perméables aux thèmes de l'antisémitisme nazi.

Le centre de cette agitation « fasciste » anticoloniale se situe dès cette époque au Caire où divers groupes nationalistes se disputent la première place dans la lutte contre les Britanniques. Le parti Jeune Égypte de Ahmed Hussein et des Chemises vertes, dont est proche le jeune Gamal Abdel Nasser, d'une part, et le nouveau parti national de Fathi Radouan et de Nour Eddine Tarraff d'autre part, entrent bientôt en relation avec les dirigeants du IIIᵉ Reich. En 1936, les leaders des deux organisations se retrouvent à la Journée du parti à Nuremberg où ils sont accueillis avec tous les honneurs dus à une délégation fasciste étrangère.

Le parti de Amin el-Hussein, grand mufti de Jérusalem, antibritannique et violemment antisémite, se tourne vers Hitler après avoir entretenu des relations très prudentes avec Mussolini. Au cours de la guerre, les nationalistes égyptiens placent tous leurs espoirs dans l'arrivée de Rommel et dans la personne de Aziz el-Masry, chef d'État-Major de l'armée égyptienne, lequel sera destitué en 1942 par les Anglais pour collusion avec les puissances de l'Axe. Le grand mufti pour sa part ne se contente pas de sympathies vagues pour le national-socialisme. Il mobilise une unité SS qui ira combattre en Russie aux côtés des autres représentants du « fascisme international ». A noter également l'existence en Iran d'un parti national-socialiste ouvrier et celle dans les territoires musulmans de l'Inde – le futur Pakistan – de

7. *Le Grand Mufti de Jérusalem, Hadj el-Hussein, lors d'un entretien avec Hitler.*

deux mouvements néo-islamiques totalitaires et antibritanniques : le Kha Ksar et le Jama'-at-i-Islam.

Dans la mouvance française, la seule organisation qui se réclame ouvertement du modèle totalitaire européen est le parti national-socialiste syrien, mais son audience est réduite et l'antisémitisme constitue à peu près le seul point d'ancrage solide de son idéologie. Autrement dit, nous sommes ici en présence d'un cas qui rappelle à bien des égards l'Ossewa Brandwag sud-africaine, la doctrine national-socialiste étant utilisée pour valoriser et rendre cohérentes des tendances racistes motivées par la situation locale et par les aspirations hégémoniques du groupe ethnique dominant. Ailleurs, les sympathies pro-fascistes sont moins affirmées. Encore que, comme l'ont bien montré les travaux de Juliette Bessis (*La Méditerranée fasciste,* Paris, Éd. Karthala, 1980), le Néo-Destour tunisien et son leader Habib Bourguiba soient loin d'avoir été insensibles à la propagande mussolinienne, véhiculée par les émissions en langue arabe de Radio-Bari, et au discours antisémite des dirigeants du IIIe Reich. Cela ne suffit pas toutefois à faire du Néo-Destour un fascisme, la sympathie pour les pays de l'Axe s'expliquant ici, comme dans la plus grande partie du monde musulman, par des considérations tactiques imposées par la lutte contre le colonisateur.

Un fascisme assez particulier voit le jour parmi les émigrés russes blancs dispersés sur l'ensemble du globe. Devant les dissensions idéologiques et tactiques de la première génération de l'exil, les jeunes cherchent en effet une idée politique efficace, capable de ramener l'unité dans l'opposition au régime bolchevique. Ils croient la trouver dans un « fascisme russe » qu'ils définissent comme « la synthèse des leçons à tirer de l'échec du mouvement russe blanc, de l'expérience fasciste italienne, allemande et japonaise, du glorieux passé de la Russie et de la réalité russe postrévolutionnaire » (cité par Erwin Oberländer, « The All Russian Fascist Party », *Journal of Contemporary History,* vol. 1, 1966, p. 158).

L'action de Mussolini semble indiquer le meilleur chemin pour venir à bout de la dictature du prolétariat. Dès 1925 un premier groupe fasciste se constitue parmi les étudiants russes de l'université Harbin en Mandchourie, fortement influencé par les tendances corporatistes de la nouvelle Italie. Deux ans plus tard, il publie son premier manifeste : *Thèses sur le fascisme russe.* Interdits par le gouvernement chinois à un moment où celui-ci se montre soucieux de conserver de bonnes relations avec les Soviétiques, les groupes fascistes russes doivent se réfugier dans la clandestinité jusqu'à l'arrivée des Japonais en Mandchourie.

Le Russian Fascist Party est fondé en 1931 en même temps que l'État-satellite du Mandchoukouo. Sous la direction du jeune Constantin Vladimirovitch Rodzaevski, il entreprend aussitôt de se donner un véritable programme politique résumé dans le slogan « Dieu, Nation, Travail ». Puis, toujours sous la protection des troupes japonaises, le mouvement s'étend à l'ensemble des colonies d'exilés russes en Extrême-Orient, ce qui conduit tout naturellement Rodzaevski à entrer en contact avec le mouvement homologue qui s'est constitué aux États-Unis.

Au début des années 30, en effet, un jeune émigré russe, Anastasi Anastasievitch Vonsiatski, a créé à Putnam (Connecticut) une organisation dont l'idéologie demeure étroitement liée à la tradition conservatrice russe avec toutefois une forte imprégnation fasciste et des signes extérieurs rappelant ceux des mouvements totalitaires européens : l'Organisation fasciste panrusse. Vonsiatski, qui prend rapidement les allures d'un Duce, aspire à provoquer en URSS une révolte anticommuniste prenant appui sur les masses paysannes rebelles à la collectivisation et à la « dékoulakisation » imposées par Staline. L'Organisation dispose de fonds importants et ne tarde pas à essaimer dans les colonies d'émigrés russes d'Europe et d'Asie. En mars 1934 les deux leaders du « fascisme » russe se rencontrent à Tokyo et, et en avril de la même année, un protocole commun est signé qui consacre la fusion des deux mouvements en un parti fasciste panrusse.

Peu de temps après, les divergences entre les deux hommes éclatent. Vonsiatski accuse Rodzaevski de transformer le parti, sous l'influence des Japonais, en une armée d'intervention qui ne peut que subir le même sort que jadis celle de l'amiral Koltchak. De plus il lui reproche

8. *Le prince Théodore de Russie rend visite à Anastasi Anastasievitch Vonsiatski.*

son attitude antisémite. La rupture a lieu en 1935. Le groupe de Vonsiatski – qui prend le nom de parti nationaliste révolutionnaire panrusse – se replie sur les positions traditionnelles des émigrés russes et perd toute influence en dehors de la Russie. Au contraire Rodzaevski conserve à son mouvement le nom de parti fasciste panrusse et maintient, partout où elles s'étaient constituées, les sections locales de l'organisation. En 1935 il se trouve à la tête de 20 000 militants groupés dans près de 600 sections locales. L'avance des troupes allemandes en Europe au début de la seconde guerre mondiale, loin de stimuler ces groupes, va provoquer leur disparition, Hitler n'ayant aucunement l'intention de jouer la carte du fascisme russe. Mais c'est surtout l'entrée des armées soviétiques en Mandchourie en 1945 qui sonne le glas du mouvement. Rodzaevski se constitue volontairement prisonnier après avoir adressé à Staline une lettre dans laquelle il fait son autocritique. Condamné à mort, il est exécuté à Moscou en 1946.

Il y a donc eu pendant toute la période de l'entre-deux-guerres et principalement dans le courant des années 30 des fascistes hors d'Europe. Pâles imitateurs de Mussolini et d'Hitler ou nationalistes convaincus, soucieux d'accroître l'efficacité de leur action en donnant à leur extrémisme réactionnaire le visage tout neuf du fascisme. En revanche il n'y a eu nulle part de véritables régimes fascistes. Ni la dictature militaire qui préside aux entreprises agressives de l'Empire nippon, ni le gétulisme brésilien – qui s'en rapprochent le plus – ne reproduisent dans leur spécificité les modèles totalitaires italien et allemand. Le premier est une dictature classique que les circonstances conduisent à emprunter au fascisme certaines de ses méthodes de répression et d'enrégimentement des masses. Le second un régime autoritaire fondé sur l'alliance des classes moyennes anti-impérialistes et des classes populaires urbaines, conformément au modèle inauguré dans la Turquie nouvelle par Mustapha Kemal : un « bonapartisme pour pays sous-développé » ou, si l'on préfère, un fascisme de gauche, très différent par ses motivations, par ses assises sociologiques, par son caractère progressiste du véritable fascisme.

Tels sont d'ailleurs les deux modèles – l'un réactionnaire, l'autre socialisant – vers lesquels tendront les régimes dictatoriaux postérieurs à la seconde guerre mondiale. Pouvait-il en être autrement ? A l'origine des fascismes européens, il y a eu d'une part la rencontre du nationalisme et d'un syndicalisme révolutionnaire qui n'appartient ni à la tradition japonaise ni à celle des pays du Tiers Monde. Il y a eu d'autre part surtout l'impact direct de la guerre, la fraternité des tranchées, l'esprit ancien combattant, qui leur sont encore plus complètement étrangers. Ainsi, si la contamination est possible, si les imitations ne manquent point, les conditions propres à la mise en place d'un véritable *système fasciste* demeurent jusqu'à la guerre le triste privilège du vieux continent.

XIV

L'Europe fasciste : 1939 - 1945

Depuis le début de 1938 la montée du fascisme européen marque le pas. Sans doute la victoire des nationalistes espagnols renforce-t-elle le camp des dictatures, mais il s'agit moins d'un processus interne de fascisation que d'un phénomène de réaction classique largement bénéficiaire de l'intervention directe des puissances totalitaires.

Dans les pays de démocratie libérale, les mouvements fascistes, qui ont fait le plein entre 1934 et 1937, amorcent un reflux qu'expliquent la relative amélioration de la conjoncture mondiale et le recul du « danger révolutionnaire » (c'est ainsi que les forces de droite interprètent la poussée à gauche des années 1935-1936). Dans les États autoritaires de l'Europe orientale et méridionale les mouvements qui se réclament du fascisme ou du national-socialisme se heurtent à la résistance de pouvoirs forts qui entreprennent de les mettre au pas et qui, sauf en Hongrie et en Roumanie, réussissent à les domestiquer.

Or, au moment où le flot se stabilise et où commence un peu partout le retrait des forces fascistes, l'intervention brutale de l'Allemagne, qui annexe l'Autriche en mars 1938 et envahit la Tchécoslovaquie un an plus tard, celle de Mussolini ensuite qui, pour ne pas être en reste, s'empare de l'Albanie en avril 1939, marquent le début d'une expansion par la force du totalitarisme germano-italien. Après la défaite de la France et l'agression italo-allemande dans les Balkans, suivie de l'alignement des petits États autoritaires de l'Europe de l'Est et de la conquête des régions occidentales de l'URSS, c'est pratiquement l'Europe tout entière qui se trouve au début de 1942 sous la domination du fascisme, ou plutôt du national-socialisme, car depuis 1938 c'est Hitler qui mène le jeu.

Le raidissement

du totalitarisme

Dès 1937 il y a chez certains dirigeants italiens une volonté d'alignement sur le totalitarisme allemand, jugé plus efficace et plus conforme à l'idéal fasciste. Au début, il ne s'agit pas seulement pour Mussolini d'imiter le Führer parce qu'il admire les réalisations spectaculaires du nazisme. Il est vrai que le Duce, malade et moralement affaibli, est de plus en plus le jouet des coteries qui se sont formées dans son entourage et que, pour masquer les incertitudes et les contradictions de sa politique, il ne lui déplaît pas de donner au régime un visage plus tendu. Mais le durcissement du fascisme italien répond aussi à des nécessités internes, bien mises en évidence, nous l'avons vu, par l'historien Renzo De Felice. Les prolongements de l'affaire éthiopienne ont contraint l'équipe dirigeante à renforcer le caractère autarcique de l'économie italienne. Le discours du 23 mars 1936, dans lequel le Duce juge la guerre « inéluctable pour l'Italie », ouvre l'ère de la mobilisation économique, ce qui implique de nouvelles mesures dirigistes destinées à rendre le pays de moins en moins dépendant de l'étranger, et aussi une mise en condition de la population. Surtout, Mussolini craint pour l'avenir du régime que les élites traditionnelles ne reprennent le pas sur la nouvelle classe dirigeante fasciste et encourage celle-ci à mener une véritable croisade contre l'héritage idéologique et culturel d'une bourgeoisie qu'il accuse de dévitaliser l'Italie.

C'est dans ce contexte que s'opère le raidissement du totalitarisme fasciste, œuvre personnelle d'Achille Starace, un fonctionnaire consciencieux et borné qui est depuis 1931 secrétaire du PNF. Sous son impulsion le parti connaît un développement extraordinaire. A la veille de la guerre il compte 2,5 millions de membres, auxquels il convient d'ajouter les 8 millions d'enfants et d'adolescents enrôlés dans les formations de jeunesse, les 800 000 membres de la Milice, les 4,5 millions de travailleurs participant aux activités du *Dopolavoro*. Mais cette omniprésence du parti n'est que l'un des aspects de l'aggravation du totalitarisme et l'instrument d'un idéal inspiré à Starace par la *Gleichschaltung* allemande. Il s'agit, en effet, de réduire tous les Italiens au même modèle, celui de l'homme nouveau, de l'homme fasciste. Celui-ci n'est pas défini par sa pensée ou par ses actes mais par un style, la « coutume fasciste », directement issue des exaltations futuristes de l'avant-guerre. La rapidité, le dynamisme, la décision, la maîtrise et l'oubli de soi-même, qui en sont les principales composantes, s'opposent aux vertus décadentes de la vie bourgeoise et tendent à façonner un individu nietzschéen fait pour la conquête et la domination.

Le Duce applaudit aux initiatives de Starace et renchérit sur les méthodes adoptées par le secrétaire du PNF pour modifier le comportement de la « race », ce qui ne va pas - nous l'avons vu - sans manifestations bouffonnes. Mais c'est surtout la jeunesse, garante de l'avenir et de la pérennité du régime, qui est pliée aux impératifs du nouveau style de vie. En octobre 1937, toutes les organisations de jeunesse sont regroupées au sein de la Gioventù italiana del Littorio que Starace dirige personnellement et à laquelle il donne un mot d'ordre - « Croire, Obéir, Combattre » -, une organisation militaire et un objectif précis : la préparation physique et morale de ses membres à la « défense de la révolution fasciste », c'est-à-dire à la guerre. La réforme scolaire instaurée par Bottai, la Charte de l'école, l'œuvre de « bonification des esprits » poursuivie par le Minculpop concourent à cet encadrement totalitaire des générations nouvelles.

La mise au pas intellectuelle et morale de la jeunesse, par ailleurs glorifiée par le régime et tolérée, dans sa déviance gauchisante, au nom du retour aux idéaux de la « révolution fasciste » (les Littoriali della Cultura e dell'Arte, organisés annuellement à partir de 1934, vont ainsi favoriser le développement de tendances non conformistes que le pouvoir ne maîtrise pas facilement), constitue sans aucun doute, beaucoup plus que les manifestations lexicales et gestuelles du raidissement totalitaire, ou que le renforcement des structures d'encadrement du régime, l'un des traits fondamentaux de la « révolution culturelle » dont De Felice nous dit qu'elle caractérise la phase ultime du fascisme italien.

Tout aussi importante, tout aussi significative de la volonté de rupture qui définit le fascisme de l'immédiat avant-guerre, est la politique de « défense de la race » qu'inaugurent en 1938 les dispositions adoptées à l'encontre des « non-aryens » (exclusion de l'administration, de l'armée, de la propriété foncière, de nombreuses activités économiques, etc.), en opposition complète avec les pratiques de tolérance en vigueur jusqu'à cette date. S'inspirant des écrits de Julius Evola, notamment de la *Sintesi di dottrina della razza*, Mussolini oriente en effet le fascisme dans une voie qu'il avait jusqu'alors ignorée - même s'il existait depuis longtemps en son sein des courants antisémites ultra-minoritaires - et qui est celle du racisme. Un racisme un peu différent de celui qui a triomphé en Allemagne avec Hitler et qui se fonde davantage sur l'idée, un peu fumeuse il est vrai, de « race intérieure », de « race de l'esprit », que sur des critères biologiques et anthropologiques, mais qui aboutit de la même façon à une vision hiérarchique des peuples, au premier rang desquels Evola et son disciple tout-puissant placent la « race aryo-romaine » – régénérée par le fascisme –, l'une des « races-guides » de l'humanité. Qu'elle ait été inspirée à l'équipe dirigeante par le modèle national-socialiste, ou qu'elle soit, comme le pense De Felice, l'aboutissement logique de la « révolution culturelle » fasciste, la politique raciale sera, on le sait, appliquée de façon assez laxiste par les fonctionnaires responsables et soulèvera une vive réprobation dans la population italienne, preuve parmi beaucoup d'autres des limites du totalitarisme fasciste. Il faut attendre l'occupation du pays par les Allemands en 1943 pour qu'aux simples tracasseries administratives se substituent la persécution et le génocide, caractéristiques du nazisme hitlérien.

En assignant à l'État totalitaire la tâche de faire passer dans la vie quotidienne les principes du « style fasciste » et sa vision futuriste de l'homme, Mussolini avait-il cru modifier radicalement le comportement de son peuple ? Cela est douteux. Certes, il y a la jeunesse, porteuse des espoirs de régénération du fascisme et objet de tous ses soins. Mais le présent ? L'homme italien de la fin des années 30 – tous les témoignages le confirment et le Duce ne se fait pas d'illusions sur ce point – aspirant à la paix et à une amélioration raisonnable de son sort, quelle chance y a-t-il de le voir transformé par les consignes délirantes de Starace ? A moins que la guerre, cette « barricade de la révolution », ne vienne brusquement tendre les énergies pour donner naissance enfin à cette « mentalité autarcique », à cette « race spirituelle », à cette « nouvelle aristocratie de l'esprit », que le secrétaire général du parti et le Duce lui-même ne cessent d'évoquer dans leurs appels dramatisés à la nation italienne. En attendant, il ne semble pas que l'éducation fasciste ait eu une influence vraiment déterminante sur la formation morale des jeunes Italiens, ni que Mussolini ait réussi à créer cette race belliqueuse et fanatique dont il rêvait. Sans doute parce que l'individualisme et l'humanisme latins s'y prêtaient mal. Et aussi parce que le totalitarisme fasciste, souvent purement formel, a laissé aux cadres traditionnels de la vie, la famille, le village, la communauté religieuse, encore très puissants dans cette société aux fortes assises rurales, leur force d'inertie. D'où une résistance à la fascisation de l'individu dont les effets se feront sentir dès les premières défaites d'une guerre fondamentalement refusée par le peuple italien. D'où aussi l'incapacité du régime, de plus en plus isolé et coupé des masses, à passer, une fois la guerre engagée, au stade ultime du totalitarisme, à ce fascisme intégral dont l'Allemagne a été la seule à réaliser pendant quelque temps les objectifs monstrueux. La dernière « relève de la garde », qui remplace en février 1943 les tièdes du régime – Ciano, Bottai, Grandi et quelques autres membres de l'équipe dirigeante – par de nouveaux venus entièrement dévoués au

Duce, arrive trop tard pour que soient entreprises « ces réformes et ces innovations dans le gouvernement, dans le commandement suprême, dans la vie intérieure du pays » dont parlera le nouveau secrétaire du parti, Scorza, dans son ordre du jour présenté le 24 juillet 1943 devant le Grand Conseil du Fascisme.

Le cas de l'Allemagne est tout autre. Avant 1939 le Reich avait déjà atteint, en peu d'année, un degré de totalitarisme de loin supérieur à celui de l'Italie. La guerre accentue la tendance et fait accéder le nazisme hitlérien au stade du fascisme intégral, lequel peut être défini par la primauté absolue du politique. A partir d'un certain moment de son évolution, l'État fasciste, qui a jusqu'alors fait le jeu des grands intérêts privés tout en veillant à dédommager au moins moralement sa clientèle petite-bourgeoise, prend ses distances vis-à-vis des forces socio-économiques qui ont favorisé son accession au pouvoir et finit par les soumettre entièrement à ses impératifs idéologiques. Le degré d'autonomie peut être plus ou moins élevé. Il est, jusqu'au milieu des années 30, relativement faible dans l'Italie mussolinienne, un peu plus important par la suite. Il est, au contraire, considérable dans le Reich en guerre. Au point que dans certains cas les choix idéologiques peuvent l'emporter sur des intérêts économiques qui ne sont pas ceux de tel ou tel groupe mais de la nation tout entière. Il en est ainsi, par exemple, de l'extermination des juifs ou des sévices infligés aux prisonniers de guerre russes au moment où les besoins de main-d'œuvre se font les plus pressants.

L'instrument de ce totalitarisme poussé à l'extrême, Hitler le trouve dans la SS. Fondée en 1925, elle est destinée au début à servir de garde personnelle au chef du NSDAP qu'inquiète l'esprit frondeur de la SA, mais après l'avènement du national-socialisme et surtout après l'élimination de Röhm et des autres dirigeants SA en juin 1934, elle prend une place de tout premier plan dans l'État national-socialiste. La base de sa puissance réside dans son union intime avec la police politique, la Gestapo, qui va, elle aussi, bénéficier d'une autonomie de plus en plus grande par rapport aux rouages officiels de l'État. En juin 1936, le Reichsführer SS Himmler devient en effet le chef de la police allemande, ce qui lui confère, ainsi qu'à l'organisation qu'il dirige, une puissance considérable. La SS, au sein de laquelle on distingue dès cette époque une branche administrative, des sections spécialisées dans les tâches de police et dans les basses besognes du régime (par exemple la garde des camps de concentration), et la Waffen-SS qui constitue un corps militaire d'élite, distinct et concurrent de la Wehrmacht, devient alors la « puissance exécutive du Führer » et commence de ce fait à jouer un rôle politique de première grandeur.

La montée de la SS se concrétise en septembre 1939 par la création

de la RSHA (sigle allemand pour « Administration centrale de la
sûreté du Reich »), énorme machine de surveillance et de terreur qui
vise à regrouper en un même organisme les « services de Sûreté »
(Sicherheitdienst ou SD) de Heydrich, qui dépend directement du
parti, et la Gestapo, qui est devenue un service d'État. Bientôt dominée par le seul Heydrich, la RSHA est appelée peu à peu à toucher à
tous les domaines « politiques » (idéologie, élimination des « ennemis
du peuple », problèmes posés par les populations soumises, etc.). Dès
lors le tandem Himmler-Heydrich – « rencontre de deux archétypes
du XXe siècle, l'idéologue et le technocrate » (Heinz Höhne, *L'Ordre
noir,* p. 103) – occupe dans l'État national-socialiste une place considérable. Étroitement soumis au Reichsführer SS, qui d'ailleurs le
méprise et se méfie de lui, Heydrich n'est en fait qu'un exécutant mais
sa position à la tête de la RSHA en fait un personnage extrêmement
dangereux, et ceci d'autant plus qu'il ne porte pas au Führer une foi
inconditionnelle. Quant à Himmler, il est incontestablement le numéro
deux du régime. Chef de la Gestapo, puis ministre de l'Intérieur à
partir de 1943, doté de tous les pouvoirs en matière de police, de
réorganisation territoriale, de lutte contre les « éléments nocifs », il
apparaît alors comme l'adjoint du Führer, pratiquement son égal en
puissance et, à travers lui, c'est la SS tout entière qui prend place aux
centres de commande de l'État national-socialiste.

Le durcissement du totalitarisme coïncide donc en Allemagne avec
la mise en place de l'État SS. Cela signifie en premier lieu que les
organes du parti et ceux de la SS prennent de plus en plus fréquemment le pas sur les services proprement étatiques. Ainsi, à partir de
1942, le ministre de la Justice Thierack abandonne à la RSHA le droit
de corriger les sentences prononcées par les tribunaux réguliers. En
1943, une partie des attributions de la police ordinaire, l'Orpo (Ord-
nungpolizei), que dirigeait Kurt Daluege, le rival d'Himmler, passe à
l'organisation d'Heydrich. Dans le domaine militaire, la concurrence
est également très vive et donne lieu à des conflits qui sont en général
tranchés en faveur de la SS. Au début de la guerre le haut commandement militaire (OKW) parvient encore, non sans difficultés, à maintenir sous sa direction l'ensemble des forces armées – Waffen-SS comprise – et s'efforce de freiner l'expansion de l'armée noire. Mais dès
l'automne 1941 Himmler se sent assez fort pour briser l'opposition des
généraux au développement de la Waffen-SS. Désormais celle-ci voit
ses effectifs croître et son importance grandir. Cette montée en puissance de la branche militaire de la SS – bientôt dotée en priorité des
armements les plus modernes et dont les chefs se montrent de plus en
plus rebelles aux ordres de l'État-Major – s'accompagne d'un essor
parallèle des polices politiques aux dépens de l'Abwehr, le service de
contre-espionnage de l'OKW, que dirige depuis 1935 l'amiral Canaris

et qui, après la destitution de ce dernier en 1944, se trouve à son tour absorbé par la RSHA.

La montée du pouvoir SS trouve un formidable levier dans les régions conquises de l'Europe centrale et orientale où règnent en maîtres les lieutenants d'Himmler. En effet les pays de l'Est européen constituent une « pépinière pour le sang germanique », comme le déclare Hitler en 1944, et une zone tout naturellement offerte à la colonisation allemande. En Pologne, en Ukraine, en Tchécoslovaquie, les buts assignés à la SS sont clairs. Il s'agit à la fois d'exterminer les éléments jugés irrécupérables (juifs, tziganes, etc.) et de réduire à l'esclavage les populations autochtones (en supprimant notamment toute vie intellectuelle), puis de créer les bases de la colonisation germanique en installant de fortes colonies d'immigrants allemands. Telles sont les grandes lignes du plan général Est préparé dès 1941 par les « experts » de la RSHA. Il prévoit, outre l'implantation de deux à trois millions de colons allemands en dix ans, le déplacement vers l'est d'une trentaine de millions de Slaves et la germanisation forcée de plusieurs millions de Polonais et de Russes. C'est la *Volkstumpolitik* orientale, le rêve d'expansion des chevaliers teutoniques auxquels l'Ordre noir tente de s'identifier.

Le totalitarisme SS ne tarde pas à pénétrer tous les domaines de l'activité du Reich. L'économie avec la création en 1942 de la WVHA (Wirtschaftsverwaltungshauptamt : Direction économique SS) qui, confiée à Oswald Pohl, administre les industries tombées sous la coupe de l'Ordre noir (carrières, industries alimentaires, textiles et cuir) et gère les camps. La politique démographique par l'intermédiaire de la RUSHA (Direction SS de la race et du peuplement). Embrassant toutes les questions tenant à la « pureté du sang et de la race », celle-ci exerce son activité dans les domaines les plus variés : colonisation, recherche des éléments « aryens purs », école, sports, etc. Surtout, la SS tend à devenir le fer de lance de l'ordre nouveau, l'élite fanatisée dont sortira la future société de pure extraction aryenne et sur laquelle s'établiront les bases du « Reich pour mille ans » dont rêve le Führer. Il y a là indéniablement un aspect « révolutionnaire », une volonté de renouvellement et de création qui font de la SS une force autonome, une élite de remplacement parfaitement distincte de la classe dirigeante ralliée au nazisme. Par son intermédiaire, de jeunes paysans sans avenir, des petits bourgeois, des marginaux et des déclassés peuvent accéder, grâce aux écoles spéciales créées par Himmler, au rang d'officier et de membre de cette nouvelle noblesse germanique que constituent les cadres de l'Ordre noir. Plus s'affirme la toute-puissance de l'État SS, plus s'accentue un brassage social qui remet en question la position dominante de la bourgeoisie capitaliste et de l'aristocratie agrarienne.

En Allemagne, la guerre a donc poussé à leur paroxysme toutes les virtualités du fascisme, y compris les plus aberrantes et les plus inhumaines. La SS en effet n'a pas seulement été amenée à jouer le rôle d'une nouvelle caste dirigeante. Elle a en même temps été chargée des besognes les plus sinistres. Vouée à la garde des camps de concentration et d'extermination, c'est à elle qu'il incombera d'appliquer le plan adopté en janvier 1942 pour la « solution finale du problème juif », c'est-à-dire la liquidation, dans des conditions épouvantables, de millions d'hommes, de femmes et d'enfants israélites, raflés massivement dans tous les pays occupés et déportés dans les camps de la mort, à Auschwitz, Maïdanek, Treblinka, Dachau, etc.

Le renforcement du totalitarisme et la montée des nouvelles élites fascistes qui l'accompagne provoquent en Allemagne et en Italie la dissociation de l'alliance sur laquelle reposait la dictature. Dans le Reich, les oppositions viennent moins des milieux bourgeois, ralliés ou terrorisés, que de la caste aristocratique et militaire. C'est elle qui, inquiète des progrès de la SS et consciente de l'inéluctabilité de la défaite, soutient le complot qui aboutit en juillet 1944 à l'attentat manqué de von Stauffenberg. Son échec entraîne des milliers d'arrestations et 5 000 exécutions, faisant disparaître toute une partie de la vieille aristocratie prussienne et renforçant d'autant l'emprise de la SS sur l'État national-socialiste. En Italie les choses se passent différemment. D'abord parce que l'emprise du totalitarisme fasciste y est beaucoup moins forte, la Milice ne pouvant en aucune façon être comparée à la SS. Ensuite parce que l'ancienne classe dirigeante, qui a pour elle le soutien de l'armée et de la Cour, bénéficie en outre de l'appui d'une partie des hiérarques, les Ciano, Grandi, Bottai, etc., plus ou moins « embourgeoisés » et dès lors solidaires de l'élite possédante. Une nouvelle alliance se constitue qui aspire à un pouvoir autoritaire d'inspiration plus conservatrice, capable de faire la paix avec les alliés et de préserver l'Italie post-mussolinienne d'une révolution sociale.

Isolé de la population italienne, lâché par la classe dirigeante, trahi par une partie de ses compagnons d'armes, Mussolini ne cherchera pas à résister aux hommes qui complotent contre lui. Depuis l'été 1942 l'on songe, dans les milieux proches du souverain, à l'élimination du Duce et à son remplacement par un gouvernement disposé à faire sortir l'Italie de la guerre. Victor-Emmanuel se montre pour sa part très prudent, mais finit par accueillir favorablement les avances qui lui sont faites par les dirigeants fascistes écartés du pouvoir en février 1943. C'est à l'initiative de ces derniers que se réunit le Grand Conseil le 24 juillet. A la suite d'une séance dramatique, Grandi fait voter (par 19 voix contre 7) un ordre du jour exigeant la fin du pouvoir personnel et demandant au roi « d'assumer seul toutes les initiatives su-

1

1. *Mussolini au balcon du Palazzo Venezia à Rome en 1940.*

2. *« L'éducation guerrière, comme style de vie, comme mode de sentir et de penser », tel est le programme fixé en 1937 par le secrétaire du PNF, Achille Starace, dans le but de « changer l'homme » et de préparer l'Italie à son destin de puissance conquérante.*

3. *Tentative manquée d'évasion dans un camp d'extermination nazi.*

2

3

prêmes de décision ». Le lendemain le souverain désigne le maréchal Badoglio comme chef du gouvernement avec les pleins pouvoirs militaires et fait arrêter Mussolini à l'issue de l'audience qu'il lui a accordée.

La chute du fascisme s'est opérée sans heurts et dans l'indifférence générale. Toutefois, le 12 septembre, quelques jours après la signature de l'armistice de Sicile, Hitler fait délivrer le Duce par un commando aéroporté. Mussolini s'installe alors à Saló, sur les rives du lac de

4. Le maréchal Badoglio désigné comme chef du gouvernement avec les pleins pouvoirs par le roi Victor-Emmanuel III, en juillet 1943.

5. Le 12 septembre 194 Hitler fait délivrer Mussolini par un commando aéroporté commandé par Otto Skorzeny.

Garde, dans la zone occupée par les troupes allemandes. De là il proclame la déchéance de la monarchie et fonde la République sociale italienne. Peut-on encore parler de raidissement du totalitarisme pour désigner ce régime éphémère, complètement coupé des masses italiennes et maintenu en place par la seule présence des armées hitlériennes ? Sans doute, si l'on considère l'atmosphère que font régner les brigades noires, auxiliaires des SS dans la lutte contre les partisans et contre les populations civiles qui les soutiennent. Et aussi la volonté de Mussolini de rompre avec la classe dirigeante en appliquant le programme antibourgeois du manifeste en 18 points adopté par le PNF en novembre 1943. Ce texte, d'ailleurs assez vague, pose les bases d'une république sociale fondée sur le travail et ne garantit la propriété privée que dans la mesure où elle ne porte pas atteinte à la « personnalité physique et morale ». Des mesures sociales radicales sont annoncées ainsi que la nationalisation de certains secteurs clés de l'économie et l'expropriation partielle des terres. Plutôt qu'un alignement sur l'État SS, il y a là en apparence un retour au premier fascisme. Encore qu'à l'exception de Farinacci, les hommes qui entourent le Duce en cette dernière aventure, un Graziani, un Buffarini-Guidi, etc., n'ont rien à voir avec les pionniers du squadrisme. De toute façon le régime de Saló est totalement dépourvu d'assise populaire. Il s'effondrera de lui-même lors de l'offensive alliée du printemps 1945.

Les démocraties occupées

Dans les pays démocratiques qui ont échappé à l'emprise hitlérienne entre 1940 et 1945 les mouvements fascistes et nazis ont en général connu un rapide déclin. Il en est ainsi bien entendu de la Grande-Bretagne où nombre des partisans de Mosley sont arrêtés dès les premières semaines de la guerre, mais aussi en Suède et même en Finlande. Le fait que ce dernier pays ait été l'allié de l'Allemagne dans la lutte contre les Soviétiques n'a en rien favorisé les mouvements de tendance nazie qui avaient, à partir de 1938, pris le relais de l'IKL, interdit à cette date. Bien au contraire, en menant ouvertement la lutte contre le communisme, le gouvernement finlandais désamorce toute velléité fascisante et parvient à maintenir une union sacrée antibolchevique qui lui permet de faire l'économie d'une contre-révolution préventive.

La Suisse présente un cas un peu particulier. On assiste en effet après les succès allemands de 1940 à un nouveau « printemps des fronts ». De nouveaux mouvements apparaissent, tels le Eidgenössische Sammlung (Recueillement helvétique), la Nationale Gemeinschaft (Communauté nationale) de Schaffhouse ou l'Opposition nationale de Saint-Gall. Tous réclament un changement de l'équipe gouvernementale, une politique extérieure favorable à l'Allemagne et l'interdiction de certains journaux. Surtout, c'est le Front national, en plein déclin depuis 1938, qui profite de cette seconde vague de fascisation de l'opinion helvétique. Encore que celle-ci ne doive pas être surévaluée. Les campagnes menées par les fronts ont un aspect spectaculaire qui mobilise l'attention mais ne touchent que des minorités et scandalisent en général l'individu moyen. Ainsi la Pétition des 200, par laquelle un groupe de notables exige, après la défaite de la France, l'adoption d'une politique de neutralité bienveillante à l'égard de l'Allemagne, n'obtient-elle aucun succès.

Les fronts, en général, ne s'en tiennent pas là et vont beaucoup plus loin dans leur propagande en faveur de l'alignement sur le IIIe Reich. Ils se déclarent favorables à la création d'une « Europe nouvelle » dirigée par celui-ci. Certains se prononcent même – c'est le cas du Eidgenössische Sammlung – pour l'abandon de la neutralité suisse. La campagne qui a le plus de succès est celle que les fronts mènent sur le thème de la croisade antisoviétique, après les premières victoires allemandes sur le front russe. Elle rencontre des échos dans l'opinion conservatrice comme en témoignent ces quelques lignes extraites de la très respectable *Gazette de Lausanne* : « Si les opérations militaires qui se déroulent en Russie aboutissent à l'anéantissement du bolchevisme, nous devons en éprouver une grande satisfaction... La disparition du bolchevisme est entièrement conforme à nos aspirations suisses et à notre intérêt national » (11 juillet 1941).

A partir du moment toutefois où il apparaît que la croisade contre le bolchevisme ne peut se faire que sous la croix gammée, l'adhésion se fait plus réticente. Surtout, ce sont les menaces d'agression allemande contre la Confédération qui vont dresser l'immense majorité des Suisses contre les organisations d'obédience national-socialiste, et ceci d'autant plus qu'en 1942 et 1943 plusieurs dizaines de membres du Front national et du Eidgenössische Sammlung seront poursuivis et condamnés, certains à la peine capitale, pour espionnage au profit du Reich hitlérien. D'où un déclin rapide des fronts à partir de 1942 et l'intervention du gouvernement fédéral qui interdit certaines réunions, saisit les journaux frontistes et finit par dissoudre en 1943 les mouvements les plus compromis.

Dans les pays de démocratie libérale occupés par les armées allemandes, les mouvements fascistes connaissent un sort très variable. Au Danemark ils ne jouent pratiquement aucun rôle. Il est vrai que jusqu'à la guerre le parti national-socialiste danois ne rencontre qu'une audience très limitée. Aux élections de 1935 le DNSAP n'obtient aucun siège et il faut attendre les remous provoqués par les débuts du conflit pour voir entrer quelques-uns de ses membres au Parlement. Or, même après l'occupation allemande, le Danemark conserve officiellement sa souveraineté. Le régime des partis y fonctionne normalement et il est très difficile dans ces conditions pour les Allemands d'y soutenir ouvertement le mouvement qui leur est favorable, ce qui n'empêchera pas la majorité des Danois de considérer ses militants comme des traîtres. Comme, d'autre part, le chef du DNSAP, Clausen, est un alcoolique notoire dont la conduite privée scandalise ses compatriotes, les nationaux-socialistes se heurtent à une réprobation croissante et voient les effectifs de leur mouvement se réduire rapidement. Tout au plus le DNSAP réussira-t-il à envoyer quelques-uns de ses membres combattre sur le front de l'Est. Lorsque les Alliés libèrent le pays en 1945, le parti de Clausen ne représente plus rien.

La situation est différente aux Pays-Bas. La reine et le gouvernement s'étant réfugiés en Grande-Bretagne, les Allemands administrent directement le pays par l'intermédiaire d'un commissariat civil qui est confié à l'Autrichien Seyss-Inquart. Aussi le chef du NSB, Mussert, estime-t-il le moment venu pour son parti de diriger les destins de la nation néerlandaise. En perte de vitesse depuis les élections de 1937, le NSB n'a pas attendu l'invasion de mai 1940 pour jouer la carte allemande. Interrogé quelques jours plus tôt par un correspondant de presse américain sur l'attitude de son parti en cas d'agression hitlérienne, Mussert avait ostensiblement croisé les bras dans une attitude qui en disait long sur ses intentions. Le gouvernement ne s'y était pas trompé et, dès les premiers jours de l'attaque allemande, 10 000 adhérents et sympathisants du mouvement national-socialiste avaient été arrêtés. Libérés dès le 15 mai par les Allemands, ils furent très étonnés de ne pas être immédiatement placés par Hitler à la tête de la Hollande occupée. Le Führer, en effet, adopte aux Pays-Bas, comme dans la plupart des autres pays soumis à sa domination, une attitude très prudente. D'abord parce qu'il ne tient pas à avoir en face de lui au moment du règlement du conflit des pouvoirs fascistes qu'il lui faudra bien traiter en amis, et surtout parce qu'il lui semble dangereux de soutenir des gouvernements qui n'auraient pas le soutien d'une partie au moins de la population. Or, Mussert et son parti se trouvent dès le début de l'occupation complètement coupés de leurs concitoyens. Les dirigeants du IIIe Reich se gardent bien dans ces conditions d'imposer par la force la domination du NSB. Pendant plus de dix-huit mois ils vont laisser d'autres formations de droite exercer leur activité.

C'est seulement à partir du début de 1942 que s'opère un revirement dans leur attitude. Encore est-il loin d'être total. Hitler ayant besoin de main-d'œuvre pour ses usines et aussi de colons « germaniques » pour peupler les espaces conquis en Europe orientale, il lui faut ici comme ailleurs trouver un intermédiaire qui soit capable de faire accepter ces mesures par les populations locales en les plaçant sous le signe de la « collaboration ». Or, parmi les formations fascisantes qui sont restées en place après l'invasion allemande, l'Union néerlandaise, le NSNAP, le Front national fasciste, etc., seul le NSB fait aux yeux de Seyss-Inquart figure d'interlocuteur valable. C'est pourquoi c'est en fin de compte ce parti qui devient en 1942 la seule organisation politique reconnue par les occupants, tandis que Mussert, qui a été reçu à deux reprises par le Führer, en septembre 1940 et en décembre 1941, est autorisé à prendre le titre de « guide du peuple néerlandais ». Bien entendu, pour les Allemands, la collaboration n'est qu'un moyen pour obtenir au meilleur prix ce qu'ils désirent et le NSB l'instrument docile de cette politique. Pour Mussert, au contraire, elle représente l'unique chance qui reste à la Hollande de préserver son indépendance dans la future Europe hitlérienne. Assez vite d'ailleurs le chef du national-socialisme néerlandais, qui rencontre encore Hitler deux fois, fin 1942 et fin 1943, prendra conscience des réelles intentions du Führer.

Mais il est déjà trop engagé dans la voie qu'il a choisie pour faire machine arrière; et ceci d'autant plus qu'il existe dans le NSB – dont les effectifs atteignent les 100 000 membres en 1943 – une minorité ultra-nazie animée par Rost Van Tonningen et qui milite en faveur du rattachement pur et simple à l'Empire germanique. Ce sont les membres de cette tendance dure qui constituent à partir de 1941 le noyau de la SS Standarte Westland, légion de volontaires hollandais intégrés à la Waffen-SS et envoyés sur le front de l'Est. En faisant de la surenchère, les partisans de Van Tonningen vont obliger Mussert à s'engager plus loin dans la voie de la collaboration, sans jamais, toutefois, se rallier à leurs vues pangermanistes.

Le chef du NSB rêve pour sa part d'une Europe nouvelle, fondée certes sur des notions raciales, mais dans laquelle les Pays-Bas, agrandis de la Belgique flamande et d'une partie de la France du Nord, conserveraient leur personnalité au sein d'une union des peuples germaniques à direction allemande. Nous avons là un premier exemple de cette vision européenne qui caractérise le fascisme dans les années de guerre. Elle ne devait guère avoir de prise sur l'opinion néerlandaise, surtout sensible aux aspects répressifs du mouvement de Mussert et des formations paramilitaires qui en dépendaient : réserves territoriales et Garde nationale, devenues les auxiliaires des SS. Aussi, lorsque avec la débâcle allemande commence en 1944 la libération du territoire, il ne reste plus aux nazis hollandais qu'à se faire tuer sur place ou à disparaître. Mussert lui-même sera arrêté à La Haye le 7 mai 1945 et fusillé un an plus tard.

La Norvège présente un cas analogue. Comme en Hollande, en effet, le roi a pris le chemin de l'exil et c'est un Reichskommissär relevant directement d'Hitler, Josef Terboven, qui gouverne le pays. Cependant dès le début de l'invasion allemande, en avril 1940, Quisling, qui a fait tout ce qu'il pouvait pour paralyser l'effort de résistance des troupes norvégiennes, s'est emparé des leviers de commande de l'État et a constitué un gouvernement entièrement contrôlé par le Nasjonal Samling. Or, les Allemands refusent d'entériner ce coup d'État pour les mêmes raisons qu'ils n'ont pas soutenu Mussert. Dès le

15 avril, Quisling est destitué et son cabinet remplacé par un conseil administratif présidé par le gouverneur civil d'Oslo, Christensen. Peu à peu cependant l'occupant se rend compte des difficultés de l'administration directe. Malgré son impopularité et son peu d'impact sur les masses norvégiennes, le Nasjonal Samling a pour lui sa forte organisation. Surtout il dispose avec le Hird et la Förergarde de formations paramilitaires comparables à la SA, pouvant être utilisées pour le maintien de l'ordre et la chasse aux résistants. Par lui les Allemands peuvent exercer un contrôle indirect sur le pays. Aussi vont-ils à partir de 1941 favoriser le remplacement des autorités locales, bourgmestres, conseillers généraux, etc., qui leur sont hostiles, par des membres du NS. Finalement, en février 1942, Terboven demande à Quisling de constituer un nouveau gouvernement dont il attend une collaboration sans réserve.

Dès lors la Norvège se trouve soumise à un double totalitarisme : celui des Allemands, dont le poids se fait de plus en plus sentir au fur et à mesure que la Résistance gagne du terrain, et celui du Nasjonal Samling qui étend progressivement son influence sur l'administration, la justice, l'enseignement, les syndicats, etc. En 1943 la Norvège est apparemment devenue un État fasciste, avec un parti unique voué à l'encadrement et à la surveillance de la population, une milice, le Hird, des mouvements de jeunesse, etc. Elle fournit à la SS plusieurs unités de volontaires et à la Gestapo une police d'appoint. Quisling espère ainsi, comme Mussert, faciliter l'insertion de son pays dans l'Europe de l'ordre nouveau et notamment dans cette communauté des peuples du Nord où, tout de suite après l'Allemagne, il serait appelé à jouer un rôle essentiel. En fait, ni le peuple norvégien dans son ensemble, ni les Allemands, qui se préoccupent uniquement de leurs intérêts immédiats, n'ont pris ce projet très au sérieux. Jusqu'à la fin le Nasjonal Samling demeurera un mouvement minoritaire dont l'autorité ne repose que sur la présence des 400 000 hommes de la Wehrmacht. Le régime de Quisling, parfaitement isolé de la masse du peuple norvégien, n'a rien à voir dans ces conditions avec le modèle nazi dont il s'inspire. Il n'est qu'un corps étranger greffé sur un organisme rebelle. De plus en plus ce sont les Allemands qui font la loi en Norvège et, lorsque leur puissance s'effondre en 1945, Quisling et son administration civile ne jouent plus qu'un rôle formel. Arrêté à la Libération, le chef du Nasjonal Samling est lui aussi condamné à mort pour haute trahison et exécuté en octobre 1945.

La Belgique présente un cas original du fait de la multiplicité des formations fascistes et des attitudes variées adoptées par celles-ci vis-à-vis de l'occupant. Parmi les mouvements fascistes de l'avant-guerre, deux seulement, le VNV flamand et le parti rexiste de Degrelle, continuent de jouer un rôle important. Le Verdinaso n'a guère survécu à la disparition de Van Severen. Son nouveau leader, Jef François, tente bien de reconstituer le mouvement à la fin de 1940, mais il se trouve pris entre la tendance attentiste d'Anvers et de Bruxelles et son groupe gantois, nettement pro-nazi. Finalement c'est ce dernier qui l'emporte. En mai 1941 ceux de militants du Verdinaso qui n'ont pas rejoint les rangs de la Résistance sont absorbés par le VNV.

A la même époque disparaît la Légion nationale. Dès le début de l'occupation ce mouvement totalitaire et antisémite a choisi de mettre en sommeil ses options politiques et d'éliminer ses éléments collaborationnistes. Refusant les avances des Allemands qui auraient volontiers autorisé sa presse et ses meetings, elle entre en contact avec les réseaux de résistance et, en juin 1941, elle est intégrée en bloc à l'Armée secrète. D'où les poursuites qui seront bientôt dirigées contre ses responsables, particulièrement contre Paul Hoornaert, déporté au camp de Sonnenburg où il mourra d'épuisement en février 1944.

Les tendances nazies et collaborationnistes, on les trouve donc en premier lieu dans le VNV de Staf De Clercq. Pendant l'invasion allemande, ce groupe, qui était depuis longtemps en liaison avec les services du Reich, avait mené une action défaitiste prononcée et favorisé des désertions collectives. Dès le début de l'occupation, De Clercq se lance dans une collaboration active. D'abord parce qu'il croit ainsi pouvoir préserver l'indépendance flamande au sein de la future Europe hitlérienne, et aussi parce qu'il craint d'être débordé sur sa droite par l'aile nazie extrémiste du mouvement, le petit groupe De Vlag, de Jef Van de Wiele, et les hommes qui, autour de Lagrou et Hermans, vont constituer – avec le soutien d'Himmler – la légion Algemeene SS Vlanderen, inconditionnellement germanique. De Clercq échouera sur toute la ligne, comme après sa mort en 1943 son successeur Elias.

Le responsable du gouvernement général, von Falkenhausen, se soucie peu en effet des collaborationnistes, en qui il voit surtout un élément de désordre, dès l'instant où la population belge est à 95 % hostile aux slogans de « révolution nationale » prônés par les leaders fascistes. Quant à la SS, elle soutient de plus en plus ouvertement les éléments durs du VNV. Lorsqu'en janvier 1944 Elias rencontre Himmler à Salzbourg, ce dernier ne lui laisse aucun doute sur le sort qu'Hitler réserve à la Flandre, à savoir l'annexion pure et simple. Le leader du VNV songe alors sérieusement à dissoudre son organisation. Il n'aura pas le temps de le faire. En décembre 1944, tandis que le pays se trouve libéré par les Alliés, Van de Wiele est proclamé Führer du peuple flamand, dont le territoire est théoriquement intégré au Grand Reich.

Du côté wallon le mouvement rexiste allait connaître une évolution un peu différente, Degrelle devant à ses contacts directs avec les dirigeants de la SS et avec Hitler – qui ne décourage pas son rêve d'une Grande Bourgogne comprenant la Wallonie et la Bourgogne française et que dirigerait le chef de Rex pour le compte du IIIe Reich – de maintenir son autorité sur les éléments extrémistes de son mouvement (les Amis du Grand Reich allemand), au prix d'ailleurs d'une surenchère permanente. L'histoire du rexisme est, comme celle des mouvements fascistes français, celle d'une formation aux effectifs restreints (pas plus de 20 000 membres, parmi lesquels 4 000 Chemises noires constituant les formations de combat) qui dut rapidement renoncer à ses objectifs politiques propres, la « révolution national-socialiste », pour se mettre au service de l'occupant. Dès janvier 1941, Degrelle déclare à Liège : « Hitler a sauvé l'Europe et pour cette raison les rexistes ont le courage de crier : Heil Hitler ! »

Le ton est donné. Désormais Rex se contentera de fournir des troupes à la légion SS Wallonie, dont Degrelle assume lui-même le commandement, et à la Garde wallonne, milice de 6 000 hommes rattachés à l'armée allemande pour effectuer de sanglantes besognes de répression « antiterroriste ». Complètement coupé de la population, le mouvement est balayé par la tourmente de 1944. Degrelle trouvera refuge en Espagne, tandis que les dirigeants du VNV, Elias et Van de Wiele, seront condamnés à de longues peines de prison.

Jusqu'en novembre 1942 la France présente un cas très particulier. Coupée en deux par la ligne de démarcation, elle comprend une zone dite libre au Sud, sur laquelle s'exerce l'autorité d'un gouvernement légalement constitué en juin 1940, et une zone occupée au Nord où les Allemands règnent en maîtres. La première est le domaine du régime de Vichy, la seconde celui des groupes fascistes collaborationnistes, les Allemands jouant sur l'opposition entre les deux jusqu'au moment où, ayant occupé la zone sud, ils poussent à la fascisation du régime réactionnaire et traditionaliste instauré par le maréchal Pétain.

Car il n'y a pas grand-chose de commun entre le premier Vichy et le fascisme. Celui-ci constitue en effet un effort d'adaptation à la société industrielle. Consciemment ou non, il accélère le passage d'un stade du capitalisme à un autre. En même temps il cherche à créer une société nouvelle, fondée sur des communautés non traditionnelles (le parti unique, la SS, etc.), entièrement dominées par l'État, et il vise à l'avènement d'une humanité futuriste ayant rompu ses attaches avec le passé. La révolution nationale, qui est, comme le dit René Rémond, « l'autre nom de la contre-révolution » (*La Droite en France*), opère au contraire un retour aux sources, et aux sources les plus lointaines, de la tradition nationale. Vaincue, humiliée, la France se tourne instinctivement vers ses racines les plus profondes comme un guerrier blessé vers son enfance. Tel est dans une certaine mesure le sens de l'exode irrationnel du printemps 1940 : « La France ne fuit pas seulement devant le Teuton, le Prussien, le nazi. Elle se fuit en quelque sorte elle-même : elle se répudie comme France industrielle et citadine et se replonge dans une sorte d'archaïque état de nature, dans une ruralité élémentaire » (J. Plumyène et R. Lasierra, *Les Fascismes français*, Paris, Seuil, 1963, p. 146).

Telle est la signification de l'acceptation quasi unanime du régime de Vichy, de son idéologie régressive, de sa volonté de rétablir l'ordre moral et de restaurer les valeurs, les cadres (familles, corporations), les élites (notables), les activités (travail de la terre, artisanat) de l'ancienne France. Revanche, incontestablement, d'une France rurale, catholique, traditionaliste, sur le libéralisme des grands intérêts industriels et financiers et sur le radicalisme des « nouvelles couches » dont l'alliance préside depuis soixante ans aux destinées de la nation, tout autant que sur le spectre rouge incarné par les hommes du Front populaire. De proche en proche c'est tout l'héritage de la France révolutionnaire qui est répudié par Vichy et c'est pourquoi le régime qui se substitue à la IIIe République s'inspire des principes depuis toujours défendus par la tendance la plus réactionnaire de la droite, celle de l'ultracisme contre-révolutionnaire. C'est en ce sens que Maurras a pu parler de la « divine surprise ». Inspiration, mais non projection exclusive comme le prétend O. Wormser (*Les origines doctrinales de la révolution nationale*, Paris, Plon, 1971). « Le pétainisme, écrit Jean-Pierre Azéma, c'est donc avant tout la convergence d'idées lointainement reçues des droites, badigeonnées de quelques ingrédients empruntés aux années 30. Ce pessimisme fondamental, ce moralisme sentencieux, cet élitisme antidémocratique, cette construction organisatrice de la société, ce nationalisme défensif et replié sur lui-même ont un fondement bien réactionnaire – au sens précis du terme. C'était un pot-pourri – somme toute banal – d'idéologies fleurissant à la fin du XIXe siècle, maurrassisme compris, sans que ce syncrétisme qui se prétendait régénérateur fasse une part démesurée au système de Maurras » (*De Munich à la Libération, 1938-1944*, Paris, Seuil, 1979, p. 80).

Il reste que le groupe ultra-minoritaire des hommes de l'AF figure dès les premiers jours parmi les inspirateurs des institutions et de l'idéologie du nouvel État. Substitution d'une société « organique » à la société individualiste, restitution des fonctions et des pouvoirs usurpés par l'État aux groupes et aux communautés organisés, soumission du politique à l'économique et au social, mise en place d'un État corporatiste, hiérarchisé mais décentralisé, d'un « État-gendarme » réduit aux fonctions d'arbitrage et de maintien de l'ordre, tels sont les emprunts de Vichy à la pensée maurrassienne. Une pensée maurrassienne revue et corrigée par les hommes de tradition orléaniste qui contrôlent en majorité les rouages de l'État français et qui ont pour un temps renoncé au schéma libéral classique. Parmi eux émerge une petite légion de « technocrates », brillants sujets sortis de la rue d'Ulm (Pucheu), des Sciences Po (Lehideux) ou de l'X (Barnaud, Bichelonne) et qui vont, non sans résultats positifs, s'efforcer de donner à Vichy un visage plus moderniste.

Une chose en tout cas est certaine, c'est que cette alliance des conservateurs et de la contre-révolution se fait en partie contre le fascisme, contre sa conception d'un État totalitaire, contre sa volonté de mobiliser les masses et de remodeler le corps social. Il y a à cet égard une parenté étroite entre les objectifs du premier Vichy et ceux du régime paternaliste instauré par Salazar. Dans les deux cas le refus de la civilisation industrielle – beaucoup plus utopique dans la France des années 40 qu'au Portugal et d'ailleurs tempéré par les « jeunes cyclistes » (pour reprendre l'expression de J.-P. Azéma appliquée à la fraction technocratique du pouvoir vichyste) – englobe le fascisme qui en est l'un des produits idéologiques. La différence réside dans le fait que si l'Estado Novo parvient sans difficulté à absorber les tendances fascistes qui se sont développées en dehors de lui, tout comme le franquisme espagnol, en France le poids des circonstances extérieures, c'est-à-dire la présence de l'occupant, étendue à la fin de 1942 à l'ensemble du territoire, joue en sens inverse.

Car si Hitler a jugé utile de jouer pendant deux ans la carte vichyssoise, il a laissé en même temps prospérer en zone occupée les groupes fascistes. Or, dès le début ceux-ci se dressent avec violence contre tout ce que Vichy peut avoir de réactionnaire. Non qu'ils soient hostiles à tous les aspects de la révolution nationale. Le culte de Jeanne d'Arc, remis à l'honneur par Vichy, appartient tout aussi bien à la liturgie du PPF. Seulement Doriot y joint celui des communards et la différence n'est pas de pure forme. Le maréchal d'autre part échappera toujours aux attaques des fascistes parisiens. Mais ce n'est pas au Pétain incarnation de l'idée métaphysique de monarchie chère à Maurras que va leur admiration, c'est au chef potentiel d'un État totalitaire et révolutionnaire. Autrement dit, les fascistes français s'accommoderaient volontiers de l'appareil dictatorial mis en place par les hommes de Vichy, à condition de l'utiliser dans des perspectives entièrement différentes et d'en occuper les postes de commande.

Cela dit, il n'y a pas de rupture fondamentale entre le fascisme de l'occupation et celui de l'avant-guerre. Trois groupes rivaux continuent de se disputer l'essentiel d'une clientèle restreinte, ainsi que les fonds généreusement distribués par les services allemands de propagande. Celui qui s'apparente le plus à la stricte orthodoxie fasciste est le francisme de Marcel Bucard. Mais il ne constitue qu'un groupuscule isolé, sans aucun impact sur l'opinion, et il se trouve desservi par la nature de son recrutement, toujours axé sur les marginaux et le *Lumpenproletariat*. Le PPF de Doriot trouve une audience plus vaste, au moins au début de l'occupation. Il le doit à la relative cohérence de sa doctrine et à la personnalité de son chef. Doriot, qui, du fait de son antisoviétisme virulent, a plus que ses rivaux la confiance des Allemands, joue en même temps une autre carte qui est celle de sa fidélité au maréchal. En réalité il songe surtout à se servir de celui-ci pour faire triompher sa propre politique. Le troisième mouvement ayant une relative importance est le Rassemblement national populaire (RNP) de Marcel Déat. Nouveau venu sur la scène du fascisme français puisqu'il n'est fondé qu'en février 1941, il est en fait l'héritier direct du courant néo-socialiste de l'avant-guerre. C'est dire qu'il conserve les aspects progressistes et planificateurs qui font du RNP un fascisme de gauche. Déat lui-même souligne les liens qui le rattachent à la France révolutionnaire. Et pour lui, comme pour Doriot, il n'y a pas de contradiction entre cette attitude et l'adhésion à l'hitlérisme anticapitaliste et socialisant.

Si ces clivages ont encore un sens dans la France de l'occupation, Déat se trouve maintenant plus à gauche que le leader du PPF. Il n'a pas comme ce dernier eu besoin des subsides des milieux d'affaires pour lancer son mouvement, et n'a pas attiré à lui les transfuges de l'Action française. Plus que Doriot, il reste marqué par son passé de militant socialiste. D'où l'esprit doctrinaire, raisonneur, du RNP et aussi son anticléricalisme militant. D'où également son hostilité très vive à l'égard de Vichy, « capitale de la réaction ». De tous les grands mouvements fascistes de cette période, celui de Déat est sans doute celui qui se rapproche le plus par sa doctrine du national-socialisme première manière. Ses progrès sont d'ailleurs assez rapides, même s'il faut accueillir avec la plus grande prudence les chiffres qui sont avancés par *L'Œuvre,* devenue l'organe officiel du RNP : 200 000 adhérents en mars 1941, 500 000 en juin. Sans doute convient-il de les diviser par trois ou par quatre : cela suffit néanmoins pour inquiéter Doriot. Les deux hommes d'ailleurs se détestent, Doriot raillant le petit professeur, le fonctionnaire consciencieux et Déat méprisant le tribun démagogue.

A côté de ces trois organisations dominantes et concurrentes du fascisme français, prolifèrent les groupuscules ultras aux effectifs parfois symboliques, mais nullement en reste sur les premières en matière d'activisme et de surenchère verbale. Citons pêle-mêle la Ligue française de l'ex-bonapartiste et officier aviateur Pierre Costantini, le parti français national-collectiviste (PFNC) du journaliste Clementi, le Front franc de Boissel, architecte et mutilé de guerre que le Front populaire a envoyé en prison pour menaces de mort à l'adresse du chef du gouvernement, le Comité d'action antibolchevique de Paul Chack, un officier de marine venu à la collaboration par haine de l'Angleterre, le parti national-socialiste français de Christian Message,

Léon Degrelle, lors d'un meeting du mouvement rexiste en septembre 1936.

Marcel Déat, chef de file des « néo-socialistes », ministre de l'Air en 1936, lors d'un conseil de cabinet.

Le maréchal Pétain à la Noël 1941.

ancien séminariste devenu secrétaire d'un syndicat de limonadiers, le parti social-national de France, la Croisade française du national-socialisme, les Gardes françaises, le Jeune Front (Robert Hersant), etc. Dans un ouvrage qui a fait date sur la collaboration (*Les Collaborateurs,* Paris, Seuil, 1976), Pascal Ory a suivi l'itinéraire de ces innombrables groupes et de leurs « petits chefs » rivaux. Émergent du lot le groupe Collaboration, constitué surtout d'intellectuels et animé par l'écrivain Alphonse de Châteaubriant, directeur de *La Gerbe,* et le Mouvement social révolutionnaire (MSR) fondé en octobre 1940 par Eugène Deloncle et par ses amis cagoulards : Jacques Corrèze et Jean Filliol, organisateur et principal exécutant du meurtre des frères Rosselli.

Ce qui rapproche les diverses tendances du fascisme français – par ailleurs rongé par des querelles intestines et par l'âpre rivalité des chefs –, c'est évidemment leur attitude à l'égard de l'occupant. Encore que leur ultracollaborationnisme, quels que soient ses aspects délirants et souvent monstrueux, ne peut être réduit à la trahison pure et simple. Sans doute y a-t-il parmi les fascistes français des agents de l'Allemagne, depuis longtemps appointés par les services de Goebbels. Sans doute aussi les mouvements collaborationnistes vivent-ils essentiellement de l'aide financière que leur accorde l'occupant. Le goût du pouvoir, de l'argent, de l'aventure a joué dans nombre de cas. Mais cela ne suffit pas à expliquer un engagement qui, pour beaucoup, se terminera sur le front de l'Est ou devant un peloton d'exécution. Il y a incontestablement des motivations idéologiques et elles sont différentes de celles qui poussent les hommes de Vichy ou Pierre Laval à la collaboration d'État, les premiers pour atténuer les effets de l'occupation sur les populations civiles, le second par souci d'intégrer la France vaincue à la future Europe hitlérienne.

Pour les partisans de Doriot et de Déat, et plus encore pour les intellectuels fascistes qui gravitent autour de Brasillach et de Drieu La Rochelle, ce qui compte avant tout, c'est la mise en place de l'ordre nouveau national-socialiste. C'est le rejet du vieux monde bourgeois, conformiste, étriqué, et l'avènement de l'homme fasciste, héritier de l'esprit nihiliste et nietzschéen des corps francs. Illusion, sans doute. Les fascistes français en sont restés au premier fascisme. Ils se sont laissés prendre au mirage socialisant du nazisme sans voir quelle était la véritable nature de l'hitlérisme; ou sans vouloir la regarder en face. Coupés des masses, en froid avec Vichy, rejetés par conséquent par la quasi-totalité de la communauté nationale, ils trouvent un refuge dans l'idée, parfaitement utopique, de l'Internationale fasciste, dans la vision en trompe l'œil d'une Europe réunifiée par Hitler et débarrassée à la fois du communisme et du capitalisme. Cette mystique, ce romantisme de désespérés, largement répandus dans l'œuvre littéraire d'un Drieu (*Gilles, Récit secret*), trouvent leur expression concrète dans la création, en juillet 1941, de la Légion des volontaires français contre le bolchevisme (LVF), dans laquelle Doriot joue un rôle déterminant (il combat sur le front oriental dès l'été 1941), mais où se retrouvent des représentants de toutes les tendances du fascisme français. Pour une croisade contre le communisme ? Sans doute, encore que cela soit pour beaucoup un prétexte et non une véritable fin. L'essentiel est dans la rupture avec le vieux monde, l'engagement dans une aventure dangereuse et bientôt sans espoir, à la limite, le triomphe de l'instinct de mort. Cette volonté autodestructrice qui ne hante pas seulement certains des « lansquenets » de la LVF, mais que l'on retrouve chez les intellectuels et que symbolise le suicide de Drieu au moment où s'écroule définitivement le rêve de l'Internationale fasciste : « Je ne suis pas qu'un Français, je suis un Européen... Mais nous avons joué, j'ai perdu. Je réclame la mort » (*Récit secret*).

A partir de 1943, deux faits caractérisent le fascisme français. D'une part, son audience de plus en plus limitée auprès de la population et, d'autre part, son influence croissante sur le second Vichy. Jusqu'alors, les Allemands s'étaient contentés, pour faire plier l'équipe vichyssoise, d'agiter périodiquement l'épouvantail des ultracollaborationnistes de Paris avec lesquels ils pouvaient d'un jour à l'autre constituer un contre-gouvernement. Après l'occupation de la zone sud, Vichy n'a plus les moyens de s'opposer à l'intrusion des fascistes dans les rouages de l'État français, tant au niveau gouvernemental qu'aux échelons subalternes. Cette fascisation de la révolution nationale apparaît notamment dans la création de la Milice en janvier 1943.

Aux origines de cette formation paramilitaire qui va servir d'auxiliaire aux Allemands dans la lutte contre la Résistance et attirer à elle un certain nombre de jeunes, il y a, en effet, le Service d'ordre légionnaire (SOL), l'aile extrémiste de la Légion française des combattants. Cette association d'anciens combattants dirigée par des notables de province, sur laquelle Pétain avait tenté d'appuyer son pouvoir, n'a elle-même rien à voir avec un mouvement fasciste et les essais qui seront faits pour la transformer en un parti unique, l'instrument de la révolution nationale, n'aboutiront pas. Il existe cependant en son sein des éléments durs, incarnés par un homme comme Joseph Darnand, un ancien maurrassien devenu doriotiste et plus ou moins lié à la Cagoule. Depuis 1940, celui-ci se trouve à la tête de la Légion dans le département des Alpes-Maritimes. Lorsque, après l'attaque contre l'URSS, se constitue le SOL, dont les sentiments antibolcheviques sont beaucoup plus poussés que ceux de la Légion proprement dite, Darnand ne tarde pas à y imposer son autorité. Aussi devient-il tout naturellement le chef de la Milice.

Avec ce mouvement, au sein duquel s'opère, comme au PPF, la

fusion de la tradition (Jeanne d'Arc), du nationalisme radical (Drumont) et de l'esprit révolutionnaire (de Saint-Just à Proudhon), ce sont certaines virtualités fascistes de la révolution nationale qui se développent, jusqu'à bientôt étouffer les autres. Le terme de cette évolution se situant au moment où, dans l'exil de Sigmaringen, se constitue, sous l'impulsion de Doriot et avec la bénédiction du Führer, un « gouvernement de collaboration fraco-allemande » qui n'exercera jamais son autorité que sur les quelques centaines de collaborationnistes traqués qui ont pris, après la Libération, le chemin de l'Allemagne.

L'Europe de l'Est

Parmi les pays qui vont devenir, entre 1940 et 1945, les satellites de l'Axe, il faut faire une place à part aux deux États vassaux nés du démantèlement de la Tchécoslovaquie et de la Yougoslavie. Théoriquement indépendante, la Slovaquie se trouve, en fait, étroitement liée au Reich. Sans devenir à proprement parler un État fasciste, au sens fort du terme, elle subit très fortement l'influence nazie. D'où une évolution qui n'est pas sans rappeler celle de la France après 1943. En principe, ce sont les tendances cléricales et réactionnaires qui l'emportent avec Mgr Tiso, chef de l'État jusqu'en 1945, avec, toutefois, des aspects totalitaires qui transparaissent par exemple dans le rôle joué par le parti unique : le parti populaire slovaque de Hlinka. Mais Tiso doit de plus en plus compter avec les éléments extrémistes pro-nazis que représentent des hommes comme Tuka, un moment président du Conseil, et Mach, qui, avec l'appui des Allemands, devient chef de la Garde Hlinka, une sorte de SS slovaque qui s'illustrera sinistrement dans la liquidation de la communauté juive.

Il s'opère donc, au fur et à mesure que la pression allemande se fait plus forte – devant la menace des maquis, Tiso finira par faire appel à la Wehrmacht en 1944 –, une osmose croissante entre l'État chrétien autoritaire incarné par Tiso et les partisans de l'Europe hitlérienne, les seconds contraignant les premiers à adopter des mesures de plus en plus radicales. D'où l'amalgame qui sera fait entre eux à la Libération et la condamnation à mort de Mgr Tiso par un tribunal du peuple en 1947.

En Yougoslavie, le démantèlement qui a suivi la victoire allemande de 1941 a donné naissance à de petits États : le Monténégro, la Serbie, où s'affrontent dans une lutte commune contre l'occupant les partisans de Tito et les tchetniks de Mihajlović, et, surtout, la Croatie où Ante

Pavelić a pris le pouvoir et où les oustachis font régner la terreur. En principe, c'est la tutelle italienne qui continue de s'exercer sur le pays, mais Pavelić la supporte mal et laisse une partie des dirigeants de l'Oustacha rechercher, par souci d'équilibre, l'appui direct des Allemands. En attendant, il impose à la Croatie un régime totalitaire et terroriste qui exerce son action répressive non seulement contre les résistants mais contre l'ensemble de la population serbe, impitoyablement persécutée et en partie massacrée, ainsi que contre les juifs, traités avec la dernière rigueur. A la différence de la Slovaquie, il n'y aura pas en Croatie d'opposition entre le traditionalisme autoritaire et chrétien qui tient les rênes du pouvoir et les tendances plus spécifiquement fascistes. C'est le premier qui prend ici ouvertement, et jusque dans ses plus terribles excès, le visage du fascisme.

Là où les Allemands exercent directement leur autorité, les tendances pro-nazies et collaborationnistes ne donnent lieu à aucune création originale. Soit parce qu'elles se trouvent entièrement télécommandées par les représentants du Reich, ce qui est le cas du protectorat de Bohême-Moravie où Hitler maintient la fiction de l'autonomie tout en faisant entrer dans le gouvernement de Krejci des nazis tchèques et un Allemand. Soit parce que le Führer ne tient pas à les voir se développer, comme en Pologne où il rejette avec mépris les avances du prince Radziwill et de Wladislaw Studnicki. Une seule exception, la résistance anticommuniste russe que tentent d'organiser les Allemands à partir de 1942. Sans doute le général Vlassov, dont certains voudraient faire un « de Gaulle russe » (l'expression est de Rosenberg), n'a-t-il rien d'un chef fasciste. Fait prisonnier devant Leningrad en juillet 1942, il est gardé à vue dans la région de Berlin et tenu en réserve par les nazis, mais Hitler se refuse longtemps à le mettre à la tête d'une force russe contre-révolutionnaire, car son hostilité à Staline et son désir d'obtenir pour son pays une paix séparée ne suffisent à pas faire de lui un allié inconditionnel. Il faut attendre la fin de 1944 pour que, face à la poussée des troupes soviétiques, le Führer se décide à le laisser organiser un Comité pour la libération des peuples de Russie et à lui confier une petite « armée de libération » de 50 000 hommes constituée à partir des *Osttruppen,* ces bataillons d'anciens prisonniers cosaques et caucasiens.

Dans les trois pays autoritaires alliés de l'Allemagne, Hitler joue systématiquement, sauf à l'extrême fin de la période en Hongrie, la carte des gouvernements réactionnaires contre les mouvements d'inspiration fasciste ou nazie. En Bulgarie, le roi Boris parvient à maintenir son pouvoir dictatorial classique tout en pratiquant une politique de collaboration prudente avec le Reich et sans s'engager dans la guerre contre l'URSS. En Roumanie, le conflit entre la droite autoritaire et les fascistes de la Garde de fer se termine par la victoire de la première. Après la courte période de dictature légionnaire qui suit l'abdication du roi Carol en septembre 1940, le maréchal Antonescu reprend la situation en main au début de 1941. Nommé *Conducator,* il rompt avec la Garde de fer et bannit ses dirigeants, à commencer par Horia Sima, le successeur de Codreanu, qui trouve refuge en Allemagne. Ce qui ne l'empêche pas de donner à son régime une teinture de totalitarisme, ni surtout d'apporter à Hitler un appui considérable en envoyant 30 divisions sur le front oriental et en fournissant à l'Allemagne la majeure partie de son approvisionnement en pétrole.

La Hongrie de Horthy adopte jusqu'en 1944 une attitude semblable et Hitler ne voit aucune raison de soutenir les Croix fléchées de Szálasi tant qu'il peut obtenir l'appui du gouvernement légal. Ce n'est qu'à partir du moment où le régent essaie de conclure un armistice séparé avec les Russes qu'il place à la tête du gouvernement le chef des Croix fléchées (mars 1944). Trop tard pour que Szálasi puisse transformer son pays en un État totalitaire national-socialiste. Quelques mois après son avènement, il doit s'enfuir devant l'avance des blindés soviétiques pour trouver en Allemagne un asile bien provisoire : lui aussi sera exécuté en 1946.

A de très rares exceptions près – le cas de la Croatie est tout à fait limite –, il faut donc attendre l'extrême fin de la période pour qu'avec les débuts de la débâcle allemande les dirigeants du Reich se décident à jouer, tant dans les démocraties occupées que chez les satellites d'Europe orientale, la carte des fascismes nationaux. Jusque-là, Hitler a surtout songé à éviter les heurts entre occupants et populations soumises, à soutenir, par conséquent, les gouvernements légalement constitués, tout en agitant dans l'ombre, ne serait-ce que pour faire pression sur eux, le spectre de l'ultracollaborationnisme. Il espérait ainsi avoir les mains libres au moment où se constituerait, sous la houlette du vainqueur, le nouvel ordre européen. Cela ne l'a pas empêché de tirer le plus grand profit possible du fanatisme de ses partisans non allemands et d'exploiter au maximum la fureur romantique et suicidaire des admirateurs de l' « Empire SS ».

XV

Prolongements et résurgences du fascisme dans le monde de 1945 à nos jours

L'effondrement des puissances de l'Axe marque pour les fascistes du monde entier le début d'une longue traversée du désert. Tandis qu'en Europe de l'Est on passe presque sans transition des régimes dictatoriaux de droite au totalitarisme stalinien, les pays libérés par les troupes anglo-américaines retrouvent, à peine modifiées par l'expérience de la défaite, leurs institutions démocratiques. Seuls l'Espagne et le Portugal, qui ont eu la prudence de se tenir à l'écart du conflit, échappent à une liquidation qui ne fait pas le tri entre régimes authentiquement fascistes et dictatures réactionnaires.

En même temps, tous ceux qui de près ou de loin ont collaboré avec les nazis, participé aux opérations de police dirigées contre les résistants ou à la lutte contre le bolchevisme, voire simplement milité dans les mouvements favorables à l'ordre nouveau hitlérien, sont poursuivis, traqués, jugés parfois de façon sommaire et exécutés. Le fascisme européen va perdre ainsi en quelques mois la plupart de ses leaders, tués au cours des dernières semaines de la guerre ou fusillés au lendemain de la capitulation. Doriot, Bucard, Quisling, Szálasi, Mussert et beaucoup d'autres disparaissent de cette façon. Pas tous cependant : le sauvetage des partisans allemands et non allemands de la dictature hitlérienne s'organise assez vite à travers des réseaux qui aboutissent à Madrid, à Lisbonne ou en Amérique du Sud. Le Français Marcel Déat, le Belge Degrelle, le chef des Gardes de fer, Horia Sima, celui des oustachis, Ante Pavelić, parviennent à échapper à l'épuration et à se réfugier à l'étranger.

Pendant quelques années, les mouvements fascistes européens, privés de leurs chefs et discrédités par les atrocités SS, se réfugient dans une prudente clandestinité. Portés par la vague anticommuniste qui déferle sur le monde occidental au plus fort de « la guerre froide », ils vont cependant réapparaître au grand jour dès le début des années 50.

De la clandestinité

à la nouvelle « internationale fasciste »

Planifiée de longue date, au moins depuis l'été 1944, la survie du nazisme s'effectue selon le plan prévu au cours des semaines qui suivent la débâcle. Utilisant des filières préparées depuis longtemps, les responsables politiques et militaires du IIIᵉ Reich prennent le chemin de l'exil. Les plus exposés sont les anciens SS : leur passage à l'étranger est assuré par l'organisation Odessa qu'a mise sur pied Otto Skorzeny, le chef du commando aéroporté qui avait libéré Mussolini en 1943. De Bari, point d'aboutissement du réseau, les fugitifs gagnent le Moyen-Orient et surtout Lisbonne et Madrid où beaucoup se fixeront (Skorzeny a lui-même installé son quartier général dans la capitale espagnole). D'autres s'embarquent pour l'Amérique latine, principalement pour l'Argentine où, jusqu'à sa chute, le régime du colonel Peron les accueille avec la plus grande bienveillance. Après avoir fonctionné pendant plusieurs années, l'organisation Odessa sera relayée par une autre association clandestine, la Hilfsorganisation auf Gegenseitigkeit der Waffen-SS (HIAT), constituée sous l'égide d'anciens généraux SS (Kurt Meyer, Sepp Dietrich), en principe pour assister les familles des SS tués au combat, en réalité pour travailler à la réhabilitation de l'Ordre noir.

Pendant la guerre, le recrutement de la SS avait largement débordé, nous l'avons vu, hors des frontières du Reich. D'où l'idée de Skorzeny de regrouper les rescapés de ces légions de volontaires. A la tête de cette organisation extérieure, nous trouvons également, outre Rudel, un as de la Luftwaffe devenu le bras droit de Skorzeny, le Belge Degrelle et le colonel Dollmann, ancien agent numéro un d'Himmler en Italie. Le centre nerveux du réseau se trouve également à Madrid, mais des relais importants ont leur siège au Caire, à Tanger, à Malmö, à Buenos Aires et même à Rome. Entre ces centres de commande circulent, sous le couvert d'une banale activité commerciale, d'anciens nazis de toute provenance en liaison avec les groupuscules d'ex-collaborationnistes qui n'ont pas tardé à se reconstituer clandestinement dans la plupart des pays.

Ce sont ces groupes ultra-minoritaires de nazis intransigeants qui, autour du slogan d'une Europe « socialiste », s'efforcent dès 1947-1948 de se constituer en « internationale » en partant de ce qui existe, à savoir l'organisation extérieure de Skorzeny. Mais le projet se heurte à la résistance des grands mouvements néo-fascistes européens, en particulier le MSI et le Deutsche Rechtspartei, occupés l'un et l'autre à se refaire une honorabilité afin de récupérer une partie de l'électorat de droite. C'est sans grand enthousiasme qu'ils se résoudront finalement à envoyer des représentants aux grandes rencontres du fascisme européen. La première eut lieu à Rome en mars 1950. Aucune décision n'y fut prise et c'est seulement l'année suivante, en mai 1951, qu'un embryon d'organisation internationale fut mis sur pied lors du congrès qui regroupa à Malmö, en Suède, une centaine de délégués appartenant aux principaux mouvements européens : E. Massi pour l'Italie, Mosley pour l'Angleterre, Maurice Bardèche pour le Comité national français, etc.

Cette Internationale de Malmö, qui prend le nom de Mouvement social européen, fonde son programme sur deux thèmes essentiels : un anticommunisme virulent et la constitution d'une troisième force européenne. Mais la prudence des délégués du MSI et du DRP l'empêche d'adopter l'antisémitisme de choc des petits groupes qui avaient été à l'origine de la rencontre. D'où la scission qui interviendra quelques mois plus tard. Sous la houlette du Suédois Per Engdahl, le MSE coordonne tant bien que mal l'action d'une quarantaine de mouvements néo-fascistes répartis sur une douzaine de pays, tandis que se constitue en septembre 1951 à Zurich une nouvelle internationale, l'Ordre nouveau européen, qu'animent le Français René Binet et le Suisse Amaudruz et qui adopte une attitude farouchement raciste et antisémite. L'ONE se prononce également pour la troisième force européenne et reprend le programme anticommuniste de sa rivale, mais en le poussant plus loin. Il réclame en effet la révision des frontières de 1945 et la libération des satellites de l'URSS. Regroupant une cinquantaine de mouvements originaires d'une vingtaine de pays, l'ONE connaîtra un certain succès entre 1955 et 1961.

A partir de cette date, d'autres internationales fascistes vont se constituer, les clivages et les divisions étant moins dus à des questions de doctrine et de tactique qu'à la rivalité des leaders. Il ne faut d'ailleurs pas prendre au pied de la lettre le vocable « internationale » qui sert à désigner ces organisations, en fait simples instruments de liaison et d'information. Parmi les plus importantes, il faut signaler la Jeune Europe du Belge Thiriart, en liaison avec l'OAS et avec les néo-colonialistes du Congo, l'Europafront, né d'une scission de la précédente (sur le problème du Haut-Adige), le parti national européen, fondé à Venise en 1962 à l'initiative de Mosley, enfin la World Union of National Socialists (WUNS) qui n'a pas hésité à prendre la croix gammée comme emblème et l'homme SS comme modèle. D'abord dirigée par l'Anglais Colin Jordan, cette dernière organisation est passée en 1963 sous le contrôle du nazi américain Lincoln Rockwell. Aucun de ces mouvements n'a réussi à exercer un monopole, même temporaire, sur l'ensemble des mouvements fascistes. Leur existence prouve cependant que, dans le droit fil de l'évolution amorcée pendant la guerre, le « nazi-fascisme » est devenu à sa manière une idéologie internationaliste.

Depuis le milieu de la décennie 1970, sur fond de crise internationale et de retour à la guerre froide, les liens se sont toutefois resserrés entre les plus radicales des organisations néo-fascistes et néo-nazies. Clandestines ou se tenant un peu en deçà du seuil de l'illégalité, profitant de la banalisation de la terreur et de l'oubli partiel du passé, tantôt manipulées par les polices parallèles et les services secrets de l'un ou l'autre camp, tantôt manipulatrices de groupuscules d'orientation diamétralement opposée mais qui appliquent les mêmes méthodes (les armes utilisées par la Fraction armée rouge d'Ulrike Meinhof pour tenter de tirer de prison l'anarchiste Baader auraient été fournies à la jeune gauchiste allemande par des extrémistes néo-nazis), ces organisations forment aujourd'hui un réseau complexe aux stratégies tortueuses, lié au divers centres du terrorisme international et bénéficiant comme lui de l'appui logistique et financier des adversaires du sionisme et de l'Occident.

Antisémitisme et volonté déstabilisatrice se mêlent ici pour motiver des actions terroristes aveugles dirigées tantôt contre des communautés juives : attentat de la rue Copernic à Paris en octobre 1980, tantôt contre des objectifs moins étroitement ciblés : attentat contre la gare de Bologne en août 1980, qui a fait 85 morts et 260 blessés, et bombes

1. *L'attentat de la rue Copernic, le 3 octobre 1980, a fait 4 morts et 10 blessés. « Antisionistes » arabes et néo-nazis européens se retrouvent fréquemment dans des entreprises visant autant à déstabiliser l'Occident (l'attentat de la rue Copernic a été commis à l'aide d'un explosif en provenance des pays de l'Est) qu'à manifester de façon violente et aveugle leur passion antisémite.*

placées quelques semaines plus tard à l'entrée de la Fête de la bière à Munich (13 morts et plus de 300 blessés). Dans les trois cas, comme dans beaucoup d'autres, les investigations policières ont croisé des filières enchevêtrées où figurent toujours des représentants de la nouvelle génération néo-fasciste et néo-nazie.

Les vaincus de la guerre
à l'heure du néo-fascisme

Nazis, fascistes et assimilés ayant échappé à l'épuration dans les pays d'Europe orientale satellisés par l'URSS ont cherché massivement refuge à l'Ouest après la guerre et s'y sont reconstitués en organisations extrémistes semi-clandestines. On trouve là dans le courant des années 50 des mouvements ukrainiens, bulgares, roumains, slovaques et surtout des Hongrois. Ces derniers, dirigés par les ex-généraux fascistes Andras et Férenc, ainsi que par l'ancien secrétaire d'État Alföldi Geza, ont assurément joué un rôle non négligeable dans l'insurrection populaire de 1956, la répression qui a suivi celle-ci venant d'ailleurs grossir leurs rangs et élargir leur audience. Soutenus financièrement par certains services secrets occidentaux, ces groupes fascistes contrôlent plus ou moins les associations de réfugiés et ont entre eux des liens étroits. Ils publient des journaux et poursuivent une action qui, en dehors de quelques actes terroristes isolés, vise surtout à propager de part et d'autre du « rideau de fer » des slogans anticommunistes.

Présente en Allemagne fédérale, en Angleterre et en Espagne, la plus agressive de ces organisations a installé son quartier général en Argentine. Il s'agit de l'ancienne Oustacha, toujours dirigée jusqu'à sa mort en 1959 par Ante Pavelić. Rejetant à la fois le fédéralisme yougoslave et le socialisme titiste, elle a multiplié pendant une vingtaine d'années les actions terroristes, tant à l'Ouest que sur le territoire yougoslave, et publié (notamment en Allemagne fédérale) de nombreux journaux faisant l'apologie du terrorisme et des massacres perpétrés en Serbie pendant la guerre.

A côté de ce fascisme des irrédentistes, se développent au sein des anciennes puissances de l'Axe des tendances néo-fascistes et néo-nazies. Sans exagérer le phénomène, il est clair, tout d'abord, qu'après une période de repli et de discrète abstention, les ex-nazis ont, dès la fin des années de la reconstruction, repris pied dans les cadres de l'appareil d'État. Utilisant comme cheval de Troie les nouveaux partis démocratiques, ils ont fait leur réapparition au Bundestag et au Bundesrat où ils occupaient, à la fin de la décennie 1960, le quart des sièges. Ils ont, en même temps, retrouvé une place éminente dans la haute administration, dans l'appareil judiciaire et dans l'armée. On peut admettre, certes, que beaucoup de ces serviteurs du Grand Reich ont sincèrement rompu avec leur passé nazi et se sont mis sans arrière-pensée au service de la démocratie de Bonn. Il reste que nombre d'entre eux ont surtout cherché à se refaire une honorabilité et n'ont pas abandonné tout espoir de rendre un jour à l'Allemagne, sous l'égide d'un pouvoir fort, sa puissance militaire et ses frontières de 1939.

Plus significative encore est la prolifération des associations militaristes. On en comptait plus de 1 200 en 1973, parmi lesquelles il faut citer le Stahlhelm, le Kiffhaüserbund, le Deutscher Soldaten Bund, toutes de tendance nationaliste et ultra-conservatrice, et aussi la HIAG der Waffen-SS, reconnue d'utilité publique en 1959, dont les réunions tapageuses se sont souvent traduites par l'apologie du régime hitlérien, les deux plus célèbres s'étant tenues à Hameln en 1959 et à Windsheim en 1960 en présence du général Lammerding et du général Dietrich, anciens commandants des divisions Das Reich et Adolf Hitler. Pour ces rescapés des troupes d'élite d'Himmler, il ne s'agissait même plus de se réinstaller à pas feutrés dans les rouages de l'État allemand, mais de proclamer hautement leur attachement au passé national-socialiste et leur volonté d'obtenir de leurs compatriotes une considération qui soit à la mesure des sacrifices consentis.

Les remarquables succès économiques de la RFA et aussi la maturité acquise par la majorité du peuple allemand ont certes permis de résorber peu à peu ces tendances pro-nazies, la génération des « nostalgiques » cédant le pas progressivement aux hommes dont la carrière politique ou administrative s'est entièrement déroulée dans le cadre d'un État libéral et démocratique. Le risque d'une restauration fasciste imposée « par le haut » a donc à peu près complètement disparu. En revanche les séquelles, d'un fascisme « par le bas » continuent de se manifester épisodiquement sous la forme d'organisations spécifiquement néo-nazies.

Tandis que sont adoptées par les Alliés des mesures très temporaires de dénazification, plusieurs mouvements de droite et d'extrême droite se reconstituent en Allemagne au lendemain de la capitulation. Parmi eux, le Deutsche Rechtspartei (parti allemand de droite), fondé en 1946, affiche un conservatisme respectueux de la démocratie mais, déjà, sa critique du régime hitlérien se limite à celle des composantes « non allemandes » du national-socialisme. Baptisé « opposition nationale », comme le bloc constitué en 1930 par Hitler et Hugenberg, il obtient quelques résultats encourageants lors des premières élections au Bundestag et fait entrer cinq de ses représentants au parlement fédéral. Jugeant son programme trop modéré, un certain nombre de dirigeants du DR rejoignent en 1949 le général Remer, l'homme qui avait réprimé avec la brutalité que l'on sait le complot du 20 juillet 1944, pour fonder le Sozialistische Reichspartei, lui aussi dénonciateur des excès et des aberrations du NSDAP – comme la plupart des groupuscules extrémistes qui se constituent à la même époque – tout en se démarquant assez peu de la doctrine nazie. Porté par la vague d'anticommunisme qui a pris naissance avec la « guerre froide », le SR marque des points, notamment en Basse-Saxe, mais la virulence de son leader, Remer, provoque bientôt son interdiction. Il a alors 20 000 adhérents, dont 12 000 en Basse-Saxe.

Nombre de ces derniers vont alors rejoindre les rangs d'une autre formation néo-nazie : le Deutsche Rechtspartei, dont beaucoup de dirigeants comptent parmi les anciens partisans du Führer – l'ex-secrétaire d'État Naumann, le général SS Meinberg, l'as de la Luft-waffe Rudel, et Otto Hess, le frère du lieutenant d'Hitler – mais qui se montre suffisamment prudent dans ses attaques contre le gouvernement pour échapper à l'application de l'article 38 de la Loi fondamentale. Cela n'empêche pas le DR d'affirmer hautement ses attaches avec la doctrine hitlérienne ainsi que ses sentiments antisémites. Son poids dans la vie politique allemande est à peu près nul. Il est vrai que, de 1952 à 1963, le courant néo-nazi tend à se tarir, conséquence de la prospérité économique, du relatif dégel de la situation internationale et de la stabilité politique instaurée sous l'égide de la CDU.

L'année 1964 marque le réveil de l'extrême droite nationaliste et fascisante, stimulée par les difficultés de tous ordres qui marquent la fin de l'ère Adenauer. Les anciennes et groupusculaires formations néo-nazies ne semblent pas en mesure d'exploiter cette situation car leur rigidité doctrinale et la violence de leurs méthodes limitent leur impact électoral à la frange extrémiste des nostalgiques du IIIe Reich. Le nouveau parti qui se constitue à Hanovre, en novembre 1964, le Nationaldemokratische Partei Deutschlands (NPD), a des ambitions plus vastes. Il cherche à rassembler tous les mécontents, y compris ceux qui restent attachés aux institutions démocratiques, et pour cela il renonce officiellement aux aspects les plus répulsifs de la doctrine national-socialiste. A la différence de ses prédécesseurs, le NPD ne fait pas ouvertement profession de racisme et d'antisémitisme et tempère ses menaces contre la démocratie de Bonn. Simple manœuvre tactique qui lui permet d'échapper à l'interdiction et d'attirer dans ses rangs nombre de petits-bourgeois ennemis de l'aventure.

En politique extérieure, le NPD se veut à la fois profondément « européen » – l'Europe « troisième force » constitue à ses yeux la seule voie possible entre le communisme et l'américanisation – et farouchement irrédentiste, ses revendications portant non seulement sur l'Allemagne de l'Est, agrandie des provinces situées au-delà de la ligne Oder-Neisse, mais également sur d'autres territoires « allemands », tel celui des Sudètes. En politique intérieure, il prône l'oubli du passé et l'amnistie générale, le rétablissement de la moralité publique et privée, l'élimination de la lutte des classes, la défense des petits intérêts, la limitation de l'immigration étrangère et de l'aide au Tiers Monde. Bref, un programme qui fait davantage penser au poujadisme et à ses résurgences jusqu'à nos jours qu'à un retour aux sources du national-socialisme.

Cette modération, destinée à donner au NPD un vernis d'honorabilité qui manquait à ses prédécesseurs, est due à l'action personnelle d'Adolf von Thadden. C'est lui qui, pour obtenir les suffrages de la clientèle petite-bourgeoise, prend la responsabilité d'éliminer le noyau dur du parti, issu principalement du DRP où Thadden avait lui-même joué un rôle de premier plan avant 1964. La relève de la garde est assurée par des éléments jeunes, étudiants et lycéens que les événements de 1968 ont radicalisé à droite, et par une nouvelle génération d'oubliés de la croissance.

Ainsi constitué, le NPD, qui compte environ 30 000 adhérents en 1967, s'engage dans une voie résolument électoraliste. Cela ne l'empêche pas, comme le MSI, de se tenir en liaison avec les groupuscules terroristes qui pratiquent l'attentat politique (par exemple, celui dirigé contre le leader gauchiste étudiant Rudi Dutschke en 1968) et les manifestations violentes. Les premiers résultats sont assez encourageants pour les partisans de von Thadden. En 1966, le NPD obtient entre 7 % et 8 % des voix en Hesse et en Bavière. En 1967, 7 % en Basse-Saxe et près de 9 % à Brême; en 1968, il frôle la barre des 10 % en Bade-Wurtemberg. Autant de régions où le NSDAP avait fait, trente-cinq ans plus tôt, ses meilleurs scores. De même, la clientèle de von Thadden diffère peu de celle du parti hitlérien. On y retrouve, en majorité, les représentants de la petite paysannerie, des membres des classes moyennes et des professions libérales, des ouvriers qualifiés et de petits entrepreneurs, autrement dit, des individus menacés par les transformations récentes de l'économie allemande. Le poids du passé et la nostalgie du Grand Reich jouent également, le gros des électeurs NPD ayant entre 45 et 65 ans.

En choisissant de faire de son mouvement un parti des mécontents, von Thadden avait pris le risque de lier le sort du NPD aux aléas de la conjoncture. Dès la fin de 1968, la reprise économique en RFA devait entraîner le reflux des voix nationalistes et, lors des élections de septembre 1969, le NPD n'obtenait plus que 4,3 % des suffrages, moins, par conséquent, que les 5 % nécessaires pour avoir droit à une représentation au Bundestag. Curieusement – mais ce constat, nous le verrons, n'est pas seulement valable pour l'Allemagne –, le déclenchement de la crise et le retour à la « guerre froide », pas plus que la persistance en RFA d'un gauchisme larvé, la vague aujourd'hui retombée du terrorisme d'extrême gauche, la montée du pacifisme et la récente percée des « Verts » (8,2 % des voix aux élections européennes de juin 1984) n'ont permis au néo-nazisme parlementaire de trouver son second souffle. Avec moins de 10 000 adhérents et une représentation électorale quasi symbolique (0,6 % des voix aux élections de 1972, 0,3 % en 1976), le NPD est devenu depuis quelques années un courant politique marginal.

Ce déclin de la principale formation fascisante a rendu quelque vigueur à de petits groupes de néo-nazis intransigeants, une quinzaine environ, rassemblant tout au plus quelques milliers de membres, la plupart clandestins et organisés militairement. Se réclamant sans complexe de l'héritage hitlérien et d'un antisémitisme de choc, en liaison avec leurs homologues des pays de l'Ouest européen et avec certaines organisations terroristes du Moyen-Orient, bénéficiant de l'appui financier et logistique (armes, camps d'entraînement) fourni par les adversaires les plus résolus d'Israël, ces groupuscules n'ont eu, jusqu'à ce jour, aucune influence sur les masses allemandes, bien encadrées par les partis traditionnels et devenues résolument allergiques à la propagande des nostalgiques de l'Ordre nouveau. Il en est de même des organisations qui se réclament du courant « national-libertaire » – Deutsche Volksunion du Dr. Frey, Aktion Oder-Neisse, Deutscher Block, Viking Jugend – et affichent également un antisémitisme virulent, ainsi que des représentants de la « nouvelle droite » : un néo-fascisme gauchisant et très critique envers l'hitlérisme mais tout aussi marginal que les autres courants de la droite radicale.

La situation est relativement plus simple en Italie où le MSI, Movimento sociale italiano, exerce depuis l'immédiat après-guerre un quasi-monopole sur les tendances néo-fascistes. Une seule exception importante, le mouvement de l'Uomo Qualunque fondé au lendemain du conflit par Guglielmo Giannini, un médiocre auteur de romans policiers devenu pendant la guerre speaker à Radio-Tobrouk. A la fin de 1944, Giannini avait lancé, avec le soutien de certains milieux bancaires inquiets de la poussée à gauche, un hebdomadaire « apolitique », *L'Uomo qualunque* (l'homme quelconque, ou, si l'on préfère, l'homme de la rue), où étaient défendues des thèses qui seront plus tard celles du poujadisme français. Pas de véritable programme dans l'hebdomadaire de Giannini, mais de violentes diatribes contre l'État, contre la fiscalité et contre la démocratie décadente, et surtout un usage systématique du scandale et des campagnes diffamatoires. D'où le succès rapide du journal et, bientôt, du mouvement qui s'est créé autour de celui-ci en 1946.

Bien qu'il se proclame hautement antifasciste, Giannini mobilise une clientèle qui est, en gros, celle du premier fascisme, tout en obtenant le soutien financier des milieux qui sous-tendent le second. Peu à peu, il accentue ses tendances fascisantes, dénonçant les « traîtres » pro-Alliés et attaquant avec violence les émigrés antifascistes. De là son succès auprès des nostalgiques de l'Italie mussolinienne et des anciens partisans de la République de Saló. Aux élections de juin 1946, l'UQ obtient 5 % des suffrages et 30 sièges à la Chambre. Succès de courte durée : les milieux dirigeants de l'économie italienne ne tardent pas, en effet, à se rendre compte que le meilleur barrage contre le communisme est encore la Démocratie chrétienne et ils cessent d'apporter leurs subsides au mouvement de Giannini. Affaibli par plusieurs scissions, celui-ci connaît un déclin rapide après 1948.

Comme en Allemagne le néo-fascisme proprement dit n'a pas attendu la fin de la guerre pour s'organiser. La différence avec l'ancien Reich est liée à l'existence d'un gouvernement antifasciste, qui ne tardera pas à effectuer un spectaculaire glissement à gauche, et de puissants mouvements de résistance, largement contrôlés par le PCI. Dans ces conditions l'épuration ne sera pas comme en Allemagne effectuée par les Alliés. Elle sera l'œuvre des antifascistes eux-mêmes et revêtira de ce fait une plus grande efficacité. D'où l'absence d'une menace de restauration fasciste « par le haut ». Par contre, la répression antifasciste ne peut empêcher les nostalgiques du régime mussolinien de se regrouper. Dès 1945, les rescapés de la République sociale se retrouvent au sein de petits groupes clandestins se réclamant pour la plupart du programme « révolutionnaire » de Vérone. Le plus actif, Fasci di azione rivoluzionaria (FAR), est animé par de très jeunes gens qui multiplient les sabotages et les attentats contre les anciens partisans.

Ce sont les dirigeants de ces organisations, Giorgio Pini, Augusto Marsanich, Pino Romuladi, Michelini et Giorgio Almirante, ex-rédacteur en chef du quotidien fasciste *Tevere* et ancien chef de cabinet du Minculpop de la République sociale, qui sont à l'origine de la fondation du MSI en décembre 1946. Parmi les premiers adhérents de ce parti ouvertement néo-fasciste, on trouve d'anciens dignitaires du régime comme le vieux « quadrumvir » De Vecchi, des rescapés des « camps de criminels fascistes », de jeunes militants des FAR et aussi des militaires, parmi lesquels d'anciens chefs prestigieux comme le maréchal Graziani et le commandant de la 10e flottille MAS de la République sociale, le prince Valerio Borghese. Bientôt ces éléments durs seront rejoints par la clientèle plus modérée et moins politisée que rend disponible le reflux du qualunquisme.

Jusqu'en 1951 c'est la tendance intransigeante, incarnée par le secrétaire général Almirante, qui prévaut. Les troupes de choc du MSI, les *avanguardisti,* multiplient les épreuves de force contre les communistes

2. Le leader de l'Uomo qualunque, Giannini, s'adresse aux Milanais en mars 1956.

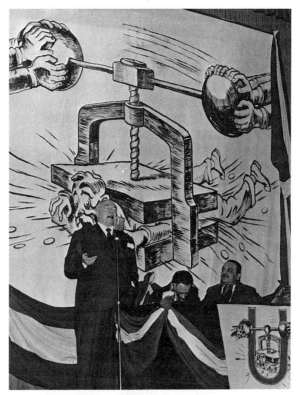

3. Adolf von Thadden, principal dirigeant du NPD, prononce un discours à Essen, protégé par une cabine en plexiglas.

Sicherheit durch Recht und Ordnung

NPD
Nationaldemokraten

4. Giorgio Almirante, leader du MSI, à l'époque des premiers grands succès de l'organisation néo-fasciste, dans les années 60.

sans que la démocratie chrétienne au pouvoir réagisse très fermement. Il est vrai que les éléments réactionnaires du grand parti de gouvernement ne voient pas d'un œil trop défavorable la reconstitution d'une force d'intervention anticommuniste officiellement désavouée, en fait secrètement soutenue par une partie du patronat. Toutefois le caractère radical et aventuriste du premier MSI éloigne de lui tous ceux qui cherchent avant tout à maintenir l'ordre et à préserver le statu quo social. Les premiers résultats électoraux, 525 000 voix et 6 députés en avril 1948, sont donc assez décevants pour la formation néo-fasciste.

Un premier tournant s'opère en 1951. Tandis qu'Almirante, assigné à résidence, cède la direction du parti au centriste De Marsanich et que la police du ministre Scelba porte des coups très durs aux activistes du mouvement, le MSI s'engage dans une voie plus modérée et se donne un comité directeur dominé par les éléments conservateurs. Cette reconversion se traduit aussitôt par une forte progression électorale. Lors du scrutin de mai 1953, le MSI obtient 1 500 000 voix et fait entrer 29 députés néo-fascistes à Montecitorio.

Pendant quinze ans, le MSI se trouve divisé entre plusieurs tendances dont l'âpre rivalité affaiblit considérablement les forces du néo-fascisme. Pour la droite du parti, animée par Michelini – qui s'empare bientôt du secrétariat général –, le MSI doit devenir une force politique « crédible », donc conservatrice, le fer de lance d'une « opposition nationale » comprenant avec lui les monarchistes et les libéraux et le pivot d'un futur gouvernement d'union nationale. Ceci implique la mise en sommeil de l'activisme et l'abandon du programme socialisant de Vérone. La « gauche » adopte au contraire des positions radicales qui l'inclinent à renchérir sur les socialo-communistes et bientôt à rompre avec le mouvement.

La véritable opposition à la tendance majoritaire de Michelini émane toutefois du groupe que dirige Almirante et qui, fidèle à la tradition de la République sociale, continue de s'affirmer révolutionnaire et adversaire irréconciliable du régime. C'est de ce courant que va se détacher en 1956 une poignée d'intransigeants rassemblés autour de Pino Rauti et du mouvement Ordine nuovo d'orientation ouvertement néo-nazie. L'exaltation de l'Empire SS, le racisme et l'antisémitisme, pas seulement en paroles mais en actes comme en témoignent les manifestations en l'honneur d'Eichmann et la tentative de mise à sac du quartier du ghetto à Rome en juillet 1960, constituent les principaux points de son programme, comme de celui d'autres groupuscules pro-hitlériens : la secte aristocratique des Fils du soleil, le Fronte nazionale giovanile, le mouvement Giovane nazione, l'Avanguardia nazionale giovanile, tous recrutés en majorité dans les rangs de la jeunesse dorée de Rome, et tous, en dépit de leurs divergences avec le parti de Michelini, en liaison avec les hommes du MSI.

Après les grandes batailles de rues des années 1960 et 1961, où les *missini* affrontent les forces de police et les antifascistes du PCI et du PSI, Michelini accentue le virage à droite de son parti, ce qui accuse fortement les oppositions de tendances. Lors du congrès d'août 1963, de véritables bagarres éclatent entre les tenants du conservatisme et les partisans d'une ligne révolutionnaire. Minoritaires, ces derniers finissent par quitter le congrès pour lancer à Gênes un mouvement dissident, le MSI-Rinnovamento qui s'appuie essentiellement sur les éléments jeunes du néo-fascisme, tandis que les modérés restent maîtres de la « vieille maison » et de son quotidien, le *Secolo d'Italia*. Tel qu'il apparaît alors, c'est-à-dire divisé et affaibli, le MSI ne fait pas moins figure de premier parti néo-fasciste européen et constitue un modèle pour les extrémistes de droite des autres pays. A commencer par les colonels grecs qui, après s'être inspirés pour mener leur action subversive des méthodes du MSI, ont eux-mêmes représenté un exemple après 1967 pour les candidats italiens à l'établissement d'un pouvoir fort. Le complot préparé en 1964 par le général Di Lorenzo, chef des services spéciaux de l'armée, s'inscrit dans cette perspective, de même que les tentatives ultérieures et parfaitement irréalistes du prince Borghese et du général Miceli.

1968 marque un nouveau virage dans l'histoire du MSI. Après l'échec aux élections (4,5 % des voix au lieu de 5,3 % en 1963), la direction conservatrice du mouvement s'est trouvée fortement contestée. Placé dans une situation très vulnérable, Michelini était sur le point d'être écarté du secrétariat général lorsqu'il est mort en juin 1969, cédant la place à Giorgio Almirante. Sous l'impulsion de ce dernier, le MSI a adopté une ligne plus conforme à la vocation activiste et socialisante du premier fascisme. Mais ce tournant et les succès qui l'ont suivi ont surtout été favorisés par des circonstances extérieures habilement exploitées : la situation économique difficile, la crise du centre gauche et surtout les effets sociaux des récentes transformations structurelles. La nouvelle vague d'industrialisation et de concentration, la persistance du problème méridional, l'arrivée massive des ruraux dans les entreprises industrielles du Nord ou dans les nouveaux complexes du Midi ont accéléré la destructuration de la société italienne. Tandis que se constituait un nouveau prolétariat, fraîchement détaché de ses assises rurales et très perméable aux mots d'ordre de l'ultra-gauche, l'échec du réformisme centriste était ressenti avec une particulière acuité dans le Mezzogiorno. L'anarcho-syndicalisme et sa réplique de droite, le fascisme, s'en trouvèrent singulièrement renforcés.

Autrement dit, les raisons qui avaient, cinquante ans plus tôt, concouru au succès du fascisme mussolinien rejouent à la fin des années 60 pour donner son second souffle au parti d'Almirante.

L'incapacité de la démocratie parlementaire à régler les problèmes socio-économiques suscités par le « miracle italien », l'immobilisme des vieilles formations politiques de gauche et d'extrême gauche, l'intégration des syndicats au système engendrent un puissant courant de contestation extrémiste qui s'exprime à la fois dans la révolte étudiante et dans la renaissance du syndicalisme révolutionnaire. Pas d'explosion soudaine comme en France, mais un « mai rampant » qui prend des formes multiples : occupation des universités par les étudiants gauchistes, violentes manifestations de rues, grèves sauvages avec occupation des usines et séquestration des cadres, etc. Le MSI a su exploiter au maximum cette situation prérévolutionnaire, tantôt renchérissant sur les revendications gauchistes, tantôt se posant en parti de l'ordre, en substituant ses bandes armées à la police. Tantôt encore noyautant les mouvements d'extrême gauche et ne reculant pas devant les attentats provocateurs.

Mais le fascisme ne se nourrit pas seulement de la terreur inspirée aux classes possédantes par les violences gauchistes. Il prend également ment appui sur certains éléments douteux de l'appareil d'État. La mort pour le moins suspecte de l'anarchiste Pinelli (accusé de l'attentat de la Piazza della Fontana à Milan en décembre 1969) dans les locaux de la police milanaise, l'attitude ambiguë de la justice italienne lors du procès Valpreda, l'exploitation par les hommes au pouvoir de l'attentat contre le commissaire Calabresi, en mai 1972, en sont les premiers et très significatifs témoignages. Les autres jalonnent l'histoire confuse et tourmentée de l'Italie des années 1970 et 1980 : ils sont trop nombreux pour être évoqués ici. Retenons simplement ceci, qu'il y a eu dans la décennie 1970, au sein des milieux politiques dirigeants de la péninsule, des hommes qui ont cru pouvoir, comme Giolitti au lendemain de la première guerre mondiale, utiliser la violence fasciste pour briser l'opposition de l'ultra-gauche et imposer au pays à la faveur d'une atmosphère de guerre civile (c'est la « stratégie de la tension ») une réforme des institutions dans un sens plus autoritaire. Cela a été également la tactique de certains secteurs du patronat italien, à commencer par les industriels du sucre et du ciment, bailleurs de fonds depuis longtemps des formations néo-fascistes. De là à imaginer un immense complot d'État, conçu par l'aile conservatrice de la Démocratie chrétienne et supervisé par la CIA, idée à laquelle nous ont accoutumés quantité de libelles et quelques œuvres cinématographiques de l'époque (par exemple le film de Francesco Rosi, *Cadavres exquis*), il y a un pas que l'historien du temps présent n'a pas à franchir dans l'état actuel de la documentation.

Il reste que les *missini* ont parfaitement évalué les chances qui leur étaient ainsi offertes par la situation italienne des années 1968-1972. A partir de là, ils ont mis au point une tactique qui consistait, en dehors des périodes électorales, à disputer la rue, les universités, voire les usines aux mouvements gauchistes et aux communistes, qui restent à long terme les adversaires privilégiés, et à se poser au moment des élections en parti de l'ordre, seule alternative sérieuse à l'immobilisme des partis de gouvernement. Ce double jeu, qui était déjà celui de Mussolini au début des années 20, a permis aux néo-fascistes de refaire un moment leur unité. A l'exception de quelques irréductibles, les hommes d'Ordine nuovo ont alors rejoint le parti d'Almirante, renforcé d'autre part par les monarchistes, privés depuis l'effondrement du PDIUM d'une organisation efficace, et par l'aile dure du parti libéral. C'est dans ces conditions que le MSI a affronté les élections générales de mai 1972. Sans obtenir une victoire aussi écrasante que ne l'avaient pronostiquée certains observateurs politiques, il réalise son meilleur score depuis sa fondation en 1946 avec 8 % des suffrages et une forte percée à Rome (18 %) et dans les régions déshéritées du Sud.

A cette date, le parti de Giorgio Almirante constitue une force politique qui est loin d'être négligeable. Fort de ses 250 000 adhérents, selon ses propres estimations sans doute un peu gonflées, de ses sections d'assaut, des 300 000 adhérents du syndicat néo-fasciste, le CISNAL, de ses organisations de jeunesse (peut-être 100 000 membres, jeunes lycéens de l'ASAN, étudiants du Front universitaire d'action nationale, etc.), de ses journaux (un quotidien, cinq hebdomadaires, quinze périodiques), il est tout autre chose qu'un groupuscule isolé de nostalgiques et de desperados. D'autant plus qu'une relève s'est opérée parmi ses membres – plus de la moitié sont des employés de bureau et de petits fonctionnaires – sinon parmi son électorat, toujours limité aux régions et aux groupes sociaux économiquement retardés. Sa faiblesse reste l'ambiguïté de sa doctrine – le mouvement se situe lui-même à droite avec des velléités gauchisantes – et de sa stratégie : violence et activisme pour satisfaire l'aile extrémiste, propos rassurants pour se rallier les éléments bourgeois.

Le succès remporté par le MSI aux élections de 1972 marque incontestablement l'apogée du mouvement. On aurait pu s'attendre avec les difficultés économiques qui touchent l'Italie à partir de 1974, la montée du chômage, le lent dépérissement de l'État démocrate-chrétien, la corruption généralisée et surtout les vagues successives d'un terrorisme de plus en plus aveugle et irrationnel, à ce que la parti d'Almirante, tirant profit de la situation comme un demi-siècle plus tôt celui de Mussolini, se transformât en une puissante organisation de masse drainant les suffrages des mécontents de tous bords et des partisans de l'ordre. Or il n'en a rien été. Aux élections régionales de 1975 le MSI ne recueillait plus que 6,4 % des voix et, depuis cette date, l'étiage se situe un peu au-dessus de 5 % des suffrages (5,1 % aux législatives de 1979, 5,8 % aux élections régionales de 1980), avec une légère remontée aux européennes de 1984 (6,4 %).

Probablement, ce tassement des voix obtenues par le MSI, un peu paradoxal en période de crise, en tout cas surprenant, est-il dû comme en Allemagne au réflexe salutaire d'une population qui n'a pas oublié jusqu'où pouvait conduire le discours des démagogues et qui a eu le temps depuis la guerre de faire, malgré toutes ses insuffisances, l'apprentissage de la démocratie. A quoi s'ajoute la prise en compte, par les couches les plus radicales de l'électorat potentiel, du mouvement de son caractère fondamentalement bourgeois et conservateur. De là résulte au sein de la nébuleuse néo-fasciste, mais en marge du MSI, le foisonnement depuis une dizaine d'années de groupuscules extrémistes se réclamant plus ou moins directement de l'héritage hitlérien et qui, comme leurs homologues d'autres pays, européens ou non, pratiquent la surenchère du verbe, le meurtre politique et l'attentat provocateur. Sans beaucoup plus de succès jusqu'à ce jour que les promoteurs et les hommes de main du terrorisme rouge.

Parmi les puissances belligérantes de l'Axe, il faut encore citer, sur le continent européen, le cas de l'Autriche, partie intégrante du Grand Reich pendant la guerre mais redevenue indépendante depuis 1945. Dans ce petit pays à l'économie fragile, les souvenirs glorieux de l'empire des Habsbourg venant se mêler à ceux de la grandeur hitlérienne entretiennent dans certains milieux, vieille aristocratie, petite bourgeoisie, intellectuels, une ferveur nationaliste qui s'exprime en partie dans un fort courant néo-nazi. Celui-ci est présent au cours des deux décennies qui suivent la guerre dans les associations d'anciens combattants, dans des mouvements de jeunesse comme le Bund Heimattreuer Jugend, interdit en 1959 mais resurgi depuis sous d'autres noms, dans des groupes d'étudiants aux noms bien significatifs (Niebelungia, Teutonia, Gothia) et au sein des associations de réfugiés.

S'agissant des formations ouvertement néo-nazies, il faut mentionner en premier lieu la légion Europa, section autrichienne de l'internationale fasciste du Belge Thiriart. Son führer, Fred Borth, est un bel exemple de ces desperados du fascisme international, brisés par la défaite de l'Axe et en quête perpétuelle d'un nouveau combat contre le bolchevisme. Ceux que Jean Thiriart appelle les « cavaliers de l'Apocalypse ». Borth avait 15 ans lorsqu'il s'est engagé dans la Luftwaffe. Transféré à la SS, il est au moment de la capitulation allemande sous-lieutenant, chef d'une section d'assaut et titulaire de la croix de fer. La guerre finie, il purge une peine de prison pendant trois ans. A sa libération, il prend la tête des néo-nazis autrichiens, fonde un journal, *Der Kamarad,* qui est interdit à Vienne par les autorités soviétiques, puis devient le chef des mouvements extrémistes les plus combattifs, le Bund, puis la légion Europa. En 1963, il a pris la tête d'une nouvelle internationale fasciste, Europafront, née de la tendance la plus radicale de la Jeune Europe de Thiriart. C'est à ce titre qu'il proposera au chef de l'État sud-africain de créer sur les frontières de son pays de véritables *kibbutzim* de jeunes aryens, bastions avancés de la civilisation blanche aux confins du monde africain.

Borth n'a pas eu le monopole du néo-nazisme autrichien. D'autres mouvements et d'autres leaders lui ont disputé ce privilège : l'Österreichische Sozial Bewegung de Karl Zimmermann et Hans Wagner, le Ring Volkstreuer Verbände de Roland Timmel, l'organisation SORBE de Theodor Soucek, affiliée à l'internationale Ordre nouveau européen. Sans oublier les irrédentistes du Haut-Adige (territoires de langue allemande annexés en 1919 par les Italiens), dont l'action terroriste a pris en 1964 et 1965 un caractère aigu et que dominent à cette date le mouvement Berg Isel Bund et l'organisation Beferiungs aktion für Südtirol (BAS), dans lesquels militent nombre d'anciens nazis. Des liens étroits ont existé entre ces groupes, les néo-nazis allemands et l'OAS des années 60.

Quand au Japon, il constitue évidemment un cas très particulier. Les sociétés secrètes ultra-nationalistes et les mouvements extrémistes de droite qui s'y sont développés depuis la fin de la guerre ont en effet davantage renoué avec les traditions réactionnaires et militaristes qu'avec les organisations fascisantes des années 30. Sans doute parce qu'au Japon il n'y a pas eu avant et pendant la guerre de parti unique comparable au PNF et au NSDAP. C'est l'armée qui a joué le rôle de force d'encadrement de la société nippone et c'est dans l'armée, reconstituée depuis 1950 et ouverte depuis 1952 aux anciens officiers réhabilités, que se sont réfugiés les éléments les plus intransigeants du nationalisme japonais.

La renaissance de l'extrémisme de droite se situe précisément au début des années 50. Jusque-là les Américains ont mené une politique de démocratisation à outrance, interdisant les sociétés nationalistes, imposant une révision des manuels scolaires et une réforme de l'enseignement, dépouillés de leur contenu militariste, s'attaquant au monopole de la religion shintoïste, jugée responsable de l'esprit belliqueux et conquérant du peuple japonais. Dans la même perspective, l'armée et les zaibatsu, bases de la puissance nippone, sont démantelés, tandis que les occupants interdisent aux Japonais de pratiquer les arts martiaux traditionnels. Pendant cette période, le nationalisme japonais prend donc un caractère clandestin et terroriste. A noter cependant qu'il dirige ses coups bien davantage contre les forces d'extrême gauche (attentats contre le syndicaliste Katsumi en 1947, contre le secrétaire général du PC, Tokuda, en juillet 1948) que contre les Américains et leurs alliés « démocrates ».

Sans doute est-ce la raison pour laquelle MacArthur va changer radicalement de politique. Après avoir voulu faire du Japon la Suisse du Pacifique, les Américains décident de le transformer en bastion du « monde libre » face à la poussée communiste qui, depuis la victoire de la révolution chinoise, menace l'ensemble de l'Extrême-Orient. C'est le *reverse course,* comparable à la politique adoptée au même moment vis-à-vis de l'Allemagne. L'armée reconstituée ouvre ses portes aux officiers amnistiés. Les zaibatsu retrouvent leur puissance passée, le shintoïsme et les sports de combat leur place dans l'existence physique et spirituelle des Japonais. C'est dans ce contexte que naissent de nouveaux mouvements d'extrême droite, la plupart, répétons-le, tournés vers le passé. Leur action, souvent terroriste, vise à la renaissance du Grand Japon et à la restauration de ses institutions autoritaires et de sa civilisation traditionnelle. C'est le cas de groupements tels que la Ligue pour la renaissance du peuple japonais, qui accueille les terroristes les plus fameux de l'avant-guerre, de la Société des multiples armes (Yachikokto Sha), qui exige le rétablissement intégral du système impérial et considère le procès du général Tojo comme un « rite cannibalesque », du Parti pour la construction du nouveau Japon (Dai Nippon Seisan To) qui prône l'union de tous les peuples asiatiques, du Parti de l'harmonie (Kyowa To) et de beaucoup d'autres.

Au début, ces organisations qui militent pour la restauration de l'ordre ancien, tout en plaçant la lutte contre le communisme au premier plan de leurs préoccupations, regroupent surtout des hommes du passé : militaires épurés, anciens terroristes professionnels, anciens fascistes, etc. Peu à peu cependant, il s'opère, comme en Italie et en Allemagne, une relève qui trouve un terrain particulièrement favorable dans le milieu étudiant, ne serait-ce que par réaction contre les puissantes organisations universitaires marxistes. C'est à ce niveau que s'effectue principalement le recrutement des mouvements de jeunesse ultra-nationalistes : l'Organisation de jeunesse des martyrs de la nation (Junkoku Seinen Tai), forte de plusieurs dizaines de milliers de militants dotés d'uniformes et organisés militairement, l'Organisation de jeunesse pour la protection nationale (Gokoku Seinen Tai), dont l'aile extrémiste (Gokoku Dan) rassemble les éléments les plus fanatiques du nationalisme japonais et se trouve à l'origine de la plupart des attentats politiques.

Parmi ces mouvements, rares sont ceux qui peuvent véritablement se rattacher au fascisme. Il faut toutefois mentionner celui que fonde en octobre 1951 l'avocat Akao Bin, le Parti des patriotes du Grand Japon (Dai Nippon Aikoku To), doublé l'année suivante d'une Ligue pour l'accélération du réarmement. De tous les leaders extrémistes japonais, Akao Bin a sans doute été le plus actif. Ancien anarchiste converti au socialisme puis au fascisme des années 30, il a dirigé avant la guerre l'Association pour le plus grand Japon impérial. Condamné à la prison en 1945, il renoue dès sa libération avec l'extrémisme de droite et s'engage à fond dans l'action anticommuniste. Officiellement, Akao Bin fait profession de fascisme. « Je suis un fasciste à l'italienne », déclare-t-il en 1962 au journaliste italien Angelo Del Boca. En fait, si l'on trouve dans les thèses défendues par son parti une critique violente du capitalisme et du libéralisme à l'occidentale, ainsi qu'un anticommunisme virulent, le fascisme affiché par Akao Bin est surtout formel. Il recouvre un attachement profond à la tradition, à la religion Shinto, au culte de l'empereur, à l'impérialisme militariste. Du fascisme tel que le conçoivent les Occidentaux, le chef du Parti des patriotes retient surtout l'efficacité des méthodes d'encadrement et de militarisation.

Plus éloigné encore du modèle fasciste à l'occidentale – et sans doute beaucoup plus dangereux que le mouvement d'Akao Bin parce que plus conforme aux idéaux de la société nippone – est le mouvement fondé en 1930 par deux instituteurs, Makiguchi et Tado, l'Académie pour la création des valeurs (Sokka Gakkai). Mouvement de masse, puisqu'il regroupe de 10 à 13 millions d'adeptes, mais qui présente un caractère plus religieux que politique. Il s'agit en effet d'une ancienne société bouddhique, dont les membres s'inspirent de la doctrine du bonze Nichiren. Hostile à la religion d'État, le shintoïsme, la Sokka Gakkai avait été dissoute par Tojo en 1942. Reconstituée au lendemain de la guerre, elle est devenue en une vingtaine d'années une véritable force dont l'activité n'a pas tardé à prendre une coloration politique. Dirigée par Josei Toda jusqu'en 1960, puis par Daisaku Ikeda, elle a pris sous l'impulsion de ce dernier un caractère militariste. A la base de sa doctrine, il y a une volonté de régénération morale, un refus du capitalisme et de l'américanisme, causes de la corruption et du « pourrissement » du Japon contemporain. Comme les mouvements fascisants de l'avant-guerre, elle recrute essentiellement ses troupes en milieu rural et, en règle générale, parmi les laissés-pour-compte de l'industrialisation à outrance.

En 1964, la Sokka Gakkai a donné naissance à un parti nationaliste, le Komeito, qui s'est aussitôt opposé avec violence au parti libéral-démocrate au pouvoir depuis 1955, et qui a obtenu près de 10 % des voix aux élections de 1969. On aurait pu penser alors que ce mouvement traditionaliste, mystique, résolument tourné vers le passé, donc très éloigné du modèle fasciste européen, pouvait constituer un danger grave pour les institutions libérales du Japon, toujours vulnérables en cas de crise économique. Or, là encore, ni les effets de la dépression mondiale, moins douloureux il est vrai au Japon que dans le reste du monde industrialisé, ni l'aggravation de la situation internationale, ni la relative destructuration de la société nippone consécutive au formidable bond en avant technologique et économique des années 70 et 80, ni enfin l'immobilisme politique et la corruption entretenus par le parti au pouvoir n'ont donné leur chance aux extrémistes de droite. Depuis quinze ans le Komeito plafonne électoralement au-dessous de la barre des 10 % et son intégration au jeu politique japonais n'a fait naître aucune formation rivale de quelque importance. Il existe bien dans le Japon d'aujourd'hui une poussière d'organisations extrémistes de droite dont certaines, en relation ou non avec les divers centres du terrorisme international, pratiquent l'attentat politique, mais leurs forces rassemblées ne représentent qu'un effectif restreint (3 500 membres pour 40 groupuscules en 1978 selon les services de sécurité japonais) et leur impact sur la population est des plus médiocres. Très rares sont celles qui peuvent encore être apparentées, de près ou de loin, au fascisme.

Néo-fascisme
et tradition démocratique

Totalement discrédités par leur admiration pour le nazisme hitlérien, les mouvements fascistes nés, dans les vieilles démocraties, des effets de la crise mondiale, n'ont pas tardé à faire leur réapparition dans le monde bipolaire de la « guerre froide ». D'abord à peu près exclusivement peuplés de nostalgiques de l'Empire SS et de rescapés de l'épuration, ils ont peu à peu attiré dans leurs rangs de jeunes éléments en quête d'un instrument efficace contre le communisme et d'un monde éloigné des valeurs et du confort « bourgeois », ainsi que des mécontents et des laissés-pour-compte de la société néo-capitaliste.

Les pays anglo-saxons n'ont pas connu le phénomène de la collaboration. Les mouvements fascistes qui s'y sont développés avant la guerre ont été pendant les années du conflit coupés de leurs inspirateurs de Rome et de Berlin. La guerre terminée, les néo-fascismes britannique et américain ne pourront donc pas compter sur un afflux d'adhérents issus des partis et des milices collaborationnistes. Cela ne veut pas dire qu'il n'y ait pas eu pour les militants des anciens partis fascistes de comptes à régler avec les responsables de la répression préventive dont ils ont été victimes. Ainsi Mosley a-t-il été arrêté dès le 23 mai 1940 avec 900 de ses partisans et envoyé en résidence surveillée dans l'île de Man. Libéré en 1943, il demeure jusqu'à la capitulation allemande et au-delà sous le contrôle de la police. Rien de comparable avec le sort des anciens fascistes des pays occupés.

Sans doute est-ce cette modération qui explique la lente et difficile résurgence du fascisme britannique, ainsi que l'attitude adoptée par

Mosley lui-même. En effet, l'ancien leader de la BUF a rompu depuis la guerre avec le nationalisme ultra. L'Union Movement qu'il fonde en 1948 adopte une attitude résolument anticommuniste, mais répudie en même temps les excès du nazisme, renonce à l'antisémitisme et se veut fondamentalement européen. Il n'obtient d'ailleurs que des résultats très médiocres, tant sur le plan électoral que du point de vue de ses effectifs (moins de 5 000 adhérents). Un moment découragé – il se retire quelque temps en Irlande –, Mosley tente toutefois, en mars 1962, de créer un parti national européen en réunissant à Venise un congrès international des mouvements néo-fascistes où sont représentés le MSI, le Rechtpartei et la Jeune Europe de Thiriart.

Bien entendu, l'Europe dont rêve Mosley n'a rien à voir avec celle des néo-capitalistes ou avec celle des démocrates-chrétiens et des sociaux-démocrates. Il s'agit d'une Europe revancharde, d'une troisième force répudiant avec la même vigueur l'influence américaine et l'impérialisme soviétique. Une Europe qui, de Brest à Bucarest, serait libérée des troupes étrangères au vieux continent et qui, renonçant à ses égoïsmes nationaux, accepterait la mise en place d'un gouvernement unique, seul compétent en matière de politique extérieure, de défense, de finances et de politique économique. Une Europe débarrassée à la fois de la dictature des monopoles capitalistes et de celle des syndicats et au sein de laquelle un juste mécanisme des salaires et des prix désamorcerait définitivement la lutte des classes. Vision qui, à bien des égards, rappelle celle des collaborationnistes, avec pour différence fondamentale l'égalité des peuples confédérés. Mais vision parfaitement utopiste, dans la mesure où des divergences majeures opposent l'Union Movement aux autres grandes forces du néo-fascisme européen. Depuis 1962, le parti de Mosley n'a d'ailleurs pas cessé de perdre du terrain. A la fin des années 60 il ne constituait plus qu'un groupuscule de 1 000 à 1 500 membres et n'exerçait plus son influence que sur une quinzaine de milliers de sympathisants, concentrés dans les quartiers populaires de l'East End londonien.

La relative modération du néo-fascisme de Mosley explique que nombre des anciens partisans de la BUF se soient regroupés depuis la guerre dans des organisations beaucoup plus radicales. Encore que le racisme militant du British National Party, d'Andrew Fountain – un curieux personnage qui, après avoir combattu en Éthiopie contre les troupes italiennes, a rejoint en Espagne le camp de Franco –, se réclame davantage de la tradition britannique (un racisme à la Kipling) que de celle de Rosenberg. Les véritables tendances nazies se concentrent dans un premier temps dans le British National Socialist Movement de Colin Jordan, un professeur de mathématiques qui a réintroduit en Grande-Bretagne le port de la chemise brune et des brassards à croix gammée et qui prêche devant une poignée de fanatiques la fondation d'un État autoritaire raciste, l'expulsion des juifs et des gens de couleur et le culte de l'homme SS. Cette attitude a valu de bonne heure à Jordan et à ses partisans des heurts avec les organisations antifascistes et des difficultés avec les autorités. En 1962, il a été poursuivi, ainsi que ses principaux lieutenants, pour encouragement à la haine raciale et il a été condamné à neuf mois de prison. Mais auparavant, il avait eu le temps de rencontrer le chef des nazis américains, Rockwell, et de fonder avec lui la nouvelle Internationale néo-nazie, la World Union of National Socialists.

En 1967, de petits groupes de militants venus de diverses organisations d'extrême droite, League of Empire Loyalists, Racial Preservation Society, British National Party, Greater Britain Movement de John Tyndall et Mouvement national-socialiste de Jordan, se sont rassemblés pour constituer le National Front, la principale organisation néo-fasciste britannique de l'après-guerre. Rongé par des luttes intestines – les deux premiers secrétaires généraux, A. K. Chesterton et John O'Brien démissionneront pour protester contre les positions ultra-nazies de John Tyndall –, discrédité auprès de l'opinion moyenne par la violence de ses actions et par la référence trop évidente à l'hitlérisme, le NF ne parviendra pas à tirer profit de certaines conditions favorables à son essor – effets déstabilisateurs de la croissance jusqu'en 1975, puis conséquences de la crise mondiale, particulièrement aiguës en Grande-Bretagne, montée du chômage et de l'insécurité, immigration, inquiétude de la vieille Angleterre devant les excès de la société permissive, etc. – pour effectuer une véritable percée politique. Tout au plus parviendra-t-il à marquer des points épisodiquement dans des zones particulièrement sensibles à la démagogie de son discours (16 % des voix à Bromwich en 1976, 18 % la même année à Leicester) et de façon plus régulière dans les secteurs populeux et à forte concentration étrangère du Grand Londres.

C'est là que, prenant le relais des derniers partisans de Mosley, les hommes du NF et du New National Front de Tyndall (la scission date de 1980), ou encore ceux du British Movement de McLaughlin, trouvent encore quelque audience parmi les marginaux du *Lumpenproletariat* et les jeunes gens au crâne rasé qui font la chasse aux immigrés de couleur : Jamaïcains et Pakistanais. Phénomène de société d'ailleurs plutôt que phénomène spécifiquement politique. Skin-heads et punks arborant la croix gammée et saluant le bras tendu des groupes rocks aux noms évocateurs, « Kill the Reds », « Master Race », ou faisant de la surenchère verbale et gestuelle au rassemblement nationaliste de Dixmude, en juillet 1984, sont devenus dans l'Angleterre en crise d'identité de Margaret Thatcher les derniers et pitoyables surgeons de la démence national-socialiste.

A l'origine du néo-fascisme américain, on trouve deux phénomènes principaux : la hantise du communisme et la vieille opposition des régions rurales et des petites villes aux grandes métropoles industrielles, l'une des constantes de l'histoire américaine. Il n'y a donc pas de différence fondamentale avec l'extrémisme de droite de l'entre-deux-guerres. On en retrouve les composantes majeures : l'esprit « vieil-américain », le puritanisme, le refus d'une société de plus en plus industrialisée, de plus en plus dépersonnalisée, la haine de tout ce qui est « étranger », qu'il s'agisse des individus et des groupes non assimilables vivant sur le sol américain ou des doctrines importées du vieux continent. C'est dans cette voie que se développe, au début des années 50, la vague maccarthyste.

A cette date en effet, la perte de la Chine et du monopole nucléaire déclenche aux États-Unis une puissante offensive anticommuniste. L'instigateur en est le sénateur du Wisconsin, Joe McCarthy. Celui-ci lance au lendemain de l'explosion de la première bombe A soviétique une série d'accusations aussi tapageuses que gratuites contre l'administration américaine, considérée comme gangrenée par le communisme et responsable de la livraison aux Russes des secrets militaires les plus jalousement gardés. Ses initiatives ne tardent pas à déchaîner dans tout le pays une « chasse aux sorcières » dont seront victimes nombre de fonctionnaires, de chercheurs, d'intellectuels, de personnalités du monde cinématographique, etc. Pas de fascisme à proprement parler dans la réaction maccarthyste, mais la création d'une atmosphère éminemment favorable à la résurgence du radicalisme de droite, celui du vieux Ku Klux Klan par exemple, qui est loin, il est vrai, d'avoir retrouvé l'influence qu'il avait exercée pendant les années 20, à une époque où il comptait 5 millions de membres. A la fin des années 50, le Klan ne comptait plus qu'une soixantaine de milliers d'adhérents, originaires en majorité de l'Alabama et fanatiquement dévoués à leur chef, Robert Shelton, un employé d'une fabrique de pneus. Il n'avait pas renoncé aux violences raciales mais manquait de moyens pour imposer au-delà du Deep South son idéologie fanatiquement rétrograde. Depuis quelques années, manifestation parmi beaucoup d'autres de la réaction nationaliste qui a fait suite au syndrome vietnamien, il a retrouvé quelque lustre et a même étendu son influence à l'étranger – Grande-Bretagne, Canada, Australie, Allemagne fédérale – dans des milieux proches du néo-nazisme.

Dans les mêmes eaux, on trouve les White Citizen Councils, une organisation raciste qui a réussi en quelques années à installer ses représentants dans les administrations locales, principalement dans les États du Sud. Le gouverneur de l'Alabama, George Wallace, en est un bon exemple. Viennent ensuite les mouvements d'inspiration essentiellement anticommuniste. Certains ont pris au cours des trente dernières années une véritable allure de croisade. Tel est le cas, par exemple, de la Christian Anticommunist Crusade, laquelle s'inspire en même temps des pratiques du *show business.* Son fondateur, Robert C. Schwarz, un Australien, avait en effet 10 dollars en poche lorsqu'il est arrivé en Californie en 1953. Jugeant que l'anticommunisme larvé de la société américaine représentait un investissement sûr, il a commencé à prêcher devant les foules inquiètes la nécessité du réarmement moral face au communisme conquérant et destructeur. Ceci en termes apocalyptiques et avec une parfaite maîtrise du maniement des foules, ce qui lui a valu un prestige immense, une fortune confortable et, bien entendu, des imitateurs, tel Billy Hargis, fondateur lui aussi d'une Christian Crusade, dans un style beaucoup plus populiste, ou Robert Bolivar De Pugh, qui a constitué en 1960 une petite armée secrète de 25 000 hommes, les Minutemen, destinés à organiser immédiatement les maquis en cas d'invasion communiste.

La plus influente de ces organisations de l'extrême droite américaine est la John Birch Society. Elle a été fondée à Indianapolis en décembre 1958 par Robert Welch, ancien représentant en confiserie. Il y a d'ailleurs dans la doctrine de la JBS (du nom du soldat John Birch tué en Chine en 1945 par une patrouille communiste et considéré comme la première victime de la « troisième guerre mondiale »), telle qu'elle nous est révélée par le *Blue Book* de Welch, des accents qui font songer au poujadisme et qui apparaissent, par exemple, dans l'opposition à toutes les formes d'aide à l'étranger. Mais pour l'essentiel l'idéologie reste traditionaliste. Elle se réfère au fondamentalisme protestant, au racisme et à l'anticommunisme, tout comme la doctrine du Klan. Elle se veut également autoritaire et antidémocratique.

Welch est loin de répudier les influences fascistes et nazies : « Hitler, écrit-il dans son opuscule *The Politician,* est préférable à Staline. » Ses allures de dictateur lui vaudront d'ailleurs des accusations d'hitlérisme de la part de ses propres collaborateurs, au point qu'en 1962 il sera contraint de céder une partie de ses pouvoirs et sera relégué au poste de président d'honneur de la JBS. La Society a surtout prospéré en Californie et dans le Sud où ses membres se sont infiltrés dans les administrations locales. C'est d'ailleurs pour constater les effets de cette lente subversion des appareils étatiques que, pressé par le sénateur démocrate McGee, John Kennedy a entrepris en 1963 le voyage de Dallas. Un voyage dont il ne devait pas revenir. Il n'est certes nullement avéré que les groupes extrémistes américains aient eu une responsabilité directe dans l'assassinat du président. Ce qui ne fait par contre aucun doute, c'est que l'atmosphère de haine et d'hystérie qu'ils ont répandue dans le pays a suffi à motiver pendant une quinzaine d'années de très nombreux actes criminels.

La John Birch Society, tout comme le Klan, tout comme les « croisades chrétiennes » des charlatans du fanatisme, demeurent, dans

l'ensemble, des manifestations de l'esprit réactionnaire et traditionaliste de la vieille Amérique. Il en est de même des mouvements
d'opinion qui ont pour un temps très court fait monter brusquement
l'étoile de tel ou tel démagogue candidat à la Maison Blanche.
L'exemple le plus caractéristique en est la campagne menée par le
sénateur de l'Arizona, Barry Goldwater, de 1962 à 1964. Pour ce petit-
fils d'un mercier juif polonais, enrichi lors de la conquête de l'Ouest et
converti au protestantisme, le sauvetage de l'Amérique passe par la
liquidation du communisme et par la restauration de l'esprit des
années 20. A la « nouvelle frontière » de Kennedy, au néo-capitalisme
et au néo-libéralisme, il oppose sa vision d'une Amérique régénérée
par ses valeurs traditionnelles et libérée de toute influence étrangère.
Les forces sociales sur lesquelles s'appuie ce poujadisme à l'américaine
sont très disparates. Ce sont en premier lieu les victimes de l'ultra-
capitalisme, petits fermiers et petits-bourgeois de l'Ouest et du Middle
West, « pauvres Blancs » des États ségrégationnistes, mais ce sont
aussi les nouveaux riches du Sud et de l'Ouest que gêne la politique
fiscale du gouvernement fédéral, les industriels enrichis par les commandes de l'armée et hostiles à la détente internationale, enfin quelques groupes de militaires ambitieux tout prêts à imposer un pouvoir
fort, seul capable à leurs yeux de venir à bout du communisme.

En politique étrangère, Goldwater prêche en effet la croisade contre
les « rouges ». A Cuba, au Vietnam, en Chine, en Allemagne, il
préconise les solutions les plus radicales, fût-ce au prix d'une guerre
contre l'URSS. En politique intérieure, il développe un programme
que n'auraient pas renié les éléments les plus réactionnaires de l'entre-
deux-guerres. Aussi apparaît-il comme l'anti-Kennedy. Ce qui explique
son succès auprès de tous ceux que choque et que lèse la politique
progressiste de JFK, et aussi sans doute la brusque retombée du
courant d'opinion qu'il a incarné, comme si les États-Unis avaient
brusquement pris conscience du danger qui les menaçait. Son échec
est bien celui d'une société dépassée et rétrograde face aux forces
progressistes de la jeune Amérique.

Échec mais non pas liquidation. Le drame vietnamien, les difficultés
économiques, la montée en puissance de l'adversaire soviétique, les
cases perdues sur l'échiquier mondial en Asie du Sud-Est, en Afrique
et jusque dans l'« arrière-cour » des Caraïbes, la poussée contestataire
de la fin des années 60 suivie de la formidable crise morale qui a
ébranlé au cours de la décennie suivante la société américaine et a
culminé avec Watergate, tout cela a réveillé de vieux démons et nourri
de nouvelles formes de réaction et d'extrémisme. Parmi les derniers
avatars du traditionalisme musclé, il faut citer la résurgence, à la fin
de la présidence Carter, de l'activisme évangélico-politique, représenté
notamment par le mouvement de la Majorité morale, fondé en 1979

par le révérend « Jerry » Falwell. Rejet sur fond de crise de civilisation d'un courant jamais complètement tari et qui avait fait en d'autres temps la renommée d'un père Coughlin ou d'un Billy Hargis. Comme eux, Falwell prêche la « guerre sainte », le « rétablissement des valeurs qui ont fait la grandeur de l'Amérique », l'élimination de tares sociales qui s'appellent aujourd'hui pornographie, féminisme, homosexualité, absence de prière le matin dans les écoles publiques et... insémination artificielle ! D'abord réservée à ses ouailles de la petite église baptiste de Lynchburg (Virginie), sa prédication, relayée par des publications tirant à un demi-million d'exemplaires et par une émission radio-télévisée touchant 25 millions d'Américains, a trouvé rapidement une audience nationale, particulièrement forte dans les milieux fondamentalistes protestants (baptistes, méthodistes). Elle a été pour beaucoup dans la constitution depuis quelques années d'un courant politico-religieux que le théologien Martin E. Marty a baptisé « nouvelle droite chrétienne », plus réactionnaire que fascisant et qui, après avoir joué en 1976 la carte du moraliste Carter, a fait la décision quatre ans plus tard dans l'élection qui a porté Ronald Reagan à la présidence des États-Unis.

Parallèlement à ce pseudo-fascisme larvé, d'autant plus insidieux peut-être qu'il se fonde sur l'alliance du traditionalisme vieil-américain et des tendances totalitaires de la nouvelle société industrielle, s'est développé aux États-Unis un courant ouvertement néo-nazi, infiniment plus minoritaire. Dès 1949, il a fait son apparition à Manhattan, dans le quartier où s'étaient déjà manifestés avant la guerre les Bund Boys hitlériens, sous la forme du National Renaissance Party de James H. Madole, que les violences dirigées contre les Noirs et contre les juifs conduiront plusieurs fois en prison. Son audience restera extrêmement limitée. Celle de l'American Nazi Party de George Lincoln Rockwell est un peu plus vaste. Elle comprenait à la fin des années 60 quelques milliers de membres répartis dans des villes comme Arlington où se trouve le siège du mouvement, Chicago, New York, Los Angeles et Boston.

Rien d'original dans le néo-nazisme américain, sinon une tendance à la surenchère sur les mouvements européens, de la part de dirigeants qui parlent sans frémir de rétablir les chambres à gaz (quand ils ne nient pas leur existence comme le Français Faurisson !) pour les Noirs et pour les communistes et qui organisent à la tête de quelques centaines de squadristes en uniforme SA (chemise brune et brassard à croix gammée) des expéditions punitives dirigées, au temps de la guerre du Vietnam, contre les pacifistes, les antiségrégationnistes et les juifs. L'ANP est alors en relation étroite avec d'autres mouvements fascistes, le National States Rights Party qui a son siège à Birmingham en Alabama, l'organisation dirigée en Grande-Bretagne par Colin

Jordan, avec lequel Rockwell a fondé la World Union of National Socialists, et les groupes néo-nazis qui se sont constitués dans les milieux d'émigrés roumains, yougoslaves, tchécoslovaques et hongrois. Il a même été en rapport avec les extrémistes noirs musulmans, les Black Muslims de Elija Muhammed et Malcom X, ce qui n'est pas l'un des moindres paradoxes de la société américaine, comme d'ailleurs de l'extrémisme contemporain.

Aujourd'hui, tandis que le redressement économique et politique des États-Unis permet au président Reagan de prendre ses distances à l'égard de la fraction la plus réactionnaire de son électorat, les tendances proprement néo-fascistes et néo-nazies paraissent avoir fortement reculé. Elles se concentrent dans un Klan numériquement très affaibli, mais qui a, il est vrai, élargi son audience internationale, et dans des groupuscules comme l'ANP dont les manifestations provocatrices soulèvent une telle réprobation dans l'opinion qu'elles ne peuvent se tenir qu'avec la protection d'importantes forces de police (ce fut le cas en mai 1981 à l'occasion de la célébration de l'anniversaire de l'indépendance d'Israël).

En Afrique du Sud comme aux États-Unis, le racisme a été le pourvoyeur d'un fascisme blanc qui est surtout fait d'emprunts partiels au modèle nazi. Dans ce pays, en effet, l'adoption d'une partie des thèses hitlériennes n'est pas due à des raisons socio-économiques, aux frustrations provoquées par une défaite militaire ou à la menace directe du communisme. Elle est liée à la volonté de l'élément blanc, en majorité composé d'anciens colons hollandais, de maintenir leur pouvoir sur un pays numériquement dominé par les Noirs et de donner à cette domination une justification idéologique.

Le Nationalist Party qui s'est installé au pouvoir en 1948 a en effet absorbé tous les mouvements pronazis qui s'étaient constitués avant et pendant la guerre, tels les Grety Shirts et l'Ossewa Brandwag, et qui ont fourni au parti de Verwoerd les fondements théoriques de sa doctrine ségrégationniste. A partir de 1958, les dirigeants de l'Union sud-africaine ont fait passer dans les faits et dans la législation des principes raciaux que n'auraient pas désavoué les théoriciens du racisme hitlérien, dont ils revendiquent d'ailleurs hautement l'héritage. Ceci sous l'impulsion du premier ministre, Heinrik Verwoerd, un admirateur inconditionnel du Führer, et des anciens responsables de l'Ossewa Brandwag, installés par lui aux postes de commande de l'État « boer ». Un État qui, du point de vue des Blancs, n'a rien de spécifiquement fasciste et dont l'idéologie réactionnaire, mystique et manichéenne fait davantage penser aux élucubrations hystériques des dignitaires du Ku Klux Klan et des croisades américaines qu'au fascisme proprement dit. Il reste qu'en imposant par la terreur la domination d'une minorité « élue » d'aryens blancs et en préservant celle-ci de tout contact « impur » avec les groupes ethniques jugés inférieurs, les dirigeants sud-africains ont réalisé en pleine vague de décolonisation et de promotion des peuples du Tiers Monde le rêve de Rosenberg et d'Himmler, tout en faisant de leur pays un refuge pour les néo-fascistes du monde entier et une pépinière des mouvements nazis, au premier rang desquels on trouve l'Adolf Hitler Debate Union de Wilhelm Muser et le parti nazi sud-africain de Willers.

Les pays qui, du fait de leur neutralité, n'ont pas connu pendant la guerre les horreurs du nazisme, ne sont pas à l'abri du néo-fascisme. En Suède, de petits groupes d'extrémistes se tiennent, depuis une trentaine d'années, en relation étroite avec de grandes formations de l'extrême droite européenne qu'ils ont accueillies à Malmö en 1951. Ce sont la Nysvenska Rörelsen de Per Engdahl, le véritable héritier des courants nazis de l'avant-guerre, la Nordiska Rikspartei de Göran Oredsson, la Frisinnade Rikspartei de Sven Lundehäll, etc., ces deux derniers mouvements étant plus réactionnaires et antisémites que proprement fascistes. Ce sont également surtout des mouvements réactionnaires et traditionalistes que l'on trouve en Suisse où les fortes mutations socio-économiques des années 60 ont suscité la résistance d'un conservatisme radical, particulièrement virulent dans le monde rural et dans les milieux qui n'ont pas directement profité des changements intervenus.

Deux formations méritent d'être mentionnées. En premier lieu, l'Action nationale, qui a été fondée à Winterthur en 1961, dans une région où les travailleurs immigrés sont particulièrement nombreux à cette époque. Ce mouvement, qui compte 7 000 adhérents à son apogée en 1972, recrute principalement ses troupes dans la petite bourgeoisie des cantons en voie d'industrialisation et parmi les intellectuels, rassemble des éléments assez jeunes (la moyenne d'âge est comprise entre 30 et 35 ans) et se veut révolutionnaire. Son programme est un mélange de thèmes traditionalistes – le retour à de petites communautés homogènes, le rétablissement de la « concurrence honnête » battue en brèche par la « dictature des monopoles », la limitation de l'immigration étrangère (son cheval de bataille depuis le référendum proposé par Schwarzenbach en 1970), l'opposition à la société industrielle (avec déjà une nuance écologique prononcée) – et de considérations volontiers fascisantes telles que la restriction des droits de l'individu au profit de ceux de la collectivité, le contrôle du grand capital par la communauté nationale et l'adhésion à un socialisme non internationaliste.

L'autre formation dont l'essor coïncide avec les dernières années de forte croissance est celle que dirige Schwarzenbach lui-même. Elle est née d'une scission de la précédente et a pris le nom de parti républicain. Sauf sur quelques points d'inspiration vaguement fascisante, le

PR est beaucoup plus conservateur que l'Alliance nationale. Face au problème de l'émigration, il se contente par exemple de prôner l'éviction pure et simple des indésirables, là où l'AN se propose de changer la société, de la rendre plus « saine » et de promouvoir un ordre social qui ne nécessiterait pas un tel afflux d'étrangers. Le PR trouve donc une audience plus grande dans les cantons ruraux de la Suisse centrale.

Il nous faut enfin évoquer le cas des pays dans lesquels les courants néo-fascistes ont trouvé un point d'appui très important dans les problèmes posés par la décolonisation. Aux Pays-Bas, les tendances néo-nazies, d'ailleurs assez limitées, se sont concentrées dans l'organisation dirigée par Paul Van Tienen, un éditeur de La Haye, ancien officier de la Waffen-SS et fondateur du Club militaire intellectuel. En Belgique, le courant néo-fasciste a largement profité des effets de la crise congolaise. Jusqu'en 1960, en effet, les tendances pronazies restent limitées à de petits groupes de nostalgiques. Le plus important est le Mouvement social belge, section de l'Internationale de Malmö qui, sur une programme corporatiste et anticommuniste, ne rassemble que quelques centaines de membres et n'obtient pas plus de 500 voix aux élections de 1954. Le MSB est en rapport avec l'ancien leader du fascisme wallon, Degrelle, qui, de son exil espagnol, inonde le pays de libelles et d'articles vengeurs, sans parvenir pour autant à entamer l'indifférence de ses compatriotes.

Il faut, pour qu'une partie de l'opinion belge se trouve sensibilisée par les thèmes néo-fascistes, que joue le phénomène de frustration collective, ce qui se produit au lendemain de la perte au Congo. Des mouvements d'opposition à la politique gouvernementale se constituent alors parmi les anciens colons, d'où émerge bientôt le Mouvement d'action civique de Jean-François Thiriart et Paul Teichmann. Cette formation, qui adopte la croix celtique du mouvement français Jeune Nation, présente par rapport aux autres groupes néo-fascistes européens une certaine originalité. Elle est en effet à peu près seule à vouloir dépasser le modèle fasciste en se donnant une idéologie mieux adaptée aux réalités du monde contemporain. Sans doute s'agit-il essentiellement d'un vœu pieux. On retrouve en effet dans le « communitarisme » de Thiriart la plupart des thèmes du nazi-fascisme de l'entre-deux-guerres. Les aspects les plus neufs sont ceux qui concernent l'européanisme du mouvement. Encore que l'Europe des « paras » dont rêve Thiriart ne soit pas très éloignée de celle de l'Ordre noir dont se réclamaient pendant la guerre les collaborationnistes les plus fanatiques.

Depuis une dizaine d'années, le néo-fascisme belge est entré en sommeil, du moins en tant que force politique organisée au grand jour. Comme ses homologues des autres pays occidentaux, il n'a guère su tirer profit de la crise et de ses effets déstabilisateurs. Ce qui subsiste de sympathies prohitlériennes s'est réfugié dans quelques groupuscules néo-nazis comme le VMO flamand, organisateur chaque année du rassemblement nationaliste de Dixmude où sont conviées pour une commémoration commune des morts des deux guerres quelques-unes des formations les plus radicales de l'extrême droite européenne et nord-américaine. Or, à l'exception des violences commises par les skin-heads britanniques, d'ailleurs aussitôt désavoués par les organisateurs, le dernier rassemblement de Dixmude (juillet 1984) a pris davantage l'allure d'une fête pacifiste que d'une grande messe national-socialiste.

En France, jusqu'au milieu des années 60, le néo-fascisme a bénéficié de trois facteurs favorables : la survie à travers les vicissitudes de l'après-guerre du fascisme des collaborationnistes, l'accélération du rythme des mutations économiques et les guerres coloniales perdues.

Le poids de l'occupation, les atrocités commises par les SS et par leurs auxiliaires français, l'horreur soulevée par les chambres de torture de la Gestapo et par les camps d'extermination ont jeté en France un discrédit complet sur le fascisme. Pendant de longues années, les mouvements se réclamant de lui devront se réfugier dans la clandestinité. C'est là que l'on trouve au lendemain de la guerre les rescapés de l'épuration. Moins violente et moins totale que ne l'auraient souhaité les éléments issus de la Résistance, des communistes à Camus, celle-ci a été cependant assez forte pour priver les anciennes formations fascistes de leurs chefs. Doriot mitraillé par un avion allié sur la route de Sigmaringen, Déat réfugié dans un couvent en Italie, Bucard fusillé, le fascisme français se trouve privé pour longtemps d'un véritable leader; et aussi d'intellectuels, car c'est principalement sur ceux-ci que s'abat la répression anticollaborationniste de l'après-guerre. Le suicide de Drieu, l'exécution de Brasillach, la condamnation à mort d'Henri Béraud, le silence de Céline lui enlèvent ses voix les plus persuasives.

Seul survit de la génération des grands intellectuels fascistes Maurice Bardèche, lequel se bat depuis plus de trente-cinq ans pour réhabiliter une idéologie qu'il s'efforce de concevoir, débarrassée de ses rameaux impurs et lavée des excès de ses déviationnistes. Non sans lui conserver d'ailleurs les germes d'autres excès et d'autres déviations, l'antisémitisme fanatique, l'admiration de l'idéal SS, cette « élite chargée d'incarner l'idée national-socialiste », la haine meurtrière du communisme, etc. Tel est le sens de la plaidoirie qu'il publie en 1961 sous le titre *Qu'est-ce que le fascisme ?* comme de l'action qu'il mène depuis la Libération pour rassembler sur des objectifs communs les diverses tendances du néo-fascisme français. Ces objectifs, Bardèche les emprunte à ce qu'il reconnaît comme le plus authentique des fascismes, celui de la République sociale italienne, dont il ne voit pas ou dont il refuse de voir les aspects artificiels. Dans cette perspective, il fonde en 1951 le Mouvement social européen et il représente les néo-fascistes français lors du congrès constitutif de l'Internationale de Malmö. Mais cet intellectuel n'a rien d'un organisateur ni d'un chef. Il est plus à son aise dans la polémique et dans la théorie et c'est pourquoi son activité va surtout consister, depuis l'échec du MSE, à diriger la revue raciste et ultra-occidentale *Défense de l'Occident*, tout en maintenant des contacts étroits avec les formations les plus radicales de l'extrémisme de droite.

A côté de ce fascisme d'intellectuels se développe celui des groupuscules activistes. Le plus précoce et le plus violent se constitue autour de René Binet et de sa revue *Le Combattant européen*, l'ancien organe de la LVF, dont Binet exalte la geste héroïque et prophétique. C'est de ce petit groupe que vont naître entre 1946 et 1950 les organisations clandestines les plus virulentes, celles qui assument le plus ouvertement l'héritage raciste du IIIᵉ Reich, tel le parti républicain d'union populaire (PRUP), où sous la houlette de Binet se regroupent quelques dizaines de « réprouvés » de la croisade antibolchevique. En fait, parmi les dirigeants du PRUP, il y a d'anciens trotskistes (comme Binet lui-même) et d'ex-militants du PCF, ce qui explique la ressemblance de ce mouvement avec les nationaux-bolchevistes allemands de l'entre-deux-guerres. En 1947, le PRUP fusionne avec un autre groupuscule du même style, les Forces françaises révolutionnaires, et l'année suivante Binet lance le Mouvement socialiste d'unité française dont Bardèche assume le parrainage et qui sera dissous en 1949 pour appel à la violence raciste. Extrêmement minoritaires (au total pas plus de quelques centaines d'adhérents), les mouvements animés par Binet vont donner à l'aile extrémiste du néo-fascisme les caractères qu'il conservera jusqu'à nos jours : son extrême agressivité anticommuniste, son radicalisme gauchisant, son racisme fanatique et jusqu'à son emblème, le vieux symbole celtique de la roue solaire.

Viennent ensuite des groupements un peu plus modérés, plus proches de la tradition des ligues et du pétainisme que de l'ultra-collaborationnisme : parti national français de Jean Roy, Front des forces françaises d'Estèbe, commandos « Saint-Ex » de Luca, Étudiants nationalistes de Jean-Marie Le Pen, etc. Les plus modérés soutiennent l'initiative de Jacques Isorni, l'un des avocats du maréchal Pétain, pour regrouper les associations maréchalistes et pour leur donner une forme politique d'où naîtra l'UNIR (Union des nationaux indépendants et républicains); première grande formation électoraliste de l'après-guerre, l'UNIR obtient près de 300 000 voix aux élections de juin 1951 et fait entrer plusieurs de ses membres à l'Assemblée nationale.

L'échec du tripartisme, les effets de la « guerre froide » et les difficultés rencontrées par la France en Indochine vont donner son second souffle au néo-fascisme français. C'est l'époque où se constitue le MSE de Bardèche. C'est aussi celle où l'« opposition nationale » trouve avec l'hebdomadaire *Rivarol* un organe qui, grâce à la qualité de sa rédaction et à son humour corrosif, dépasse l'audience étroite des anciens de la collaboration. Mais, surtout, l'extrémisme de droite se renforce à partir de 1950 de deux composantes nouvelles : la lutte pour la défense de l'œuvre coloniale française et la révolte des petits commerçants. Les anciens d'Indochine, jeunes officiers idéalistes déçus par l'indifférence de la métropole ou mercenaires irrécupérables issus de ces nouveaux corps francs que sont les commandos et les unités de parachutistes, vont en effet apporter leur soutien aux groupes extrémistes et notamment au plus agressif d'entre eux, le mouvement Jeune Nation des frères Sidos (fils d'un officier de la Milice fusillé à la Libération) qui, sous l'emblème de la croix celtique, développe une idéologie plus proche du nationalisme français traditionnel que du « racisme biologique » de Binet.

Au même moment, les mutations socio-économiques qui accompagnent le développement industriel de la France reconstruite et la pression fiscale qui résulte des guerres coloniales déterminent un vaste mouvement de contestation au sein des classes moyennes et principalement dans le milieu des artisans, des petits commerçants et des exploitants agricoles les plus modestes. Née à Saint-Céré (Lot) du refus d'un contrôle fiscal par les boutiquiers de la ville que dirige le papetier Pierre Poujade (juillet 1953), l'UDCA (Union des commerçants et artisans) n'est d'abord qu'une organisation apolitique de contribuables mécontents. Mais sous l'influence de certains dirigeants – Poujade est lui-même un ancien des jeunesses doriotistes, ce qui ne l'a pas empêché de s'engager dans les forces aériennes françaises libres – elle ne tarde pas à se reconvertir dans l'action politique et prend dès lors un caractère à la fois antiparlementaire et anticapitaliste qui rappelle par certains traits le premier fascisme et qui l'apparente de très près au qualunquisme de Giannini (avec en plus certains aspects anarchisants que ne possède pas le mouvement de l'UQ). Bientôt elle rassemble nombre d'adhérents qui se préoccupent moins de ses objectifs initiaux que d'utiliser comme cheval de Troie contre les institutions de la IVe République le mouvement de fond déclenché par Pierre Poujade. Celui-ci est alors rejoint par des nostalgiques de la collaboration, par des nationalistes extrémistes comme Le Pen et Demarquet, et commence à entretenir des relations étroites avec les réactionnaires d'Algérie et avec la chouannerie des temps modernes que tente de faire revivre Dorgères. Poujade fait bientôt figure de fédérateur des tendances néo-fascistes et, après son succès

1. *Camp néo-nazi en Grande-Bretagne.*

2. *Manifestation pronazie dans le Michigan (USA) en 1982.*

3. *Masque d'Hitler au cours d'une manifestation en RFA en novembre 1980.*

4. *Un meeting du MSI en Italie.*

5. *Cimetière nazi en Afrique du Sud.*

6. *L'armée chilienne à Santiago.*

7. *Officiers espagnols sur le passage du cercueil de Franco, lors des obsèques du Caudillo en novembre 1975.*

8. *Symbolique nazie dans une réunion de punks en Suède.*

9. *Un « tonton macoute », homme de main du dictateur haïtien Duvalier.*

aux élections législatives de 1956 (2 600 000 voix, 51 élus), de « duce » en puissance.

Mais le tempérament de tribun du fondateur de l'UDCA ne suffit pas à faire de lui un nouveau Doriot, et surtout les thèmes inconsistants défendus par les poujadistes ne constituent pas une doctrine cohérente. On y trouve mêlés la méfiance des catégories sociales précapitalistes pour l'État centralisé et dirigiste et pour la démocratie indirecte, la haine des « métèques », un anticommunisme et un anticapitalisme naïfs, composantes incontestables du premier fascisme, mais aussi nombre de thèmes réactionnaires et traditionalistes plus proches de l'idéologie de la révolution nationale. Aussi le poujadisme ne survivra-t-il guère aux divisions et aux scissions qui suivent de peu son triomphe électoral. Il ne laissera, tout comme le mouvement de Giannini, qu'un mot dans le vocabulaire politique et aussi un foyer capable d'alimenter de brutales et brèves résurgences.

L'affaire algérienne prend, à partir de 1957, le relais du poujadisme comme terrain de culture du néo-fascisme français. Mais l'avènement du gaullisme l'année suivante lui ôte toute chance d'accéder au pouvoir. D'abord parce que la force politique qui se constitue autour du général de Gaulle capte à son profit le nationalisme et les tendances autoritaires d'une partie de l'opinion française et absorbe, comme le RPF en 1947, certains éléments durs, noyaux des comités de salut public fondés au lendemain du 13 mai et des futurs CDR, sans pour autant donner naissance à un fascisme. Ensuite parce que le régime mis en place depuis 1958 représente, pour le grand patronat comme pour les classes moyennes, un rempart beaucoup plus sûr contre une éventuelle menace communiste que les groupuscules de nostalgiques de l'ordre hitlérien. Enfin parce qu'en s'attaquant directement au général de Gaulle, les extrémistes de droite vont réveiller l'antipétainisme de la Libération, distinct de l'antifascisme de gauche.

Dès lors, et jusqu'en 1968, le fascisme français n'est plus que l'aile minoritaire d'une opposition nationale que dominent les courants réactionnaires classiques; y compris en Algérie où, parmi les mouvements qui prospèrent entre 1958 et 1962, beaucoup conservent une idéologie traditionaliste proche de celle de la révolution nationale. C'est le cas par exemple du MP 13 de Robert Martel et du général Chassin, très hostile à Jeune Nation (« Face à la croix tordue de l'Antéchrist, nous brandissons la croix de l'Occident chrétien »), ou du Mouvement pour l'instauration d'un ordre corporatif du docteur Bernard Lefebvre. Ne peuvent effectivement être considérés comme néofascistes que le mouvement Jeune Nation, alors en pleine ascension, tant en Algérie que dans la métropole, et le Front national français, fondé en octobre 1958 par Joseph Ortiz, le docteur Perez et le chef des étudiants algérois, Jean-Jacques Susini, et qui entretient des relations étroites avec les milieux activistes de l'armée. Toutes ces tendances, fascistes et réactionnaires, vont un moment se regrouper dans le Front de l'Algérie française, puis dans l'OAS dont on connaît les liens avec les extrémistes italiens et belges, mais qui ne peut être considérée comme une force spécifiquement fasciste.

La fin de la guerre d'Algérie marque le début du reflux de l'extrême droite française. Les tendances néo-fascistes se réfugient alors dans des mouvements à l'audience extrêmement restreinte, tels qu'Europe-Action de Dominique Venner, la Fédération des étudiants nationalistes et, à partir d'avril 1964, le mouvement Occident, né d'une scission d'Europe-Action, animé par Pierre Sidos, et que son agressivité va rapidement rendre célèbre. Pendant quatre ans, de 1964 à 1968, l'extrême droite nationaliste se trouve aux prises avec d'énormes difficultés qu'expliquent le retour au calme en métropole, l'audience que le parti au pouvoir obtient auprès des masses petites-bougeoises et aussi les rivalités qui opposent les leaders des groupuscules néo-fascistes. L'explosion de mai 1968 et la crainte qu'inspirent à une partie de l'opinion les excès gauchistes vont lui redonner vie. Occident a été dissous en octobre 1968 et ses membres se sont dispersés pour rejoindre les formations ultra-minoritaires d'étudiants extrémistes. A la fin de 1969, le néo-fascisme est en pleine crise et ne rassemble plus que quelques centaines de nostalgiques et d'activistes.

C'est alors que se constitue (novembre 1969) le mouvement Ordre nouveau, lequel va représenter, par son agressivité et sa présence sur le terrain, le fer de lance du néo-fascisme français, jusqu'à sa disparition en 1973. A cette date, il comporte plus de 5 000 militants, parmi lesquels on compte plus de 60 % d'étudiants et de lycéens, 15 % d'employés et de cadres, 7 % de commerçants et de représentants des professions libérales. Sous la houlette de dirigeants actifs, Galvaire, Duprat, le journaliste Brigneau, il s'efforce de jouer comme le MSI un double jeu : celui de l'antigauchisme activiste, volontiers provocateur (cf. le meeting du 13 mai 1970 au Palais des sports, le plus important rassemblement néo-fasciste de l'après-guerre) et celui de l'action politique. Mais la violence de ses démonstrations dans la rue et son caractère ouvertement subversif entraînent son interdiction en juin 1973.

Pendant une dizaine d'années, de 1973 à 1983, l'extrême droite nationaliste et fascisante connaît une évolution extrêmement contrastée. Tout d'abord elle échoue complètement dans l'effort qui est fait par ses dirigeants pour tenter de regrouper les forces dispersées du nationalisme français en un courant unique capable de rassembler sur des mots d'ordre musclés une clientèle hétéroclite de déçus de la droite et de la gauche. L'instrument de cette reconquête des masses, elle croit l'avoir trouvé lorsque se constitue en octobre 1972 autour de

5. *Pierre Lagaillarde,*
leader des étudiants
algérois nationalistes,
au moment des
barricades d'Alger »
(janvier 1960).

6. *Le 10 mai 1982,*
de jeunes militants du
Renouveau national
lèbrent à Paris la fête
de Jeanne d'Arc.

Jean-Marie Le Pen, ancien leader de la « corpo » des étudiants en droit des années de la guerre froide, député poujadiste en 1956 et ex-engagé volontaire en Algérie au 1er régiment étranger de parachutistes, le Front national. Dans l'immédiat, il s'agit d'affronter en ordre serré les législatives de mars 1973, à plus long terme de réunifier les familles concurrentes de l'opposition nationale. Parmi les pères fondateurs du mouvement, on trouve en effet François Brigneau, éditorialiste de l'hebdomadaire *Minute,* d'anciens membres de l'OAS comme Roger Holeindre, responsable du service d'ordre de Jean-Louis Tixier-Vignancour lors de la campagne pour les présidentielles de 1965, François Duprat, animateur avec Alain Renault des *Cahiers européens* et qui mourra assassiné en 1978 dans l'explosion de sa voiture (sans que les auteurs de l'attentat, probablement des militants d'une organisation rivale, soient jamais identifiés), des étudiants nationalistes comme Alain Robert, alors dirigeant d'Ordre nouveau. La droite ultra-réactionnaire et les nostalgiques de Vichy coexistent donc dans l'organisation que préside Le Pen avec d'authentiques néo-fascistes prônant la création d'une « troisième force » européenne et révolutionnaire, le modèle choisi étant le MSI d'Almirante qui vient alors de réaliser son meilleur score électoral depuis sa fondation en 1946. L'emblème choisi par le Front national, la flamme tricolore, est d'ailleurs copié sur celui de la formation néo-fasciste italienne (seules les couleurs changent).

Or les élections de mars 1973 sont loin d'apporter à Jean-Marie Le Pen et à ses amis les mêmes satisfactions qu'à leurs homologues transalpins. Toutes tendances mêlées, l'extrême droite n'obtient guère plus de 2 % des suffrages et Le Pen ne recueille personnellement que 5 % des voix dans la 15e circonscription de Paris. Il n'en faut pas davantage pour rallumer la querelle des chefs, entre réactionnaires et néo-fascistes, activistes et politiques, révolutionnaires et passéistes (c'est ainsi que J.-M. Le Pen est perçu par ses adversaires). En conflit ouvert avec l'état-major lepéniste, les anciens dirigeants d'Ordre nouveau quittent le mouvement, aussitôt rejoints par Brigneau et Roland Gaucher, pour fonder en novembre 1974 le « parti des forces nouvelles », lequel aspire à donner de l'extrême droite une image plus moderniste que celle qui vient de subir une nouvelle fois le verdict sévère des urnes (au premier tour des présidentielles de 1974 Le Pen n'a obtenu que 0,74 % des suffrages exprimés).

Dès lors les deux formations rivales se livrent une guerre d'usure qui, jusqu'en 1982, maintient la « droite nationale » dans une complète marginalité. Aux législatives de 1978, le Front national ne recueille que 0,33 % des voix contre un peu plus de 1% au PFN. Aux élections européennes de juin 1979, la liste du PFN conduite par J.-L. Tixier-Vignancour obtient 1,3 % des suffrages exprimés tandis que Le Pen, qui a vainement essayé d'établir une liste commune avec ses anciens amis (sous la houlette de l'écrivain Michel de Saint-Pierre), se réfugie dans une abstention boudeuse. Enfin, aux présidentielles de 1981, ni l'un ni l'autre des deux représentants de l'extrême droite, Jean-Marie Le Pen pour le Front national et Pascal Gauchon pour le PFN, ne réussit à rassembler les 500 parrainages nécessaires pour participer à la bataille électorale. Les élections législatives de juin 1981, remportées par la gauche pour la première fois de l'histoire de la Ve République, confirment la complète déconfiture de l'opposition nationale, en passe, semble-t-il, de disparaître de l'horizon politique français.

Plus marginaux encore apparaissent pendant ces dix années les autres courants de l'ultra-droite, non directement impliqués dans le jeu politique français et dont la relative intégration du courant électoraliste (FN, PFN) nourrit précisément le radicalisme doctrinal et activiste. Ce n'est le cas ni du néo-monarchisme gauchisant et généreux de Bertrand Renouvin, ni de l'expression plus traditionnelle du royalisme que représentent, rassemblés autour de Pierre Pujo et de l'hebdomadaire *Aspects de la France,* les hommes de l'Action française. Ici, la marginalité n'est que la conséquence d'une lente mort naturelle. Celle des groupuscules ultra-réactionnaires, l'Œuvre française de Pierre Sidos, fondée en 1968 et aujourd'hui semi-clandestine, les comités Chrétienté-Solidarité de Bernard Antony, dit Romain Marie, expression politique de l'intégrisme catholique le plus rétrograde, celle surtout des organisations néo-fascistes et néo-nazies les plus intransigeantes relèvent plutôt du rejet par l'opinion de la violence verbale et gestuelle, ainsi que de la référence affichée aux modèles mussolinien et hitlérien. Il en est ainsi du Groupe Union-Défense (GUD), mouvement étudiant lié au PFN dont il constitue la force militante et activiste, du Mouvement nationaliste révolutionnaire de Jean-Gilles Malliarakis, du parti nationaliste français (PNF) fondé en décembre 1983 par des éléments dissidents du Front national, enfin des Faisceaux nationalistes européens (FNE). Cette dernière organisation, animée par Marc Fredriksen et Michel Faci, a pris la relève de la FANE (Fédération d'action nationale européenne) interdite après qu'eurent été révélés en 1980 ses liens étroits avec l'internationale néo-nazie et l'influence qu'elle exerçait auprès de certains milieux policiers.

Paradoxalement, l'effacement jusqu'en 1983 du courant politique de l'ultra-droite et le rejet dans une quasi-clandestinité des groupuscules néo-fascistes et néo-nazis se sont accompagnés d'une percée inattendue de l'extrême droite dans le champ, jusqu'alors monopolisé par la gauche, de l'idéologie et de la culture. Bénéficiaire du grand reflux post-soixante-huitard et de la débandade du gauchisme intellectuel, tirant profit de la crise du marxisme et de l'image, devenue à peu près universellement insupportable à l'Occident, du modèle constitué par l'URSS et par son « socialisme réel », jouant sur le désarroi causé dans nos démocraties libérales permissives par le sentiment de la décadence, « la nouvelle droite » s'est engouffrée dans la brèche avec un objectif bien défini : promouvoir le renouveau de l'Occident en faisant, de l'intérieur, la conquête des élites et de l'appareil d'État et en substituant à l'hégémonie idéologique et culturelle de la gauche celle de la pensée droitière rénovée et radicalisée. Révolution culturelle à rebours, si l'on veut, récupérant Gramsci à droite (Alain de Benoist ne récuse pas l'héritage) pour faire triompher les idées de ses adversaires.

S'agit-il d'un fascisme ? Les gourous de la nouvelle droite s'en défendent, les uns avec sincérité, les autres par souci tactique de ne pas s'affubler d'une étiquette dévaluée. Pourtant, par leur itinéraire politique, par leur refus radical de l'héritage judéo-chrétien et humaniste, par le racisme biologique qui sous-tend leur discours, la plupart d'entre eux se rattachent, sinon à proprement parler au fascisme, ou mieux au national-socialisme, du moins au vaste courant intellectuel qui leur a donné naissance à la charnière du XIXᵉ et du XXᵉ siècle et dont les pères fondateurs s'appellent Gobineau, Houston Chamberlain ou Vacher de Lapouge.

A l'origine de la nouvelle droite, on trouve en effet une organisation, le GRECE (Groupement de recherches et d'études pour la civilisation européenne), né à la fin de 1967 à l'initiative d'un petit groupe de militants venus d'*Europe-Action,* la revue raciste et néonazie de Dominique Venner, ex-dirigeant de Jeune Nation. L'état-major de l'équipe comprend François d'Orcival, Roger Lemoine, Pierre d'Arribère, Antonio Lombardo et surtout l'ancien rédacteur en chef d'*Europe-Action*, Fabrice Laroche, lequel sous son véritable nom, Alain de Benoist, ne va pas tarder à faire figure de chef de file de la nouvelle droite. Pendant une dizaine d'années, jusqu'en 1978, celle-ci garde un caractère ultra-confidentiel et se contente d'étendre son réseau de pénétration des élites, regroupant ou patronnant des organisations telles que le cercle Pareto à l'Institut d'études politiques de Paris, le cercle Galilée de Dijon, le cercle Jean Médecin à Nice, le CLOSOR (comité de liaison des officiers et sous-officiers de réserve), le Club des Cent, le GENE (Groupe d'études pour une nouvelle éducation), etc. En même temps, le GRECE se dote d'une logistique éditoriale hautement diversifiée avec son bulletin de liaison, *Éléments,* le mensuel *Nouvelle École*, officiellement coupé de sa cellule depuis le numéro 13 (1970) mais auquel continuent de collaborer sous des noms d'emprunt (Robert de Herte par exemple) les maîtres à penser du GRECE, une revue doctrinale, *Études et Recherches,* une maison d'édition créée en 1977 par Alain de Benoist et Jean-Claude Valla, les éditions Copernic, etc. En 1974, a été fondé le très aristocratique Club de l'Horloge, sans lien organique avec le GRECE et avec la Nouvelle École, mais où l'on retrouve souvent les mêmes hommes – un Yvan Blot par exemple, qui a été son président et qui est devenu par la suite membre du comité central du RPR et chef de cabinet d'Alain Devaquet, secrétaire général de ce parti – et des idées assez voisines pudiquement placées sous le signe de la « révolution conservatrice ». Peuplé d'anciens élèves de l'ENA, de l'X ou des écoles normales supérieures, le Club de l'Horloge est devenu à la fin de la décennie 1970 la cellule pensante de la nouvelle droite, en même temps qu'un relais sur la route des cabinets ministériels de l'ère giscardienne, de la haute administration et des états-majors des grandes formations politiques de la droite.

A cette date, la nouvelle droite a cessé d'être un pur laboratoire d'idées, débattues dans les colloques du GRECE ou les séminaires de la Nouvelle École. Par le truchement de diverses publications, les thèmes qu'elle a mis à la mode se sont répandus dans le « grand public éclairé » où certains ont d'autant plus aisément pris racine qu'ils touchaient au vif des points sensibles de l'opinion conservatrice : problèmes de l'école, crise de l'autorité parentale, menace de métissage ethnique et culturel causée par l'immigration de masse, hantise du nivellement social dont serait porteur l'État-providence, etc. Appelant à la rescousse des données scientifiques soigneusement triées et isolées fournies par des anthropologues, des biologistes ou des généticiens, les penseurs et les vulgarisateurs de la nouvelle droite ont élaboré un système où se trouvent réhabilités de façon plus ou moins feutrée le racisme, le darwinisme social, l'anti-égalitarisme, la soumission aux hiérarchies et à l'autorité, et pourfendues au nom du mythe aryen les « utopies judéo-chrétiennes ». Prudemment, toutes les conséquences de ce néo-paganisme ne sont pas tirées par les nouveaux admirateurs de la civilisation nordique (germanique ou celte), du moins à haute voix, mais la parenté avec le délire pseudo-scientifique et autojustificateur des années brunes peut difficilement être niée.

Il serait toutefois abusif de parler de fascisation de la droite française. En pénétrant les rouages de l'État et les structures dirigeantes des grands partis conservateurs, les anciens cadres de la droite fascisante ont fortement tempéré leurs ardeurs antidémocratiques et se sont souvent laissé absorber par un néo-libéralisme qu'ils souhaiteraient simplement un peu plus musclé. Depuis l'avènement de la gauche en mai-juin 1981 la nouvelle droite a d'ailleurs perdu beaucoup de son audience et de son lustre. Ce n'est pas de ce côté qu'est venu le réveil de l'ultra-droite, ni de celui des nostalgiques de l'Empire SS; mais plus classiquement de la réaction élémentaire des mécontents du régime, habilement exploitée par le Front national de Jean-Marie Le Pen. De toutes les formations de la droite nationale, c'est la plus politique et (toutes proportions gardées) la plus modérée qui a bénéficié de la vague montante. Les 11 % d'électeurs qui ont voté Le Pen aux européennes de juin 1984 ont moins donné leur voix à un fascisme stricto sensu qu'à une sorte de néo-poujadisme à la fois populaire et conservateur, plus méfiant envers l'État que totalitaire, plus respectueux de l'ordre moral que révolutionnaire, plus xénophobe qu'explicitement raciste. Cela ne veut pas dire qu'il ne représente pas un danger pour la démocratie, comme en d'autres temps les troupes de choc de la contestation ligueuse. Simplement, comme le mouvement Poujade et comme les croix-de-feu, il ne peut être, sans examen, assimilé à un fascisme.

Une quarantaine d'années après la fin de la guerre, le phénomène fasciste reste donc une réalité bien vivante dans les pays industrialisés dotés d'institutions libérales. Mais il reste en même temps une réalité marginale, aucune formation néo-fasciste ne paraissant en mesure aujourd'hui de jouer un rôle autre qu'épisodique dans la vie politique du monde occidental. Il en sera sans doute ainsi aussi longtemps que le néo-capitalisme saura, comme il l'a fait jusqu'à présent, intégrer les masses dans un système qui peut faire l'économie de la solution totalitaire et empêcher le retour sinon d'une crise grave – la crise est présente depuis dix ans et elle n'a nulle part donné naissance à un fascisme – du moins d'une situation aussi socialement catastrophique que celle qui a, pendant les années 30, ébranlé le monde industrialisé.

L'Europe
méditerranéenne

Ni l'Espagne, ni le Portugal n'ont connu, nous l'avons vu, de régime proprement fasciste. Sans doute les emprunts au modèle mussolinien y ont-ils été plus larges qu'ailleurs. Il y a eu, c'est incontestable, jusqu'à leur disparition au milieu de la décennie 1970, des aspects totalitaires dans la dictature de Salazar et de ses épigones, comme dans celle de Franco. Mais, à la différence du fascisme que sa dynamique propre incline à se raidir avec le temps, ni l'une ni l'autre n'ont pu échapper à une très relative mais inéluctable libéralisation.

Ceci est d'ailleurs plus vrai pour l'Espagne que pour le Portugal où les guerres coloniales menées pendant une quinzaine d'années en Afrique ont entretenu une atmosphère de nationalisme exacerbé et où se sont exercés jusqu'à la fin, contre une opposition larvée et divisée, les méfaits de la PIDE (Police internationale de défense de l'État), la police politique la plus efficace du monde depuis la Gestapo (elle avait d'ailleurs été créée en 1940 par le germanophile Santos Costa et a eu comme instructeurs d'anciens membres de la police nazie). Cela dit, les deux dictatures ibériques ont évolué à peu près parallèlement. Dans les deux cas, on trouve au lendemain de la guerre, pendant laquelle l'Espagne et le Portugal ont conservé une neutralité plutôt favorable aux puissances de l'Axe, des régimes dont l'objectif premier est de freiner le développement des nouvelles forces socio-économiques. Ceci afin de conserver à la classe dirigeante traditionnelle son hégémonie dans l'État : attitude qui diffère fondamentalement de celle des dirigeants fascistes.

En fait, l'État salazarien comme l'État franquiste n'ont emprunté au modèle italien que ses instruments d'encadrement des masses : un parti unique vidé de sa substance et transformé en caste bureaucratique, des milices (telle la Legião portuguesa) destinées à assister la police officielle dans son action répressive, des mouvements de jeunesse contrôlés par le régime (jeunes phalangistes, Mocidade portuguesa dont les membres sont astreints au port de la chemise verte), les syndicats nationaux, etc. Simple façade plaquée sur des régimes qui, en réalité, continuent de s'appuyer sur les forces de conservation : la grande propriété foncière, l'armée et l'Église. Une façade qui s'est singulièrement lézardée avec le temps et dont les dirigeants espagnols et portugais se sont de moins en moins souciés. Dans le monde de la seconde moitié du XXᵉ siècle, le contrôle des médias et le conditionnement des masses par une information savamment dosée et filtrée constituent sans aucun doute des instruments d'intégration totalitaire infiniment plus efficaces que les formations paramilitaires de l'entre-deux-guerres.

Dans ces conditions, le parti unique, União nacional au Portugal, Phalange en Espagne, tend à devenir un organisme formel et bureaucratique. Il n'est maintenu en place que dans le souci de pouvoir disposer en cas de crise d'une foule de partisans fidèles, et aussi parce que les cadres de ces formations paragouvernementales représentent un corps de semi-fonctionnaires (7 000 dans l'Espagne de 1970) que le régime peut difficilement licencier. A dire vrai, sur les 2 millions de membres que comptait la Phalange, devenue Mouvement national, à la fin de son règne, Franco ne pouvait guère compter en cas de besoin que sur quelques dizaines de milliers d'inconditionnels, en particulier sur les 80 000 militants de la Guardia de Franco. Le reste était constitué soit par un petit nombre de néo-fascistes durs que révoltait l'évolution du régime, soit d'une masse de tièdes au sein de laquelle le poids des éléments jeunes ne cessait de diminuer (en 1963, 15 % seulement des jeunes Espagnols et de 3 à 4 % des étudiants étaient affiliés à la Phalange).

Pendant les trente années qui s'écoulent entre la fin de la guerre et la chute de la dictature, on assiste dans les deux pays, mais davantage en Espagne qu'au Portugal, à une double évolution. D'une part il y a « défascisation » du régime. Cela ne veut pas dire qu'il y ait eu relâchement de l'appareil policier. Simplement la dictature militaire et réactionnaire a changé d'inspirateurs. Elle s'est peu à peu dépouillée des éléments empruntés au fascisme italien pour adopter des formes plus modernes de totalitarisme. De là l'influence croissante en Espagne des technocrates de l'Opus Dei, liés étroitement aux milieux d'affaires et proches, par leur souci d'efficacité, d'une armée qui, de plus en plus, est elle aussi davantage peuplée de techniciens et de gestionnaires que de nostalgiques de la guerre civile. Certains aspects de cette défascisation sont purement symboliques, telle la suppression du salut romain dès 1945. D'autres révèlent au contraire un profond souci de liquidation du passé.

Ainsi les phalangistes se trouvent-ils peu à peu écartés du gouvernement. Dès février 1957, il n'y occupent plus qu'une place secondaire et, à l'automne 1969, ils sont à peu près complètement éliminés au profit des dirigeants technocrates, liés ou non à l'Opus Dei. Déjà la loi sur les principes du Mouvement national, promulguée en mai 1958, ne mentionnait plus la Phalange, dont le conseil national a été supprimé en janvier 1967 et dont Franco a cessé d'être le chef national. Au cours de l'été 1970, deux manifestations phalangistes ont été interdites parce que, a-t-il été précisé, la Phalange était « dépourvue de personnalité juridique », alors que le 26 janvier 1969 le général Vineta, ancien secrétaire de la jeunesse phalangiste, avait organisé à Barcelone, à l'instigation des autorités, une puissante manifestation de soutien au régime et de réparation pour les outrages infligés au Caudillo (un buste de Franco avait été défenestré) par des étudiants extrémistes. Autrement dit, le franquisme n'utilise plus la Phalange que comme un instrument totalement télécommandé par le pouvoir et seulement en période de contestation.

Ce phénomène de défascisation s'est accompagné d'un rejet des objectifs initiaux du régime. Et ceci, paradoxalement, au profit de ceux des régimes fascistes, du moins dans les domaines économique et social. En effet, les projets de fixation de la société portugaise et espagnole sur ses bases traditionnelles (toute-puissance de la caste agrarienne, refus de l'industrialisation et de ses conséquences, etc.) n'ont pu résister à la pression des forces économiques progressistes : le secteur bancaire, en plein essor, les industries de transformation et même le jeune secteur sidérurgique, stimulés par l'afflux des capitaux étrangers et par l'entrée de devises fortes (revenus du tourisme, remises des travailleurs émigrés). La paix sociale, imposée par la force dans les deux pays, a évidemment favorisé cette évolution à laquelle ne sont pas étrangers non plus l'aide substantielle consentie par les

Etats-Unis et, pour le Portugal, le stimulant artificiel des guerres coloniales. La conséquence logique de ces transformations aurait dû être une libéralisation politique à laquelle se sont continûment opposés les représentants de la vieille garde franquiste et salazarienne et que les détenteurs du pouvoir économique n'ont souhaité que tardivement, redoutant qu'elle ne déclenchât un processus révolutionnaire. D'où le maintien de régimes forts, mal adaptés aux nouvelles conditions socio-économiques, et qui ont en quelque sorte, malgré eux, joué un rôle équivalent à celui du fascisme.

Ce qui subsiste, après la guerre, de fascisme véritable s'est donc réfugié, notamment en Espagne, dans une opposition qui reproche aux maîtres du pouvoir d'avoir trahi les objectifs du Mouvement pour mettre en place un régime réactionnaire, clérical et traditionaliste. Et c'est au sein de la Phalange, parmi les vieux compagnons de José Antonio Primo de Rivera, ou au contraire parmi les jeunes, que s'est manifestée le plus ouvertement cette opposition. Il s'est constitué ainsi une gauche phalangiste, minoritaire mais active et passionnée, dont le programme se rattache directement au national-syndicalisme des fondateurs du mouvement. Elle commence à se manifester au lendemain de la grande crise de 1956 au moment où, mis en difficulté par une puissante vague d'agitation ouvrière et étudiante, Franco cherche à nouveau à prendre appui sur la Phalange; pas pour très longtemps. Le Caudillo sait bien que la solidité de son pouvoir tient au rôle de clé de voûte qu'il assume entre les différents clans qui appuient son action. Il est tout aussi conscient du fait qu'en adoptant les thèses socio-économiques de la Phalange il engagerait l'Espagne sur une voie dirigiste et autarcique qui ne correspond plus du tout à l'évolution de l'Europe occidentale.

Mais en attendant que s'ouvre pour elle l'ère du néo-capitalisme, il faut parer au plus pressé. C'est pourquoi Franco laisse la Phalange développer pendant quelque temps son offensive anticapitaliste et anticléricale, du moins l'aile dure de la Phalange. Celle qui s'exprime dans la lettre que l'ex-chef de la Garde de Franco, Luis Gonzalez Vicén, adresse au secrétaire général du mouvement, Arrese, le 8 juin 1956, et dans laquelle il réclame « pour sauver le pays de la catastrophe » la transformation du Conseil du parti en un Conseil national ayant droit de veto sur toute action gouvernementale. Celle qui se regroupe un peu plus tard dans le Cercle d'études José Antonio autour du même Vicén, de l'ex-secrétaire du parti Raimundo Fernandez Cuesta et de Miguel et Pilar Primo de Rivera, le frère et la sœur de José Antonio. L'opposition de cette « gauche phalangiste », dont il faut bien remarquer qu'elle est plus proche du premier fascisme de l'avant-guerre que du néo-fascisme européen des années 60, peut se manifester de façon brutale. Ainsi lorsque le 22 novembre 1960, dans l'église souterraine de Santa Cruz de los Caldos, le jeune soldat phalangiste José Urdiales s'écrie au moment de l'élévation : « Franco, tu es un traître ! », ce qui lui vaudra une condamnation à douze ans de prison, ou encore lorsqu'en novembre 1963 un millier de phalangistes défilent dans les rues de Madrid en chantant le vieux chant phalangiste *Mort au capital*, interdit par le régime, et en répétant le slogan « Phalange oui, Opus Dei non ! ». Mais le plus souvent il s'agira d'une opposition larvée qui s'exprime par exemple dans la revue *Es Así*, autorisée par Franco en 1963 et supprimée un an et demi plus tard. Tout juste le temps pour Vicén de s'en prendre à la dictature de l'Opus Dei et aux « thèses capitalistes les plus rétrogrades » du régime.

En fait, la gauche phalangiste a mené dans l'Espagne des années 60 un combat d'arrière-garde. Celui d'un fascisme entièrement tourné vers le passé. En cherchant à renouer avec ses origines nationales-syndicalistes et révolutionnaires, elle a voulu miser sur l'Espagne des travailleurs et préparer la relève du franquisme en appliquant à l'Espagne néo-capitaliste et technocratique les recettes qui avaient, quarante ans plus tôt, conduit Mussolini au pouvoir.

Il est vrai que la péninsule ibérique a subi, entre 1955 et 1970, des mutations comparables à celles que l'Italie et l'Allemagne ont connues au début du xxᵉ siècle, mais dans un contexte entièrement différent. Compte tenu des liens étroits qui rendent le capitalisme espagnol et portugais solidaire des investissements étrangers et de l'économie occidentale, l'évolution ne peut s'opérer dans les mêmes conditions, ni au même rythme, que dans les pays où le fascisme a facilité le passage du capitalisme concurrentiel au stade de la concentration financière. Tout se passe comme si, dans ces pays, et il en sera vraisemblablement de même pour beaucoup d'autres, un stade du développement socio-économique avait été sauté et comme si avaient été ruinées en même temps les chances d'une nouvelle éclosion de régimes proprement fascistes.

De la fin de la guerre civile (octobre 1949) au milieu de la décennie 1960, la Grèce a dû affronter pour sa part, sur fond de difficultés économiques et de revendications sociales, à la fois un problème de politique intérieure – instabilité endémique avec menace de « front populaire », aussitôt interprétée par la droite comme devant déboucher sur la subversion communiste – et, à partir de 1959, les graves difficultés internationales provoquées par l'affaire de Chypre. C'est dans une large mesure pour tenter de résoudre ces deux questions, auxquelles la monarchie, rétablie en 1946, n'avait pas su apporter de solution, que fut instauré en avril 1967, à la suite d'un coup d'État militaire, un régime dont les traits rappellent à bien des égards ceux du fascisme mussolinien.

En effet, si l'on considère les forces sur lesquelles repose à partir de cette date le pouvoir du colonel Georges Papadopoulos, on trouve bien sûr l'armée, ou du moins la fraction de l'armée qui n'est pas restée fidèle à la monarchie (il est vrai que depuis la tentative de contre-coup d'État royal de décembre 1967 l'épuration a été activement menée), mais aussi – et ceci dès le départ, ce qui constitue une différence fondamentale avec le Portugal et l'Espagne – la majorité des hommes d'affaires et des industriels, ainsi que certaines couches de la paysannerie et de la petite bourgeoisie. Il y a là une alliance objective des grands intérêts et des classes moyennes qui constitue, nous l'avons vu, l'un des traits essentiels du fascisme au pouvoir. C'est d'ailleurs pour satisfaire cette double clientèle que Papadopoulos a joué à la fois la carte de la croissance économique (le rythme en était de 8 % lors de l'arrivée au pouvoir des colonels et ceux-ci ont réussi à éviter le freinage en gardant une partie de l'équipe de planification mise en place par Andreas Papandreou) et celle de l'éviction (partielle) de l'establishment au profit de la petite paysannerie et des classes moyennes urbaines.

Bien entendu cette parenté structurelle s'accompagne d'analogies dans les méthodes de répression et d'encadrement de la population : camps de concentration, police politique omniprésente et toute-puissante, épuration et surveillance étroite des administrations et des corps militaires, embrigadement du clergé, utilisation massive des grands médias d'information, surveillance des mœurs et de la consommation culturelle, essai d'endoctrinement de la jeunesse. Mais ces méthodes, que l'on retrouve au même moment et aujourd'hui encore dans tous les régimes de dictature, qu'ils soient réactionnaires ou progressistes, ne suffisent pas à définir un véritable fascisme. On doit même admettre que si la répression en Grèce, comme au Portugal, au Brésil ou plus tard en Argentine et au Chili a été brutale et plus inhumaine que ne l'a été en son temps le fascisme italien – c'est l'un des tristes privilèges de notre époque que de rechercher dans ce domaine même la plus grande efficacité – le totalitarisme y a été moins poussé. Pas de parti unique tout-puissant comme dans les régimes proprement fascistes. Pas de système corporatiste ni de mobilisation permanente de la population sur des mots d'ordre de préparation à la guerre. Pas de « révolution culturelle » visant à forger un « homme nouveau ».

Nous touchons là à la différence essentielle entre le régime des colonels et celui de Mussolini. Le fascisme cherche en effet à intégrer les masses et il est lui-même issu d'un mouvement de masse. Le pouvoir de Papadopoulos a été imposé au peuple grec par un coup d'État militaire. Sans doute celui-ci a-t-il été réalisé par des officiers d'extraction petite-bourgeoise, hostiles à la caste aristocratique monarchiste dont sont originaires les hauts cadres de l'armée. Mais la

7. *Le chef de la junte des colonels grecs salué par un invalide de la dernière guerre.*

participation populaire a été nulle et l'on ne peut comme dans l'Italie de 1922 parler de substitution d'une « élite de remplacement » à la classe dirigeante traditionnelle. Les colonels n'ont été que l'instrument utilisé par la fraction réactionnaire de la bourgeoisie grecque pour assurer le renforcement de son pouvoir et pour bloquer la montée des forces libérales et démocratiques, hâtivement et commodément baptisées « procommunistes » par la droite.

Que la CIA n'ait pas été étrangère à l'affaire, ou qu'il y ait eu chez les partisans de Papadopoulos des motivations « hellénoturquistes » visant à l'union de la Grèce et de la Turquie, ne change pas grand-chose à la nature profonde du coup d'État, ainsi définie par Constantin Tsoucalas :

« S'il était possible d'isoler l'élément ayant joué le rôle le plus important dans l'abolition de la démocratie en Grèce, ce serait le cercle des intérêts établis et leur opposition inconditionnelle à toute modification d'une structure socio-économique désuète et irrationnelle. L'État dans l'État, qui n'avait jamais cessé de fonctionner depuis 1945, avait été rendu possible par la police britannique et, par la suite, par la police américaine : mais il était au fond le produit d'une bourgeoisie qui refusait d'abandonner ses scandaleux privilèges... Quand la crise finit par se déclencher en 1964, la bourgeoisie se trouva devant un dilemme : ou elle cédait, ou elle résistait par la force. La structure du pouvoir et les tendances idéologiques de la classe dirigeante étaient telles que le choix de la seconde solution était probablement inévitable » (C. Tsoucalas, *La Grèce de l'indépendance aux colonels,* Paris, Maspero, 1970, p. 189).

Pour cela l'aile réactionnaire de la classe dirigeante avait besoin d'exécutants. Elle les a d'abord trouvés dans les groupes extrémistes, parmi les terroristes du Gant noir ou du Groupe de l'épingle, peuplés de néo-nazis et d'anciens collaborationnistes comme Spyros Kotzomanis, l'un des assassins du député de gauche Lambrakis, selon un processus qui a été admirablement reconstitué par le film *Z* de Costa-Gavras. Puis, quand l'intimidation et la terreur individuelle n'ont plus suffi, elle a favorisé l'avènement de la fraction la plus radicale de l'armée. Celle-ci, à laquelle certains commentateurs ont au début prêté des intentions « nassériennes » (autrement dit populistes), n'a pas tardé à montrer son véritable visage.

Sous des dehors fascisants et révolutionnaires, elle s'est bornée à suivre les politiques imposées jusqu'alors au pays par les couches dominantes, avec, certes, une efficacité plus grande, et tout en satisfaisant les ambitions de ses propres chefs. Ce que Jean Meynaud a résumé par la formule suivante : « Le 21 avril 1967, la Grèce est tombée aux mains d'une bande de militaires de second plan dont le comportement s'explique beaucoup mieux par référence aux méthodes

habituelles des gangs qu'aux schémas ordinaires du droit constitutionnel » (*La dictature grecque a cinq ans,* Paris, 1972, p. 14).

Le retour à la démocratie dans les trois pays de l'Europe méditerranéenne s'est opéré dans le courant des années 1973-1975 selon des
processus très différents. En Grèce, l'élimination des colonels en novembre 1973, à la suite d'un mouvement insurrectionnel qui s'était
principalement développé dans les universités, a été suivie en juillet
1974 de l'abandon du pouvoir par le général Gkizikis, conséquence
des difficultés engendrées par la crise chypriote et probablement du
« lâchage américain » (cf. la petite phrase prononcée par Henry Kis-
singer le 22 juillet sur « des changements au sein du gouvernement
grec »). A la surprise générale, la dictature s'est donc effondrée d'elle-
même, sans que la rue ait eu à intervenir. Au Portugal, la spectaculaire
et pacifique « révolution des œillets » d'avril 1974 a été à la fois le
substrat et la façade d'un authentique coup d'État militaire dirigé
contre le régime de Caetano, dernier héritier du salazarisme. Simplement, ce coup d'État militaire s'est fait avec l'appui des forces populaires et de la fraction de la bourgeoisie portugaise qui aspirait à une
libéralisation (progressive et limitée) du régime pour les mêmes raisons
que ses homologues grecque ou espagnole : à savoir l'adoption d'un
système politique permettant d'éliminer les archaïsmes socio-économiques susceptibles de freiner la croissance et de retarder l'adhésion à la
CEE. En Espagne enfin, il a fallu attendre la mort de Franco, le
20 novembre 1975, pour que sous l'impulsion directe du roi Juan
Carlos le pays s'engage dans un processus de libéralisation et de
démocratisation qui aboutira trois ans plus tard à la promulgation
d'une constitution démocratique, approuvée à une large majorité par
le peuple espagnol.

Au cours des dix dernières années, les pays ainsi libérés de la
dictature ont eu à affronter les assauts des nostalgiques de l'ordre
ancien, officiers ultra-réactionnaires, membres des organisations néo-
fascistes, aile extrémiste de la bourgeoisie possédante, intégristes, etc.,
sans que ces derniers aient pu jusqu'à présent renverser le cours d'une
histoire qui, malgré les retards apportés à l'élargissement du Marché
commun, lie de plus en plus fortement l'Europe du Sud à la communauté issue du traité de Rome. Ceci, malgré la crise, durement ressentie dans ces pays aux économies encore fragiles.

Des trois pays, c'est la Grèce qui a eu le moins à souffrir de la
contre-offensive des forces du passé. Certes l'armée grecque n'est pas
unanimement ralliée à la démocratie et il existe, à côté de quelques
groupuscules néo-fascistes et néo-nazis, des formations d'extrême
droite qui ne cachent pas leur hostilité pour une démocratie dominée
par les socialistes (48 % aux élections générales de 1981, 42 % aux
européennes de 1984). Mais leur présence est devenue aujourd'hui plus

symbolique qu'elle ne l'est dans certaines grandes démocraties occidentales. Ainsi, lors du scrutin européen de juin 1984, l'Union politique nationale (EPEN), qui se réclame ouvertement de l'ancien dictateur Papadopoulos, n'a obtenu que 2,35 % des voix. Comparé aux 6,82 % de l'Alignement national, de même tendance, aux législatives de 1977, le score dit bien à quel niveau se situe l'influence de cette formation, les autres mouvements politiques d'extrême droite, le parti progressiste de M. Markezinis et l'Union nationale, ayant pratiquement disparu.

Au Portugal, la période tourmentée qui a suivi la révolution des œillets – recherche d'une voie gaullienne incarnée par le général de Spinola jusqu'en mars 1975, tentative de conquête révolutionnaire du pouvoir par l'extrême gauche et les capitaines populistes du Mouvement des forces armées de mars à novembre 1975, enfin phase de normalisation conduite par le président de la République, le général Costa e Gomes – est close depuis plusieurs années. Ici également, les partis de centre droit de l'Alliance démocratique, qui ont été au pouvoir jusqu'en avril 1983, et le parti socialiste de Mario Soares, vainqueur des élections législatives de 1983 (36,2 % des voix), doivent tenir compte des nostalgies de l'ordre salazarien qui caractérisent certains secteurs de la bourgeoisie et des classes moyennes, ainsi que les hauts cadres de l'armée, redevenus maîtres du jeu dans une institution militaire où ont été peu à peu marginalisés les jeunes officiers gauchisants. Le risque de putsch n'est donc pas complètement écarté, et avec lui celui d'un retour à la dictature réactionnaire de l'ère Caetano, mais jusqu'à présent le mécontentement et les déceptions dus à la crise et à l'immobilisme des formations gouvernementales n'ont donné naissance à aucun mouvement politique de masse susceptible de favoriser l'essor d'un fascisme.

Il en est de même en Espagne, à cette différence près que l'élimination à peu près complète de l'extrême droite parlementaire (elle n'a obtenu aucun siège aux Cortès lors des élections d'octobre 1982, alors que le parti socialiste de Felipe González y emportait la majorité absolue avec 46 % des suffrages) n'est pas exclusive de brèves résurgences profranquistes, encore capables, comme ce fut le cas en 1981, de mobiliser plusieurs dizaines de milliers de personnes sur la place d'Orient à Madrid pour l'anniversaire de la mort du Caudillo. Ici la conjuration militaire est permanente et beaucoup plus dangereuse qu'au Portugal et en Grèce. Jouent en ce sens le souvenir des événements de l'été 1936, la tradition « golpiste » de l'armée espagnole et l'alibi qu'offrent aux généraux putschistes – une action préventive de sauvetage de l'unité nationale – les tueurs de l'ETA politico-militaire et leurs adversaires contre-terroristes. Depuis 1977, la jeune démocratie espagnole a eu ainsi à affronter plusieurs tentatives de coups d'État.

. Le colonel Tejero de Molina lors de la tentative de putsch aux Cortès le 22 février 1981.

La plus grave a eu lieu en février 1981 lorsque les Cortès (le parlement espagnol) ont été prises d'assaut par un commando de 300 gardes civils commandés par le lieutenant-colonel Tejero. Pendant dix-huit heures, le gouvernement et les députés ont été gardés en otages, tandis qu'à Valence le général Milans del Bosch faisait sortir ses chars dans les rues de la ville et que la plupart des capitaines généraux (gouverneurs des régions militaires) attendaient plusieurs heures avant de proclamer leur fidélité au roi. Le procès des putschistes et les événements ultérieurs – découverte de deux nouveaux complots, en novembre 1981 et octobre 1982, manifeste en faveur des putschistes de février 1981 signé par une centaine d'officiers et de sous-officiers en décembre de la même année, « lettre des militaires au roi d'Espagne » circulant au début de 1982 dans les casernes – ont clairement révélé que l'action du lieutenant-colonel Tejero était loin d'être isolée et répondait à un vaste plan de subversion comportant, après la neutralisation du gouvernement, l'occupation des points névralgiques de la capitale par la division blindée d'élite Brunete et le soulèvement des autres régions militaires. Autrement dit, la réédition, avec de meilleures chances de succès, du soulèvement du 18 juillet 1936.

Ceci pour aboutir à quel résultat ? La désignation par le souverain d'un gouvernement d'« union nationale » ayant l'approbation des militaires et seul capable à leurs yeux de mettre fin au processus de désagrégation de l'État espagnol (autonomie, problème basque, excès de la permissivité) ? C'est probablement en ce sens qu'ont penché les capitaines généraux hésitants et certains hauts dignitaires de l'armée, indirectement impliqués dans le complot de février 1981. Ou bien retour au franquisme pur et dur comme le voulaient, comme le veulent encore dans l'Espagne de 1984 nombre d'officiers qui ne cachent pas leurs sympathies pour le régime du Caudillo, un Tejero – devenu le héros de la formation fascisante Solidarité espagnole –, un Milans del Bosch, ancien combattant de la division *Azul* engagée sur le front de l'Est aux côtés de la Wehrmacht et décoré de la croix de fer, beaucoup d'autres encore, jeunes officiers hostiles au marxisme et à la démocratie mais qui ne répugneraient pas à une expérience populiste. Ce n'est pas assez, en l'absence d'un parti de masse et d'un leader charismatique, pour faire renaître un fascisme véritable dans l'Europe néolibérale et social-démocrate des années 80, même avec l'appoint des nervis de Forza nueva, la formation extrémiste de M. Blas Pinar, même avec le soutien prudent de secteurs minoritaires des classes dominantes et des milieux financiers, voire de quelques évêques. Mais cela peut suffire à placer sous surveillance la démocratie espagnole et à obtenir des résultats analogues en faisant l'économie de la dictature.

L'Amérique latine

Les dictatures militaires qui, depuis le début des années 30, ont fleuri un peu partout en Amérique latine, sont fréquemment qualifiées de fascistes. Or, on peut en distinguer deux types principaux, fondamentalement opposés. Le premier, d'inspiration progressiste, reproduit en gros le modèle kémaliste. Le second s'apparente aux régimes réactionnaires de l'Europe centrale et orientale. L'un et l'autre empruntent au fascisme certains de ses caractères, mais par des objectifs et par son esprit le premier type en est beaucoup plus proche, au point que pour le définir on a pu parler de « fascisme de gauche ».

Le gétulisme brésilien et le régime instauré en Argentine par le colonel Perón appartiennent à la première catégorie. Trois faits expliquent leur apparition. D'une part, la tradition latino-américaine du « caudillismo » (c'est vrai également pour les régimes réactionnaires), très antérieure à l'éclosion des fascismes européens et qui, comme eux, repose sur l'institution du parti unique, sur la dictature d'un chef toutpuissant et sur la mise en place d'une État militaro-policier. En second lieu, l'influence exercée dans des pays à forte proportion d'immigrés italiens et allemands par les idéologies fasciste et nazie. Influence renforcée par l'action propagandiste de l'Italie mussolinienne et par celle du IIIe Reich à partir des maisons de la culture fasciste et des instituts ibérico-américains que contrôlent, à la veille de la guerre, le Bureau Rosenberg et l'Ausland Organisation de Hess. Après 1945, l'influence de ces organisations se trouve relayée par celle des groupes d'ex-nazis qui ont trouvé refuge en Amérique latine, et notamment en Argentine, au lendemain de la guerre. Troisième fait, et il est capital, car c'est là que va s'opérer le clivage entre tendances progressistes et tendances réactionnaires, c'est l'existence d'une bourgeoisie nationale anti-impérialiste dont les jeunes forces reposent sur le développement industriel.

Les intérêts de cette catégorie sociale se trouvent en général diamétralement opposés à ceux de la classe dirigeante traditionnelle : grande propriété foncière et bourgeoisie marchande, dont la richesse est liée à l'exportation des produits de base et qui s'accommode plus aisément d'une situation de dépendance vis-à-vis du capitalisme international.

Pour imposer ses vues et faire triompher ses intérêts, la jeune bourgeoisie industrielle va rechercher l'appui des masses urbaines, notamment celui du prolétariat d'usine, depuis peu arraché aux activités rurales. Elle y gagne doublement car, en pratiquant une politique de développement du pouvoir d'achat ouvrier, elle accroît les possibilités d'absorption du marché intérieur, ce qui est l'une des conditions premières du décollage industriel. A la faveur d'une conjoncture favorable – effacement pendant la guerre des impérialismes britannique et américain, accumulation de réserves monétaires grâce aux bénéfices réalisés sur les fournitures aux belligérants – la bourgeoisie industrielle des pays latino-américains ayant atteint un certain niveau de développement va s'efforcer de s'emparer du pouvoir et de s'y maintenir, face à la coalition des intérêts structurés autour des activités de l'import-export et de la monoculture latifundiaire. Pour cela, elle utilisera la pression des masses citadines et elle mettra en place des pouvoirs de type populiste. On qualifie parfois de « bonapartistes » les régimes ainsi constitués, en ce sens qu'ils tirent partie de la pression spontanée des masses urbaines pour s'assurer une place prépondérante dans la coalition des classes dirigeantes et pour favoriser l'expansion du capitalisme national.

Au Brésil, cette alliance des deux catégories sociales nées de la révolution industrielle a donné naissance au gétulisme. Chassé du pouvoir en 1945, Vargas y revient en 1950 et pendant quatre ans il va renouer avec les objectifs travaillistes de sa première dictature. Son suicide en 1954 met fin à cette expérience mais le gétulisme survit à son initiateur. On retrouve les mêmes préoccupations populistes et nationalistes dans l'action de Kubitschek (1955-1960) et de Goulart

(1961-1964), et c'est contre l'héritage gétuliste qu'est dirigé le coup d'État militaire de 1964.

En Argentine, le « néo-bonarpartisme » a pris la forme du péronisme. La dictature instaurée par le colonel Juan Domingo Peron est en effet fondamentalement différente dans son esprit, sinon dans ses méthodes, des pouvoirs réactionnaires qui s'étaient succédé depuis la marche sur Buenos Aires du général Uriburu en septembre 1930 : dictatures militaires d'Uriburu et de José Justo, ou dictatures civiles d'Ortiz puis de Castillo. En effet, pendant la grande crise des années 30, la limitation des importations a encouragé comme au Brésil le développement de jeunes industries qui ont été fortement stimulées par la guerre. D'où l'essor d'une bourgeoisie industrielle qui a tout intérêt à voir le marché intérieur se développer dans un contexte semi-autarcique et qui trouve dans le nationalisme une justification idéologique parfaitement adaptée à ses aspirations. Les objectifs de cette éventuelle élite de remplacement rejoignent ceux d'un groupe de jeunes officiers, le GOU (Grupo de oficiales unidos) auquel appartient le colonel Peron.

Ce sont eux qui, renversant le régime de Castillo, s'emparent du pouvoir en juin 1943. Premier signe de l'orientation de la nouvelle équipe, la création d'un ministère du Travail et de la Prévoyance qui est confié à Peron. Celui-ci, percevant tout le parti que le nouveau régime peut tirer des masses nouvellement urbanisées et dépourvues d'idéologie politique, prend aussitôt des mesures favorables aux ouvriers. En quelques mois, grâce à ses dons charismatiques et aux liens qu'il réussit à nouer avec les dirigeants du secteur industriel, il devient l'homme fort du gouvernement. Il accède à la vice-présidence en 1944 et brigue la direction de l'État argentin.

C'est alors que Peron définit, dans son discours du 25 août 1944 devant la Chambre de commerce de Buenos Aires, les buts de la politique étatiste dont il souhaite l'application en Argentine : développement du capital industriel sous les auspices de l'État et contrôle par celui-ci de la force de travail. Ce qui entraîne bientôt la contre-attaque des forces conservatrices et pro-impérialistes, soutenues en la circonstance par les démocrates et par les antifascistes. Cette coalition obtient l'éviction et l'emprisonnement de Peron le 9 octobre 1945. Mais le 17 les *descamisados* (ouvrier pauvres des faubourgs et chômeurs) entrent en scène. A la suite de puissantes manifestations de rues, ils font libérer le « chef », lequel va désormais pouvoir compter sur cette masse misérable et enthousiaste. Elu président avec 56 % des voix en février 1946, Peron a bénéficié, face à la coalition des conservateurs et des partis de la gauche traditionnelle, de l'appui du parti laboriste et de celui d'une fraction dissidente du radicalisme.

Deux ans plus tard, il fond ces deux mouvements en un parti

justicialiste dont il fait l'instrument de son pouvoir personnel. En même temps, il met en pratique les idées qu'il a développées lors de son passage au ministère du Travail. Développement du capitalisme d'État par la nationalisation des chemins de fer, la mise en place d'un complexe industriel dépendant de l'armée de l'air, les Fabricaciones militares, l'établissement de plans quinquennaux ; stimulation du secteur industriel privé par une politique de largesse que permettent les énormes réserves monétaires. Surtout politique sociale qui vise à la fois à élever le pouvoir d'achat des masses et à lier celles-ci au régime. Il développe la législation sociale, élaborée entre 1943 et 1945, et il dote les ouvriers, les travailleurs agricoles et les employés d'un statut juridique et de moyens de défense qui leur manquaient jusqu'alors. Dans cette voie, il est secondé, il faudrait même dire précédé, par sa femme Evita, devenue l'idole des *descamisados*, mais que la pression des militaires empêchera d'accéder, un an avant sa mort survenue le 26 juillet 1953, à la vice-présidence.

Régime personnel donc, et bientôt régime policier, mais non totalitaire. Encadrées par la CGT et par le parti justicialiste, les masses argentines ne sont ni enrégimentées, ni soumises à une pression idéologique comparable à celle des régimes fascistes. Pourtant Perón, qui avait été avant la guerre attaché militaire à Rome, s'est inspiré du fascisme. Au moment de rendre publics les vingt principes de sa doctrine, le justicialisme, il avait précisé : « Nous créerons un fascisme, mais en évitant soigneusement les erreurs de Mussolini. » En fait, ce que le péronisme a de commun avec le fascisme, c'est, outre la démagogie verbale et gestuelle, le maintien et même le renforcement du capitalisme national. En revanche, il diffère sensiblement du modèle mussolinien en ce sens que les forces sur lesquelles il s'appuie sont davantage axées sur les masses populaires urbaines, ce qui peut justifier partiellement l'appellation « fascisme de gauche ». Disons qu'à la différence des fascismes européens, les régimes de type péroniste sont déterminés – c'est l'interprétation que donne le sociologue argentin G. Germani – par la destructuration « primaire » de la société, celle qui rend disponibles des masses préindustrielles, notamment le prolétariat tout nouvellement arraché à ses racines rurales, tandis que le fascisme est le résultat d'une mobilisation « secondaire » : celle d'une société déjà industrialisée au sein de laquelle les classes moyennes constituent le principal vecteur du fascisme.

Renversé en juin 1955 par une coalition regroupant les conservateurs pro-impérialistes, certains milieux industriels inquiets de la situation financière (conséquence des largesses péronistes mais aussi du renversement de la conjoncture mondiale) et de la menace d'une véritable révolution sociale, ainsi que l'Église et une partie de l'armée, le péronisme a comme le gétulisme survécu à la dictature de son fondateur. En Argentine tout d'abord où il a continué à jouer un rôle important dans la vie politique du pays jusqu'au retour du vieux *líder* en 1973, suivi d'un bref intermède néo-péroniste sans grand rapport avec la décennie justicialiste : Peron est mort en juillet 1974 et son épouse Maria Estela Martinez, la nouvelle « Isabelita », qui l'a remplacé à la présidence, a été déposée par les militaires en mars 1976 après des mois d'anarchie et de confusion politique. Mais également dans d'autres pays latino-américains, sous des formes variables : cardénisme au Mexique (du nom du général Lázaro Cárdenas, dont la dictature gauchisante dure de 1935 à 1940), Mouvement nationaliste révolutionnaire de Victor Paz Estenssoro en Bolivie (1952-1964), tentative du général Rojas en Colombie (1953-1957), État militaire socialisant et autogestionnaire du général Velasco Alvarado qui, de 1968 à 1975, introduit au Pérou d'importantes réformes de structures (nationalisations, réforme agraire radicale, intéressement des travailleurs aux bénéfices des entreprises) et entretient de très mauvais rapports avec Washington.

Face à ces dictatures nationalistes et populistes se sont développés en Amérique latine des régimes militaires d'extrême droite qui n'ont plus grand-chose à voir avec le fascisme, mais qui ont en commun de s'intégrer au système néo-impérialiste. Ce sont tantôt des régimes de pure réaction féodale, tantôt, et ceci tend à devenir aujourd'hui la règle, des régimes de type franquiste, c'est-à-dire fondés sur l'alliance des militaires, des technocrates, de la fraction radicalisée à droite de la petite bourgeoisie urbaine et du bloc des classes dirigeantes. Un bloc au sein duquel la bourgeoisie industrielle a fini par accepter sa défaite (cf. l'ouvrage de Ruy Mauro Marini, *Sous-développement et révolution en Amérique latine*, Paris, Maspero, 1972) et par admettre l'idée que le développement capitaliste en Amérique latine devait passer par l'intégration au système dominé par les États-Unis et par les grandes sociétés multinationales. Ceci jusqu'à un certain point, ou jusqu'à un certain stade au-delà duquel le nationalisme, qui donne sa cohésion au bloc dirigeant, l'emporte sur les solidarités d'intérêts et peut entraîner des conflits avec la puissance tutélaire. La dictature des militaires ultras au Brésil depuis 1964, la domination sanglante et terroriste des généraux argentins entre 1976 et 1984, celle, non moins brutale, du général Pinochet au Chili depuis 1973 en sont les exemples les plus significatifs, mais, répétons-le, le phénomène est général et assurément distinct du totalitarisme fasciste.

Quant au fascisme proprement dit, celui qu'inspirent depuis la guerre les nazis réfugiés en Amérique du Sud, il se cantonne dans de petits groupes isolés. Ce sont ceux-ci qui, à différentes reprises, ont entrepris dans divers pays du continent latino-américain des « expéditions punitives » contre les juifs. Ainsi à Bogota en 1946, des comman-

9. *Le général Peron.*

10. *Eva Peron recevant les habitants des quartiers pauvres de Buenos Aires. Elle distribuait, de temps à autre, quelques billets dissimulés devant elle.*

dos de jeunes gens dotés d'uniformes et d'emblèmes nazis ont dévasté la majeure partie des magasins tenus par des israélites. En 1950 à Medellín en Colombie, où se trouvait le siège du mouvement néofasciste Joven America, un service religieux a été célébré pour honorer la mémoire des « victimes » du procès de Nuremberg devant un parterre de fidèles du Grand Reich porteurs de brassards à croix gammée. Des manifestations antisémites orchestrées par les néo-nazis ont eu lieu également au Brésil en 1958 et surtout, après l'exécution d'Eichmann en 1962, en Argentine et en Uruguay, où de jeunes juifs ont été enlevés, brutalisés et marqués au fer rouge de la svastika.

Longtemps sporadiques, ces manifestations ont pris une ampleur nouvelle et un caractère endémique depuis une dizaine d'année, notamment en Argentine où vit une communauté juive de plus de 600 000 peronnes. Certes, la génération des rescapés du nazisme est aujourd'hui en voie d'extinction et la démocratie a marqué quelques points depuis 1983. Mais il faut compter avec la « relève de la garde », l'armée, la police politique et les organisations paramilitaires fascisantes ayant fortement subi ici et là l'influence des doctrinaires nazis comme celle des tortionnaires de la Gestapo.

Le reste du monde

Le monde musulman, l'Afrique noire et l'Asie ont connu depuis les débuts de la décolonisation la même opposition fondamentale qu'en Amérique latine : d'une part pouvoirs forts, d'inspiration populiste et anti-impérialiste, de l'autre dictatures militaires pro-occidentales reposant sur l'alliance de la grande propriété foncière, des classes moyennes et de la bourgeoisie compradore (voire de la bourgeoisie industrielle ralliée). Accusées de préparer la révolution sociale et de faire le lit du communisme, les premières ont parfois été relayées par les secondes à la suite d'un coup d'État organisé par la fraction réactionnaire de l'armée, avec ou sans l'aide de la CIA américaine. Les exemples de substitutions de ce genre sont nombreux. L'un des plus caractéristiques est le « coup du 30 septembre » 1965, par lequel le lieutenant-colonel Suharto met fin à l'expérience de « démocratie dirigée » que menait depuis 1957 le président indonésien Sukarno. Dans un cas comme dans l'autre nous retrouvons la typologie politique qui a été évoquée à propos des pays latino-américains. Ce qui veut dire que le fascisme, tel que nous avons essayé de le définir dans cette étude, à savoir l'une des formes politiques revêtues par les sociétés industrialisées au stade de la concentration financière à l'échelle nationale – ou si l'on veut de l'impérialisme – ne peut avoir de

11. *Le lieutenant-général Suharto, lors de sa prise du pouvoir en Indonésie en mars 1966.*

place dans des pays qui sont eux-mêmes aux prises avec le néo-colonialisme des grandes puissances. Sauf pour leur fournir des modèles d'encadrement des masses : le culte du chef, le parti unique, les organisations de jeunesse (comme les Young Pioneers au Ghana), etc.

On ne peut cependant nier qu'il y ait eu parfois une filiation directe, tout comme en Argentine, entre certains mouvements philofascistes de l'avant-guerre et les hommes qui ont imposé dans leur pays un pouvoir de type kémaliste ou bonapartiste. C'est le cas de l'Égypte nassérienne et des régimes qui, dans le monde arabe, se sont inspirés de son exemple. Non que l'on doive prendre très au sérieux les rumeurs selon lesquelles le coup d'État de 1952 aurait été préparé par les ex-nazis réfugiés au Caire. Sans doute l'Égypte a-t-elle, tout comme l'Espagne et l'Argentine, servi au lendemain immédiat de la guerre d'asile aux anciens nazis, certains d'entre eux trouvant même à se reconvertir comme conseillers techniques dans la police ou dans l'armée du roi Farouk. Mais cela ne suffit pas à accréditer la thèse, soutenue en 1952 par un partie de la presse américaine, allemande et suisse, d'un complot néo-nazi.

Il reste que les hommes qui vont jouer un rôle important dans le mouvement des « officiers libres » qui est à l'origine du putsch du 23 juillet 1952, puis dans la direction du nouvel État égyptien, ont souvent des attaches avec les organisations profascistes et pronazies de l'avant-guerre, et ceci pour deux raisons. D'une part, parce que ces officiers d'origine modeste avaient trouvé dans la démagogie national-socialiste une formule politique correspondant à leurs propres aspirations (hostilité à la classe dirigeante traditionnelle, conservatrice et pro-impérialiste), et d'autre part, parce qu'en dirigeant leurs coups contre les puissances colonialistes, et notamment contre la Grande-Bretagne, l'Allemagne et l'Italie faisaient à leurs yeux figures d'alliés provisoires. D'où l'attitude de certains leaders nationalistes arabes à l'égard en particulier des Allemands, moins suspects que les Italiens de vouloir prendre la place des Franco-Britanniques.

Dès 1936, le leader des Chemises vertes égyptiennes, Ahmed Hussein, dirige une délégation comprenant des membres du parti Jeune Égypte et du nouveau parti national qui assiste au congrès du NSDAP à Nuremberg. Ce sont ces mouvements, renforcés par celui des Frères musulmans qui, en janvier-février 1942, au moment où l'Afrika Korps se trouve à 80 kilomètres d'Alexandrie, dirigent l'agitation antibritannique et prennent contact avec le quartier général de Rommel. Parmi les hommes qui ont établi ces contacts, on trouve Gamal Abdel Nasser et Anouar el-Sadate.

Or le putsch de juillet 1952 émane des mêmes milieux. Le groupe des officiers libres, réplique du GOU argentin, comprend un nombre important d'anciens Frères musulmans (Nasser, Hakim Amer) et de

12. *Les membres
du Conseil révolutionnair*
en Égypte.
Assis, à gauche, Nasser
à côté de lui,
Ahmed Hussein;
à droite, Sadate.

membres du parti pronazi d'Ahmed Hussein (dont Sadate). Quelle
qu'ait été ensuite l'évolution du régime nassérien, ces origines doivent
être rappelées car elles expliquent certains postulats de base du nassérisme. Il faut noter d'autre part que le Raïs a largement ouvert les
portes de son pays aux anciens nazis, utilisés comme experts dans la
police, dans l'armée et à la radio (l'ancien commissaire de la Gestapo
pour les affaires juives en Galicie Altern, le médecin-chef des SS de
Dachau Willermann, le SS-Führer Bebder, chef de la police de sécurité de Nasser, etc.). On comprend que dans ces conditions le régime
nassérien ait conservé ses sympathies au régime défunt d'Hitler (à
plusieurs reprises les dirigeants égyptiens nieront qu'il y ait eu 6 millions de juifs exterminés dans les camps de la mort).

Tout cela ne suffit pas à faire du nassérisme un fascisme. Certes les
emprunts ne manquent pas – pouvoir personnel, parti unique, régime
policier, poids de l'appareil étatique – mais il n'y a là rien de plus que
dans beaucoup d'autres pays soumis à une dictature militaire. Fondé
sur l'alliance de la bourgeoisie nationale et de l'aile progressiste de
l'armée, le nassérisme a mené une action visant à obtenir le soutien
des masses. Il a pour cela pratiqué une politique de réforme agraire et
de nationalisations qui va beaucoup plus loin que les réformes gétu-
listes et péronistes, sans que l'on puisse cependant parler, comme
aiment à le faire les dirigeants arabes, d'un véritable socialisme.
National-socialisme au sens large ? Si l'on veut; et où se mêlent

étroitement, comme en Libye, en Irak ou en Algérie, le passé islamique et la volonté de progrès. Un despotisme éclairé appliqué au XXe siècle, le socialisme tenant la place du libéralisme de l'Europe des Lumières, plus qu'un socialisme ou un fascisme, au sens strict : telle est, peut-on dire, la signification de ces régimes qui, dans la lignée du bonapartisme, s'efforcent depuis une trentaine d'années de faire entrer des pays à dominante rurale dans les voies de l'industrialisation.

Conclusion

Ni les pays du Tiers Monde, ni les nations hyperindustrialisées ne constituent aujourd'hui des terrains favorables à l'éclosion de véritables régimes fascistes. Ces dernières, parce qu'elles ont dépassé le stade de développement économique à l'intérieur duquel s'insère le phénomène politique fasciste. Sans doute, les mutations qui s'y opèrent sont-elles encore grosses de virtualités irrationnelles et de tentations totalitaires. Mais, compte tenu des modifications structurelles qui ont accompagné la « troisième révolution industrielle », le totalitarisme du XXIᵉ siècle ne peut qu'être différent de celui des années 30. Qu'il existe dans nos sociétés permissives et contestées une menace de réaction autoritaire et que, pour faire triompher celle-ci, les nouvelles élites dirigeantes puissent avoir recours au poujadisme latent des classes moyennes n'est pas à exclure. Ainsi se trouverait reconstitué le bloc socio-politique qui avait donné naissance au fascisme. Mais avec des objectifs bien différents et, surtout, avec un niveau de développement technologique qui permettrait, qui permet déjà, de faire l'économie des moyens d'encadrement propres à la société fasciste.

Nous ne nions pas qu'il y ait, entre la dictature technocratique qui guette nos société industrielles – et encore le risque paraît-il moins grand aujourd'hui, après dix années de crise, qu'il ne l'était à l'apogée de la prospérité – et le fascisme proprement dit, une ressemblance et même une filiation directe. De même qu'il y en a une entre le fascisme et le bonapartisme. Dans les trois cas, nous nous trouvons devant des régimes d'exception mis en place ou acceptés par la classe dirigeante dans le cadre du système capitaliste. Soit parce qu'une crise grave menace ce système. Soit parce que les rapides mutations socio-économiques qui ont ponctué son essor ont laissé en place des structures archaïques et des forces de freinage dont seul un pouvoir fort peut venir à bout rapidement. Ceci dit, nous pensons qu'il faut conserver au mot *fascisme* sa spécificité, ce qui nous conduit à le considérer comme une forme de pouvoir politique appartenant au passé et qui ne correspond plus aux besoins des sociétés hyperindustrialisées.

Quant aux pays non industrialisés ou semi-industrialisés, nous avons vu que, dans l'état actuel des choses, ils ne semblaient pas s'orienter vers des formes de dictature spécifiquement *fascistes*. Étroitement dépendants des grandes puissances néo-colonialistes, ceux dont le décollage industriel s'opère en dehors des voies socialistes (ce qui implique une autre dépendance) se trouvent déjà trop intégrés au système néo-capitaliste mondial pour pouvoir adopter les objectifs autarciques et conquérants du fascisme. Il reste ceux qui ont choisi une voie purement nationale et qui ont tenté de reproduire le mode de développement occidental, par exemple en adoptant une formule bonapartiste. Mais les expériences qui ont été faites en ce sens en Amérique latine, avec Vargas et Perón, ont échoué. Celles que Nasser et ses épigones ont entreprises dans le monde arabe n'ont pas encore donné lieu à un véritable décollage économique ou ont été purement et simplement abandonnées. Peuvent-elles résister très longtemps d'ailleurs à la pression alternée des deux blocs ? Il ne semble pas en tout cas que nous soyons près de rencontrer dans ces parties du monde les conditions socio-économique qui ont présidé à la naissance du fascisme.

Qu'il n'y ait plus, dans le monde contemporain, de régimes proprement fascistes, ni beaucoup de chances d'en voir apparaître de nouveaux, ne change rien au fait qu'il subsiste partout des mouvements fascistes et des individus qui croient possible de revivre l'aventure mussolinienne. Pendant une trentaine d'années, c'est beaucoup moins vrai aujourd'hui, toute menace de crise, tout changement de rythme de la croissance renforçaient pour quelque temps leurs légions clairsemées. Les atrocités commises en son nom n'ont pas empêché ce fascisme-là de survivre à la catastrophe de 1945. Peut-être parce que les nostalgiques de l'Ordre nouveau n'ont pas compris qu'avec l'effondrement de l'Axe c'était bien « l'époque du fascisme » qui prenait fin, le rêve millénariste qui se trouvait brusquement et définitivement interrompu.

Les meilleurs des fascistes, ceux qui avaient joué ce qu'il leur restait de jeunesse et d'espoir, après la grande tuerie de 1914, sur les promesses de justice et de dignité du fascisme, l'ont au contraire ressenti et n'ont pas cherché à survivre à leur idéal déchu. Tel ce simple militant dont parle Ruggero Zangrandi dans la préface du livre de Fidia Gambetti (*Gli anni che scottano,* Milan, Mursi, 1967), ce Berto Ricci, professeur de mathématiques et athée, dont la seule foi avait été celle de la justice fasciste. A la gare de Santa Maria Novella où il fait ses adieux à sa femme et à ses amis, il y a un train qui part pour le front d'Afrique et dans lequel il va monter, un train qui va vers une mort qu'il a choisie, parce que, comme l'écrit l'auteur du *Long voyage à travers le fascisme,* il faisait partie de « cette vaste troupe d'hommes jeunes à qui leur foi fasciste trahie n'avait pas laissé d'autre issue que l'évasion dans la mort ».

Bibliographie

Une bibliographie complète sur le fascisme dans le monde du XXᵉ siècle comporterait des milliers de titres. Nous nous sommes efforcés de choisir ici les volumes les plus significatifs. Malheureusement, la majorité des ouvrages sont en langue étrangère car l'historiographie française est dans ce domaine beaucoup moins riche que celle en langue anglaise, allemande ou italienne. Nous nous sommes aussi, dans la mesure du possible, limités aux langues usuelles. Le lecteur qui voudra élargir son champ d'investigation trouvera dans les ouvrages indiqués ici des bibliographies plus spécialisées.

I. GÉNÉRALITÉS

Ouvrages généraux sur le fascisme.

ALLARDYCE (Gilbert D.). *The Place of Fascism in European History.* – Englewood Cliffs (New Jersey), 1971.

CARSTEN (Francis L.). *The Rise of Fascism.* – California University Press, Berkeley et Los Angeles, 1967.

GREGOR (A. J.). *The Ideology of Fascism : the Rationale of Totalitarianism.* – The Free Press, New York, 1969.

HAMILTON (A.). *The Appeal of Fascism : a Study of Intellectuals and Fascism, 1919-1945.* – Macmillan, New York, 1971. – Traduction française : *L'illusion fasciste : les intellectuels et le fascisme, 1919-1945.* – Gallimard, Paris, 1973.

JOES (Antony J.). *Fascism in the Contemporary World.* – Westview Press, 1978.

LAQUEUR (W.), ed. *Fascism, a reader's Guide.* – California University Press, Berkeley, 1976.

MICHEL (Henri). *Les fascismes.* – PUF (« Que sais-je ? »), Paris, 1977.

MILZA (Pierre). *Fascismes et idéologies réactionnaires en Europe (1919-1945).* – A. Colin, Paris, 1969.

MILZA (Pierre), BENTELI (Marianne). *Le fascisme au XXᵉ siècle.* – Richelieu-Bordas, Paris, 1973.

MOSSE (G. L.), ed. *International Fascism; New Thoughts and New Approaches.* – Londres, 1979.

MOSSE (G. L.). *Masses and Man. Nationalist and Fascist Perceptions of Reality.* – Howard Fertig, New York, 1980.

NOLTE (Ernst). *Les mouvements fascistes. L' Europe de 1919 à 1945.* – Calmann-Lévy, Paris, 1969. Traduit de l'allemand.

NOLTE (Ernst). *Le fascisme dans son époque,* Julliard, Paris, 1970. Traduit de l'allemand. T. I : *L'Action française;* t. II : *Le Fascisme italien;* t. III : *Le National-socialisme.*

NOLTE (Ernst). *Die Krise der liberalen Systems und die faschistischen Bewegungen.* – Munich, 1968.

ROGGER (Hans), WEBER (E.). *The European Right. A Historical Profile.* – California University Press, Berkeley et Los Angeles, 1965.

SETON-WATSON (Hugh). « Fascism, Right and Left », *Journal of Contemporary History,* 1966, I-1.

SUGAR (P.), ed. *Native Fascism in the Successor States (1918-1945).* – Clio Press, Oxford, 1971.

WEBER (Eugen). *Varieties of Fascism.* – Princeton, 1964.

WEBER (Eugen). « Revolution ? Counterrevolution ? What revolution ? », *Journal of Contemporary History,* 1974, IX-2.

WOOLF (S. J.). *The Nature of Fascism.* – Weidenfeld and Nicolson, Londres, 1968.

WOOLF (S. J.). *European Fascism.* – Weidenfeld and Nicolson, Londres, 1968.

La revue anglaise *Journal of Contemporary History* (1966, I-1), la revue allemande *Das Argument,* la *Revue d'Histoire de la deuxième guerre mondiale* (cf. notamment le numéro spécial d'avril 1967) ont publié divers numéros consacrés aux problèmes du fascisme.

On pourra enfin se référer à l'article « Fascisme » dans l'*Encyclopaedia Universalis,* rédigé par Raoul GIRARDET (t. VI, p. 938 *sqq.*), et au petit livre de Thierry BURON et Pascal GAUCHON, *Les fascismes* (PUF, Paris, 1979), très favorable au phénomène étudié.

Théories et interprétations.

ADORNO (T. W.). *The Authoritarian Personality.* - Norton and Co., New York, 1969.

ARENDT (Hannah). *The Origins of Totalitarianism.* - Harcourt Brace and Co., New York, 1951.

La 3e partie de cet ouvrage classique a été traduite en français et publiée sous le titre : *Le système totalitaire* (Seuil, Paris, 1972).

BAUER (O.), MARCUSE (H.), ROSENBERG (A.). *Faschismus und Kapitalismus.* - Francfort, 1967.

BOURDERON (R.). *Le fascisme, idéologie et pratiques.*

DE FELICE (Renzo). *Le interpretazioni del fascismo.* - Laterza, Bari, 1969. La dernière édition date de 1983.

Une affligeante version française de cet ouvrage de base a été publiée sous le titre : *Comprendre le fascisme* (Seghers, Paris, 1975).

DE FELICE (Renzo). *Intervista sul fascismo,* a cura di Michael A. Ledeen. - Laterza, Bari, 1975.

Cette fameuse interview sur le fascisme a donné lieu en Italie à un débat passionné dont on trouve l'écho dans *Un monumento al Duce ? Contributo al dibattito sul fascismo con i testi originali della polemica Mack Smith/Ledeen* (Guaraldi, Florence, 1976).

FORMAN (James D.). *Fascism : the Meaning and Experience of Reactionary Revolution.* - New York, 1974.

FRIEDRICH (Carl J.), BRZEZINSKI (Zbigniew). *Totalitarian Dictatorship and Autocracy.* - Harvard University Press, Cambridge, 1956.

FROMM (Erich). *Escape from Freedom.* - Farrar and Rinehart, New York, 1941.

GERMANI (G.). *Integración politica de las masas y el totalitarismo.* - Buenos Aires, 1956.

GERMANI (G.). « Fascismo e classe sociale », *La critica sociologica,* n° 1-2, 1967.

GRAMSCI (Antonio). *Sul fascismo.* - Editori riuniti, Roma, 1973.

GRAMSCI (Antonio). *Le césarisme; les œuvres choisies.*

GREGOR (A. J.) *Interpretations of Fascism.* - Morristown (New Jersey), 1974.

GUÉRIN (Daniel). *Fascisme et grand capital.* - Gallimard, Paris, 1936. Réédité chez Maspero en 1969.

HAYES (Paul M.). *Fascism.* - Londres, 1973.

HORKHEIMER (M.). *The Lessons of Fascism. Tensions that cause Wars.* - Urbana, 1950.

HORKHEIMER (M.). « Die Juden und Europa », *Zeitschrift für Sozialforschung,* n° 8, 1939.

KITCHEN (Martin). *Fascism.* - Macmillan, Londres, 1976.

KÜHNL (Reinhard). *Formen bürgerlicher Herrschaft Liberalismus-Faschismus.* - Rowolt, Rein bei Hamburg, 1971.

LIPSET (Seymour M.). *L'homme politique.* - Paris, 1972. Traduit de l'anglais.

LUCCHINI (Riccardo). *Sociologie du fascisme.* - Fribourg (Suisse), s.d.

MANDEL (Ernest). *Du fascisme.* - Maspero, Paris, 1974.

MANSILLA (H. C. F.). *Faschismus und eindimensionale Gesellschaft.* - Neuwied et Berlin, 1971.

MARCUSE (Herbert). *Pour une théorie critique de la société.* - Denoël, Paris, 1971. Traduit de l'allemand.

MONNEROT (Jules). *Sociologie de la révolution.* - Fayard, Paris, 1969.

MOORE Jr. (Barrington). *Social Origins of Dictatorship and Democracy.* - Beacon Press, Boston, 1967. Traduction française : *Les origines sociales de la dictature et de la démocratie.* - Maspero, Paris, 1969.

NEUMANN (Franz). *Behemoth. The Structure and Practice of National Socialism.* - Londres, 3e éd., 1967.

NOLTE (Ernst). *Theorien über den Faschismus.* - Cologne et Berlin, 1967.

ORGANSKY (A. F. K.). *The Stages of Political Development.* - New York, 1967.

PARSONS (Talcott). « Some Sociological Aspects of the Fascist Movements », *Essay in Sociological Thought.* - Éd. rev. Glencoe (Illinois), 1954.

PAYNE (Stanley G.). *Fascism : Comparison and Definition.* - Madison (Wisconsin), 1980.

PIRKER (T.). *Komintern und Faschismus, 1920-1940.* - Stuttgart, 1965.

POULANTZAS (N.). *Fascisme et dictature. La IIIe Internationale face au fascisme.* - Maspero, Paris, 1970.

POULANTZAS (N.). *Pouvoir politique et classes sociales.* - Maspero, Paris, 1968.

PRESTON (N. S.). *Politics, Economics and Power. Ideology and Practice under Capitalism, Socialism and Fascism.* - New York et Londres, 1967.

REICH (Wilhelm). *Psychologie de masse du fascisme.* - Payot, Paris, 1972. Traduit de l'allemand.

SACCOMANI (Edda). *Le interpretazioni sociologiche del fascismo.* - Turin, 1977.

SAPOSS (David J.). « The Role of the Middle Class in Social Development », *Economic Essays in honour of Wesley C. Mitchell.* - Columbia University Press, New York, 1935.

SHAPIRO (Leonard). « The Concept of Totalitarianism », *Survey,* 73, 1969.

TALMON (J. L.). *Les origines de la démocratie totalitaire.* - Paris, 1972. Traduit de l'anglais.

TROTSKY (Léon). *Comment vaincre le fascisme.*

On se reportera enfin à l'ouvrage d'une lecture difficile pour les non-initiés, mais très stimulant, de J.-P. FAYE, *Langages totalitaires* (Hermann, Paris, 1972).

II. ITALIE

Généralités sur la période fasciste.

ADDIS SABA (Marina). *Il dibattito sul fascismo.* - Longanesi, Milan, 1976.

CANDELORO (G.). *Storia dell'Italia moderna.* - Feltrinelli, Milan, 7 volumes parus.

CAROCCI (G.). *Storia d'Italia dall'Unità ad oggi.* - Feltrinelli, Milan, 1975.

CAROCCI (G.). *Storia del fascismo.* - Garzanti, Milan, 1959.

CHABOD (F.). *L'Italia contemporanea, 1918-1948.* - Einaudi, Turin, 1961.

CHABOD (F.). *L'Italie contemporaine.* - Domat-Montchrestien, Paris, 1950.

GALLO (Max). *L'Italie de Mussolini. Vingt ans d'ère fasciste.* - Librairie académique Perrin, Paris, 1964.

GUICHONNET (Paul). *Mussolini et le fascisme.* - PUF, Paris, 1966.

MACK SMITH (D.). *Italy, a Modern History.* - Ann Arbor (Michigan), 1959. Traduction italienne : *Storia d'Italia dal 1861 al 1958.* - Laterza, Bari, 1960.

MILZA (Pierre), BERSTEIN (Serge). *Le fascisme italien, 1919-1945.* - Seuil, Paris, 1980. Refonte de l'ouvrage paru chez A. Colin en 1970 : *L'Italie fasciste.*

PERTICONE (G.). *L'Italia contemporanea (dal 1871 al 1948).* - Mondadori, Milan, 1948.

PROCACCI (G.). *Storia degli Italiani.* - Laterza, Bari, 1968. Traduction française : *Histoire des Italiens.* - Fayard, Paris, 1970.

ROMANO (Sergio). *Histoire de l'Italie du Risorgimento à nos jours.* - Seuil, Paris, 1977.

SALVATORELLI (L.), MIRA (G.). *Storia d'Italia nel periodo fascista.* - Einaudi, Turin, 1964 (1re édition, 1952).

SANTARELLI (E.). *Storia del fascismo.* - Editori riuniti, Rome, 1981 (nouvelle édition d'un ouvrage paru en 1967 sous le titre : *Storia del movimento e del regime fascista*).

SETON-WATSON (C.). *Italy from Liberalism to Fascism : 1870-1925.* - Methuen, Londres, 1967. Traduction italienne : *Storia d'Italia dal 1870 al 1925.* - Laterza, Bari, 1968.

VAUSSARD (Maurice). *Histoire de l'Italie contemporaine, 1870-1946.* - Hachette, Paris, 1950.

VENERUSO (Danilo). *L'Italia fascista (1922-1945).* - Il Mulino, Bologne, 1981.

Origines et débuts du fascisme.

ALATRI (Paolo). *Le origini del fascismo.* - Editori riuniti, Rome, 4e éd., 1963.

CASANOVA (Antonio). *Il '22. Cronaca dell'anno più nero.* - Bompiani, Milan, 1972.

CATALANO (Franco). *Potere economico e fascismo. La crisi del dopoguerra in Italia, 1919-1921.* - Lerici, Milan, 1968.

GAETA (F.). *Nazionalismo italiano.* - Edizioni scientifiche italiane, Naples, 1965.

PARIS (Robert). *Histoire du fascisme en Italie. Des origines à la prise du pouvoir (t. I).* - Maspero, Paris, 1962.

RIZZO (F.). *Nazionalismo e democrazia alle origini del fascismo.* - Lacaita, Bari, 1960.

SALVEMINI (G.). *Le origini del fascismo in Italia.* - Feltrinelli, Milan, 1966.

TASCA (Angelo). *Nascita e avvento del fascismo.* - Florence, 1950.

Édité depuis en format de poche chez Laterza, 2 vol.

Traduction française : *Naissance du fascisme.* - Gallimard, Paris, 1967.

Cet ouvrage, publié pour la première fois avant la guerre par l'un des fondateurs du parti communiste italien ayant rompu par la suite avec l'Internationale, est absolument fondamental et a à peine pris quelques rides.

VAUSSARD (Maurice). *De Pétrarque à Mussolini. Évolution du sentiment nationaliste italien.* - Colin, Paris, 1961.

VIGEZZI (Brunello). *1919-1925. Dopoguerra e fascismo. Politica e stampa in Italia.* - Laterza, Bari, 1965.

VIVARELLI (Roberto). *Il dopoguerra in Italia e l'avvento del fascismo.* - Istituto italiano per gli studi storici, Naples, 1968.

VIVARELLI (Roberto). *Il fallimento del liberalismo. Studi sulle origini del fascismo.* - Il Mulino, Bologne, 1981.

Squadrisme et parti national fasciste.

CANCOGNI (Manlio). *Storia del squadrismo.* – Longanesi, Milan, 1959.

GAMBINO (Antonio). *Storia del P.N.F.* – Sugar, Milan, 1962.

GERMINO (Dante). *The Italian Fascist Party in Power. A Study in Totalitarism.* – University of Minnesota Press, Minneapolis, 1959.

GRIMALDI (U.), BOZZETTI (G.). *Farinacci, il più fascista.* – Bompiani, Milan, 1972.

GUERRI (G. B.). *Giuseppe Bottai, un fascista critico.* – Feltrinelli, Milan, 1976.

GUERRI (G. B.). *Galeazzo Ciano. Una vita, 1903-1944.* – Bompiani, Milan, 1979.

NOZZOLI (G.). *I Ras del regime.* – Bompiani, Milan, 1972.

Mussolini.

La synthèse fondamentale est celle de Renzo DE FELICE : *Mussolini* (Einaudi, Turin). 5 volumes parus :

– t. I. *Il Rivoluzionario (1883-1920),* 1965.

– t. II. *Il Fascista.* Vol. 1 : *1921-1925;* vol. 2 : *1925-1929,* 1967.

– t. III. *Il Duce (1929-1940).* Vol. 1 : *Gli anni del consenso (1929-1936),* 1974; vol. 2 : *Lo Stato totalitario (1936-1940),* 1981.

Reste à paraître : *L'alleato (1940-1945).*

GHIDETTI (E.), ed. *Mussolini, nascita di un dittatore.* – Vallecchi, Florence, 1978.

HIBBERT (Christopher). *Mussolini.* – Laffont, Paris, 1963. Traduit de l'anglais.

KIRKPATRIK (sir Ivone). *Mussolini, Study of a Demagogue.* – Odham Books, Londres, 1964. Traduction française : *Mussolini. Portrait d'un démagogue.* – Trévise, Paris, 1967.

MONELLI (Paolo). *Mussolini, petit-bourgeois.* – Gallimard, Paris, 1955. Traduit de l'italien.

PINI (G.), SUSMEL (D.). *Mussolini, l'uomo e l'opera.* – La Fenice, Florence, 4 volumes parus entre 1953 et 1958. Encore une biographie monumentale du Duce, celle-ci très favorable au chef du fascisme.

L'État fasciste. La propagande.

AQUARONE (A.). *L'organizzazione dello stato totalitario.* – Einaudi, Turin, 1966.

BARTOLI (D.). *L'Italia burocratica.* – Garzanti, Milan, 1965.

CANNISTRARO (J. P.). *La fabbrica del consenso.* – Laterza, Bari, 1975.

JACINI (Stefano). *Il regime fascista.* – Garzanti, Milan, 1947.

LETO. *O.V.R.A. Fascismo. Antifascismo.* – Cappelli, Bologne, 1951. Sur la police politique du régime.

MONTICONE (A.) *Il fascismo al microfono. Radio e politica in Italia, 1924-1943.* – Studium, Roma, 1978.

PAPA (A.). *Storia politica della radio in Italia, 1924-1943,* 2 vol. – Guida, Naples, 1978.

ROSSI (C.). *Il tribunale speciale.* – Ceschina, Milan, 1952.

SAITTA (A.). *Dal terrorismo alla dittatura. Storia della Ceka fascista.* – Rome, 1945.

Économie et société.

AQUARONE (Alberto). « La politica sindacale del fascismo », *Il nuovo osservatore,* 6 (44-45), nov.-déc. 1965, p. 874-888.

CASTRONOVO (Valerio). « Il potere economico e il fascismo », *Fascismo e società italiana,* a cura di G. Quazza. – Einaudi, Turin, 1973, p. 45 *sqq.*

CASTRONOVO (Valerio). *Giovanni Agnelli.* – Utet, Turin, 1971.

CATALANO (Franco). « Le corporazioni fasciste e la classe lavoratrice dal 1925 al 1929 », *Nuova rivista storica,* janv.-avr. 1959, p. 31-66.

CATALANO (Franco). *Potere economico e fascismo. La crisi del dopoguerra (1919-1921).* – Lerici, 1964.

CLOUGH (S. B.). *The Economic History of Modern Italy.* – Columbia University Press, 1964. Traduction italienne de cet ouvrage de base : *Storia dell'economia italiana dal 1861 ad oggi.* – Cappelli, Bologne, 1965.

DE FELICE (Renzo). « Primi elementi sul finanziamento del fascismo dalle origini al 1924 », *Rivista storica del socialismo,* 7 (22), mai-août 1964, p. 223-251.

FOA (Vittorio). « Le strutture economiche e la politica economica del regime fascista », *Fascismo e antifascismo (1918-1948),* 2 vol. – Feltrinelli, Milan, 1962.

GUALERNI (G.). *La politica industriale fascista, 1922-1935.* – Istituto sociale ambrosiano, Milan, 1956.

GUALERNI (G.). *Industria e fascismo.* – Vita e pensiero, Milan, 1976.

HAIDER (C.). *Capital and Labour under Fascism.* – New York, 1930.

LA FRANCESCA (S.). *La politica economica del fascismo.* – Laterza, Bari, 1972.

MELOGRANI (Piero). *Gli industriali e Mussolini. Rapporti tra confindustria e fascismo dal 1919 al 1929.* – Longanesi, Milan, 1972.

MERLI (Stefano). « Corporativismo fascista e illusioni riformistiche nei primi anni del regime », *Rivista storica del socialismo,* 2 (5), janv.-fév. 1959, p. 121-137.

MERLI (Stefano). « La politica economica del fascismo », *Il nuovo osservatore,* 6 (44-45), nov.-déc. 1965, p. 824-957; 7 (50), mai 1966, p. 360-420; 7 (56-57), nov.-déc. 1966, p. 904-962.

MORÌ (G.). « Economia e politica economica durante il periodo fascista (1922-1939) », *Fatti e idee di storia economica nei secoli XVI-XX.* - Il Mulino, Bologne, 1977.

ROMEO (R.). *Breve storia della grande industria in Italia.* - Zanichelli, Bologne, 1961.

ROSSI (E.). *Padroni del vapore.* - Laterza, Bari, 1966.

SAPELLI (G.). *Organizzazione, lavoro e innovazione industriale nell'Italia tra le due guerre.* - Rosenberg et Sellier, Turin, 1978.

SARTI (R.). *The General Fascist Confederation of Italian Industry. A Study in the Social and Economic Conflict of Fascist Italy.* - Rutgers University, New York, 1967.

SARTI (R.). *Fascismo e grande industria, 1919-1940.* - Moizzi, Milan, 1977.

SCHMIDT (C. T.). *The Corporative State in Action: Italy under Fascism.* - New York, 1939.

SCHWARZENBERG (C.). *Il sindacalismo fascista.* - Mursia, Milan, 1972.

SITTI (R.). *La politica agraria del fascismo.* - La Nuova Italia, Florence, 1978.

SIVINI (Giordano). « Sul finanziamento del fascismo dalle origini al 1924 », *Rivista storica del socialismo,* 7 (23), sept.-déc. 1964, p. 627-630.

TONIOLO (G.). *L'economia nell'età fascista.* - Laterza, Bari, 1980.

TRANFAGLIA (N). *Fascismo e capitalismo,* a cura di N. Tranfaglia. - Feltrinelli, Milan, 1976.

VALIANI (Leo). « Il movimento sindacale sotto il fascismo (1929-1939) », *Dall'antifascismo alla resistenza,* p. 39-70. - Feltrinelli, Milan, 1959.

VALLAURI (C.). *Le radici del corporativismo.* - Bulzoni, Rome, 1971.

VILLARI (L.), ed. *Il capitalismo italiano del Novecento.* - Laterza, Bari, 1972.

Idéologie.

FANELLI (G. A.). *Contro Gentile. Mistificazioni dell'idealismo attuale nella rivoluzione fascista.* - Rome, 1933. Contre l'hégélianisme de Gentile, considéré comme « d'inspiration étrangère ».

GENTILE (Giovanni). *Origini e dottrina del fascismo.* - Rome, 1927.

GENTILE (Giovanni). *Fascismo e cultura.* - Milan, 1928.

GENTILE (E.). *Le origini dell'ideologia fascista.* - Laterza, Bari, 1975.

HARRIS (H. S.). *The Social Philosophy of G. Gentile.* - University of Illinois, Urbana, 1960.

MUSSOLINI (Benito). *La dottrina del fascismo.* - Treves, Milan, 1932.

OSTENC (Michel). *Intellectuels italiens et fascisme (1915-1929).* - Payot, Paris, 1983.

UNGARI (G.). *Alfredo Rocco e l'ideologia giuridica del fascismo.* - Brescia, 1963.

Éducation et encadrement de la jeunesse.

ADDIS SABA (Marina). *Gioventù italiana del Littorio.* - Feltrinelli, Milan, 1973.

ALFASSIO GRIMALDI (U.), ADDIS SABA (M.). *Cultura a passo romano. Storia e strategie dei Littoriali della Cultura e dell'Arte.* - Feltrinelli, Milan, 1983.

BERTONI-JOVINE (Dina). *La scuola italiana dal 1870 ai nostri giorni.* - Rome, 1967.

CAPITINI (Aldo). *Antifascismo tra i giovani.* - Trapani, 1966.

CATALANO (Franco). *I movimenti studenteschi e la scuola in Italia : 1938-1968.* - Milan, 1969.

LAZZARI (M.). *I Littoriali della Cultura e dell'Arte.* - Liguori, Naples, 1979.

OSTENC (Michel). *L'éducation en Italie pendant le fascisme.* - Publications de la Sorbonne, Paris, 1980.

RICUPERATI (Giuseppe). *La scuola italiana e il fascismo.* - Bologne, 1977.

RUSSO (L.). « I giovani nel venticinquennio fascista, 1919-1944 », *Belfagor,* a 1, n 1, 15 janv. 1946.

Vie intellectuelle et culture de masse.

BOBBIO (Norberto). « La cultura e il fascismo », *Fascismo e società italiana,* a cura di G. Quazza. - Einaudi, Turin, 1973.

BORDONI (G.). *Cultura e propaganda nell'Italia fascista.* - D'Anna, Messina, 1974.

CEDERNA (A.). *Mussolini urbanista.* - Laterza, Bari, 1981.

DE CASTRIS (A. L.). *Egemonia e fascismo. Il problema degli intellettuali negli anni trenta.* - Il Mulino, Bologne, 1981.

DE GRAND (Alexander, J.). *Bottai e la cultura fascista.* - Laterza, Bari, 1978.

DE GRAZIA (Victoria). *Consenso e cultura di massa nell'Italia fascista.* - Laterza, Bari, 1981. Traduit de l'anglais (*The Culture of Consent. Masse Organizing in Fascist Italy*).

FABRIZIO (F.). *Sport e fascismo, La politica sportiva del regime.* - Florence, 1976.

FERRAROTTO (M.). *L'Accademia d'Italia.* - Liguori, Naples, 1979.

Gili (Jean A.). « Le cinéma fasciste italien, 1922-1945 », *Dossiers du Cinéma; Cinéastes 3.* – Casterman, Paris-Tournai, 1973.

Gili (Jean A.). « Aspects de l'idéologie dominante dans le cinéma italien de l'époque fasciste », *Recherches sur l'Italie contemporaine.* – École française de Rome, MEFRM 90, 1978.

Gili (Jean A.). *L'intervention de l'État dans le cinéma italien de l'époque fasciste,* mémoire de l'École française de Rome, 1978 (ex. dactyl. inédit). Publié en italien sous le titre : *Stato fascista e cinematografia.* – Bulzoni, Rome, 1981.

Manacorda (G.). *Letteratura e cultura nel periodo fascista.* – Principato, Milan, 1978.

Marchesini (D.). *La lingua italiana e il fascismo.* – Consorzio provinciale, Bologne.

Mazzeri (G.). *L'Enciclopedia Treccani.* – Naples, 1979.

Mida (M.), Quaglietti (L.). *Dai telefoni bianchi al neorealismo.* – Laterza, Bari, 1980.

Pagano (G.). *Architettura e città durante il fascismo.* – Laterza, Bari, 1976.

Papa (E. R.). *Il fascismo e la cultura italiana. Storia di due manifesti.* – Feltrinelli, Milan, 1958.

Papa (E. R.). *Fascismo e cultura.* – Marsilia, Padoue, 1974.

Roche-Pezard (Fanette). « La situation des arts plastiques en Italie à la veille de la seconde guerre mondiale », *Revue d'histoire moderne et contemporaine,* t. XXX, juil.-sept. 1983, p. 453-475.

Silva (Umberto). *Ideologia e arte del fascismo.* – Marzotta, Milan, 1973.

Tempesti (F.). *Arte dell'Italia fascista.* – Feltrinelli, Milan, 1976.

Tinazzi (T.). *Il cinema italiano dal fascismo all'antifascismo.* – Padoue, 1966.

Turi (G.). *Il fascismo e il consenso degli intellettuali.* – Il Mulino, Bologne, 1980.

Presse et opinion.

Albertoni (A), Antonini (E). *La generazione degli anni difficili.* – Laterza, Bari, 1962.

Aquarone (Alberto). « Lo spirito pubblico in Italia alla vigilia delle seconda guerra mondiale », *Nord e Sud,* 11 (49), janv. 1964, p. 117-125.

Castronovo (V.), Tranfaglia (N.), ed. *La stampa italiana nell'età fascista.* – Laterza, Bari, 1980.

Del Buono (O.), ed. *Eia! Eia! Alalà. La stampa italiana sotto il fascismo,* a cura di O. Del Buono. – Feltrinelli, Milan, 1961.

Gambetti (Fidia). *Gli anni che scottano.* – Mursia, Milan, 1967.

Mondolfo (R.), ed. *Il fascismo e i partiti politici,* a cura di R. Mondolfo. – Sugar, Milan, 1954.

Preti (Luigi). *Giovinezza! Giovinezza!* – Mondadori, Milan, 1964.

Zangrandi (Ruggero). *Il lungo viaggio attraverso il fascismo. Contributo alla storia di una generazione.* – Feltrinelli, Milan, 1962. Traduction française : *Le long voyage à travers le fascisme.* – Laffont, Paris, 1963.

Monarchie, Église et fascisme.

Bertoldi (S.). *Vittorio Emmanuele III.* – Utet, Turin, 1970.

Bertoldi (S.). *Umberto. Da Mussolini alla Repubblica. Storia dell'ultimo re d'Italia.* – Bompiani, Milan, 1983.

Castelli (G.). *La Chiesa e il fascismo.* – L'Arnia, Rome, 1951.

Dalla Torre (G.). *Azione cattolica e fascismo,* 2 vol. – AVE, Rome, 1964.

Jemolo (Arturo Carlo). *Stato e Chiesa in Italia negli ultimi cento anni.* – Einaudi, Turin, 1948.

Margiotta-Broglio (Francesco). *Italia e Santa Sede dalla grande guerra alla Conciliazione.* – Laterza, Bari, 1966.

Miccoli (G.). « La Chiesa e il fascismo », *Fascismo e società italiana,* p. 185-208, a cura di G. Quazza. – Einaudi, Turin, 1973.

Molinari (F.), Neri (V.). *Olio santo e olio di ricino. Rapporto su Chiesa e fascismo.* – Marietti, Turin, 1976.

Rogari (S.). *Santa Sede e fascismo. Dall'Aventino ai patti lateranensi.* – Forni, Bologne, 1977.

Scoppola (P.). *Chiesa e Stato nella storia d'Italia.* – Laterza, Bari, 1967.

Racisme et antisémistisme.

De Felice (Renzo). *Storia degli Ebrei sotto il fascismo.* – Einaudi, Turin, 1961.

Michaelis (Meir). *Mussolini e la questione ebraica.* – Edizioni di Comunità, Milan, 1982.

Le fascisme et l'armée.

Monticone (A.). *Gli italiani in uniforme.* – Laterza, Bari, 1972.

Rochat (G.). « L'esercito e il fascismo », *Fascismo e società italiana.*

ROCHAT (G.), MASSOBRIO (G.). *Breve storia dell'esercito dal 1861 al 1943.* – Einaudi, Turin, 1978.

Guerre. Chute du régime. République de Salò.

BERTOLDI (S.). *Vita e morte della Repubblica sociale italiana.* – Rizzoli, Milan, 1976.

BIANCHI (G. F.). *Venticinque luglio. Crollo di un regime.* – Mursia, Milan, 1963.

BOCCA (G.). *Storia d'Italia nella guerra fascista, 1940-1943.* – Laterza, Bari, 1969.

BOCCA (G.). *La Repubblica di Mussolini.* – Laterza, Bari, 1977.

CIONE (Edmondo). *Storia della Repubblica sociale italiana.* – Latinità, Rome, 1951.

DEAKIN (W.). *Storia della Repubblica di Salò.* – Einaudi, Turin, 1963.

DEAKIN (W.). *L'Axe brisé.* – Stock, Paris, 1962. Traduit de l'anglais.

GALANTI (Francesco). *Socializzazione e sindacalismo della RSI.* – Rome, 1949.

LAUNAY (J. de). *Les derniers jours du fascisme.* – Dargaud, Paris, 1968.

MASSOBRIO (P.). GUGLIELMOTTI (U.). *Storia della Repubblica sociale italiana,* 2 vol. – Rome, 1968.

MOURIN (Maxime). *Ciano contre Mussolini.* – Hachette, Paris, 1960.

ROUX (Georges). *La chute de Mussolini, 1936-1945.* – Paris, 1961.

SANTARELLI (E.). *Fascismo e neofascismo.* – Editori riuniti, Rome, 1974.

VAUSSARD (Maurice). *La conjuration du Grand Conseil fasciste contre Mussolini.* – Del Duca, Paris, 1966.

WISKEMANN (Elisabeth). *L'axe Rome-Berlin.* – Payot, Paris, 1950.

ZANGRANDI (Ruggero). *25 luglio-8 settembre.* – Feltrinelli, Milan, 1964.

ZANGRANDI (Ruggero). *L'Italia tradita (8 settembre 1943).* – Mursia, Milan, 1971.

III. ALLEMAGNE

Ouvrages généraux.

BARIETY (Jacques), DROZ (Jacques). *République de Weimar et régime hitlérien.* – Hatier, Paris, 1973.

BRACHER (Karl Dietrich). *Die Deutsche Diktatur. Entstehung, Struktur und Folgen des Nationalsozialismus.* – Cologne et Berlin, 1969. Quinze ans après sa parution cet ouvrage reste fondamental malgré ses aspects parfois un peu touffus.

BROSZAT (Martin). *German National Socialism (1919-1945).* – Santa Barbara (Californie), 1966.

BURGELIN (Henri). *La société allemande, 1871-1968.* – Arthaud, Paris, 1969.

GLUM (Friedrich). *Der Nationalsozialismus.* – Beck, Munich, 1962.

HILDEBRAND (Klaus). *Das Dritte Reich.* – Munich, 1979.

NOLTE (Ernst). *Le Fascisme dans son époque; III. Le national-socialisme.* – Julliard, Paris, 1970.

SHIRER (William). *Le III⁰ Reich.* – Stock, Paris, 1960. Traduit de l'anglais.

STEINERT (Marlis G.). *L'Allemagne nationale-socialiste, 1933-1945.* – Richelieu-Bordas, Paris, 1972.

VERMEIL (Edmond). *L'Allemagne contemporaine (1890-1950),* 2 vol. – Aubier, Paris, 1952-1953.

Interprétations et essais d'explication.

AYÇOBERRY (Pierre). *La question nazie. Les interprétations du national-socialisme, 1922-1975.* – Paris, 1979.

BRACHER (K. D.). *Geschichte und Gewalt. Zur Politik im 20. Jahrhundert.* – Berlin, 1981.

BRACHER (K. D.). *Zeit der Ideologien. Eine Geschichte politischen Denkens im 20. Jahrhundert.* – Stuttgart, 1982.

BUTLER (Rohan). *The Roots of National-Socialism, 1783-1933.* – Londres, 1941.

DAVIDSON (E.). *Wie war Hitler möglich ? Der Nährboden einer Diktatur.* – Düsseldorf, 1980.

GROSSER (Alfred). *Dix leçons sur le nazisme* (sous la direction d'A. Grosser). – Fayard, Paris, 1976. Réédité en 1984 par les éditions « Complexe », Bruxelles.

LUKACS (Georg). *Die Zerstörung der Vernunft.* – Berlin, réédition 1954.

MAC GOVERN (William M.). *From Luther to Hitler. The History of Fascist-Nazi Political Philosophy.* – Cambridge (Massachusetts), 1941.

MEINECKE (Friedrich). *Die Deutsche Katastrophe.* – Wiesbaden, 1946.

MOSSE (George L.). *The Crisis of German Ideology. Intellectual Origins of the Third Reich.* – New York, 1964.

PLESSNER (Helmut). *Die verspätete Nation. Über die politische Verführbarkeit bürgerlichen Geistes.* – Kohlhammer, Stuttgart, 1959.

RHODES (J. M.). *The Hitler Movement. A Modern Millenarian Revolution.* – Stanford, 1980.

SAUER (W.). « National Socialism : Totalitarianism or Fascism », *American Historical Review*, nº 73, 1967.

STEINERT (Marlis G.). « Fascisme et national-socialisme : cas singuliers, cas spécifiques, phénomènes génériques ? », *L'Historien et les relations internationales. Recueil d'études en hommage à Jacques Freymond*, p. 167-179. – Genève, 1981.

VERMEIL (Edmond). *L'Allemagne, essai d'explication.* – Gallimard, Paris, 1945.

WHITESIDE (Andrew G.). « The Nature and Origins of National Socialism », *Journal of Central European Affairs*, 17, 1957.

Recueil de documents.

HOFER (W.). *Le national-socialisme par les textes.* – Plon, Paris, 1962.

JACOBSON (H. A.), JOCHMANN (W.). *Ausgewählte Dokumente zur Geschichte des Nationalsozialismus.* – Verlag Neue Gesellschaft, Bielefeld, 1966.

Principaux écrits idéologiques.

FEDER (Gottfried). *Das Programm der NSDAP und seine weltanschaulichen Grundgedanken.* – Munich, 1931.

HITLER (Adolf). *Mein Kampf.* – Munich, 1925-1928.

HITLER (Adolf). *Libres propos sur la guerre et la paix*, recueillis sur l'ordre de Martin Bormann. – Paris, 1952. Traduit de l'allemand.

RAUSCHNING (Hermann). *Hitler m'a dit*, avant-propos et notes de Raoul Girardet. – Aimery Somogy, Paris, 1979 (Le Livre de poche). Réédition du livre paru en 1939.

ROSENBERG (Alfred). *Der Mythus des 20. Jahrhunderts.* – Munich, 1930.

ROSENBERG (Alfred). *Das Wesensgefüge des Nationalsozialismus.* – Munich, 1932.

Le NSDAP (1919-1945).

BENNECKE (H.). *Hitler und die SA.* – Munich et Vienne, 1962.

BURDEN (H. T.). *The Nuremberg Party Rallies (1923-1939).* – Londres, 1967.

DEUERLEIN (Ernst). *Der Hitler Putsch.* – Stuttgart, 1962.

DOMARUS (Max). *Hitler, Reden und Proklamationen, 1932-1945,* 4 vol. – Suddeutscher Verlag, Munich.

GERTH (Hans). « The Nazi Party : its Leadership and Composition », *American Journal of Sociology*, nº 14, 1940.

HORN (W.). *Führerideologie und Parteiorganisation in der NSDAP (1919-1933).* – Düsseldorf, 1972.

HÜTTENBERG (Peter). *Die Gauleiter.* – Stuttgart, 1970.

KATES (Michael). *The Nazi Party. A Social Profile of Members and Leaders.* – Blackwell, Londres, 1983.

KELE (M. H.). *Nazis and Workers. National Socialist Appeal to German Labor, 1919-1939.* – Chapel Hill, 1972.

KÜHNL (R.). *Die Nationalsozialistische Linke (1925-1930).* – Meisenheim, 1966.

MASER (Werner). *Naissance du parti national-socialiste allemand.* – Fayard, Paris, 1967. Traduit de l'allemand.

ORLOW (Dietrich). *A History of the Nazi Party (1919-1933).* – Pittsburg, 1969.

SCHÄFER (Wolfgang). *NSDAP. Entwicklung und Struktur der Staatspartei des Dritten Reiches.* – Hanovre, 1956.

Adolf Hitler.

BENTELI (Marianne). *Hitler.* – Masson, Paris, 1978.

BRACHER (K. D.). *Adolf Hitler.* – Scherz Verlag, Berne, 1964.

BULLOCK (Allan). *Hitler : a Study in Tyranny.* – Londres, 1951. Traduction française : *Adolphe Hitler ou les mécanismes de la tyrannie.* – Marabout, Paris, 1980.

FEST (Joachim). *Hitler,* 2 vol. – Gallimard, Paris, 1973. Traduit de l'allemand.

HEER (Friedrich). *Autopsie d'Adolf Hitler.* – Stock, Paris, 1972. Traduit de l'allemand.

HILLGRUBER (Andreas). *Les entretiens secrets de Hitler.* – Fayard, Paris, 1969. Traduit de l'allemand.

JÄCKEL (Eberhard). *Hitlers Weltanschauung. Entwurf einer Herrschaft.* – H. Leins, Tübingen, 1969.

JETZINGER (Franz). *Hitler's Youth.* – Londres, 1958.

MASER (Werner). *Adolf Hitler. Legende-Mythos-Wirklichkleit.* - Munich, 6e édition, 1974.

SMITH (Bradley). *Adolf Hitler. His Family, Childhood and Youth.* - Stanford.

TOLAND (J.). *Adolf Hitler.* - Bergisch Gladbach, 1977.

WAITE (R. G. L.). *The Psychopatic God Adolf Hitler.* - New York, 1977.

La république de Weimar et la montée du NSDAP.

BADIA (Gilbert). *Histoire de l'Allemagne contemporaine,* 2 vol., t. I. - Editions sociales, Paris, 1962.

BRACHER (K. D.), SAUER (W.), SCHULZ (G.). *Die Nationalsozialistische Machtergreifung.* - Cologne et Opladen, 2e éd., 1962.

CASTELLAN (Georges). *L'Allemagne de Weimar (1918-1933).* - A. Colin, Paris, 1969.

CONZE (Werner), RAUPACH (Hans), éd. *Die Staats und Wirtschaftskrise des Deutschen Reiches (1929-1933).* - Stuttgart, 1967.

DROZ (Jacques). *Les formes politiques de la république de Weimar.* - Les cours de la Sorbonne, Paris.

EYCK (Erich). *Geschichte der Weimarer Republik,* 2 vol. - Eugen Rentsch, Erlenbach, 1954-1956.

HALLGARTEN (G. W. F.). *Hitler, Reichswehr und Industrie. Zur Geschichte der Jahre 1918-1933.* - Francfort-sur-le-Main, 1955.

KLEIN (Claude). *Weimar.* - Flammarion, Paris, 1968.

KLEIN (Fritz). « Zur Vorbereitung der faschistischen Diktatur durch die deutsche Grossbourgeoisie », *Zeitschrift für Geschichtswissenschaft,* no 1, 1953.

KROLL (Gerhard). *Von der Weltwirtsschaftkrise zur Staatskonjunktur.* - Berlin, 1958.

LAQUEUR (Walter). *Weimar, a Cultural History, 1918-1933.* - Weidenfeld and Nicolson Ltd., Londres, 1974. Traduction française : *Weimar. Une histoire culturelle de l'Allemagne des années 20.* - Laffont, Paris, 1978.

MATTHIAS et MORSEY, éd. *Das Ende der Parteien : 1933.* - Droste, Düsseldorf, 1960.

MOSSE (Werner). *Entscheidungsjahr 1932.* - Tübingen, 1965.

SCHNEIDER (Hans). *Das Ermächtigungsgesetz vom 24 März 1933.* - Bonn, 2e éd., 1961.

SCHOENBAUM (David). *Hitler's Social Revolution.* - New York, 1966.

SCHWARZ (Albert). *Die Weimarer Republik.* - Constance, 1958.

L'État national-socialiste.

BROSZAT (Martin). *Der Staat Hitlers. Grundlegung und Entwicklung seiner inneren Verfassung.* - Munich, 1969.

CAPLAN (J.). « Bureaucracy, Politics and the National Socialist State », *The Shaping of the Nazi State,* p. 234-256. - P. D. Stachura éd., Londres, 1978.

DIEHL-THIELE (Peter). *Partei und Staat im Dritten Reich. Untersuchungen zum Verhältnis der NSDAP und allgemeiner innerer Staatsverwaltung.* - Beck, Munich, 1969.

FRAENKEL (Ernst). *The Dual State.* - New York, 1941.

HAMILTON (R. F.). *Who voted for Hitler ?* - New Jersey, 1982.

MOMMSEN (Hans). *Beamtentum im Dritten Reich.* - Stuttgart, 1966.

NOAKES (J.), ed. *Government, Party and People in Nazi Germany.* - Exeter, 1980.

PETERSON (E. N.). *The Limits of Hitler's Power.* - Princeton, 1969.

RITTER (G. A.), BRACHER (K. D.), BUCHHEIM (H.), MESSERSCHMIDT (M.). *Totalitäre Verführung im Dritten Reich, Arbeiterschaft, Intelligenz, Beamtenschaft, Militär.* - Munich, 1983.

Économie et société.

BETTELHEIM (Charles). *L'économie allemande sous le nazisme,* 2 vol. - Maspero, Paris, 1971.

BURGELIN (Henri). *La société allemande (1871-1968).* - Arthaud, Paris, 1969.

CASTELLAN (Georges). « Bilan social du IIIe Reich », *Revue d'histoire moderne et contemporaine,* juil.-sept. 1968.

CZICHON (Eberhard). *Wer verhalf Hitler zur Macht ? Zur Arbeit der deutschen Industrie an der Zerstörung der Weimarer Republik.* - Cologne, 1967.

DAHRENDORF (Rolf). *Gesellschaft und Demokratie in Deutschland.* - Piper, Munich, 1965.

DUBAIL (René). *Une expérience d'économie dirigée : l'Allemagne nationale-socialiste.* - Paris, 1962.

GUILLEBAUD (C. W.). *The Social Policy of Nazi Germany.* - Cambridge, 1942.

HEBERLE (Rudolf). « Zur Soziologie der nationalsozialistischen Revolution », *Vierteljahreshefte für Zeitgeschichte,* no 13, 1965.

KÜHNL (Reinhard). *Deutschland zwischen Demokratie und Faschismus. Zur Problematik der bürgerlichen Gesellschaft seit 1918.* - Hauser, Munich, 1969.

LEBOVICS (Hermann). *A Socialism for the German Middle Class. Anticapitalist and Antimarxist Social Thought in Germany (1914-1933).* – Princeton, 1969.

LERNER (Daniel). *The Nazi Elite.* – Stanford, 1951.

MILWARD (Alan S.). *The German Economy at War.* – The Athlone Press, Londres, 1965.

SCHOENBAUM (David). *Hitler's Social Revolution.* – New York, 1966.

SCHWEITZER (Arthur). *Big Business in the Third Reich.* – Indiana University Press, Bloomington, 1964.

STEPHENSON (J.). *The Nazi Organization of Women.* – Londres, 1981.

SWEEZY (Maxim, Y.). *The Structure of the Nazi Economy.* – Harvard University Press, Cambridge, 1941.

Propagande et culture.

BAIRD (J. W.). *The Mythical World of Nazi Propaganda (1939-1945).* – Minneapolis, 1974.

COURTADE (Francis), CADARS (Pierre). *Histoire du cinéma nazi.* – Losfeld, Paris, 1972.

DILLER (A.). *Rundfunkpolitik im Dritten Reich.* – Munich, 1980.

GAMM (Hans. J.). *Führung und Verführung Pädagogik des Nationalsozialismus.* – Fist, Munich, 1964.

HALE (Oron). *The Captive Press in the Third Reich.* – Princeton, 1964.

MOSSE (George). *Nazi Culture. Intellectual, Cultural and Social Life in the Third Reich.* – New York, 1966.

POLIAKOV (L.), WULF (J.), éd. *Das Dritte Reich und seine Denker.* – Berlin, 1959.

TEUT (A.). *Architektur im Dritten Reich, 1933-1945.* – Berlin, 1967.

ZEMAN (Z. A. B.). *Nazi Propaganda.* – Oxford, 1964.

Armée.

CARSTEN (F. L.). *Reichswehr und Politik.* – Cologne, 1964.

COOPER (M.). *The German Army, 1933-1945 : its Political and Military Failure.* – Londres, 1978.

MESSERSCHMIDT (Manfred). *Die Wehrmacht im NS-Staat, Zeit der Indoktrination.* – Hambourg, 1969.

MÜLLER (Klaus, Jürgen). *Heer und Hitler. Armee und Nationalsozialistisches Regime (1933-1940).* – Stuttgart, 1969.

O'NEIL (Robert, Y.). *The German Army and the Nazi Party, 1933-1939.* – Londres, 1966.

VOGELSANG (T.). *Reichswehr, Staat und NSDAP.* – Stuttgart, 1962.

Répression et persécution. La question raciale.

BUCHHEIM (Hans), éd. *Anatomie des SS-Staates.* – Olten et Fribourg-en-Brisgau, 1965-1967.

CECIL (R.). *The Myth of the Master Race. Alfred Rosenberg and Nazi Ideology.*

COHN (N.). *Warrant for Genocide.* – Londres, 1967.

DAWIDOWICZ (L.). *The War against the Jews, 1933-1945.* – Londres, 1975.

DELARUE (Jacques). *Histoire de la Gestapo.* – Fayard, Paris, 1962.

HILBERG (R.). *The Destruction of European Jews.* – Chicago, 1961.

HÖHNE (Heinz). *L'Ordre noir, histoire de la SS.* – Casterman, Paris, 1968.

KOGON (Eugen). *L'État SS.* – Seuil, Paris, 1970.

PARKES (James). *Antisemitismus.* – Munich, 1964.

POLIAKOV (L.), WULF (J.). *Le IIIᵉ Reich et les juifs.* – Gallimard, Paris, 1959.

STAFF (Ilse), éd. *Justiz im Dritten Reich.* – Francfort-sur-le-Main, 1964.

WORMSER-MIGOT (Olga). *Le système concentrationnaire nazi.* – PUF, Paris, 1968.

Églises.

BLEUEL (Hans Peter). *Deutschlands Bekenner.* – Munich, 1969.

CONWAY (John S.). *The Nazi Persecution of the Churches, 1933-1945.* – Weidenfeld and Nicolson, Londres, 1968.

FRIEDLÄNDER (Saül). *Pie XII et le IIIᵉ Reich.* – Seuil, Paris, 1964.

GEIGER (Max). *Der deutsche Kirchenkampf, 1933-1945.* – EVZ-Verlag, Zurich, 1965.

GOTTO (K.), REPGEN (K.), éd. *Kirche, Katholiken und National-sozialismus.* – Mayence, 1980.

STROBEL (Ferdinand). *Christliche Bewährung.* – Walter Verlag, Olten, 1946.

VAN NORDEN (G.). *Der deutsche Protestantismus im Jahr der national-sozialistischen Machtergreifung.* – Gütersloh, 1979.

IV. FASCISME INTERNATIONAL

BOREJSZA (Jerzy W). *Il Fascismo e l'Europa orientale. Dalla propaganda all'aggressione.* – Laterza, Bari, 1981. Traduit du polonais.

COSELSCHI (Eugenio). *Universalità del fascismo.* – Florence, 1933.

GALLO (Max). *Contribution à l'étude des méthodes et des résultats de la propagande fasciste dans l'immédiat avant-guerre (1930-1940).* Nice 1968, Thèse dactyl. Max Gallo

donne les principales conclusions de sa thèse dans son ouvrage publié chez Plon : *La Ve colonne, 1930-1940,* Paris, 1970.

GRAVELLI (Asvero). *Verso l'Internazionale fascista.* – Rome, 1932.

GRAVELLI (Asvero). *Panfascismo.* – Rome, 1935.

LEDEEN (Michael, A.). *Universal Fascism.* – New York, 1972.

V. LES DÉMOCRATIES EUROPÉENNES

Finlande.

FOL (Jean-Jacques). « La montée du fascisme en Finlande, 1922-1932 », *Revue d'histoire moderne et contemporaine,* t. XVIII, janv.-mars 1971, p. 116-123.

RINTALA (Marvin). *Three Generations : The Extreme Right Wing in Finnish Politics.* – Indiana University Press, Bloomington, 1962.

Norvège.

HAYES (Paul). « Quisling's Political Ideas », *Journal of Contemporary History,* 1966, I-1, p. 145-157.

HAYES (Paul). « Quisling et le gouvernement de la Norvège », *Revue d'histoire de la deuxième guerre mondiale,* n° 66, avr. 1967, p. 11-30.

Grande-Bretagne.

CROSS (Colin). *The Fascists in Britain.* – Barrie and Rockliff, Londres, 1961.

LUNN (Kenneth), THURVOW (Richard E.). *British Fascism : Essays on the Radical Right in Inter-War Britain.* – New York, 1980.

MULALLY (Frederik). *Fascism inside England.* – Londres, 1946.

REES (Philip). *Fascism in Britain.* – Harvester Press, 1979.

Belgique.

BRASILLACH (Robert). *Léon Degrelle et l'avenir de Rex.* – Plon, Paris, 1969.

DELMOTTE (M. G.). *La légion nationale,* mémoire déposé à la Faculté des sciences sociales, politiques et économiques de l'université de Bruxelles (ex. dactyl.), s. d.

DI MURO (M.). *Le mouvement rexiste (1935-1940), id.,* s. d.

ETIENNE (J. M.). *Le mouvement rexiste jusqu'en 1940.* – A. Colin, Paris, 1968.

PFEIFFER (R.), LADRIÈRE (J.). *L'aventure rexiste.* – Bruxelles, 1956.

WULLEQUET (J.). « Les fascismes belges », *Revue d'histoire de la deuxième guerre mondiale,* n° 66, avr. 1967.

Pays-Bas.

BOER (Piet), MUSSERT. – *Entstehung und Kampf des niederländschen Nazionalsozialismus.* – Herrschnig, 1939.

PAAPE (A. H.). « Le mouvement national-socialiste en Hollande », *Revue d'histoire de la deuxième guerre mondiale,* n° 66, avr. 1967, p. 31-60.

Suisse.

GILG (Peter), GRUNER (Erich). « Nationale Erneuerungsbewegung in der Schweiz 1925 bis 1940 », *Vierteljahreshefte für Zeitgeschichte,* 1, 1966.

GLAUS (Beat). *Die Nationale Front.* – Einsiedein-Cologne, Zurich, 1969.

WOLF (Walter). *Faschismus in der Schweiz.* – Flamberg, Zurich, 1969.

Tchécoslovaquie.

HAJEK (M.). « Le caratteristiche del fascismo in Cecoslovacchia, *Rivista storica del socialismo,* janv.-avr. 1965.

HAVRANEK (Jan). « Fascism in Czechoslovakia », *Native Fascism in the Successor States (1918-1945),* p. 47-55. – Santa Barbara (Californie), 1971.

Dans la même publication : ZACEK (Joseph). « Czechoslovak Fascisms », p. 56-62.

France.

ALLARDYCE (G.). « Jacques Doriot et l'esprit fasciste en France », *Revue d'histoire de la deuxième guerre mondiale,* 1975, n° 97, p. 31-44.

AZEMA (Jean-Pierre). *De Munich à la Libération, 1938-1944,* tome 14 de la *Nouvelle histoire de la France contemporaine.* – Seuil, Paris, 1979.

AZEMA (Jean-Pierre). *La collaboration, 1940-1944.* – PUF, Paris, 1975.

BALVET (Marie). *Itinéraire d'un intellectuel vers le fascisme : Drieu La Rochelle.* – PUF, Paris, 1984.

BERGOUNIOUX (Alain). « Le néo-socialisme. Marcel Déat : réformisme traditionnel ou esprit des années 30 ? », *Revue historique,* CCLX-2.

BERSTEIN (Serge). *Le 6 février 1934.* – Gallimard (coll. « Archives »), Paris, 1975.

BERSTEIN (Serge). « La France des années 30 allergique au fascisme; à propos d'un livre de Zeev Sternhell », *Vingtième siècle,* n° 2, avr. 1984, p. 83-94.

BOURDERON (Roger). « Le régime de Vichy était-il fasciste ? », *Revue d'histoire de la deuxième guerre mondiale,* n° 91, juil. 1973, p. 24-45.

BRUGMANS (H.). « Pourquoi le fascisme n'a-t-il pas pris en France ? », *Res Publica,* revue de l'Institut belge de science politique, 7, 1968, p. 77-85.

BRUNET (Jean-Paul). « Un fascisme français : le parti populaire français de Doriot (1936-1939) », *Revue française de Science politique,* 33 (2), avril 1983, p. 255-280.

BRUNET (Jean-Paul). « Du communisme au fascisme », *L'Histoire,* n° 21, mars 1980.

BURRIN (Philippe). « La France dans le champ magnétique des fascismes », *Le Débat,* n° 32, nov. 1984, p. 52-72.

COSTON (Henry). *Partis, journaux, hommes politiques d'hier et d'aujourd'hui.* – Paris, 1960.

COTTA (Michèle). *La collaboration (1940-1944).* – A. Colin, Paris, 1964.

DACHARY DE FLERS (Marion). *Lagardelle et l'équipe du « Mouvement socialiste »,* thèse de IIIe cycle, IEP, Paris, 1983.

DENIEL (Alain). *Bucard et le francisme.* – Éd. Jean Picollec, Paris, 1979.

DIOUDONNAT (Pierre-Marie). *Je suis partout, 1930-1944. Les maurrassiens devant la tentation fasciste.* – Paris, 1973.

GIRARDET (Raoul). « Notes sur l'esprit d'un fascisme français, 1934-1939 », *Revue française de science politique,* V-3, sept. 1955, p. 529-546.

GROSSMAN (S.). « L'évolution de Marcel Déat », *Revue d'histoire de la deuxième guerre mondiale,* n° 97, janv. 1975.

GUCHET (Yves). *Georges Valois. L'Action française, le Faisceau, la République syndicale.* – Paris, 1975.

HOFFMANN (Stanley). « Quelques aspects du régime de Vichy », *Revue française de science politique,* VI-4, mars 1956, p. 46-59.

JACOMET (Arnaud). *Bucard et le Francisme,* mémoire de maîtrise (ex. dactyl.), Paris-X Nanterre, 1970.

JULLIARD (Jacques). « Sur un fascisme imaginaire », *Annales ESC,* n° 4, juil.-août 1984, p. 849-861.

KUPFERMAN (Fred). *François Coty,* thèse de IIIe cycle (2 vol. dactyl.), Paris-X Nanterre.

KUYSEL (Richard F.). *Ernest Mercier, French Technocrat.* – Berkeley, 1967.

LEVY (Bernard-Henri). *L'idéologie française.* – Paris, 1981.

LOUBET DEL BAYLE (Jean-Louis). *Les non-conformistes des années 30. Une tentative de renouvellement de la pensée politique française.* – Paris, 1969.

MACHEFER (Philippe). *Ligues et fascismes en France, 1919-1939.* – PUF, Paris, 1974.

MILZA (Pierre). *L'Italie fasciste devant l'opinion française, 1920-1940.* – A. Colin (coll. « Kiosque »), Paris, 1967.

MÜLLER (Klaus-Jurgens). « French Fascism and Modernization », *Journal of Contemporary History,* XI-4, oct. 1976, p. 75-107.

ORY (Pascal). *Les collaborateurs, 1940-1945.* – Seuil, Paris, 1976.

ORY (Pascal). *La France allemande.* – Paris, 1977.

ORY (Pascal). *Dorgères et le dorgérisme,* mémoire de maîtrise (ex. dactyl.), Paris-X Nanterre, 1970.

PAXTON (Robert O.). *La France de Vichy, 1940-1944.* – Paris, 1973.

PAXTON (Robert O.). *Parades and Politics at Vichy. The French Officers Corps under Marshall Pétain.* – Princeton University Press, 1966.

PHILIPPET (Jean). *Les Jeunesses patriotes et Pierre Taittinger (1924-1940),* mémoire IEP, Paris, 1967.

PLUMYÈNE (Jean), LASIERRA (Raymond). *Les fascismes français.* – Seuil, Paris, 1963.

PROST (Antoine). *Les anciens combattants et la société française, 1914-1939* (t. I : *Histoire;* t. II : *Sociologie;* t. III : *Mentalités et idéologie).* – Presses de la FNSP, Paris.

REMOND (René). *Les Droites en France.* – Aubier, Paris, 1982.

REMOND (René). « Y a-t-il un fascisme français ? », *Terre humaine,* juil.-août 1952.

RUDAUX (Philippe). *Les Croix de feu et le PSF.* – Paris, 1967.

SAND (Shlomo). « L'idéologie fasciste en France », *Esprit,* août-sept. 1983, p. 35-44.

SÉRANT (Paul). *Le romantisme fasciste. Étude sur l'œuvre de quelques écrivains français.* – Fasquelle, Paris, 1960.

SÉRANT (Paul). *Les dissidents de l'Action française.* – Éd. Copernic, Paris, 1978.

SOUCY (Robert J.). « The Nature of Fascism in France », *Journal of Contemporary History,* I-1, janv. 1966, p. 27-55.

SOUCY (Robert J.). *Fascism in France : the Case of Maurice Barrès.* – California University Press, 1972.

STERNHELL (Zeev). *La droite révolutionnaire (1885-1914). Les origines françaises du fascisme.* – Seuil, Paris, 1978.

STERNHELL (Zeev). *Ni droite ni gauche. L'idéologie fasciste en France.* – Seuil, Paris, 1983.

STERNHELL (Zeev). « Sur le fascisme et sa variante française », *Le Débat,* n° 3, nov. 1984, p. 21-51.

TOUCHARD (Jean). « L'esprit des années 30. Une tentative de renouvellement de la pensée politique française », *Tendances politiques dans la vie française depuis 1789.* – Paris, 1960, p. 90-120.

WEBER (Eugen). *L'Action française.* – Stock, Paris, 1964.

WILLARD (Claude). *Quelques aspects du fascisme en France avant le 6 février.* – Éditions sociales, Paris, 1961.

WINOCK (Michel). « Une parabole fasciste : Gilles de Drieu La Rochelle », *Le Mouvement social,* n° 80, juil. 1972.

WINOCK (Michel). « Fascisme à la française ou fascisme introuvable », *Le Débat,* n° 25, mai 1983, p. 35-44.

WINOCK (Michel). « Le fascisme en France », *L'Histoire,* n° 28, nov. 1980.

WINOCK (Michel). *Édouard Drumont et Cie. Antisémitisme et fascisme en France.* – Seuil, Paris, 1982.

WOLF (Dieter). *Doriot, du communisme à la collaboration.* – Fayard, Paris, 1969. Traduit de l'allemand.

WORMSER (Olivier). *Les origines doctrinales de la « Révolution nationale ».* – Paris, 1971.

VI. RÉGIMES AUTORITAIRES EUROPÉENS

Pays baltes.

HEHN (Jürgen von). « Lettland zwischen Demokratie und Diktatur », *Jahrbücher für Geschichte Osteuropas* (cahier annexe 3). – Munich, 1957.

Pologne.

WANDYCZ (Piotr). « Fascism in Poland, 1918-1939 », *Native Fascism in the Successor States (1918-1945),* p. 92-97.

Dans la même publication : WERESZYCKI (H.). « Fascism in Poland », p. 85-91.

Roumanie.

FISCHER-GALATI (Stephen). « Fascism in Romania », *Native Fascism in the Successor States (1918-1945),* p. 112-120.

ROBERTS (E. G.). *Les mouvements nationalistes en Roumanie.* – Bucarest, 1948.

TURCZYNSKI (Emmanuel). « The Background of Romanian Fascism », *Native Fascism in the Successor States (1918-1945),* p. 101-111.

WEBER (Eugen). « Romania », *The European Right,* p. 501-574. – Berkeley, 1966.

WEBER (Eugen). « The Men of Archangel », *Journal of contemporary History,* I-1, 1966, p. 101-126.

Bulgarie.

KALBE (E.). « Die Faschistische Diktatur der Zwanziger Jahre in Bulgarien und die deutschen Hilfsaktionen für die bulgarischen Arbeiter und Bauerm », *Zeitschrift für Geschichtswissenschaft*, n° 5, 1957, p. 749-769.
CHRISTOFF (Theodor). *Das heutige Bulgarien.* – Berlin, 1930.

Hongrie.

BARANY (George). « The Dragon's teeth. The roots of Hungarian Fascism », *Native Fascism in the Successor States (1918-1945)*, p. 73-81.
LACKO (M.). « Les Croix fléchées », *Revue d'histoire de la deuxième guerre mondiale*, n° 62, avr. 1966, p. 53-68.
NAGY-TALAVERA (Nicholas M.). *The Green Shirts and Others. A History of Fascism in Hungary and Rumania.* – The Hoover Institute, Stanford, 1970.
RANKI (G.). « The Problem of Fascism in Hungary », *Native Fascism in the Successor States (1918-1945)*, p. 65-72.

Autriche.

CARSTEN (Francis Ludwig). *Fascist movements in Austria : from Schönerer to Hitler.* – Londres, 1977.
FELLNER (Fritz). « The Background of Austrian Fascism », *Native Fascism in the Successor States (1918-1945)*, p. 15-23.
KLINGENSTEIN (Grete). « Bemerkungen zum Problem des Faschismus in Österreich », *Österreich in Geschichte und Literatur*, vol. 14. – Graz, 1970.
JEDLICA (Ludwig). « The Austrian Heimwehr », *Journal of Contemporary History*, I-1, 1966, p. 127-144.
RATH (R. J.). « Autoritarian Austrian », *Native Fascism in the Successor States (1918-1945)*, p. 24-44.

STADLER (K. R.). « Austria », *European Fascism.* Ed. Stuart, J. Woolf, Londres, 1968.

Yougoslavie.

AVAKUMOVIC (Ivan). « Yugoslavia's Fascist movements », *Native Fascism in the Successor States (1918-1945)*, p. 125-133.
    Dans la même publication : DJORDJEVIC (D.). « Fascism in Yugoslavia », p. 125-133.
HORY (L.), BROSZAT (M.). *Der kroatische Ustacha Staat, 1941-1945.* – Stuttgart, 1964.

Espagne.

CROZIER (Brian). *Franco.* – Mercure de France, Paris, 1969. Traduit de l'anglais.
GALLO (Max). *Histoire de l'Espagne franquiste.* – Paris, 1969.
GEORGEL (Jacques). *Le Franquisme (histoire et bilan), 1939-1969.* – Seuil, Paris, 1970.
HERMET (Guy). *L'Espagne de Franco.* – A. Colin (U Prismes), Paris, 1974.
HERMET (Guy). *La politique dans l'Espagne franquiste.* – A. Colin (U 2), Paris, 1971.
IMATZ (Arnaud). *José Antonio et la Phalange espagnole.* – Albatros, Paris, 1981.
NELLESSEN (Bernd). *Die Verbotene Revolution. Aufstieg und Niedergang der Falange.* – Hambourg, 1963.
PAYNE (Stanley). *Phalange. Histoire du fascisme espagnol.* – Ruedo Iberico, Paris, 1965.
THOMAS (Hugh). « The Hero in the empty room. José Antonio and Spanish Fascism », *Journal of Contemporary History*, I-1, 1966, p. 174-197.

Portugal.

CLAUSS (Max Walther). « Salazars autoritäres Regime in Portugal », *Vierteljahreshefte für Zeitgeschichte*, 1957, p. 379-385.
FERRO (Antonio). *Salazar.* – Grasset, Paris.
SÉRANT (Paul). *Salazar et son temps.* – Les Sept Couleurs, Paris, 1961.

VII. PAYS EXTRA-EUROPÉENS

Japon.

BROWN (D. M.). *Nationalism in Japan.* – Berkeley, 1955.
FURUYA (Tetsuro). « Naissance et développement du fascisme japonais », *Revue d'histoire de la deuxième guerre mondiale*, n° 86, avr. 1972, p. 1-16.
HOLTOM (D. C.). *Modern Japan and Shinto Nationalism.* – Chicago, 1947.
MARUYAMA (M.). *Thought and Behavior in Modern Japan Politics.* – Londres, 1963.

MORRIS (Ivan). *Nationalism and the Right Wing in Japan.* – Londres et New York, 1960.

FURUYA (Tetsuro). « Naissance et développement du fascisme japonais », *Revue d'histoire de la deuxième guerre mondiale,* n° 86, avr. 1972, p. 1-16.

REISCHAUER (Edwin O.). *Histoire du Japon et des Japonais* (t. I : *Des origines à 1945).* – Seuil, Paris, 1973. Traduit de l'américain et annoté par Richard Dubreuil.

TANIN (O.), YOHAN (E.). *Militarism and Fascism in Japan.* – New York, 1934.

VIE (Michel). « Le Japon, légitimité et illégitimé du pouvoir », *Dictatures et légitimité,* sous la direction de M. Duverger. – PUF, Paris, 1982.

États-Unis.

COUGHLIN (Charles). *Am I an Anti-Semit ?* – Detroit, 1939.

COUGHLIN (Charles). *Why leave our own ?* – Detroit, 1939.

DIGGINS (John P.). « American Catholics and Italian Fascism », *Journal of Contemporary History,* n° 4, 1967.

DIGGINS (John P.). « Flirtation with Fascism : American : Pragmatic Liberals and Mussolini's Italy », *American Historical Review,* n° 71, janv. 1966.

DUPRAT (François), RENAULT (A.). *Les fascismes américains (1924-1941).* – Éd. de la *Revue d'histoire du fascisme,* Paris, s. d.

RANDEL (William P.). *Le Ku Klux Klan.* – Albin Michel, Paris, 1966. Traduit de l'anglais.

SWING (R. G.). *Forerunners of American Fascism.* – J. Messner Inc., s. d.

TULL (C. J.). *Father Coughlin and the New Deal.* – Syracuse University Press.

Afrique du Sud.

BUNTING (Brian). *The Rise of the South Africa Reich.* – Penguin Books, Londres, 1964.

LACOUR-GAYET (Robert). *Histoire de l'Afrique du Sud.* – Fayard, Paris, 1970.

Brésil.

ALBUQUERQUE (A. Tenorio d'). *Integralismo, Nazismo e Fascismo.* – Minerva, Rio de Janeiro, 1937.

TRINDADE (Helgio). *L'action intégraliste brésilienne. Un mouvement de type fasciste des années trente,* thèse de science politique, IEP, Paris.

TRINDADE (Helgio). *Integralismo, O fascismo brasileiro na década de 30.* – São Paulo, s. d.

Pays arabes.

HALPERN (Manfred). *The Politics of Social Change in the Middle East and North Africa.* – Princeton University Press, 1963.

Fascisme russe.

OBERLÄNDER (Erwin). « The All Russian Fascist Party », *Journal of Contemporary History,* I-1, 1966.

Dans la même publication : ROGGER (H.). « Was there a Russian Fascism ? » n° 4, 1964.

VIII. PAYS INDUSTRIELS DEPUIS 1945

Généralités.

BARDÈCHE (Maurice), DUPRAT (François). *Les Fascismes inconnus.* – Les Sept Couleurs, Paris, n° spécial de *Défense de l'Occident,* n° 18, avr.-mai 1969.

DEL BOCA (Angelo), GIOVANA (Mario). *I « Figli del sole », mezzo secolo di nazi-fascismo.* – Feltrinelli, Milan, 1963.

EISENBERG (Dennis). *L'Internationale nera. Fascisti e nazisti oggi nel mondo.* – Sugar, Milan, 1964.

EISENBERG (Dennis). *The Re-emergence of Fascism.* – Londres, 1967.

Fascisme, Néo-fascisme, Néo-nazisme. Rapport du séminaire international de Francfort-sur-le-Main, 2-3 mai 1970, édité par le Conseil mondial de la paix.

Fascismo oggi. Nuova destra e cultura reazionaria negli anni ottanta. Actes du colloque de Cuneo, 19-21 novembre 1982, *Notizario dell'Istituto storico della resistenza in Cuneo e provincia,* n° 23, juin 1983.

GAUCHER (François). *Le fascisme est-il actuel ?*
– Librairie française, Paris, 1961.
Ist die Epoche des Faschismus beendet ? –
Francfort-sur-l'Oder, 1971.
Le néo-fascisme dans l'Europe d'aujourd'hui. –
FIR, Vienne, 1972.
SYFRIG (Max), DEFAYE (Christian). *Les nazis
parmi nous; enquête sur les mouvements
d'extrême droite dans le monde.* – Lausanne,
s. d.
THÉOLLEYRE (Jean-Marie). *Les néo-nazis.* – Paris, 1982.
TURNER (Henry A. Jr.). *Reappraisals of Fascism.* – New Viewpoints, New York, 1975.
WIESENTHAL (Simon). *Les assassins sont parmi
nous.* – Famot, Genève, 1978.
WILKINSON (Paul). *The New Fascists.* – Grant
Mc Intyn, Londres, 1981.

Allemagne.

BRACHER (Karl Dietrich). « Democracy and
Right Wing extremism in Western Germany », *Current History,* mai 1968.
FETSCHER (J.), GREBING (H.), éd. *Rechtsradikalismus.* – Francfort-sur-le-Main, 1967.
JENKE (Manfred). *Die nationale Rechte.* – Berlin, 1967.
KÜHNL, RILLING, SAGER. *Die NPD. Struktur,
Ideologie und Funktion einer neofaschistischen Partei.* – Francfort-sur-le-Main, 1969.
KÜHNL (Reinhard). *Die NPD.* – Berlin, 1967.
NIETHAMMER (Lutz). *Angepasster Faschismus.
Die Politische Praxis der NPD.* – Fischer,
Francfort-sur-le-Main, 1967.
OERTZEN (Peter von). *Soziologische und psychologische Struktur der Wähler und Mitgliedschaft der NPD.* – Hanovre, 1967.
« Rechtsradikalismus in der Bundesrepublik »,
Das Parlament, fascicules annexes des 17-3-1965, 16-3-1966, 14-6-1967 et 10-4-1968.

Italie.

DE LUNA (G.). *Neofascismo,* in F. LEVI, U.
LEVRA, N. TRANFAGLIA, ed. *Storia d'Italia,*
t. II, *La Nuova Italia.* – Florence, 1978.
DUPRAT (François). *L'ascension du MSI.* – Les
Sept Couleurs, Paris, 1972.
GIOVANA (Mario). « Il neofascismo in Italia »,
Occidente, ann. IX, n° 6, nov.-déc. 1953.
NATAF. *Le Mouvement social italien,* thèse de
IIIᵉ cycle, IEP, Paris, 1967.
Rapporto sulla violenza fascista. – Rome, 1972.
SANTARELLI (Enzo). *Fascismo e neofascismo.* –
Editori riuniti, Rome, 1974.
SECCHIA (Pietro). *Le armi del fascismo, 1921-1971.* – Feltrinelli, Milan, 1971.

WEINBERG (Leonard B.). *After Mussolini. Italian
Neo-Fascism and the Nature of Fascism.* –
Washington University Press, 1979.

Japon.

MARUYANA (Masao). *Nationalism in Post-War
Japan,* Conference Paper, 11th Institute of
Pacific Relations Conference. – Lucknow,
1960.

France.

ALGAZY (Joseph). *La tentation néo-fasciste en
France, 1944-1965.* – Fayard, Paris, 1984.
APPARU (Jean-Pierre). *La droite aujourd'hui.* –
Albin Michel, Paris, 1978.
BALKANSKI (G.). *Le fascisme hier et aujourd'hui.*
– SIA, Toulouse, 1974.
BARDÈCHE (Maurice). *Qu'est-ce que le fascisme ?*
– Paris, 1960.
BRIGOULEIX (Bernard). *L'extrême droite en
France, les « fachos ».* – Fayolle, Paris, 1977.
BRUNN (Julien). *La nouvelle droite (le dossier
du « procès »).* – Nouvelles éditions Oswald,
Paris, 1979.
CHIROUX (René). *L'extrême droite sous la
Vᵉ République.* – Librairie générale de droit
et de jurisprudence, Paris, 1974.
CHOMBART DE LAUWE (Marie-José). *Complots
contre la démocratie. Les multiples visages du
fascisme.* – FNDIRP, Paris, 1982.
CROIX (Alexandre). *Tixier-Vignancour, ombres
et lumières.* – Éd. du vieux Saint-Ouen, Paris,
1965.
DELARUE (Jacques). *Les nazis sont parmi nous.*
– Éd. du Pavillon, 1968.
DELPERRIÉ DE BAYAC (J.). *Histoire de la milice.*
– Fayard, Paris, 1969.
GLUCKSMANN (André). *Fascismes : l'ancien et le
nouveau.* – Les Temps modernes, Paris, 1972.
GUÉRIN (Alain). *Les commandos de la guerre
froide.* – Julliard, Paris, 1969.
HOFFMANN (Stanley). *Le mouvement Poujade.* –
A. Colin, Paris, 1956.
LAURENT (Frédéric). *L'orchestre noir.* – Stock,
Paris, 1978.
PONS (Grégory). *Les rats noirs.* – J. Cl. Simoën,
Paris, 1977.
SCHNEIDER (M.). « Essai de synthèse pour un
néo-fascisme », *Cahiers du Centre de documentation politique et universitaire (CPDU),*
1973, n° 4.
SÉRANT (Paul). *Les vaincus de la Libération :
l'épuration en Europe à la fin de la seconde
guerre mondiale.* – R. Laffont, Paris, 1964.
TAGUIEFF (P. A.). « La nouvelle droite à l'œil
nu », *Non!,* n° 386, 1980.

Grande-Bretagne.

RUSSEL OF LIVERPOOL (baron Edward). *Return of the Swastika?* – Londres, 1968.
WALKER (Martin). *The National Front.* – Glasgow, 1978.

États-Unis.

BELL (Daniel). *The Radical Right.* – Doubleday, New York, 1963.
COOK (F. J.). *Die Rechtsradikalen in den USA und Goldwater.* – Reinbek, 1965.
SCHŒNBERGER (R. A.), éd. *The American Right Wing.* – New York, 1969.
VAHAN (Richard). *The Truth about John Birch Society.* – Macfadden, New York, 1962.

WILKINSON (Paul). *The New Fascists.* – Londres, 1981.

Belgique.

GEORIS-REITSHOF. *Extrême droite et néo-fascisme en Belgique.* – De Meyere, Bruxelles, 1962.

Afrique du Sud.

CARTER (Gwendolen). *The Politics of Inequality.* – Thames and Hudson, Londres, 1959.

IX. FASCISME ET SOUS-DÉVELOPPEMENT

Espagne.

PAYNE (Stanley F.). *Politics and Society in twentieth Century Spain.* – New York, 1976.
TÉMINE (E), BRODER (A.), CHASTAGNARET (G.). *Histoire de l'Espagne contemporaine.* – Aubier, Paris, 1979.

Portugal.

RUDEL (Christian). *Le Portugal et Salazar.* – Éd. ouvrières, Paris, 1968.

Grèce.

MEYNAUD (Jean). *La dictature grecque a cinq ans.* – Nouvelle Frontière, Paris, 1972.
TSOUCALAS (Constantin). *La Grèce de l'indépendance aux colonels.* – Maspero, Paris, 1970.

Amérique latine : généralités.

BERNARD (J.-P.). *Tableau des partis politiques en Amérique du Sud.* – A. Colin, Paris, 1969.
GUNDER-FRANK (André). *Lumpen-bourgeoisie et Lumpen-développement.* – Maspero, Paris, 1971. Traduit de l'espagnol.
HAMON (Léo), éd. *Le rôle extra-militaire de l'armée dans le Tiers Monde.* – PUF, Paris, 1966.
JOHNSON (J.). *Political Change in Latin American. The Emergence of the Middle Sectors.* – Stanford (Californie), 1957.

LIEUWEN. *Arms and Politics in Latin America.* – New York, 1961.
MARINI (Ruy Mauro). *Sous-développement et révolution en Amérique latine.* – Maspero, Paris, 1972.
MERCIER VEGA (L.). *Mécanismes du pouvoir en Amérique latine.* – PUF, Paris, 1967.
RIADO (Pierre). *L'Amérique latine de 1870 à nos jours.* – Masson, Paris, 1980.
STEPAN (A.). *The Military in Politics.* – Princeton University Press, 1971.

Argentine.

ALEXANDER (R. J.). *The Peron Era.* – Columbia University Press, New York, 1951.
BEARN (G.). *La décade péroniste (1945-1955).* – Gallimard-Julliard, Paris, 1975.
BLANKSTEIN (G. I.). *Peron's Argentina.* – Chicago, 1953.
GÈZE (F.), LABROUSSE (A.). *Argentine : révolution et contre-révolution.* – Seuil, Paris, 1975.
LUX WURM (P.). *Le péronisme.* – Paris, 1959.

Brésil.

BELLO (J. M.). *A History of Modern Brazil.* – Stanford, 1966.
SKIDMORET (T.). *Brasil; de Getulio Vargas a Castelo Branco, 1930-1964.* – Saga, Rio de Janeiro, 1969.

Chili.

BUY (F.). *Le Chili d'Allende : échec d'une révolution.* – Éd. municipales, Paris, 1974.

CHONCHOL (J.). *Chili : de l'échec à l'espoir.* – Éd. du Cerf, Paris, 1977.

KATZ (C.). *Le Chili sous Pinochet.* – Éd. du Cerf, Paris, 1976.

TOURAINE (Alain). *Vie et mort du Chili populaire.* – Seuil, Paris, 1973.

Haïti.

DIEDERICH (Bernard), BURT (Al). *Papa Doc et les tontons macoutes.* – Albin Michel, Paris, 1971.

Pays arabes.

ABD EL MALEK (Anuar). *Égypte, société militaire.* – Seuil, Paris, 1962.

BAKER (R. W.). *Egypt's uncertain Revolution under Nasser and Sadat.* – Harvard University Press, 1978.

CAZALIS (Anne-Marie). *Kadhafi, le templier d'Allah.* – Gallimard, Paris, 1974.

DERIENNIC (J.-P.). *Le Moyen-Orient au xxᵉ siècle.* – A. Colin, Paris, 1980.

GUERREAU (A. et A.). *L'Irak, développement et contradictions.* – Le Sycomore, Paris, 1978.

LACOUTURE (J.). *Nasser.* – Seuil, Paris, 1971.

LACOUTURE (J. et S.). *L'Égypte en mouvement.* – Seuil, Paris, 1956.

NODINOT (J.-F.). *22 États arabes, une nation.* – Éd. du Sorbier, Paris, 1980.

RIAD (H.). *L'Égypte nassérienne.* – Paris, 1964.

SADATE (Anuar el). *Révolte sur le Nil.* – Le Caire, 1957.

VALLAUD (P.). *Le Liban au bout du fusil.* – Hachette, Paris, 1976.

VATIKIOTIS (P. J.). *The Egyptian Army in Politics.* – Indiana, 1961.

VERNIER (B.). *L'Irak d'aujourd'hui.* – A. Colin, Paris, 1963.

WAEELOCK (K.). *Nasser's New Egypt.* – New York, 1960.

Iran.

COTTAM (R. W.). *Nationalism in Iran.* – University of Pittsburgh Press, 1979.

HALLIDAY (F.). *Iran Dictatorship and Development.* – Penguin, Londres, 1979.

Pakistan.

TARIQ (Ali). *Pakistan : pouvòir militaire ou pouvoir populaire?* – Maspero, Paris, 1971.

Afrique.

CARTER (Gwendolen). *African One-Party States.* – New York, 1962.

DAVIDSON (Basil). *L'Afrique au xxᵉ siècle. L'éveil et les combats du nationalisme africain.* – Éd. J.A., Paris, 1978. Traduit de l'anglais.

ZIEGLER (Jean). *La contre-révolution en Afrique.* – Payot, Paris, 1963.

Index

Index

Table des illustrations

ILLUSTRATIONS EN NOIR

Table des illustrations

ILLUSTRATIONS EN COULEURS

Planche I *(entre p. 80 et 81).*

1. Mussolini représenté par le peintre futuriste Ambrosi. © Moro, Rome. - T.d.r.

2. Les « mousquetaires du Duce ». Chacun des gardes du corps de Mussolini est représenté avec le visage du Duce. Anonyme. © Moro, Rome. - T.d.r.

3. Affiche de Todeschini : « Il chevauchera jusqu'aux limites du monde et son peuple avec lui ! » © Moro, Rome. - T.d.r.

4. Affiche publicitaire pour les aciéries Terni, productrices d'armements lourds (1937). © Moro, Rome. - T.d.r.

5. Affiche anonyme réalisée pour la célébration du raid aérien Italie-Brésil (1931). © Moro, Rome. - T.d.r.

6. *La révolution fasciste.* Cette toile du peintre futuriste Tato a appartenu à Mussolini. © Moro, Rome. - T.d.r.

Quelques réalisations de l'architecture fasciste en Italie :

7. La piazza della Vittoria à Gênes. Fiore/Ziolo.

8. La gare centrale de Milan. Fiore/Ziolo.

9. Le Foro italico à Rome. Fiore/Ziolo.

Planche II *(entre p. 160 et 161).*

1. Couverture du livre *Fascismo*, publié par l'*Avanti !* : enquête sur les actions terroristes des squadristes. © G. Moro, Rome. - T.d.r.

2. Carte de vœux dans l'Italie de l'après-guerre (1920). © Emilio F. Simion/L. Ricciarini. - T.d.r.

3. L'incendie de l'*Avanti !,* le quotidien du parti socialiste italien, par les fascistes : dessin de *L'Asino* (1922). © Lores Riva/L. Ricciarini. - T.d.r.

Pastels et aquarelles d'Adolf Hitler :

4. *Scène de rue en Bavière.* © Phillips Fine Art Auctioneers. - T.d.r.

5. *Vue d'une ville prise de la rivière* (1919). © Phillips Fine Art Auctioneers. - T.d.r.

6. *Almenhaus* (1912). © Phillips Fine Art Auctioneers. - T.d.r.

7. *Die Berglandschaft* (1916). © Phillips Fine Art Auctioneers. - T.d.r.

8. *Mutilés de guerre jouant aux cartes*, toile d'Otto Dix. Coll. part. Cl. Ziolo/A. Held. - T.d.r.

9. Affiche pour les élections de 1925 en Allemagne. © Lores Riva/L. Ricciarini. - T.d.r.

10. Affiche d'A. L. Mauzan pour l'« emprunt de la Libération » en Italie en 1917-1918. © Emilio F. Simion/L. Ricciarini. - T.d.r.

Les fascismes

Planche III *(entre p. 224 et 225).*

1. Adolf Hitler. Miniature anonyme. © ET Archive. - T.d.r.

2. Hermann Göring, élu en 1932 président du Reichstag, vient saluer les députés représentés par des animaux. Caricature de la revue *Kladderatsch.*
© Lores Riva/L. Ricciarini. - T.d.r.

3. Discours du Führer à Dortmund (1933). Coll. Cilarc/Gamma.

4. Affiche de propagande nazie faisant allusion aux discours radiodiffusés d'Hitler : « Toute l'Allemagne écoute le Führer » (1934). © Lores Riva/L. Ricciarini. - T.d.r.

5. Défilé des « Chemises brunes » à Berlin pour célébrer la victoire électorale des nazis en 1932. Extrait de *La Domenica del Corriere.* © Lores Riva/L. Ricciarini. - T.d.r.

6. Illustration d'un livre pour les enfants invitant les juifs à quitter le Reich (1934). © Lores Riva/L. Ricciarini. - T.d.r.

7. Affiches nazies de 1936 représentant des « types purs d'homme et de femme aryens ». © Lores Riva/L. Ricciarini. - T.d.r.

8. Adolf Hitler. Peinture allégorique d'Hubert Lanzinger. AKG/Ziolo. - T.d.r.

Planche IV *(entre p. 432 et 433).*

1. Camp néo-nazi en Grande-Bretagne. P. Tatiner/Gamma.

2. Manifestation pronazie dans le Michigan (USA) en 1982. © Simon/Gamma.

3. Masque d'Hitler au cours d'une manifestation en RFA en novembre 1980. © Alain Mingam/Gamma.

4. Un meeting du MSI en Italie. © Keystone.

5. Cimetière nazi en Afrique du Sud. © Doods/Gamma.

6. L'armée chilienne à Santiago. © J. Sutton/Gamma. © de Decker/Gamma.

7. Officiers espagnols sur le passage du cercueil de Franco, lors des obsèques du Caudillo en novembre 1975. © J. Gaumy/Gamma.

8. Symbolique nazie dans une réunion de punks en Suède. © Keystone.

9. Un « tonton macoute », homme de main du dictateur haïtien Duvalier. © Alain Mingam/Gamma.

Table des matières

Les fascismes

Achevé d'imprimer
sur les presses de l'Imprimerie nationale
en juin 1985
Guy Beaussang
étant directeur

Couverture / Jacques Poirier
Illustration / Anne Bessand-Massenet
Photogravure / Bussière arts graphiques
Mise en pages - réalisation technique / Pierre Croquet

I.N. Août 1984. Dépôt légal, 3e trimestre 1985. 4 952608 T/34